CW00798168

'Malwan bach fel fi...' *...yn cloddio am aur*

Prydwen Elfed-Owens

Argraffiad cyntaf: 2022

ⓗ Prydwen Elfed-Owens

Cedwir pob hawl.
Ni chaniateir atgynhyrchu unrhyw ran o'r cyhoeddiad hwn,
na'i gadw mewn cyfundrefn adferadwy, na'i drosglwyddo
mewn unrhyw ddull na thrwy unrhyw gyfrwng,
heb drefniant ymlaen llaw gyda'r awdur.

Rhif rhyngwladol: 978-1-84524-491-0

Cynllun y clawr: Eleri Owen

Argraffwyd gan:
Gwasg Carreg Gwalch, Llanrwst

Argraffwyd a chyhoeddwyd yng Nghymru

Cynnwys

Drwy dy weision ddoe cyhoeddaist
ar ein daear air y ne',
cerydd barn, rhyddhad trugaredd,
yn cytseinio mewn un lle:
croes Calfaria
fu'r uchafbwynt mawr erioed.

Arglwydd, danfon dystion heddiw
gyda'u calon yn dy waith
i gyhoeddi'r hen wirionedd
eto'n newydd yn ein hiaith;
er pob newid
'r un o hyd yw sail ein ffydd.

Arwain ni drwy bob yfory
sydd ar ôl o hanes byd
nes dychwelo'r gair tragwyddol
i alw teulu Duw ynghyd:
Iesu, Iesu
heddiw, ddoe, yfory'r un.

Siôn Aled

Caneuon Ffydd, rhif 181
(Hawlfraint © Siôn Aled. Fe'i cyhoeddir yma drwy ganiatâd.)

Comisiynwyd y Parchg Ddr Siôn Aled Owen i lunio'r emyn hwn ar gyfer gwasanaeth yn 1988 i ddathlu 400 mlwyddiant cyfieithu'r Beibl i'r Gymraeg. Fe'i canwyd yn y gwasanaeth yn Eglwys Gadeiriol Llanelwy, 10 Medi 1988. Mae'n dathlu'r ffaith fod modd profi grym yr 'hen wirionedd' ym mhob agwedd ar fywyd.

Y Pharisead

(Lluniwyd y gerdd 'Y Pharisead' gan W. J. Gruffydd yn Rhiwbeina ger Caerdydd yn 1920 a'i chyhoeddi yn ei gyfrol, *Ynys yr Hud a Chaneuon Eraill*, yn 1923)

Mae'r pechaduriaid hysbys a'r gwŷr ysmala i gyd
Yn tyrru at ei gilydd mewn hwyl ar gonglau'r stryd:
Maent wedi blino disgwyl am fod yn barchus mwy;
Ond clywais fod fy Arglwydd yn hoffi'u cwmni hwy.

Mae yntau'r Pharisead yn eistedd yn ei dŷ,
Yn llwyddo i fyw yn barchus ar bwys rhinweddau lu,
Mae mil o gyfiawnderau ar ei ysgwyddau'n bwn;
Clywais nad oedd fy Arglwydd yn hoffi cwmni hwn.

Mae hwn yn gwario'i arian i wasanaethu'i Dduw,
A dwys gynghori'r werin i'w dysgu sut i fyw;
Dilychwin yw ei fywyd, a'i foes fel rhosyn gwyn, –
Clywais nad oedd fy Arglwydd yn gweled fawr yn hyn.

Mae hwn yn ustus heddwch yn nhref Jerwsalem,
A'r lladron a'r puteiniaid yn gwywo dan ei drem;
Rhag pechod ac ysgafnder, mae hwn yn groch ei lef,
Ond gwn nad oedd fy Arglwydd yn credu ynddo ef.

Mae'r holl Rabiniaid duwiol wrth siarad wrth y plant
Yn codi hwn yn batrwm o Iddew ac o sant;
Dirwest a byw yn gynnil a'i gwnaeth yn fawr fel hyn,
Ond hwn a yrrodd f'Arglwydd i ben Calfaria fryn.

Cyflwyniad gan yr Awdur

Fe'm ganed yn unig ferch i Huwcyn. Ef oedd brawd bach Eirwen a Rhiannon – y tri ohonynt yn gorwedd ym mynwent Llanbeblig, Caernarfon. Eu tad oedd John Huw Williams, golygydd cyntaf *Y Dinesydd Cymreig* (ie, y fo oedd o, nid Percy Ogwen; mae'r hen gopïau cyntaf yma gen i!). Gwnaeth ei ffydd ef yn ŵr anturus ac eofn. Roedd y teulu'n byw ym Mod Leo, Caernarfon â'u gwreiddiau ym mhridd Capel Wesle Ebeneser. Roedd fy nhaid yn flaenor ac yn bregethwr cynorthwyol, aeth fy nhad i'r weinidogaeth, Eirwen oedd blaenores gyntaf y capel... ac roedd Rhiannon yn gomiwnydd.

Byddaf yn gwerthfawrogi f'etifeddiaeth fwy bob dydd. Bûm i a'm tad ill dau yn treulio cymaint o amser yng nghwmni'n gilydd yn siarad... a siarad... a siarad: y fo a fi. Dyn cyffredin, anghyffredin ydoedd fel y tystia'r deyrnged iddo gan Dr Gwyn Morris, Rheolwr Cylchdaith Methodistiaid Wesleaidd Cwm Rhondda, a ymddangosodd yn *The Rhondda Link*, Hydref 1967:

> *Above all, young people liked him and he liked young people. He knew how to speak to them on their own wavelength for he lived in no ivory tower. He had his feet firmly planted on the ground and alive to the problems and needs of teenagers.*
>
> *He was a great enemy of sham and hypocrisy, and he was in contempt of tradition if he felt that tradition had outgrown its purpose and usefulness.*
>
> *The greatest tribute to his success was to be found on the streets of Treorchy where he lived, where men of all denominations spoke and still speak with much sorrow at his passing.*
>
> *He had as many friends outside the church as inside. He set no limits to his ministry. We are grateful for the comfort he was able to bring to so many people in these valleys.*

Wrth ail ddarllen y deyrnged honno, teimlaf ei law ar f'ysgwydd wrth i mi lunio'r gyfrol hon. A na, tydi hynny ddim yn 'mymbo jymbo' ond yn *unfinished business.*

Teulu ochr fy mam

Roedd teulu fy mam, Gwen, yn dra gwahanol. Roedd ei rhieni – Elizabeth ac Owen Williams – ill dau yn blant amddifaid. Fe'u taflwyd allan o gapel Paran, Rhosneigr yn ddiseremoni am fod nain yn feichiog a hithau'n ddibriod. Yn ddeunaw mlwydd oed, ffodd y ddau i Fanceinion, taid yn ddyn signal yn stesion Piccadilly a nain yn gweini i deulu o Iddewon yn y ddinas. Fe'u croesawyd yn aelodau yng nghapel Cymraeg Manley Park. Cawsant fywyd priodasol hapus gan fagu pump o blant. Paratôdd eu magwraeth y pump i wynebu a goroesi pa anawsterau bynnag a ddôi i'w rhan.

Medli'r tensiynau croes

Erbyn heddiw, rwyf yn trysori'r medli o densiynau croes a ddylanwadodd ar fy mywyd ac sydd wedi treiddio i fêr fy esgyrn. Mam a'i hiaith Saesneg a'i magwraeth *street-wise* drefol fel nyrs ardal ynghanol y *blitz* ym Manceinion. Roedd yn hynod weithgar ac yn barod i ddweud ei barn bob amser heb flewyn ar ei thafod. Ar y llaw arall, cafodd fy nhad fagwraeth draddodiadol Gymreig ar aelwyd barchus, gapelog, yn nhref Caernarfon heb unrhyw *sham* yn perthyn iddo. Clodforaf f'etifeddiaeth gan 'deimlo' eu cefnogaeth yn rheolaidd.

Athroniaeth fy rhieni

Mae athroniaeth fy rhieni wedi fy nghynnal drwy ddŵr a thân:

Fy mam: '*God will never give me pain I cannot tolerate as long as He is by my side.*'

Fy nhad: '*Fe ei di drwy gyfnodau anodd iawn yn dy fywyd. Y fantais fydd y byddi'n medri helpu eraill drwy eu trybini gan y byddi'n deall eu poen.*'

Ffydd bersonol – sy'n bell o fod yn ddogma

Pan oeddwn yn naw oed, daeth Yncl Tom, llysfrawd 'Nain Manchester', i fyw atom yn y Mans. Roedd yn dioddef o salwch terfynol ac yn gaeth i'w wely. Roedd ganddo obsesiwn am *cinder toffee* a'm joban i bob dydd oedd sicrhau bod ganddo gyflenwad digonol! Synnais iddo fedru llyncu cymaint o *cinder toffee* mewn diwrnod ac yntau mor hen a thila. Fodd bynnag, un diwrnod pan glywais i sgrech fy mam yn diasbedain drwy'r tŷ, gwyddwn nad bwyta'r *cinder toffee* a wnâi ond ei safio fo o dan ei obennydd. Yn y diwedd, roedd ef a'i obennydd a'i *cinder toffee* yn un – a minnau, wrth gwrs, yn cael y bai! O hynny ymlaen, newidiais fy nhictacs a chuddio'r *cinder toffee* rhag Mam ac yna eistedd gydag Yncl Tom nes iddo fwyta pob briwsionyn!

Un diwrnod a minnau hanner ffordd i fyny'r grisiau gyda'i gyflenwad diweddara', dwedodd fy nhad, "Arhosa'n funud, mae Yncl Tom 'di marw – ond fe gei di dal i fynd i'w weld o, os wyt t'isho."

Ni allwn gredu beth a welais a deuthum i lawr y grisiau *double time*. "'Di o ddim yna, Dad; mae o 'di mynd allan o'i gorff i rywle. Lle mae o rŵan 'ta?"

"'*Dwi'n* credu 'i fod o 'di mynd i fyd arall, byd ysbrydol", meddai 'nhad. "Dim ond benthyg ei gorff – cragen – oedd o tra oedd o'n byw ar y ddaear, ti'n gweld. Fydd o ddim 'i angen o dim mwy rŵan."

A chyn i mi gael cyfle i ofyn cwestiwn arall, meddai, "Tydi o ddim iws i ti drio gweithio allan pam aeth o, *sut* aeth o, *pryd* aeth o, na *phwy* ddaeth i 'nôl o, achos nawn ni byth deall be 'di byd ysbrydol, oherwydd 'dan ni erioed 'di bod yna! Dyna dwi'n ei gredu; ond does dim disgwyl i ti gredu'r un peth. *Dyna* 'di ffydd, ti'n gweld."

Wedyn es allan i chwarae yn yr ardd gyda'n cathod, Brandi, Wisgi a Tipsi, yn hapus braf 'mod i'n gwybod lle'r oedd Yncl Tom ac eto'n poeni iddo adael ei *cinder toffee* ar ôl.

Yn 1960 wrth baratoi grŵp ohonom yn bedair ar ddeg mlwydd oed i fod yn aelodau llawn yng nghapel Salem, Rhyd-y-foel, bu fy nhad yn defnyddio *Dechrau'r Daith*, gwerslyfr y Methodistiaid Wesleaidd.

> "Dyma'r ddwy ffordd o gredu... un drwy wrando ar y rhai sydd wedi astudio'r peth, ond gall unrhyw un a gaiff fwy o wybodaeth am y peth hwnnw newid eich barn amdano; a'r llall drwy eich profiad eich hun. Gwyddoch yn gall y cyntaf fethu, ond ni all neb eich cael i wadu'r llall. Dyna'r unig wir wybodaeth a gwir gredu, – credu rhywbeth y cawsoch brofiad ohono."
> (E. Tegla Davies, *Dechrau'r Daith*, 1953, tud. 6)

Bu'r eglurhad hwn, stori Yncl Tom druan, a'm sgyrsiau niferus gyda fy nhad am ffydd, yn allweddol i mi. Dysgais y cysyniad yn ddigon ifanc iddo fedru gwreiddio yn f'enaid. Ni all unrhyw un nac unrhyw beth ddisodli fy ffydd mewn bywyd tragwyddol, hyd yn oed pan gollais fy arwr a'm hangor yn 1967. Ei eiriau o ffarwél oedd, "Gobeithio y bydd y Duw rwyt ti a fi'n credu cymaint ynddo, yn maddau i mi."

Mae geiriau Crist i'w ddisgyblion yn Ioan 20.29 (BCN) yn ategu eglurhad fy nhad: 'Gwyn eu byd y rhai a gredodd heb iddynt weld.'

Profiadau heriol

Bûm drwy nifer o brofiadau heriol oddi ar fy mhen-blwydd yn un ar hugain mlwydd oed:

- salwch meddwl fy nhad
- sioc ei hunanladdiad
- bod yn ddigartref
- tlodi
- alcoholiaeth fy nghyfnither a'm cefnder
- tor priodas
- salwch bygythiol melanoma a sepsis
- marwolaeth fy mam, a'm holl deulu agos
- dementia fy ngŵr
- marwolaeth nifer o'm cyfeillion hiroes

Cysur

Yn ystod y cyfnodau anodd hyn cefais gysur yng ngeiriau gwarchodol fy nhad: "Fyddi di byth ar ben dy hun; mi fydd Iesu Grist bob amser yn dy gynnal di." Teimlais y 'sicrwydd bendigaid' hwnnw a gwyddwn heb owns o amheuaeth fod Iesu, drwy'r stormydd oll, wedi teilyngu mawl 'malwan bach' fel fi. (Fe gewch yr esboniad ar yr ymadrodd 'malwan bach' yn nes ymlaen!)

Ond ysywaeth, yn ystod fy ngyrfa ym myd addysg deuthum ar draws cynifer o blant nad oedd ganddynt unrhyw fath o ymdeimlad fod eu rhieni na'u hathrawon yn eu gwarchod – yn eu teilyngu. Mae yna beryg inni edrych ar y byd trwy sbectol profiadau ein bywyd ein hunain – bywydau breintiedig o bosib. Yn ganlyniad, gellid methu adnabod arwyddocâd ymddygiad plentyn sydd mewn gwirionedd yn byw mewn uffern bersonol ymhell o gyrraedd ein dychymyg ni. Yn aml, i aralleirio Syr O. M. Edwards yn *Clych Atgof* (1906), "Nid ydynt yn ddyledus i'w cartrefi na'u hysgolion am ddim ond eu stori."

Hawliau plentyn

Dyma'r union blant y mae angen eu denu heddiw i'n corlannau cariadlon Cristnogol er mwyn iddynt hwythau deimlo cariad Duw a'r 'sicrwydd bendigaid' hwnnw fu'n sylfaen mor gref i mi. Yn fy marn i, mae gan bob un o blant Duw hawl cynhenid i hyn ac mae'n gyfrifoldeb arnom ni Gristnogion i sicrhau bod hyn yn digwydd. Dyma oedd neges y Pab Francis i Gatholigion yn fyd-eang pan ddatganodd yn 2021 y dylai'r pedwerydd Sul ym mis Gorffennaf fod yn ddiwrnod dathlu neiniau a theidiau a'r henoed.

Mae Erthygl 14 o dan Gonfensiwn y Cenhedloedd Unedig ar Hawliau Plentyn, sef "rhyddid meddwl, cred a chrefydd", yn datgan bod gan blant yr hawl i ddilyn crefydd o'u dewis eu hunain. Fodd bynnag, gan fod nifer ein hysgolion Sul wedi lleihau'n sylweddol, heb sôn am effaith y cyfnodau clo yn ddiweddar, golyga hynny nad yw canran uchel iawn o blant ac ieuenctid yn cael eu cyflwyno i hanfodion y ffydd Gristnogol, ac na allant o'r herwydd ei dewis mewn modd ystyrlon.

Byd addysg

Fel cyn-athrawes ac arolygydd ysgolion, credaf fod angen dybryd i ffydd gael ei lle ym myd addysg, yn enwedig o gofio pa mor fregus yw'r sefyllfa gymdeithasol bresennol: diweithdra, tlodi, dibyniaeth, tor teulu ayb. Heb sylfaen, heb ddim. Pwrpas addysg yw cynnig sylfaen i ddisgyblion fedru cyrraedd eu potensial a byw bywyd llawn. Credaf fod cyflwyno'r cysyniad o ffydd yn rhan annatod o'r sylfaen honno. Yn wir, credaf y dylid sylweddoli pa mor enbydus yw sefyllfa canran uchel o blant, ieuenctid a throseddwyr, a hwythau heb unrhyw fath o angor na *firm spot to stand on* – rhai heb neb yn y byd nac unrhyw obaith, ac yn troi at gyffuriau ac alcohol ac yn disgyn i batrwm o droseddu i gynnal eu dibyniaeth.

Dylanwad yr ysgol Sul

Gan fod dirywiad sylweddol yn awydd teuluoedd i fynychu ein haddoldai, gwelir lleihad yn nylanwad yr ysgol Sul ar blant a phobl ifainc. O ganlyniad, mae llai o athrawon yn hyderus i gynnal defosiwn a thrafod cysyniadau ysbrydol gyda'u disgyblion, gan nad yw'r 'geiriau nefol' na'r cysyniadau ganddynt. Credaf mai cyfrifoldeb ein henwadau yw gweithredu'n ddiymdroi i ymateb i anghenion plant a phobl ifainc i adnabod cariad Duw fel bo eraill drwyddyn nhw hefyd yn dod i adnabod y cariad hwnnw.

Fe sbardunodd hyn oll i mi ymgymryd ag ymchwil i chwilio am arfer dda ac i gloddio am aur i'w gyflwyno yn y gyfrol hon, oherwydd rwyf o'r farn fod llwyddiant yn creu egni ac yn creu rhagor o lwyddiant.

Rhoddodd pum achlysur ddigon o dro yn fy nghynffon imi fynd ati – yn gwbl groes i'm hewyllys – i lunio'r bedwaredd gyfrol hon (a'r olaf!): teitlau'r tair cyfrol flaenorol yw *Hanes Gwobr Goffa Lady Herbert Lewis* (2019); *Na Ad Fi'n Angof: Byw â Dementia* (2020); a *Gwawr Wedi Hirnos: Fy Nhad Sydd Wrth y Llyw* (2021).

Dyma'r pum achlysur:

- datganiad gweinidog nad oedd ganddo'r un person dan saith deg oed yn unrhyw un o'i gapeli
- sylweddoli'r diffyg hyfforddiant a mentora i weinidogion newydd gymhwyso ar gyfer bugeilio a chenhadu, a dim trefniant i'w harolygu na sicrhau cost-effeithiolrwydd
- ymateb y to ifanc i wahoddiad diaconiaid ar sut i ddenu'r ifainc
- adwaith miniog ysgolhaig parchedig i'm canmoliaeth o'i anerchiad ysbrydoledig
- fy nghyfweliad *YouTube* yn Awst 2021 yn y gyfres 'Gair o'r Galon' ar gyfer y cylchgrawn *Cristion* (https://www.facebook.com/cylchgrawncristion/posts/4506083496070710)

Yn y cyfweliad hwnnw, gosodais dair sialens i bawb ymhob man, sef:

- rhyddhau cariad Duw o gadwynau adeiladau a 'seintiau'
- cyfrannu'n sylweddol at ddatblygiad ysbrydol plant
- ymateb i anghenion cymdeithas gyfoes a'u diwallu

Ond o wylio'r cyfweliad ar *YouTube* cefais sioc o sylweddoli fy mod yn pardduo pob Achos â'r un brwsh ac yn waeth na hynny ar sail tystiolaeth wan iawn. Ac ie, 'dych chi'n iawn i ofyn, "Pwy ar y ddaear ydy hon, *self appointed* Arolygydd Ei Mawrhydi, i'w phenodi ei hun i daro sylw ar y sîn crefyddol yng Nghymru gyfan?!"

Penyd: nod y gyfrol

Felly fy mhenyd am fod mor fyrbwyll a hollwybodus fu ymgymryd â phererindod i chwilio am dystiolaeth fwy dibynadwy cyn i mi wneud unrhyw ddatganiadau pellach. A dyma yw'r gyfrol hon: pererindod personol 'i gloddio am aur'. Yna, wedi gweld y syniadau egnïol ar waith, eu cofnodi er mwyn i eraill ddysgu oddi wrthynt a'u hefelychu.

Bu'n bererindod hynod werthfawr. Cyflwynaf i chi felly *snap shot* mwy ffeithiol na'm hymdrechion pitw ar *YouTube* flwyddyn yn ôl, oherwydd mae'n deillio o chwe mis o:

- ymweliadau, cyfweliadau a mynychu gwasanaethau
- darllen
- ebostio, *zoom*io, ffonio a theipio

er mwyn cynnig i chi ddarlun positif, egnïol, a gwybodaeth ddefnyddiol gan y cyfranwyr i chi ei defnyddio, ei haddasu, ei hefelychu a'i datblygu – hynny yw, mae'n **rhyw fath o lyfr ryseitiau**! A hynny er mwyn cynnig syniadau i eglwysi allu mesur eu pererindodau eu hunain yn eu herbyn a holi a ydynt yn eglwysi sydd:

- yn mynd amdani tua'r goleuni; *neu*
- yn teithio linc-di-lonc yn fodlon braf; *neu*
- yn styc yn y ffos ac ar y ffordd i ebargofiant

gan ddilyn bras feini prawf ac ystyriaethau fel:

- arweinyddiaeth
- gweledigaeth
- blaenoriaethu
- cynllunio
- swyddogaethau
- dulliau cyfathrebu
- adnabod y gymuned leol
- partneriaethau
- cenhadu
- darpariaeth i deuluoedd a'r gymuned
- gweinidogaethu

Fodd bynnag, rhaid pwysleisio nad wyf yn weinidog ordeiniedig, er i mi dderbyn gwahoddiadau rheolaidd i arwain gwasanaethau ar y radio ac yng nghapeli aml i enwad. Er bod gennyf gymhwyster mewn addysg grefyddol, ni fynychais goleg diwinyddol – sydd, yn fy mhrofiad fy hun, yn gallu bod yn fantais! (gw. Mark Gibbs a T. Ralph Morton, *God's Frozen People*, 1964, tud. 164).

Ond rwy'n unig ferch i weinidog Wesleaidd, ac mae hynny'n ddigon o gymhwyster ynddo ei hun!

Es ati i ymchwilio a llunio'r gyfrol hon yn gadarn yn fy ffydd bersonol ac yn disgyn yn ôl hefyd ar fy mhrofiad a'm mwynhad o arolygu ysgolion am chwarter canrif – sef cyfarfod amrywiaeth o gymeriadau, gofyn cwestiynau, casglu tystiolaeth, a dod i farn.

Chi'r darllenydd fydd yn dewis sut i fynd ati i ddarllen y gyfrol: drwy ddechrau yn y dechrau a'i darllen i'r diwedd neu drwy bicio i mewn ac allan gan ddewis yr hyn sy'n berthnasol neu o ddiddordeb i chi. Gobeithio trwy'r cwbl y bydd y gyfrol hon yn ennyn myfyrdod a thrafodaethau bywiog a gwerthfawr ym mha le bynnag y boch.

Emynau

Mae yna dair thema yn llifo drwy'r gyfrol, sef bod:

- cariad Crist yn ddiamod i bob un ohonom – 'cyfiawn' neu beidio
- ffydd bersonol sy'n ein cynnal, doed a ddêl, nid dogma
- er nad yw'r Gair yn newid, rhaid addasu'r dull o gyfathrebu i'r cyfnod

Gyda hyn mewn golwg, ac er mwyn ategu'r neges, mae pob adran yn agor gydag emyn arwyddocaol.

Cariad diamod: teitl y gyfrol

Yn blentyn, roeddwn yn gwybod heb amheuaeth fod Iesu Grist yn fy ngharu. Felly, naturiol oedd i mi gredu, yng ngeiriau'r emyn, fod Iesu Grist yn fy ngweld 'yn plygu i lawr', a gwyddwn i sicrwydd na fyddai Fo byth yn 'fy ngwrthod'! Felly, roeddwn yn siomedig iawn ynddo pan gyfeiriodd ataf fel *malwan*, oherwydd fe ddylai O, *o bawb*, wybod bod yn *gas* gen i falwod! Doedd dim dewis ond *consult with the oracle* – fy nhad – oedd yn nabod Iesu Grist hyd yn oed yn well na fi! Ond, doedd **o** ddim yn deall chwaith nes i mi adrodd y pennill wrtho:

Deuaf atat, Iesu,
  Cyfaill plant wyt ti;
Ti sydd yn teilyngu
  Malwan bach fel fi.

Pan fo sylfaen ein bodolaeth yn gwegian, y cysur, y balm i leddfu poen yw atgof o sicrwydd cariad diamod **Iesu** sy'n teilyngu mawl **POB malwan bach.**

Trefn y gyfrol

Mae'r Athro Wyn James yn ei ysgrif 'Pererindod Pantycelyn' ar ddechrau'r gyfrol yn trafod datblygiad ffydd bersonol William Williams, Pantycelyn. Yna, mae'r gyfrol yn ymrannu'n bum adran fel a ganlyn:

Rhan 1:	Bugeilio ymarferol:	tosturi ar y rheng flaen
Rhan 2:	Tanio'r fflam:	cenhadu i ddenu'r ifainc a'r gymuned leol
Rhan 3:	Cenhadu cyfoes:	cyfathrebu technolegol, rhithwir a digidol
Rhan 4:	Arweiniad goleuedig:	bwrlwm byw
Rhan 5:	Rheoli grymusol:	gweledigaeth eang, gynhwysol

Trefn y cyfraniadau unigol

Ceir 60 o gyfraniadau a phob un yn dilyn yr un drefn, sef:

Proffil unigol	man geni, teulu, addysg a gyrfa
Taro sylw	prif neges
Ysbrydoliaeth	ffynhonnell
Cyhoeddiad(au)	llyfrau a gyhoeddwyd gan y cyfrannwr
Sbardun	llyfr diddorol, defnyddiol
Cyfeirnod	gwefannau defnyddiol e.e. i ymofyn adnoddau
Cyswllt	manylion cyswllt: gweplyfr, e-bost ayb

Closio yn yr un anian

Cefais y pleser o siarad â 60 o gyfranwyr (ac eraill yr oedd yn well ganddynt beidio â 'mynd yn gyhoeddus' yn y gyfrol). Dysgais beth a phwy sy'n eu hysbrydoli a pha lyfrau sy'n eu sbarduno. Bu hefyd yn agoriad llygad ymweld â nhw yn eu gweithle (mewn ysbyty, hosbis, ysgol, coleg, carchardy, plas esgob ac yn y blaen) ac yn fwy cymdeithasol mewn canolfannau garddio, Caffi Galeri, Caffi *Next* Aberystwyth (ar gam!), yma yn fy nghartref a thrwy *Zoom* ac ar y ffôn. Cefais y fraint o ymuno â rhai i addoli mewn dulliau traddodiadol a rhai llai traddodiadol, ac ymuno â'r Esgob Edwin mewn gweddi o flaen ei allor hyfryd yn ei fyngalo.

Yn ystod y cyfnod hwn, teimlais sicrwydd bod Duw yn arwain y rhai sydd â llygad i weled a chlust i glywed. Cefais ryddhad o fedru trafod ffydd a materion tabŵ fel marwolaeth yn agored. Diolchaf o waelod calon i'r cyfranwyr bob un am eu diffuantrwydd. Edmygaf ddewrder y rhai fu'n fodlon dinoethi eu hunain mewn print ar ôl cyrraedd *driving seat* eu bywydau o'r diwedd: yn enwedig Rhys Tudur (1.2.1), Christine Marston (1.2.2), Parchg Guto Llywelyn (1.6.1), Aled Jones Williams (1.6.3) a'r Tad Lee Taylor (1.7.1) Bu'n fraint cyd-gerdded â phob un ohonynt. Rwy'n sicrach yn awr nag y bûm erioed mai 'malwan bach' ydan ni bob un ohonom yn y bôn.

Darganfyddiadau

"For me, the most profound truth of my faith is that Someone loves me completely and totally in spite of my weaknesses and failures: that keeps me going." Cardinal Basil Hume

Pwrpas yr adran hon yw cynnig trosolwg o'r sin crefyddol yng Nghymru yn 2022 – y Gymru ôl-Covid-19 (gobeithio!). Mae'n deillio o bererindod bersonol chwe mis o hyd. Gosodais y dasg hon i mi fy hun fel penyd am fod mor feirniadol mewn cyfweliad *YouTube* y llynedd ar sail tystiolaeth rhy gyfyng.

Cofiaf wasanaeth ysgol trigain mlynedd yn ôl pan oedd f'athrawes, Mrs Richards, yn ceisio egluro arwyddocâd pwyntio bys. Natur pawb yw sylwi ar wendidau'n hunain yn eraill, meddai, a byddwn yn pwyntio bys at eraill heb sylweddoli bod tri bys yn pwyntio'n ôl atom ni. Mae gwersi plentyndod yn aros gyda ni'n dragwyddol!

Sylweddolais wrth wrando'n ôl ar fy nghyfweliadau *YouTube* yn 2021 bod neges Mrs Richards yn berthnasol iawn. Oherwydd wrth imi bwyntio bys at bawb am fod yn gul a rhagfarnllyd, roedd tri bys yn pwyntio'n ôl ataf fi! Ond yn sgil ymchwil a myfyrdod y chwe mis diwethaf, mae fy natganiadau y tro hwn – yn y gyfrol hon – ar seiliau llawer mwy eang a chadarn.

Roedd fy mhererindod yn cynnwys:

rhai profiadau anghyfforddus:

- 'malwan bach fel fi' yn dod *nose to nose* gydag ysgolhaig o weinidog
- deall fod plant mewn cymdeithasau difreintiedig yn f'ardal i fy hun yn cael eu hamddifadu o'u hawl i adnabod Iesu Grist
- deall nad oes unrhyw un yn atebol am effeithiolrwydd (neu aneffeithlonrwydd) yr arweinyddiaeth eglwysig yn hyn o beth
- deall bod ieuenctid lleol wedi datgan nad oedd lle i grefydd yn eu bywydau bob dydd
- clywed a gweld gydag embaras fy sylwadau rhagfarnllyd mewn cyfweliadau

myfyrdodau personol
- mae cariad Crist yn ddiamod i bob un ohonom, 'cyfiawn' neu beidio
- ffydd bersonol sy'n ein cynnal, doed a ddêl
- rhaid addasu'n dull o gyfathrebu â theuluoedd ifanc ac â phlant i'r byd cyfoes

Yna, wedi'r bererindod, dyrannais y 60 cyfraniad i bum categori:
- gweithwyr ar y rheng flaen
- rhai sy'n gweithio gyda theuluoedd a'r gymuned
- defnyddwyr technoleg gyfoes
- arweinwyr eglwysig lleol
- rheolwyr cenedlaethol

Y saith cwestiwn
Cywasgais yr holl bwyntiau uchod yn saith cwestiwn fel fframwaith i gyflwyno'r prif ddarganfyddiadau. Dyma nhw:

I ba raddau mae'r:
1. sin crefyddol yng Nghymru yn anobeithiol?
2. arweinwyr eglwysig yn adolygu perfformiad a darparu hyfforddiant?

I ba raddau mae'r cyrff eglwysig yn:
3. adnabod ac ymateb i anghenion yr aelodau?
4. adnabod ac ymateb i anghenion eu cymuned leol a chydweithio ag eraill i'w diwallu?
5. denu teuluoedd ifanc a phlant a chyfrannu at eu datblygiad ysbrydol?
6. cyfathrebu'n agos ac yn eang drwy ddulliau cyfoes?
7. tyfu a datblygu i'r dyfodol?

Prif ganfyddiadau
Mae'n dda gallu dweud bod yna egni, gobaith a brwdfrydedd mewn pocedi byrlymus a chyffrous iawn yng Nghymru heddiw – serendipiti creadigol yn wir!

1. Y sin crefyddol yng Nghymru

Ffydd bersonol

Mae yna gynnwrf amlwg yn yr achosion eglwysig hynny lle mae'r arweinyddion yn mwynhau rhannu eu ffydd bersonol yn agored. Pleser a gollyngdod oedd medru ymuno â nhw ym mwrlwm naturiol eu gweithgarwch. Wrth drafod, cefais fy nghyfeirio at waith Terry Waite, a gafodd ei gipio yn Libanus wrth weithio ar ran Esgob Caergaint i ryddhau gwystlon. Carcharwyd Terry mewn *solitary confinement* a'i gadwyno i reiddiadur (*radiator*) am bron i bum mlynedd (1987–91). Cyhoeddodd lyfr o'r enw *Taken on Trust* yn 1993 i rannu ei brofiad o sut wnaeth ei ffydd bersonol ei gynnal yn ei sefyllfa enbydus. Meddai:

> *...you have got to be able to discipline your mind, because everything is lived from within. There is no external stimulation. There is no books, no one to speak with, no one to feed your identity back to you...*
>
> *I'd been brought up as an Anglican – I'm an Anglican Christian – and had been brought up with the Book of Common Prayer. The language of that was very, very helpful. I had unconsciously memorised it as a choir boy... [For example:]*
>
> *"Lighten our darkness, we beseech thee, O Lord; and by thy great mercy defend us from all perils and dangers of this night..."*
>
> *That is very, very meaningful when you're sitting in darkness... There is a relationship between identity, language and prayer; somehow they help you hold together at your centre.*

Mae ffydd sy'n deillio fel hyn o brofiad personol yn angor i'n sadio a'n cynnal i wrthsefyll stormydd bywyd, fel ag a wnaeth i Terry Waite.

Cefais agoriad llygad yn ogystal ag agoriad meddwl o sgwrsio ag Esgob Llanelwy, Gregory Cameron, pan gyflwynodd i mi un o'r adnoddau mwyaf defnyddiol i'm helpu i ddeall datblygiad ffydd, sef *Stages of Faith and Religious Development: Implications for Church, Education and Society* gan James W. Fowler. Dadl Fowler yw bod yna bum cam datblygol i ffydd bersonol. Os nad yw'n ffydd yn aeddfedu dros amser, ni fydd yn ddigon cryf i wrthsefyll trawma bywyd. Dyna sy'n egluro agwedd Jane Gibbins (1.1.1) wrth iddi droi ei chefn ar Dduw mewn profedigaeth.

Dehongliadau gwahanol o'r Gair

Mae llawer o'r dadleuon rhwng yr enwadau yn codi o ddehongliadau gwahanol o'r Gair. Mae anghytuno ar ystyr y Gair yn gallu gwahanu'r enwadau. Gwrthododd rhai gyfrannu i'r gyfrol hon am eu bod yn anghytuno â safbwynt rhai o'r cyfranwyr, am fod eu barn yn wahanol. Dim ond eu safbwynt hwy oedd yn ddilys ac yn gywir yn eu tyb hwy – sy'n siom ac yn amlwg yn rhwystr i undeb a symud ymlaen gyda'n gilydd. Trof at eglurhad y Parchg Tegla Davies unwaith eto i'm cyfarwyddo. Mae'n barod wedi cyflwyno dau fath o gred (o wybodaeth ac o brofiad) sy'n perthyn i'r Eglwys (gw. Cyflwyniad yr Awdur) ac mae'n awr yn ymhelaethu ar ba mor anwadal yw credu ar sail *gwybodaeth*:

> Y mae rhai pethau na ellwch fod yn hollol sicr yn eu cylch, a phobl, o ganlyniad, yn dadlau ac ymrannu yn eu cylch. Y pethau hynny sydd wedi rhannu'r Eglwys yn wahanol enwadau."
> (E. Tegla Davies, *Dechrau'r Daith*, 1953, tud. 6)

Mae'r Parchg Trefor Lewis (4.5.2) o'r un anian

> Mae'na berygl i ni geisio dadansoddi popeth ynghylch Duw yn ôl ein dealltwriaeth ddynol, gan gredu fod angen i ni fedru rhesymoli popeth; o wneud hynny awn i gors.

Af yn ôl at y drafodaeth gyda fy nhad – dehongliad daearol o elfennau ysbrydol. *Who do we think we are?* Dyma sail y gyfrol – diolch byth am Ysgolion Sul (2.2.1) ac am ysgolion ffydd (2.9) sydd â'r rhyddid i feithrin ffydd bersonol heb orfod wynebu cyhuddiadau o *indoctrination*.

Cefais gryn foddhad a mwynhad o drafod wyneb yn wyneb â nifer o'r rhai hynny sy'n cael eu cydnabod yn arweinwyr y sin crefyddol yng Nghymru – gan gynnwys Archesgob Cymru funudau yn unig ar ôl i'r cyfryngau cymdeithasol ddatgelu iddi gael ei benodi i'r swydd! Bu'n bleser trafod â nhw am bob math o faterion – doedd dim *embargo* ar unrhyw bwnc. Llwyddais hefyd i gyfweld trawstoriad o bobl o wahanol enwadau a mudiadau, gan gynnwys rhai sydd yn yr Eglwys Gatholig Rufeinig, yr Eglwys yng Nghymru, Eglwys Bresbyteraidd Cymru, yr Eglwys Fethodistaidd, Undeb yr Annibynwyr, Undeb y Bedyddwyr, a rhai sydd mewn achosion efengylaidd annibynnol.

Cydweithio

Cefais eglurhad llawn gan Parchg Ganon Aled Edwards (5.1.1) o sut mae 'Cytûn: Eglwysi ynghyd yng Nghymru' yn gweithredu ar draws yr enwadau. Canon Aled Edwards yw Prif Weithredwr Cytûn, sy'n gyfrifol am sicrhau fod gan yr eglwysi lais ar faterion cenedlaethol. Gwelir ôl ei waith ef ac eraill yn Gytûn ar faterion cyfoes fel y cwricwlwm newydd i ysgolion, trefniadau brechu Covid-19 a chefnogaeth i ffoaduriaid amrywiol.

Does dim amheuaeth gennyf fod y ffaith i Gymru feddu ar gorff fel Cytûn yn arwydd ei bod hi'n bosib goresgyn gwahaniaethau enwadol er lles y rhai llai ffodus, y difreintiedig a'r colledig, ac fel bod gwerthoedd cyffredinol Cristnogol eu naws yn cario'r dydd. Fel y dywedodd Nelson Mandela (1918–2013) yn ei hunangofiant, *Long Walk to Freedom* (1994): *We must put truth and honesty in whatever we do because it will always heal and unify.*

Cyngor Ysgolion Sul Cymru

Un arall fu'n hael iawn o'i amser ac yn barod i rannu ei drosolwg cenedlaethol oedd y Parchg D. Aled Davies, Cyfarwyddwr Cyngor Ysgolion Sul Cymru (2.2.1). Euthum draw i Ganolfan Garddio'r Ffôr i'w gyfarfod a deall i'r dim pam y mae pawb yn sôn amdano. Nid wyf yn meddwl i mi erioed dod ar draws dyn mor weithgar, ymroddgar sy'n nabod pawb ac yn cyd-dynnu â phawb. Rwy'n sicr nad oes ganddo amser i gysgu! Mae ganddo drosolwg anhygoel o'r sîn grefyddol yng Nghymru. Dywedodd wrthyf mai cryfder Cymru yw'r dewis sydd ar gael a'n parch tuag at ein gilydd. Petai gennym gyfle i enwebu 'Ceidwad Goleudy Cristionogaeth' yng Nghymru, buaswn yn enwebu Aled! Y mae hefyd yn annwyl a naturiol iawn yn siarad am ei ffydd ac yn gynhwysol a doeth.

Yr Eglwys yng Nghymru

Roedd yn amlwg i mi fod gan Archesgob Cymru, Y Gwir Barchedicaf Andy John (5.8.1), galon lân a ffydd bersonol gadarn iawn. Roedd ei atebion yn agored a realistig. Roeddent yn dod o le da – nid *patter* – a dyma ddywedodd yn ystod ein trafodaeth ar *Zoom*:

> Mae ein ffydd bersonol yn deillio o'n profiadau ysbrydol o'r ysgrythurau. Mae gan bob un ohonom y dasg o rannu'r efengyl a galw pawb i fod yn aelodau o deulu Duw *with no obstacles*. Mae'n

> angenrheidiol i ni groesawu a pharchu pobl sydd yn wahanol i ni oherwydd dyna mae Duw yn ei wneud. Mae Duw gyda ni bob un ac nid yn ein herbyn ac mae croeso i bawb yn Nheyrnas Duw. Mae Duw'r Tad yn ein hadnabod ni'n bersonol ac yn ein caru ni – tydi o byth yn troi ei gefn arnom.

Teimlais ryw ryddhad ein bod ni ill dau, malwan bach fel fi ac Archesgob Cymru, a *la Zoom*, ar yr un donfedd gan ein bod o'r un anian. Nid ffydd academaidd coleg diwinyddol mo hon (gw. Mark Gibbs a T. Ralph Morton, *God's Frozen People*, 1964, tud. 16) na thalpiau o wybodaeth a ddehonglir gan fodau dynol ond ffydd sy'n dod o brofiad ysbrydol personol ac o gyswllt uniongyrchol â Duw.

Fe gyfeiriodd yr Archesgob fi at 'y llyfr gorau a ddarllenais erioed', sef *Humankind* gan Rutger Bregman, ac meddai:

> Mae Duw am i ni fod yn iach yn emosiynol a meddyliol a byw ein bywyd i'w lawnder. Weithiau mae hyn yn golygu tor perthynas er mwyn i ni flodeuo'n llawn. Mae pawb angen agosatrwydd iach.

Yr Eglwys Gatholig Rufeinig yng Nghymru

Does dim amheuaeth, wedi siarad â saith cynrychiolydd, eu bod yn derbyn arweinyddiaeth ysbrydol yn ogystal ag arweinyddiaeth cenhadu yn uniongyrchol trwy ddatganiadau cyson gan y Pab. Mae siâp diwrnod offeiriad Catholig yn gogwyddo tuag at yr Offeren, gweddïo, darllen a myfyrio. Mae'r Tad Allan (1.1.3) yn credu bod gweithio ar y cyd â Christnogion o draddodiadau gwahanol yn rhan anhepgor o fywyd y Cristion erbyn hyn. Er bod rhagfarnau yn codi o bryd i'w gilydd, ar y cyfan mae cydweithio â Christnogion o draddodiadau gwahanol yn beth manteisiol.

"Every day, people are straying away from the church and going back to God."
David Tomlinson

Yr Eglwys Fethodistaidd yng Nghymru

Mae'r Diacon Jon Miller (2.4.1) yn cynnig rhesymau dros ddirywiad Synod Cymru fydd yn ymuno a Wales Synod ym mis Medi 2022:

Credaf fod hyn oherwydd amharodrwydd y capeli i symud gyda'r amseroedd.

Mewn ymgais ddilys i ddiogelu defnydd o'r iaith Gymraeg caewyd y rhengau fel petai i wrthwynebu unrhyw newid rhag ofn y gallai newid wanhau'r iaith. Rwy'n siŵr bod hyn oherwydd bod traddodiad ac arfer arferol yn clymu'n agos â'r iaith Gymraeg yng nghalonnau a meddyliau ein haelodau sy'n siarad Cymraeg.

Ef hefyd sy'n cyfeirio at waith David Tomlinson (gwe. y dyfyniad uchod).

Mae Cadeirydd presennol Synod Cymru (5.3.1) hithau o'r farn mai'r broblem allweddol yw denu gweinidogion sy'n rhugl yn y Gymraeg:

Ni lwyddodd Synod Cymru i ddenu gweinidogion Cymraeg eu hiaith ers degawdau. Ers y 1990au, dysgwyr ddaeth i wasanaethu fel gweinidogion. Heb y dysgwyr, basa'r gwaith Cymreig wedi dod i ben amser maith yn ôl. Dysgodd rhai, fel fi, yr iaith er mwyn gwasanaethu.

Mae'r mwyafrif o gapeli Synod Cymru wedi eu lleoli yng nghefn gwlad tra bod y mwyafrif o gapeli *Wales Synod* mewn trefi a dinasoedd mawr. Yng nghefn gwlad Cymru, meddai, mae'r canran uchel dros saith deg mlwydd oed a'u hangen mwyaf yw eu bugeilio, eu cysuro diwedd oes a'u claddu.

Er eu ffyddlondeb a'u hymrwymiad cryf mae eu hoedran yn cyfyngu ar beth sy'n bosib iddynt ei wneud yn ymarferol. Yn ogystal â hyn, maent yn dueddol i ddal yn dynn yn eu cyfrifoldebau hanesyddol, eu harferion arferol a thraddodiadau'r sefydliad. O dan unrhyw fygythiad neu newid mae eu gafael yn tynhau.

Ceir hefyd enghreifftiau o anhapusrwydd ynglŷn â defnydd o declynnau technolegol modern a gitâr i gynulleidfa fechan o saith neu wyth dros saith deg mlwydd oed sy'n aml iawn ddim yn cyrraedd clust y gweinidog.

Mae dadansoddiad mewnol y Methodistiaid yn honni bod cwymp Synod Cymru yn ymwneud â phrinder gweinidogion cyfrwng Cymraeg ac aelodau rhugl yn yr iaith. Maent yn argyhoeddedig bod uno mudiad

Momentum a Momentwm yn cynnig gobaith i'r dyfodol. Nid ydynt i weld yn deall mae trwy gyfrwng y Gymraeg y byddwn ni'r Cymry'n cyfathrebu gyda'n Duw!

Undeb Bedyddwyr Cymru

Dywedodd y Parchg Judith Morris, Ysgrifennydd Cyffredinol UBC (5.5.1), fod y diffyg cydweithio rhwng eglwysi ar lefel leol, gan gynnwys y rhai sy'n perthyn i'r un enwad, yn affwysol. Hefyd, bod arweinwyr yr enwadau yn cael eu beirniadu'n llym yn aml iawn am nad ydynt yn gwneud mwy i feithrin ac ennyn diddordeb mewn cydweithio. Mae'n siŵr bod yna gyfiawnhad i'r feirniadaeth hon, oherwydd pan gwyd cyfleoedd o'r fath, testun syndod yw amharodrwydd eglwysi lleol i fanteisio ar sicrhau gweinidogaeth a chryfhau'r dystiolaeth drwy ymuno ag eglwysi eraill.

Mae mwy nag un o'r cyfranwyr yn datgan fod y 'capel traddodiadol Cymraeg' bellach yn amherthnasol ym mywydau'r mwyafrif helaeth o'n cymunedau. O ganlyniad, profiad anodd yw dal i gynnal yr achos yn wyneb y twf mewn seciwlariaeth a'r diffyg diddordeb yn y ffydd Gristnogol.

Ceir teimlad ymysg yr arweinwyr ein bod yn byw rhwng dau gyfnod sy'n golygu ein bod yn byw mewn 'cyfnod trothwy' sydd yn newid. Hynny yw, nid yw'r hen batrwm wedi llwyr ddiflannu, ond ar yr un pryd nid yw patrymau newydd y dyfodol yn hollol glir ychwaith! Ond meddai wrth ddyfynnu John Morgans a Peter Noble yn eu cyfrol '*Our Holy Ground The Welsh Christian Experience*' (2016) ym mha bynnag ffordd y disgrifir y cyfnod hwn, cawn ein hatgoffa o allu'r Duw tragwyddol:

> *Christian witness in Wales has faced far more severe situations than it does today, and has, by the grace of God, always been renewed and enabled to continue its ministry and mission. The church is always capable of renewal, facing contemporary challenges and introducing the Risen Christ to the people of Wales." (tud. 200)*

Eglwys Bresbyteraidd Cymru

Ni lwyddais yn f'ymdrechion niferus i gyfweld Ysgrifennydd Cyffredinol presennol EBC er hynny cefais gyfweliad goleuedig gyda'r Llywydd presennol Parchg Evan Morgan (5.4.1) a ddywedodd:

Nid y Llywydd yw pen y sefydliad – yr Arglwydd Dduw yw pen yr eglwys – ac felly nid oes gan yr enwad berson yn arweinydd ysbrydol iddi.

Yr Ysgrifennydd Cyffredinol, Parchg Meirion Morris sy'n gyfrifol am yr ochr weinyddol o ddydd i ddydd ac sy'n arwain o ran strategaeth a chysylltu gyda 14 Henaduriaeth am eu cynlluniau dros y weinidogaeth. Mae ef yn gwasanaethu penderfyniadau'r Gymanfa Gyffredinol.

2. Rheolwyr yn adolygu perfformiad a darparu hyfforddiant?

Yn ystod fy mhererindod, methais ddarganfod unrhyw system gydnabyddedig safonol yn ymwneud ag atebolrwydd gweinidogion fel y gwelir yn y sectorau cyhoeddus fel Addysg, Iechyd, Heddlu, Gwasanaethau Cymdeithasol ayb.

I raddau, ni ellir disgwyl hynny yn achos yr Annibynwyr a'r Bedyddwyr, gan fod pob eglwys unigol yn hunanlywodraethol/annibynnol. Yn hynny o beth, y maent, o ran eu hargyhoeddiadau ynghylch trefn eglwysig, yn wahanol iawn i'r enwadau mwy 'canolog' eu hawdurdod, megis Eglwys Rufain, yr Eglwys Anglicanaidd, y Presbyteriaid a'r Wesleaid. Mae hynny yn codi o'u credoau ynghylch natur 'eglwys' ac annibyniaeth yr eglwys leol ar unrhyw awdurdod y tu allan iddi.

Yn ddiweddar ar wefan 'Cristnogaeth 21' (3.2.2), sy'n croesawu safbwyntiau gwahanol i drafod materion cyfredol, nodwyd gan Eifion Wynne (3.2.1) y mater o atebolrwydd, yn enwedig wrth dderbyn arian o'r pwrs cyhoeddus. Gan mai arian cyhoeddus sy'n cynnal y weinidogaeth, mae'n gofyn oni ddylai'r enwadau gael yr un drefn o atebolrwydd ag sydd yn y sector gyhoeddus. Ond nid yw hynny'n wir. Cael eu cynnal gan roddion gwirfoddol eu cynulleidfaoedd y mae'r weinidogaeth yn yr eglwysi gwahanol ac yn yr enwadau yn gyffredinol. Yn yr ystyr yna, gellid dadlau eu bod yn perthyn i'r 'sector preifat'!

Mae'r mater hwn o atebolrwydd yn amlwg yn fater sensitif a dyrys ond os yw unrhyw agwedd ohono yn atal teuluoedd ifanc a phlant rhag adnabod cariad Duw – mae o angen ei sortio ryw ffordd neu'r llall.

3. Adnabod ac ymateb i anghenion yr aelodau?

Ceir enghreifftiau penodol o offeiriaid yn yr Eglwys yng Nghymru yn gweithio fel caplaniaid mewn ysbytai, fel y Parchg Wynne Roberts yn Ysbyty Gwynedd, Bangor (1.2.3), ac mewn carchardai, fel y Parchg Alan Pierce-Jones (1.5.2), ac mae Esgob Llanelwy ei hun yn rhoi cefnogaeth i garcharorion (5.8.2).

Esgob Llanelwy oedd yr offeiriad cyntaf ym Mhrydain i fendithio partneriaeth unrhyw – sef partneriaeth pymtheng mlynedd offeiriad Eglwys Sant Collen, Llangollen – Y Tad Lee Taylor (1.7.1) a'i bartner, Fabiano da Silva Duarte.

Mae'r Tad Lee Taylor hefyd yn dangos ymgeledd wrth iddo (mab i dafarnwyr a gafodd ei wrthod gan ei rieni) genhadu yn nhafarndai Llangollen. Mae ei weithredoedd yn ddangosydd cwbl amlwg fod Eglwys Collen yn croesawu pawb yn enw Crist.

Gwneir gwaith arbennig hefyd gan Wynford Elis Owen trwy 'Cynnal' (1.6.2) i gefnogi gweinidogion ac offeiriaid. Mae stori ddirdynnol Guto Llywelyn (1.6.1), a fu'n dioddef o iselder wrth ddygymod a hunanladdiad ei fam, yn dyst i lwyddiant y cwnsela.

Mae Christine Marston (1.2.2) yn disgrifio'r math o fugeilio roedd hi a'i theulu yn ei werthfawrogi gan Ddeon Eglwys Gadeiriol Llanelwy, Nigel Williams, ar farwolaeth ei gŵr, Hugh.

Ar y llaw arall, ceir enghreifftiau o weinidogion sy'n ddihyder wrth fugeilio ac o'r herwydd yn *conspicious by their absence*.

4. Adnabod ac ymateb i anghenion y gymuned leol a chydweithio ag eraill i'w diwallu?

Mae Mari Lloyd Davies (2.4.2) yn sôn am ei gwaith fel hyn:

> Mae nifer o'n 'cleientiaid' yn cael trafferthion oherwydd amgylchiadau y tu hwnt i'w dylanwad. Mae canran uchel wedi colli hyder oherwydd pryder, iselder, anobaith, methiant ac unigrwydd. I eraill mae'r cyfrifoldeb o fod yn rhiant yn heriol yn aml oherwydd diffyg hyder, prinder cymorth a lefel isel o ddeallusrwydd.

Mae llawer o amser y staff yn mynd i wrando a sgwrsio gyda chleientiaid, ond gwrando fwyaf. Ac yn amlach na dim mae hyn yn ddigonol:

Ein lle ni yw helpu nid beirniadu. Y pwyslais bob tro yw gwrando heb ymyrryd na bod yn feirniadol. Mae dangos parch a derbyniad yn gwbl allweddol i'n perthynas oherwydd maent wedi cael eu beirniadu cymaint cyn ein cyrraedd ni.

Mae Parchg Alan Pierce-Jones (2.5.2), Rheolwr Caplaniaeth Carchar y Berwyn, Wrecsam yn dweud bod y rhan fwyaf o waith caplaniaeth yn mynd i ddelio â'r carcharorion hynny sydd wedi derbyn newyddion drwg am aelod o'r teulu sydd wedi marw, yn ddifrifol wael neu'n derfynol wael.

Gennym ni mae'r cyfrifoldeb o drosglwyddo'r newyddion i'r carcharor. Ond, ni ellir gwneud hyn tan i ni sefydlu bod yn newyddion yn rhai dilys a gwir. Yna byddwn yn cynnig cefnogaeth i'r carcharor drwy'r broses o alaru ac yn ei helpu i wneud cais i fynd i'r angladd os ydynt yn gymwys (teulu agos yn unig), neu yn dewis mynd.

Os na all y carcharor fynd i'r angladd, os yn bosib gellir defnyddio technoleg i ffrydio'r achlysur yn fyw a chaniatáu iddo wylio'r angladd. Gallwn hefyd os bydd angen ddarparu gwasanaeth a gweddïau yn y capel ar adeg yr angladd. Gallwn gefnogi pellach drwy gynnig cwnsela i'r carcharorion i ddelio a'u galar.

Mae'r ddau – Mari ac Alan – yn honni bod canran uchel o'r rhai y maent yn delio â nhw yn dod o gefndir difreintiedig, llawer ohonynt â lefel isel o ddeallusrwydd.

Ceir enghreifftiau arbennig gan y Bugail Mike Holmes (1.3.2) o *Coastlands*. Yn dilyn dadansoddiad o anghenion y gymuned leol, penderfynwyd ar dair blaenoriaeth i'w cefnogi. Mae aelodau Coastlands yn uniongyrchol gyfrifol am bartneru â'r gwasanaethau cymdeithasol.

Yn Efail Isaf (2.8.1), penderfynwyd blaenoriaethu cyflogi Swyddog Ieuenctid a Chymunedol drwy Raglen Buddsoddi ac Arloesi UAC (5.4.1). Dyma enghraifft o swyddog cyflogedig byrlymus yn meddu ar y sgiliau a'r profiad i ddenu diddordeb nifer sylweddol o blant ac ieuenctid. Mae galeri eu capel yn llawn o adnoddau ail-law ar gyfer pobl ddigartref, cyplau ifanc difreintiedig ayb. Maent yn gweithio'n agos â'r gwasanaethau cymdeithasol ac elusennau perthnasol i gyfarfod anghenion eu cymuned.

Nod arweinyddiaeth Mike yw cyd weithio â phobl ar yr un sylfaen gyda ffocws clir.

Mae'r Bugail Mike Holmes (1.3.2) yn selio ei weinidogaeth ar sylfaen syml **Caru Duw: Caru Pobl.** Ei athroniaeth yw bod Duw yn caru pobl, felly, os ydym ni'n caru Duw, byddwn ninnau hefyd yn caru pobl. Bydd yn herio ei hun yn gyson ynglŷn â sut y gall ddyrannu cariad Duw i bobl ddifreintiedig ei gymuned. Mae'r atebion, meddai, mor amrywiol â'r mathau o bobl sy'n byw ac yn bod yng nghyffiniau'r eglwys. Ei weledigaeth yw creu cymuned iach, dosturiol a grymus.

Mae Llywydd EBC, Parchg Evan Morgan (5.2.1) hefyd yn weithgar yn y maes, yng Nghaerdydd yn ei achos ef. Fe'i magwyd yn ninas Llundain ac felly mae'n deall bywyd y ddinas i'r dim. Dyma enghraifft o arweinydd sy'n gweddu i'w sefyllfa. Mae ei adnabyddiaeth o'i gymuned leol yn sicrhau bod Capel Salem yn Nhreganna, Caerdydd yn chwarae ei ran fel cannwyll yn y tywyllwch.

Ers pum mlynedd cyn Covid-19 fe drefnodd Evan, gyda chydweithrediad parod ei eglwys a'r ysgolion cyfagos, *Night shelter* bob nos Fawrth yn festri'r capel. Yma cai nifer o'r digartref loches – swper a brecwast poeth a gwely clyd dros nos. Er hynny roedd ambell un yn cwestiynu doethineb y fenter drwy ddarogan y byddai mynedfa'r eglwys yn frith o boteli alcohol a *syringes*. Mae ymateb Evan i'r lleisiau amheus yn dweud y cyfan amdano fel bugail tosturiol ac arweinydd yr eglwys

> *But for the grace of God* gallwn innau – heb ddim a heb neb – yn hawdd troi at gyffur neu alcohol.

Hyd y gwelaf, mae cryn anghysondeb ar draws yr achosion eglwysig gyda rhai eto i ddeffro anghenion eu cymuned leol a'i lle hwythau yn y darlun.

5. Denu teuluoedd a phlant a chyfrannu at eu datblygiad ysbrydol?

Ceir enghreifftiau *wow* o swyddogion ieuenctid ar yr un donfedd â phlant a phobl ifainc ac yn siarad iaith y maen nhw'n ei deall. Mae'n bleser i blant ac oedolion wylio Andy Hughes (2.5.2) ar waith ac ymuno yn y *buzz*. Mae'n amhosib eistedd yn llonydd pan fydd ef yn mynd drwy ei bethe!

Mae Pobl Ifanc Priordy (5.4.1), Caerfyrddin yn cwrdd yn achlysurol ar foreau Sul ac yn arwain oedfaon. Yn dilyn canu emyn a gair o weddi ar fore Sul, byddant yn mynd ar daith er mwyn dod i ddysgu mwy am eu cymuned. Maen nhw wedi ymweld â Radio Ysbyty Glangwili ac â Chaplan Ysbyty Glangwili, Caplan Pencadlys Heddlu Dyfed Powys a 'Llyfrau Llafar Cymru'. Drwy'r profiadau hyn maent yn tyfu'n bobl ifainc bonheddig ac aeddfed, ac yn cymhwyso eu hunain i ddod yn gyflawn aelodau o'r eglwys.

Ceir pwyslais yn y tair 'ysgol ffydd' (2.9) ar werthoedd Cristnogol ar waith ac er eu bod yn ysgolion sy'n perthyn i enwad penodol, maent yn pwysleisio'r hyn sy'n gyffredin rhyngddynt â Christnogion eraill yn hytrach na beth sy'n eu gwahanu. Yn y tair ysgol, rhoddir sylw i sut y gellir sicrhau bod yr ymddygiad o ddydd i ddydd yn efelychu gwerthoedd Iesu Grist. Mae'r pwyslais ynddynt ar werthoedd sydd oll yn deillio o'r Gair:

> cariad, tosturi, gobaith, arweinyddiaeth, caredigrwydd, dewrder, maddeuant, cyfeillgarwch, gonestrwydd, meddwl agored, cariad at ddysgu, tegwch, brwdfrydedd, creadigrwydd, diffuantrwydd, cariad at brydferthwch

Mae'r gwerthoedd hyn yn gyson o genhedlaeth i genhedlaeth ac o enwad i enwad. Siaradais â disgyblion ac â staff ac roedd eu hymwybyddiaeth o werthoedd Cristnogol a'u heffaith ar eu bywydau beunyddiol yn arbennig.

Mae'r ffaith ei bod hi'n ofynnol i ysgolion fel rhan o gwricwlwm newydd Cymru fanteisio ar eu cynefin yn agwedd bositif. Mae'n cynnig cyfleoedd i eglwysi ddyfnhau eu cysylltiadau â'u hysgolion lleol. Yn ardal y Bala, er enghraifft, gall yr ysgolion a'r eglwysi werthfawrogi cymeriadau hanesyddol y fro fel Thomas Charles a Mary Jones (2.2.2) drwy gefnogi gwaith Cymdeithas y Beibl yng nghanolfan Byd Mary Jones.

Mae Mike Holmes o *Coastlands* (1.3.2) yn credu bod angen defnyddio pobl ifainc i sbarduno plant, rhai sydd ar yr un donfedd â nhw ac yn siarad iaith gyfoes, yn hytrach nag athrawon hŷn *out of touch*. I'r perwyl hwn, mae wedi pennu teulu ifanc i arwain yr ysgol Sul.

Yn Efail Isaf (2.8.1), ceir y Twmiaid yn bownsio ar y Gweplyfr yn ddyddiol i'n hysbrydoli. Trueni na allwn up sticks a mynd i fyw yno, i orymdeithio drwy'r pentre' ac ymuno â nhw yn eu hwyl! Dyna beth yw blaenoriaethu pellgyrhaeddol, trwy fanteisio ar Raglen Buddsoddi ac Arloesi UAC (5.4.1) i gyflogi cyn Swyddog yr Urdd yn Swyddog Ieuenctid a Chymunedol. Mae yna 70 o'r Twmiaid yn mynychu'r ysgol Sul erbyn hyn.

Ym Mro Nant Conwy (2.5.1), maent hwythau hefyd wedi manteisio ar Raglen Buddsoddi ac Arloesi UAC (5.4.1) i gyllido dau ddiwrnod yr wythnos o amser y gweinidog newydd, Owain Idwal, i bontio gyda theuluoedd, ieuenctid a phlant y fro. Yn barod mae ganddo broffil uchel ymhob ysgol ac mae'n gaplan clwb rygbi Dyffryn Conwy. Yn dad ifanc, mae ei brofiad blaenorol fel rheolwr Canolfan Hamdden a Phwll Nofio Llanrwst ac fel Swyddog Ieuenctid a Theuluoedd yng Nghapel Berea Newydd, Bangor yn ei alluogi i bontio'n hawdd gyda theuluoedd a phobl ifainc y fro.

Cyfarwyddwr Cerdd Eglwys Gadeiriol Llanelwy yw Paul Booth (2.7.1). Bu'n hynod greadigol yn defnyddio grant gan yr Eglwys yng Nghymru i gynyddu aelodaeth côr y gadeirlan. 'Gwerthodd' y manteision '*What's in it for me?*' yn llwyddiannus ymysg teuluoedd ifanc yr ardal.

Mae rheolwyr Coleg y Bala (2.3.2), a hwythau'n rhieni egnïol eu hunain, yn deall sut i ddenu sylw a diddordeb plant a phobl ifainc a chyflwyno gwerthoedd Cristnogol i'w bywyd bob dydd. Drwy ddechrau eu sesiynau gyda gêm hwyliog, yna stori Feiblaidd a thrafodaeth am y gwerthoedd Cristnogol sydd ynghlwm â'r stori, daw'r plant i ddeall effaith hynny ar eu hymddygiad.

Mae'r Eglwys Fethodistaidd yn trefnu gŵyl flynyddol i'w hieuenctid o'r enw *3Generate* (2.4.1). Mae'r Eglwys Gatholig Rufeinig hwythau'n trefnu gŵyl flynyddol debyg o'r enw *Flame* (2.9).

Os nad oes teuluoedd na phlant nac ieuenctid na swyddog cyflogedig yn rhan o weithgarwch eglwys, rhaid gofyn pam ac am ba hyd y gellid bodoli hebddynt?

6. Cyfathrebu'n agos ac yn eang drwy ddulliau cyfoes?

Yng nghanol erchylltra Covid-19 a chyfyngiadau llym y cyfnodau clo, aeth nifer helaeth o eglwysi ati'n ddiymdroi i fabwysiadu dulliau cyfathrebu cyfoes. Buan y sefydlwyd patrwm newydd sydd bellach, fel y dywed y Parchg Aled Lewis Evans (4.1.1), yn norm i gerdded ymlaen i'r dyfodol yn ei gwmni. Mae'r ymateb positif hwn yn nodweddiadol o ymatebion y mwyafrif o'r cyfranwyr.

Dywed Aled mai'r gwahaniaeth mwyaf syfrdanol oedd datblygiad aelodaeth eu Grŵp Gweplyfr. Ceir postiadau newydd ac ymatebion yn ddyddiol lle cynt y ceid newyddion o Sul i Sul yn unig. Rŵan, mae'r aelodau'n medru cadw cyswllt agos yn gyson gydol yr wythnos ac mae hyn yn cynnig gwell syniad i bobl o'r hyn sy'n mynd ymlaen. Trwy hyn, ceir ymdeimlad o gefnogaeth Gristnogol sydd yn ysbrydoliaeth i'r rhai sydd mewn cyfyngder, a hefyd yn rhoi cyfle i ymuno â nhw yn rhithiol yn eu dathliadau.

Bu medru siarad, cyfarfod a darlledu trwy *Zoom* yn hynod fanteisiol gan wneud eglwys yn fwy cynhwysol a chroesawgar ar sawl platfform tra'r un pryd yn cynnig dewis i'r unigolyn pryd i gysylltu. Mae'r niferoedd sy'n gwylio darllediadau o wasanaeth boreol y Sul wedi codi. Mae'r ddarpariaeth rithwir hon wedi galluogi'r anabl a'r to hŷn i ymuno a bod yn rhan o'r gynulleidfa heb adael eu cartrefi. Hefyd, mae teuluoedd ifanc yn gyffyrddus iawn â'r math yma o gyfathrebu ac yn barod iawn i'w ddefnyddio.

Mae rhai eglwysi, fel y Priordy (5.4.1) yng Nghaerfyrddin, wedi camu ymlaen i fuddsoddi mewn offer technolegol mwy soffistigedig fel teledu mawr i gynnig cyfleodd i amrywio'r addoliad drwy ddefnyddio lluniau, geiriau, ffilmiau a cherddoriaeth. Mae defnydd o *Zoom* a chyswllt â'r we yn galluogi darlledu'n fyw'r oedfaon ac angladdau pan fo angen.

Yn ychwanegol at hyn, mae'r Priordy wedi mentro'n hyderus i sicrhau presenoldeb ar-lein. Cafwyd datblygiadau cyffrous hefyd ar-lein gan gapeli eraill, fel Capel Rhos Newydd dan gyfarwydd Eifion Wynne (3.2.1). Ceir y cyfle i drafod a lleisio barn yn agored ar blatfform 'Cristnogaeth 21' (3.2.2).

Fel y dywedodd Alwyn Humphreys (3.1.1), daw rhaglen *Dechrau Canu, Dechrau Canmol* â'r byd i'n cartrefi – yn ei brydferthwch a'i broblemau– ac fe ddylem fod yn falch ac amddiffyn y trysor hwn sydd yn ein meddiant.

Nid yw pob Achos eto wedi mentro i fanteisio ar hygyrchedd technoleg gyfoes.

7. Tyfu a datblygu i'r dyfodol?

Nid yw'r ffaith bod eglwysi yn dirwyn i ben a bod capeli ac adeiladau eglwysig niferus yn gorfod cau a'u gwerthu, yn newyddion bellach.

Adeiladau

Mae Alun Tudur (4.4.1) yn deall yr ymlyniad emosiynol wrth addoldai hanesyddol. Mae'n dosturiol, tra'r un pryd yn erfyn am newid meddylfryd. Mae'n annog y rhai a fu'n addoli mor ffyddlon ynddynt dros y blynyddoedd i werthfawrogi'r bendithio a gawsant, ond i dderbyn bod angen newid ac addasu i gyfarfod sefyllfaoedd newydd. Trwy ei weinidogaeth unigryw, cynigiai opsiwn gwahanol i'r traddodiadol. Mae ei eglwys ef, sef Ebeneser, Caerdydd, erbyn hyn wedi ei sefydlogi mewn tri lleoliad ar rent.

Mae Eglwys Efengylaidd Gymraeg Caerdydd (4.7.2) hwythau erbyn hyn yn rhentu adeilad yn yr Eglwys Newydd ar gyfer cwrdd bob Sul, am ei fod yn fwy pwrpasol at oedfaon y Sul na'u hadeilad llai hwy eu hunain yn Cathays. Ond cynhelir clybiau ieuenctid a rhai gweithgareddau eraill yn eu hadeilad yn Stryd Harriet, Cathays, yn ogystal. Maent yn darlledu eu hoedfaon yn fyw, ac mae'r oedfaon hynny a nifer o adnoddau eraill ar gael i'w gwylio ar sianel *YouTube* yr Eglwys
https://www.youtube.com/c/CwmpawdCaerdydd

Gweithredu'n genhadol

Mae Alun Tudur yn rhybuddio, os nad ydym yn deffro ac yn meithrin disgyblion newydd, bydd neb ar ôl ymhen degawd i drosglwyddo'r fantell iddynt. Yn gyntaf, rhaid adnabod doniau'r unigolion ifainc. Yn ail, maent angen eu hyfforddi a'u mentora. Yn drydydd. Mae angen rhoi cyfle iddynt fagu profiad drwy gymryd rhan yn gyhoeddus a derbyn cyfrifoldeb i arwain prosiectau fel 'Llan Llanast'. Cafodd Siwan Jones (2.3.1), sydd bellach yn Weithiwr Plant ac Ieuenctid ym Mro Wrecsam, gyfle, pan oedd yn fyfyriwr yng Nghaerdydd, i ddatblygu ei doniau dan adain brofiadol Alun.

Mae'r Parchg Rhys Llwyd (4.2.1) yng Nghaernarfon o'r un farn. Bydd ef yn cynnig cyfle i'r ieuenctid gyfrannu i'r gwasanaethau, er enghraifft trwy gyhoeddi emyn, ac yn eu cefnogi wrth iddynt baratoi i gymryd rhan yn gyhoeddus ac weithiau i draddodi pregeth. Un a elwodd o'r trefniant hwn oedd Siân Rees, sydd bellach yn Brif Weithredwr y Cynghrair Efengylaidd yng Nghymru (5.7.1).

Mae capel Tabernacl, Efail Isaf (4.7.1) yn cynnig ffordd arloesol a chwyldroadol o ddelio a holl agweddau'r capel ac mae'r Achos a'r gymuned yn ffynnu o'r herwydd. Nid oes ganddynt weinidog penodol mwyach. Yr hyn a geir yw Bwrdd Cyfarwyddwyr ac mae i bob aelod gyda swyddogaeth benodol. Mae cyfnodau bob Cyfarwyddwr yn dod i ben ar ôl mlynedd. Erbyn hyn mae tua chwe deg aelod wedi gwasanaethau ar y Bwrdd.

Gadawodd y Parchg Ganon Nia Wyn Morris (4.3.1) gryn etifeddiaeth i ddiwylliant a bywyd crefyddol ardal y Bala wrth foderneiddio Eglwys Crist. Y mae bellach yn adeilad amlbwrpas hardd a chyfoes, yn addas i'r unfed ganrif ar hugain. Ond nid menter hawdd mohoni. Gorfu iddi ddelio ag emosiynau cryfion wrth gau pum eglwys wledig – er cyn lleied oedd yn eu mynychu erbyn y diwedd, a pha mor arwyddocaol bynnag y buont yn y gorffennol. Roedd gwaddol Nia yn gymysgedd o edmygedd, gwerthfawrogiad ac eiddigedd oherwydd i broffil Eglwys Crist (Anglicanaidd) gynyddu'n sylweddol mewn ardal draddodiadol gapelog Gymreig. Trwy ganolbwyntio ar y weledigaeth a chydag arweiniad cadarn mae'n bosib symud ymlaen er budd y cenedlaethau i ddod yn ogystal â dyfodol ehangach Cristnogaeth mewn ardal wledig.

Mae'r Parchg Judith Morris (5.5.1) yn rhagweld y bydd yr eglwysi anenwadol yng Nghymru yn cynyddu'n sylweddol i lenwi'r bwlch a adewir gan yr enwadau traddodiadol.

Y GAIR OLAF: TUA'R GOLEUNI

Parchg Ddr Rhys Llwyd (4.2.1)

> Hyd yn oed mewn eglwys gymharol fychan mae cadw'r undod wedi bod yn heriol gan fod gennym dair ffrwd wedi dod ynghyd yn yr eglwys – yr aelodau traddodiadol, efengylwyr, ac yna Cristnogion carismataidd o gefndir mwy Pentecostalaidd. Rwy'n grediniol fod y *tair ffrwd* yn dod â rhywbeth gwerthfawr a bod gan bob ffrwd rhywbeth i'w gynnig.
>
> Er mod i'n parhau i fod eisiau arwain eglwys sy'n genhadol ei naws rwyf wedi cyrraedd man ar ôl deg mlynedd wrthi o fod eisiau gwneud hyn mewn ffordd gynaliadwy sy'n arwain at ffydd ddofn. Dwi eisiau *ffydd ac ysbrydolrwydd sydd am bara oes*, ac nid ffydd sydd am losgi'n llachar heddiw a llosgi allan erbyn fory.

Er mai'r genhadaeth ag agweddau newydd a blaengar y weinidogaeth a'm denodd i'r swydd i gychwyn mae'n rhaid cydnabod fy mod erbyn hyn yn gweld gwerth elfennau mwy traddodiadol a bugeiliol y weinidogaeth Gristnogol. Rwy'n gweld hi'n fraint arbennig *bugeilio teuluoedd* drwy amseroedd anodd. Bu arwain angladdau yn fraint anhygoel gan ddal llaw pobl ar adegau lle mae'r ffin rhwng y byd fel y mae a'r byd sydd eto i ddod yn denau iawn.

Parchg Rob Nicholls (4.2.2)

Yn ddelfrydol, mae'r cyfan oll yn cael ei grynhoi o fewn terfynau'r swydd. Er yn amhosib fod yn "bopeth i bawb", credaf ei fod yn bwysig i gyflawni'r dyletswyddau o addysgu, bugeilio, cenhadu a phregethu'r Gair. Gan gofio bob amser, yn enwedig o fewn y traddodiad anghydffurfiol Cymreig, bod rhaid rhoi pwyslais ar weinidogaeth yr holl saint, a bod *pob un ohonom yn "weinidogion"* yn yr ystyr hynny, boed yn ordeiniedig neu beidio.

Parchg Ddr Alun Tudur (4.4.1)

Y mae hon yn egwyddor bwysig i'w deall yng Nghymru heddiw, gwlad sydd wedi ei britho gan filoedd o adeiladau Cristnogol. Rhaid sylweddoli nad ein *capeli* sy'n bwysig ond y gymdeithas o bobl sy'n cyfarfod ynddynt yn enw Iesu. O ganlyniad mae'r gynulleidfa lawer gwaith mwy gwerthfawr na'r adeilad. A'n blaenoriaeth yw adeiladu, annog, ysbrydoli, meithrin a hyfforddi'r bobl ac nid gwario ein cyfalaf ar adeiladau. Llawer gwell fyddai gwario trigain mil o bunnoedd i gyflogi person am ddwy flynedd i ddatblygu gwaith cenhadol, neu waith plant neu i weinidogaethu trwy bregethu a chynnal cwrdd gweddi nac ar adnewyddu adeilad sy'n dadfeilio oherwydd *dry rot*.

Fe ddywedodd Iesu wrth y *disgyblion* yn ddi flewyn ar dafod fod mynd allan i geisio ennill pobl yn ei enw yn rhan hanfodol o'n gwaith. Meddai ar ddiwedd Efengyl Mathew:

> "Felly ewch i wneud pobl o bob gwlad yn ddisgyblion i mi, a'u bedyddio nhw fel arwydd eu bod nhw wedi dod i berthynas â'r Tad, a'r Mab a'r Ysbryd Glân. A dysgwch nhw i wneud popeth dw wedi'i ddweud wrthoch chi. Gallwch chi fod yn siŵr y byddai gyda chi bob amser, nes bydd diwedd y byd wedi dod." (Matthew 28.19-20)

Buom yn esgeulus iawn fel eglwysi. Aethom yn ddiog gan gredu y gallem fyw ar ein bloneg. Ond bellach sylweddolwn mai breuddwyd gwrach oedd hynny. Bellach rhaid meddwl yn greadigol sut y gallwn fod yn ufudd i eiriau'r Iesu gan fod yn gyfryngau i wneud disgyblion newydd.

Rhaid i ni sylweddoli'r angenrheidrwydd i feithrin Cristnogion ifanc. Yn gyffredinol buom yn araf yn gwneud hyn a bu'n gamgymeriad mawr. Hoffwn gyfeirio at dri cham arwyddocaol.

Yr angen i *hyfforddi Cristnogion ifanc yn y ffydd*. Rhaid dysgu pobl ifanc i astudio'r Beibl yn gyson ac i weddïo'n bersonol ac yn gyhoeddus. Trwy astudio'r Beibl deuwn i adnabod yr Arglwydd yn well a chanfyddwn ewyllys Duw a thrwy weddïo rydym yn meithrin perthynas gydag Ef.

Golyga hyn ein bod yn rhoi *cyfleoedd* i'n plant a'n hieuenctid i gymryd at gyfrifoldebau yng ngwaith yr eglwys a hefyd i arwain addoliad a gweithgareddau.

Fodd bynnag, oherwydd eu diffyg profiad dechreuol, yn naturiol fe fydd pethau weithiau'n mynd yn flêr. Ond wrth baratoi ein hieuenctid yn drylwyr a'u cefnogi i ddatblygu sgiliau a hyder, byddwn yn creu arweinwyr i'r genhedlaeth nesaf.'

Os mai eich nod yw cadw eich eglwys fel y bu, peidiwch ag rhoi cyfle i bobl ifanc ond mae i bob dewis ei ganlyniad.

Fel Cristnogion Cymraeg mae gennym etifeddiaeth gyfoethog. Gwaetha'r modd os nad ydym yn wyliadwrus gall yr etifeddiaeth hon droi'n draddodiad haearnaidd, anhyblyg sy'n atal newid ac yn mygu unrhyw fynegiant newydd o ffydd a bywyd.

Heddiw mae'n rhaid inni ddysgu didoli rhwng y pethau sy'n werth eu cadw a'r pethau hynny sy'n niweidiol i fywyd eglwysig iach. Golyga hynny osod o'r neilltu elfennau o'n diwylliant Cristnogol sy'n ddim mwy na defodaeth wag a diystyr.

Cyfrwng yw diwylliant i gyflwyno'r newyddion da am Iesu Grist. Mae diwylliant yn newid ond nid yw'r newyddion da yn newid. Golyga hynny fod *yn rhaid i Gristnogion gyflwyno'r newyddion da am iachawdwriaeth trwy Iesu mewn ffordd sy'n berthnasol ac yn ddealladwy i'r diwylliant cyfoes.*

Mae'n gyfnod heriol ac anodd gan fod cyn lleied o lwyddiant gweladwy a nemor ddim twf. Eto, rwy'n cofio nad ein gwaith ni yw gwaith y deyrnas ond gwaith Duw. Nid yw llwyddiant na thwf yn y pendraw yn dibynnu arnaf fi, dibynna ar yr Arglwydd a gwaith ei Ysbryd. *Ac ni fydd ef byth yn gadael ei hun yn ddi-dyst.* Hwnt ac yma ar hyd a lled ein gwlad y mae yna unigolion a chynulleidfaoedd sy'n driw i'r Gwaredwr ac yn cadw fflam y ffydd i losgi yn danbaid. Diolch amdanynt.

Rhaid camu i'r anwybod mewn ffydd, heb wybod yn union beth fydd y pendraw. Fel Pedr yn camu allan o'r cwch ar y môr yn ôl galwad yr Iesu.

Parchg Isaias Grandis (2.6.1)

Mae'r Gair yn cynnig arweiniad pan fo'n nod yn glir a'n ffydd yn gryf. Mae'n tystio pŵer gweddi pan fo'n ffydd bersonol yn solet. Mae'n dyfynnu'r awdur Jim Cymbala pan ddywed: *The times are urgent, God is on the move, now is the moment to ask God to ignite his fire in your soul.*

Parchg John Gwilym Jones (3.2.2)

Mae John Gwilym wrth gyfeirio at eiriau Karen Armstrong *Nobody can have the last word* yn dweud mae'r ysbryd yn chwythu lle y mynno ac mae'r gwirionedd o hyd y tu hwnt i eiriau.

* * *

Fy Nhad sydd wrth y llyw:

"Tydi o ddim iws i ti drio gweithio allan *pam* aeth o, *sut* aeth o, *pryd* aeth o, na *phwy* ddaeth i 'nôl o, achos nawn ni byth deall be 'di byd ysbrydol, oherwydd 'dan ni erioed 'di bod yna! Dyna dwi'n ei gredu; ond does dim disgwyl i ti gredu'r un peth. *Dyna* 'di ffydd, ti'n gweld."

Os mai dyna yw *indoctrination* – diolchaf i Dduw amdano a chredaf yn daer fod gan bob **malwan bach arall fel fi** hawl iddo.

Meini Prawf ac Argymhellion

Eglwysi Cristnogol cyfoes ar bererindod tua'r goleuni: meini prawf posibl

Mae'n bwysig fod pob aelod yn cael y cyfle i gyfrannu i'r broses

MEINI PRAWF

Mentraf gynnig y fframwaith hwn fel man cychwyn i chi werthuso eich sefyllfa gyfredol er mwyn symud ymlaen. Dyma gyfle i chi lunio trosolwg bras o'ch achos gan newid y meini prawf yn ôl eich dymuniad. Y nod yw pennu pa un o'r categorïau isod sy'n gweddu orau i'ch sefyllfa chi.

DEWR GALON

- gweledigaeth bellgyrhaeddol, weithredol
- arweinyddiaeth gref
- rhannu baich a swyddogaethau
- dulliau cyfathrebu cyfoes
- cymdeithas glos – trafod gwerthoedd, ffydd, ystyr, marwolaeth
- blaenllaw yn y gymuned
- partneriaethau cryf
- canran uchel o deuluoedd ifainc
- egnïol
- cymryd risgiau

TWYM GALON

- dygymod ag arweinyddiaeth statig
- cadw at drefniadau arferol
- band undyn – yn y swydd ers tro
- cyfrifoldebau cyfyngedig
- tawedog, a hynny'n arfer arferol
- canran uchel o aelodau hŷn
- lled fewnblyg
- gofalus a thraddodiadol
- prysurdeb heb newid
- adeilad mewn cyflwr da
- arian segur yn y banc
- bodlon

GWAN GALON

- diffyg arweinyddiaeth
- nemor ddim cyfoes
- mewnblyg
- dim teuluoedd ifainc
- diffyg egni
- gwrthwynebu a gwrthsefyll newid
- adeilad gwael; angen buddsoddiad

ARGYMHELLION

Sicrhau fod yr arweinyddiaeth yn cynnal:

1. **Dadansoddiad o'r achos**

   1.1 **Dadansoddiad o'r sefyllfa fewnol**
   - drwy bennu arweinydd e.e. gweinidog
   - drwy bennu dull e.e. SWOT

   1.2 **Dadansoddiad o natur ac anghenion y gymdeithas leol**
   - drwy bennu arweinydd
   - drwy bennu dull e.e. SWOT

   1.3 **Pennu blaenoriaethau a**
   - dyrannu cyfrifoldebau e.e. arweinydd, pwyllgor, tîm
   - nodi'r swyddogaethau
   - trefnu hyfforddiant
   - pennu cyllid
   - achwilio grantiau allanol

   1.4 **Partneru gyda:**
   - mentrau cyhoeddus
   - gwasanaethau statudol
   - elusennau perthnasol
   - eglwysi eraill
   - ysgolion

1.5 **Dathlu llwyddiannau:**
- gwefannau, Gweplyfr, Papurau Bro cylchgronau enwadol

2. **Lleoli'r eglwys yn ôl categoriau'r meini prawf**

3. **Monitro effeithiolrwydd yr arweinyddiaeth**

4. **Paratoi i gyfrannu i weithredu'r cwricwlwm newydd drwy:**
   - greu perthynas â'r ysgolion lleol
   - gydweithio â Chymdeithas y Beibl

Sicrhau bod yr enwadau yn:

5. **Gweithredu Erthygl 14 o CCU Hawliau Plant yn ymhob achos drwy greu:**
   - cyfleoedd i blant a phobl ifainc ddweud eu barn
   - pwyllgor/au ieuenctid lleol a chenedlaethol

Diolchiadau

Nodaf fy niolch i'r cyfranwyr bob un am eu parodrwydd i rannu eu gwerthoedd, eu gweledigaeth a'u gweithgarwch. Diolchaf i Wasg Carreg Gwalch ac i eraill, rhy niferus i'w henwi, am eu hamryw gymwynasau gwerthfawr.

Cydnabyddir yn ddiolchgar ganiatâd parod y sawl a enwir yn y gyfrol hon i gynnwys eu lluniau ynghyd â manylion perthnasol amdanynt.

PRYDWEN ELFED-OWENS
Mai 2022

Byrfoddau

BCN	*Y Beibl Cymraeg Newydd*
BNET	*beibl.net*
CEC	Y Cynghrair Efengyaidd yng Nghymru
CYMFed	*Catholic Youth Ministry Federation*
Cytûn	Eglwysi Ynghyd yng Nghymru
EBC	Eglwys Bresbyteraidd Cymru
EGRC	Yr Eglwys Gatholig Rufeinig yng Nghymru
EFYC	Yr Eglwys Fethodistaidd yng Nghymru
ESTYN	Arolygiaeth Ei Mawrhydi dros Addysg a Hyfforddiant yng Nghymru
EYC	Yr Eglwys yng Nghymru
GIG	Gwasanaeth Iechyd Gwladol Cymru
GL	GL (*Facebook*)
LGBTQA	*Lesbian, Gay, Bisexual, Transgender, Queer, Asexual*
MEC	Mudiad Efengylaidd Cymru
MAYC	*Methodist Assocation of Youth Clubs*
MIST	*Methodist Independent Schools Trust*
NEC	*National Exhibition Centre, Birmingham*
NEWCIS	*North East Wales Carers Information Service*
OFSTED	*Office for Standards in Education, Children's Services & Skills*
RADA	*Royal Academy of Dramatic Art*
SWOT	*Strengths, Weaknesses, Opportunities and Threats Analysis*
UAC	Undeb Annibynwyr Cymru
UBC	Undeb Bedyddwyr Cymru
UCCC	Undeb Cristnogol Cymraeg Caerdydd
UNICEF	*United Nations Children's Fund*
YOT	*Youth Offending Team*

Pererindod Pantycelyn

E. Wyn James

Pererin wyf mewn anial dir,
　　Yn crwydro yma a thraw,
Ac yn rhyw ddisgwyl bob yr awr
　　Fod tŷ fy Nhad gerllaw.

Dyna bennill agoriadol un o emynau mwyaf adnabyddus 'y Pêr Ganiedydd', William Williams o Bantycelyn. Gweddi ydyw ar i'r Ysbryd Glân roi ei gymorth a'i arweiniad i'r Cristion ar ei bererindod trwy'r byd hwn i dŷ ei Dad nefol.

Ond nid mewn 'anial dir' y dechreuodd taith *ddaearol* Williams, ond ynghanol bryniau gwyrddlas gogledd sir Gaerfyrddin, a hynny yn 1717. Fe'i ganed ar fferm Cefn-coed ychydig filltiroedd i'r dwyrain o dref Llanymddyfri; ond yn 1742, pan oedd Williams yn bump ar hugain mlwydd oed, bu farw ei dad a symudodd y teulu i ffermdy cyfagos Pantycelyn. Yno y treuliodd yr emynydd weddill ei oes, hyd ei farw yn 1791, a dyna paham y cyfeiriwn ato'n aml fel 'Williams Pantycelyn' neu weithiau yn syml fel 'Pantycelyn', heb y 'Williams'.

Dechreuodd pererindod *ysbrydol* Williams yn Nhalgarth yn sir Frycheiniog. Tua 1737, ac yntau'n rhyw ugain mlwydd oed, aeth i astudio mewn academi ymneilltuol ger Talgarth a'i fryd ar fod yn feddyg. Er iddo gael magwraeth Gristnogol, nid oedd Williams yn Gristion yr adeg honno. Ond wrth ddychwelyd o'r academi un bore, clywodd ŵr ifanc tanbaid yn pregethu ym mynwent Eglwys Talgarth. Howel Harris oedd enw'r dyn ifanc hwnnw, un o arweinwyr cynnar y Diwygiad Methodistaidd. Ac fel y dywedodd Williams ei hun yn ei farwnad i Harris yn 1773:

Dyma'r bore fyth mi gofia',
　　Clywais innau lais y nef;
Daliwyd fi wrth wŷs oddi uchod
　　Gan ei sŵn dychrynllyd ef.

Ni fu bywyd yr un fath byth wedyn, ac yn lle mynd yn ddoctor treuliodd Williams weddill ei oes yn 'feddyg eneidiau'. Dyma dri phennill o emyn sy'n crynhoi'r newid ysbrydol enfawr a ddaeth i'w ran adeg ei dröedigaeth yn Nhalgarth ac sy'n fynegiant angerddol o'r cariad at Iesu Grist, ei Arglwydd a'i Waredwr, a'i nodweddai o hynny allan:

Rwy'n dy garu, Ti a'i gwyddost,
    Rwy'n dy garu, f'Arglwydd mawr;
Rwy'n dy garu yn anwylach
    Na'r gwrthrychau ar y llawr;
        Darllen yma
    Ar fy ysbryd waith dy law.

Fflam o dân o ganol nefoedd
    Yw, ddisgynnodd yma i'r byd,
Tân a lysg fy natur gyndyn,
    Tân a leinw f'eang fryd;
        Hwn ni ddiffydd
    Tra parhao Duw mewn bod.

Ble enynnodd fy nymuniad?
    Ble cadd fy serchiadau dân?
Ble daeth hiraeth im am bethau
    Fûm yn eu casáu o'r blaen?
        Addfwyn Iesu,
    Y cwbl ydyw gwaith dy law.

Cyhoeddodd Williams Pantycelyn ddwy gerdd hir. *Golwg ar Deyrnas Crist* (1756) yw enw'r gyntaf. Ynddi mae'n olrhain hanes 'ysbrydol' y byd hwn o'r dechreuadau hyd at ddiwedd amser. Ei amcan, meddai, yw dangos fod 'Crist yn bob peth, ac ymhob peth' – yn bopeth yng nghynlluniau'r Drindod cyn creu'r byd, yn bopeth yn y creu ei hun ac mewn rhagluniaeth, yn allwedd i'r Beibl drwyddo draw, yn bopeth yn yr iachawdwriaeth, ac yn y blaen.

Teitl ei ail gerdd hir yw *Bywyd a Marwolaeth Theomemphus* (1764). Ystyr yr enw 'Theomemphus' yw 'Ymofynnwr Duw', a disgrifiodd un o'n prif awdurdodau ar Williams Pantycelyn a'r Diwygiad

Methodistaidd, sef y diweddar Gomer M. Roberts, y gerdd hon fel 'hanes ymdaith enaid yn ystod Deffroad mawr y ddeunawfed ganrif, a hynny gan un a deimlodd rym y dylanwadau ysbrydol yn eu holl nerth'.

Yn y gerdd, caiff Theomemphus ei argyhoeddi o bechod dan bregethu 'Boanerges' – 'Mab y Daran' – ac wedi cyfnod o 'hepian' a chael ei gamarwain, daw i brofiad o ffydd a maddeuant yn sgil pregeth gan 'Efangelius' sy'n ei annog i gredu'r 'newyddion da o lawenydd mawr', fod Iesu Grist yn cynnig iachawdwriaeth a chymod â Duw trwy ei aberth ar y groes. Mae rhan o gân o fawl Theomemphus wrth iddo dderbyn maddeuant ac iachawdwriaeth wedi mynd yn emyn cyfarwydd. Dyma ddau bennill ohono:

O! Iesu, pwy all beidio
  Â'th ganmol ddydd a nos?
A phwy all beidio â chofio
  Dy farwol ddwyfol loes?
A phwy all beidio â chanu
  Am iachawdwriaeth rad
Ag sydd yn teimlo gronyn
  O rinwedd pur dy waed?

O! Arglwydd, rho im dafod
  Na thawo ddydd na nos,
Ond dweud wrth bob creadur
  Am rinwedd gwaed y groes;
Na ddelo gair o'm genau,
  Yn ddirgel nac ar goedd,
Ond am fod Iesu annwyl
  Yn wastad wrth fy modd.

Fel y gwelwn, mae pererindod ysbrydol Williams Pantycelyn yn dechrau wrth groes Iesu Grist a'i 'farwol ddwyfol loes', ac mewn un ystyr nid yw byth yn crwydro ymhell o'r fan honno. Ond er ei fod ar un ystyr yn glynu'n agos wrth y groes, mewn ystyr arall mae Williams yn crwydro llawer iawn yn ei emynau.

Fel yn achos 'Pererin wyf mewn anial dir', un o'r darluniau mwyaf cyffredin yn emynau Williams Pantycelyn yw hwnnw o'r Cristion fel 'pererin' yn teithio trwy'r byd hwn tua'i gartref nefol. Nid taith rwydd mohoni, ac mae Williams yn aml iawn yn ei emynau yn defnyddio delweddau o fyd natur i gyfleu'r anawsterau ysbrydol y mae'r crediniwr yn eu hwynebu ar y ffordd. Cyn cyrraedd mynyddau hyfryd tŷ ei Dad, rhaid i'r pererin deithio ar hyd llwybr cul, trwy ddyrys anial ac afonydd geirwon, yn erbyn tonnau cynddeiriog a gwyntoedd dychrynllyd, a thros greigiau serth a bryniau oer, tymhestlog. Ac ar hyd y llwybr mae gelynion grymus – diafol, cnawd a byd – a'r rheini'n gwneud eu gorau glas i'w rwystro rhag cyrraedd pen ei daith.

Ceir anawsterau a gelynion ar y daith, felly. Ond beth arall? Neu 'pwy arall', yn hytrach. Oherwydd mae pererinion eraill ar y llwybr, aelodau eraill o eglwys Dduw, o deulu Duw, ac mae'r Cristion yn derbyn cymorth gwerthfawr ar y daith yng nghwmni ei gyd-gredinwyr.

Dyna fu hanes Williams Pantycelyn ei hun a'i gyd-Fethodistiaid. Dechreuodd yr adfywiad ysbrydol yr ydym fel arfer yn ei alw'n 'Ddiwygiad Methodistaidd' neu'n 'Ddiwygiad Efengylaidd' yn y 1730au. Symudiad ydoedd yn neheudir Cymru ac yn yr Eglwys Anglicanaidd yn bennaf yn y cyfnod cynnar, ond gydag amser fe ledodd trwy Gymru, a chyn diwedd y 18fed ganrif gwelwyd yr un dylanwadau diwygiadol, efengylaidd yn llifo mewn ffordd arwyddocaol i blith yr Annibynwyr a'r Bedyddwyr yn ogystal.

Pwyslais mawr y Methodistiaid (a phobl efengylaidd eraill) oedd nad oedd cydsynio â chredoau'r ffydd Gristnogol, na chael eich bedyddio a dod yn aelod eglwysig, yn ddigon i wneud rhywun yn Gristion go iawn. I fod yn fwy nag yn Gristion 'mewn enw' yn unig, rhaid wrth newid mewnol; rhaid credu â'r galon yn ogystal ag â'r pen, a dod i 'adnabod' Iesu Grist yn brofiadol ac yn bersonol trwy waith yr Ysbryd Glân.

Dyna'r math o dröedigaeth a brofodd Williams Pantycelyn yn Nhalgarth; ac er y gallai tröedigaeth efengylaidd o'r fath fod yn broses dros gyfnod yn hytrach nag yn ddigwyddiad yn y fan a'r lle fel yn hanes Williams, roedd yn newid mor sylfaenol a syfrdanol fel y byddai'r Methodistiaid yn aml yn ei alw'n 'ailenedigaeth' – gan adleiso disgrifiad Iesu Grist ei Hun wrth iddo sgwrsio â Nicodemus yn y drydedd bennod o Efengyl Ioan.

Yn eithaf buan wedi ei dröedigaeth, daeth Williams yn un o brif arweinwyr y mudiad Methodistaidd a oedd yn dechrau tyfu o ddifrif erbyn y 1740au. Un o nodweddion y mudiad hwnnw oedd bod ei ddeiliaid yn dod at ei gilydd yn rheolaidd mewn grwpiau bychain a elwid yn 'seiadau' er mwyn rhannu ac archwilio eu profiadau ysbrydol a chynorthwyo ei gilydd ar eu pererindod.

Teithiodd Williams Pantycelyn ar gefn ei geffyl dros ddwy fil a hanner o filltiroedd bob blwyddyn am tua hanner can mlynedd, yn bugeilio ac yn arolygu'r seiadau Methodistaidd; ac er mwyn cynorthwyo'r seiadwyr hynny yr ysgrifennodd ef ei emynau, i fod yn llais i'w profiadau a'u dyheadau. Ystyrid Williams Pantycelyn yn bencampwr ar arwain seiadau, a chyhoeddodd lawlyfr nodedig, *Drws y Society Profiad* (1777), sy'n rhoi cyfarwyddyd ar sut i'w cadw a sut oedd holi pobl yn effeithiol am eu profiadau ysbrydol.

Wrth bwysleisio fod y Cristion yn derbyn cymorth gwerthfawr gan ei gyd-gredinwyr ar ei daith, rhaid cofio'r un pryd rybudd Williams Pantycelyn fod 'cymysg yn y cyfan is yr haul' a bod y 'gelyn wedi hau efrau yn yr un maes ag y mae Duw yn hau had da'. Daw'r 'cymysgedd' hwnnw i'r golwg yn yr adroddiadau a luniodd Williams yn sgil ei ymweliadau bugeiliol â'r seiadau a oedd dan ei ofal. Gall ddweud am rai seiadwyr eu bod 'yn wresog', yn tyfu 'mewn gwybodaeth, goleuni a santeiddrwydd', ac yn cynyddu 'mewn amryw rasusau' ac mewn 'hiraeth am yr Arglwydd', ond roedd rhai ohonynt 'yn erchyll glaear', eraill yn meddu ar 'ysbryd balch', ac ambell un 'ar sail bwdr iawn'. Ond er y gall rhai o'r cwmni ar y daith greu rhwystrau ac anawsterau, fel y gwelwn o *Drws y Society Profiad*, mae Williams Pantycelyn yn gwbl argyhoeddedig fod cyd-deithio, fod cydgyfarfod i rannu a thrafod profiadau, yn allweddol i iechyd ysbrydol credinwyr

Peth arall cwbl allweddol yw'r llawlyfr y mae Duw wedi ei ddarparu ar gyfer y daith, sef y Beibl, neu 'Lyfr Statut Teyrnas Crist' fel y mae Williams yn ei alw yn ei gerdd, *Golwg ar Deyrnas Crist*. Ar y naill law, mae'r Beibl yn ddatguddiad awdurdodol allanol, y gellir troi ato am gyfarwyddyd ac i fesur pob syniad a barn a phrofiad yn ei erbyn. Mae yn yr Ysgrythur, meddai Williams, bob peth 'angenrheidiol [...] i geryddu, i adeiladu, i hyfforddi'. Dyma 'reol bywyd [...] i brofi barnau dynion' yn ei erbyn, ac mae gan Air Duw, felly, swyddogaeth wrthrychol yn llywio ac yn lliwio meddwl a phrofiad y crediniwr. Ond mae gwedd oddrychol, greadigol hefyd i'r Beibl ym mhrofiad y crediniwr, fel y cawn ein hatgoffa gan yr ymbiliau sydd yn yr emyn angerddol hwn o waith Williams:

O! llefara, addfwyn Iesu:
Mae dy eiriau fel y gwin,
Oll yn dwyn i mewn dangnefedd
Ag sydd o anfeidrol rin;
Mae holl leisiau'r greadigaeth,
Holl ddeniadau cnawd a byd,
Wrth dy lais hyfrytaf, tawel
Yn distewi a mynd yn fud.

Ni all holl hyfrydwch natur
A'i melystra penna' i ma's
Fyth gymharu â lleferydd
Hyfryd, pur, maddeuol ras;
Gad im glywed sŵn dy eiriau,
Awdurdodol eiriau'r nef,
Oddi mewn yn creu hyfrydwch
Nad oes mo'i gyffelyb ef.

Dwed dy fod yn eiddo imi
Mewn llythrennau eglur, clir;
Tor amheuaeth sych, digysur,
Tywyll, dyrys cyn bo hir;
Rwy'n hiraethu am gael clywed
Un o eiriau pur y ne',
Nes bod ofon du a thristwch
Yn tragwyddol golli eu lle.

Bu Williams Pantycelyn yn dyst i adfywiadau ysbrydol grymus dros y blynyddoedd, ond cawn ein hatgoffa yn yr emyn hwn iddo hefyd brofi cyfnodau mwy sych ac oer a thywyll, tebycach i'n dyddiau ni. Fe gawn ein hatgoffa ynddo hefyd, er mor werthfawr yw popeth arall sy'n gymorth i'r Cristion ar ei daith, mai'r hyn sy'n cynnal y pererin uwchlaw pob dim yw cwmni Duw ei Hun. Yn wir, heb gymorth Duw, yn Dad, Mab ac Ysbryd Glân, byddai'n gwbl amhosibl i'r Cristion barhau ar ei bererindod. ''Does gennyf ond dy allu mawr i'm nerthu i fynd ymlaen', meddai Williams yn ei emyn, 'Iesu, difyrrwch f'enaid drud yw edrych ar dy wedd'. Ac meddai yn 'Pererin wyf mewn anial dir':

Tyrd, Ysbryd Sanctaidd, ledia'r ffordd,
Bydd i mi'n niwl a thân;
Ni cherdda' i'n gywir hanner cam
Oni byddi Di o'm blaen.

Rydym wedi edrych ar *ddechrau* pererindod Williams, ac ar Williams y Cristion ar ei bererindod – anawsterau'r daith, a'r cwmni a'r cyfarwyddyd ar y daith – ond beth am *nod* y daith? Mae nod triphlyg iddi. Un yw *sancteiddrwydd*, fel y gwelwn o'r weddi hon gan Williams:

N'ad fod gennyf ond d'ogoniant
Pur, sancteiddiol, yma a thraw,
Yn union nod o flaen fy amrant
Pa beth bynnag wnêl fy llaw:
Treulio 'mywyd,
F'unig fywyd, er dy glod.

A rhan ganolog o waith bugeiliol Williams oedd annog y seiadwyr Methodistaidd i fod yn sanctaidd, i dyfu'n debycach i Iesu Grist o ddydd i ddydd. Nod arall – pen draw'r daith, yn wir – yw'r *nefoedd*. Ond uwchlaw pob dim, *Crist ei Hun* yw'r nod, oherwydd fel sy'n amlwg yng ngwaith Williams Pantycelyn drwyddo draw, Iesu Grist oedd canolbwynt bywyd Williams a phennaf nod ei bererindod.

Ef, y Duw-ddyn, yw ffynhonnell pennaf y nodyn o synnu a rhyfeddu sy'n seinio mor gryf trwy holl waith Williams:

Ymhlith holl ryfeddodau'r nef,
Hwn yw y mwyaf un –
Gweld yr anfeidrol, ddwyfol Fod
Yn gwisgo natur dyn.

Ac nid syndod a rhyfeddod yn unig, oherwydd roedd Williams Pantycelyn yn amlwg dros ei ben a'i glustiau mewn cariad â'i Briod Iesu. 'Iesu, Iesu, rwyt ti'n ddigon', 'Gwyn a gwridog, hawddgar iawn, yw f'Anwylyd'; 'Rwy'n edrych dros y bryniau pell amdanat bob yr awr' – dyna'r ieithwedd sy'n rhedeg trwy ei emynau. Fel y dengys y weddi hon, Iesu Grist oedd Gwrthrych mawr ei serch:

Rho fy nwydau fel cantorion,
Oll i chwarae eu bysedd cun
Ar y delyn sydd yn seinio
Enw Iesu mawr ei Hun;
Neb ond Iesu
Fo'n ddifyrrwch ddydd a nos.

Er mor allweddol bwysig oedd maddeuant pechodau i Williams, gall ddweud yn blwmp ac yn blaen wrth ei 'Arglwydd mawr': ''Dyw'r gair "maddeuant" i mi ddim [...] heb i mi weld dy wyneb-pryd.' Ac er ei hiraeth mawr am y nef, ni roddai'r un ffeuen amdani pe na bai'r Iesu yno. Yn wir, ni fyddai'r nefoedd yn nefoedd heb yr Iesu, fel y gwelwn o emyn mawr Williams sy'n myfyrio ar 'ogoniant yr Arglwydd Iesu yn y nefoedd', a hynny yng nghanol y llu nefol. Ac mae'n briodol ein bod yn gorffen trwy ddyfynnu rhannau o ddechrau'r emyn hwnnw – sy'n hynod gyfoethog ei gyfeiriadaeth feiblaidd* – am ei fod yn fynegiant mor drawiadol o ben draw pererindod Pantycelyn:

Mae'r lle sancteiddiolaf yn rhydd,
Fe rwygodd f'Anwylyd y llen;
'Fe yw Haul y Cyfiawnder y sy
Yn goleuo'r holl nefoedd uwchben:
Mae yno dyrfa anfeidrol o faint,
Ac eto ni welaf mo'r un
'Mhlith angylion, seraffiaid a saint,
Neb fel fy Anwylyd ei Hun.

Mae'n eistedd yng nghanol y llu
Sy â'u rhifedi fel glaswellt y maes,
Yn helaeth yn rhoddi i bob un
Ogoniant, a harddwch, a gras; [...]
'Fe yw Afon y Bywyd sy fry,
'Fe yw'r Manna cuddiedig a drud,
Efe yw hyfrydwch y llu –
Fy Iesu yw'r nefoedd i gyd.

* Ceir, ymhlith eraill, gyfeiriadau yn y penillion hyn at Hebreaid, pennod 9; Mathew 27:51; Malachi 4:2; Datguddiad 7:9; Salm 96:6; Datguddiad 22:1; Datguddiad 2:17.

RHAN 1

Bugeilio ymarferol – tosturi ar y rheng flaen

'Addfwyn, tirion iawn wyt ti, ysbryd cariad rho i mi'

Iesu tirion, gwêl yn awr
blentyn bach yn plygu i lawr:
wrth fy ngwendid trugarha,
paid â'm gwrthod, Iesu da.

Carwn fod yn eiddot ti;
Iesu grasol, derbyn fi;
gad i blentyn bach gael lle,
drwy dy ras, yn nheyrnas ne'.

Charles Wesley (1707-88)
cyf. William Owen Evans (1864-1936)
Caneuon Ffydd, rhif 373

"Each one of them is Jesus in disguise"

Mother Teresa (1910-1997)

1.1 Galar

1.1.1 Jane Gibbins

Arweinydd y Tîm Cwnsela
Tŷ Gobaith, Conwy

Ganed Jane yn Llanelwy, yr ail o bedair merch i nyrs plant. Pan oedd yn feichiog gyda'i hail blentyn, cymrodd Jane y cyfle i arall gyfeirio a chwilio am swydd newydd. Roedd yn awyddus i roi yn ôl i'r gymuned a sicrhau gwell cydbwysedd yn ei bywyd. Dilynodd ei diddordeb i helpu eraill a nawr mae'n gweithio ar y rheng flaen yn cefnogi pobl – fel y gwnaeth ei mam o'i blaen. Priododd ym 1998, symudodd i Brestatyn a magu dau o blant sydd bellach yn eu harddegau.

Ail gydiodd yn ei gyrfa yn 2004 fel Swyddog Gwybodaeth Weinyddol i elusen cwnsela fechan yn Ysbyty Glan Clwyd, Bodelwyddan. Cafodd fwynhad o'r gwaith hwn am sawl blwyddyn. Fe'i hysbrydolwyd gan un o'r cwnselyddion a phenderfynodd newid cyfeiriad a hyfforddi er mwyn i hithau hefyd fod yn gwnselydd. Ei diddordeb oedd helpu teuluoedd mewn profedigaeth ar ôl colli plentyn. Mae'n derbyn bod y broses o alaru yn ymateb naturiol i golled ac nad yw pawb angen cwnsela. Er hynny, mae'n ymwybodol o'r stigma sy'n bodoli ar ran y galarwyr geisio hygyrchedd i'r gwasanaeth cwnsela. Mae Jane yn ceisio ei gorau i'w denu i elwa o gwnsela amserol arbenigol a phroffesiynol. Gyda hyn mewn golwg mae Jane a'i thîm yn dal ati'n gyson i godi ymwybyddiaeth am y gwasanaeth wrth weithio'n ddiwyd i leihau'r ofn a thabŵ sydd yna ynglŷn â'r broses o gwnsela.

Arweiniodd cariad ac ymrwymiad Jane at y gwaith a hi i Hosbis Plant Tŷ Gobaith. Yno daeth yn arweinydd tîm cwnsela. Mae yn gyfrifol am dîm o gynghorwyr sy'n cynnig cwnsela a chymorth medrus arbenigol. Eu grŵp targed ydy'r teuluoedd sy'n gofalu am blentyn sâl neu deuluoedd sy'n dioddef profedigaeth. Maent yn eu helpu i ymdopi â'r golled fwyaf anodd bosib sef colli plentyn a'u cefnogi i ddelio â phrosesu eu galar.

> Nid yw cerdded ochr yn ochr â rhywun trwy eu profiad galar yn hawdd, fodd bynnag, mae'n teimlo'n fraint pan fydd y cleientiaid yn ymddiried ynoch ac yn agor eu calon a rhannu eu teimladau mwyaf poenus. Conglfeini'r broses cwnsela ydy ymddiriedaeth a chyfrinachedd. Mae rhai yn gallu defnyddio eu profiadau dwys personol o golli plentyn i helpu eraill sydd hefyd yn galaru. Gall hyn fod drwy godi ymwybyddiaeth, codi arian neu fel y gwnaeth un o'm cleientiaid wrth arllwys ei theimladau i mewn i sgript drama. Perfformiwyd y ddrama hynod bwerus a gonest hwn yn Theatr Clwyd. Ers hynny, mae'r un cleient wedi sefydlu ei elusen ei hun sy'n helpu eraill sy'n dioddef o golled gyffelyb. Allai ond ymfalchïo yn eu dewrder a'u parodrwydd i rannu eu stori er budd eraill. Fel cwnselydd mae hyn yn eli i'm calon o weld sut y gall cymaint o gysur ddeillio allan o'r fath boen. Mae hyn yn werth chweil i mi fel cwnselydd, i weld y math o gariad yn blodeuo allan o golled a phoen.

Esboniodd Jane ei bod, o fewn deuddeng mlynedd wedi datblygu o edmygu'r gwaith o bell i arwain tîm o gwnsela arbenigol. Er iddi gael ei hysbrydoli i ymgymryd â'r gwaith ni allai mewn gwirionedd llawn ddeall sut y gallai wneud y gwaith anodd heb gael ei affeithio ei hunan. Colli plentyn ydy hunllef waethaf pob rhiant.

Faint mae'n costio tybed i fod yn dyst i drallod a phoen y cleient, i fod yn bresennol a cheisio bod yn gefnogol o dan y fath amgylchiadau trasig, yn eistedd gyda'r teulu yng nghanol eu galar?

> Ynghyd â goruchwyliwr clinigol a thîm cefnogol roeddwn yn teimlo yn hyderus yn y maes hwn, gyda'r gobaith y byddai fy nghefnogaeth yn helpu i wneud gwahaniaeth.
>
> Gwnaf y gwaith hwn yn obeithiol y gallaf barhau i wneud gwahaniaeth i'r rhai sydd angen cymorth. Nid yw teuluoedd byth yn goresgyn marwolaeth eu plentyn a fy ngobaith yw y gallwn gyda'n gilydd ffeindio ffordd trwy'r amseroedd tywyllaf ac addasu i fyw gyda'r golled. Mae'n waith mor allweddol cefnogi teuluoedd i ddelio â'u plentyn bach sy'n marw. Ac wedyn eu helpu i ddygymod a byw gyda'r golled fwyaf trasig y gellid ei wynebu.
>
> Roedd fy mam yn nyrs plant am chwarter canrif a bu'n ddylanwad cryf arnaf. Er bod ganddi bedair merch ei hun roedd ganddi'r angerdd i ofalu a chefnogi eraill. Roedd ei hegni yn ddiddiwedd. Bellach wedi ymddeol,

mae'n dal i gefnogi elusennau lleol, ei theulu ac wrth gwrs ei hwyrion a'i hwyresau.

Mae Jane yn ffyddiog y gall pawb ddysgu bod yn fwy empathetig. Er hynny, mae'n heriol i'r rhai sydd heb brofiad personol ohono.

> Mae empathi yn rhan hanfodol o fod yn gwnselydd a dyma sy''n ein cyflyru i weithio o fewn y gwasanaeth. Mae colli plentyn yn boenus tu hwnt ac mae'n cymryd cryn ddewrder i rannu dyfnder y galar. Wrth golli plentyn mae'r rhieni hefyd yn colli eu dyfodol, eu gobeithion a'u breuddwydion. Mae'r galar yn gallu ynysu person oddi wrth ei ffrindiau a'u teulu oherwydd mae'n dueddol o geisio ffrwyno'r boen am eu bod hwythau hefyd yn hiraethu am y plentyn. Mae rhai yn ofni colli rheolaeth ar eu galar os yw'n dechrau dod i'r wyneb.

Gall cwnsela helpu i:

- ryddhau'r galarwyr dros amser wrth iddynt ollwng i rannu'r baich a lleisio'u poen
- ganfod rheswm dros fyw: oherwydd gall y golled arwain at gwestiynu pwrpas bywyd
- ailadeiladu hunan hyder ar ôl colli hunaniaeth wrth i'w byd chwalu'n deilchion

Gall dyfnder y golled leihau ond ni â byth yn angof, medd Jane wrth ddefnyddio ei phrofiad Iirannu hyd a lled cwnsela effeithiol:

> Meddyliwch am eich cefnogaeth fel bwi achub. Mae'ch cleiant yn boddi dan bwysau'r golled a'r anobaith. Gall neidio'i mewn i'r dŵr fod yn beryglus iddo ef ac yn waeth byth os yw'n tynnu'r cwnselydd i mewn gydag o. Gwell cynnig angor.
>
> Yn gynnar yn fy ngyrfa fel cwnselydd cefais fy hun yn teimlo dyfnder galar fy nghlient. Bryd hynny bu'n rhaid imi atgoffa fy hun i beidio â 'neidio' i'r dŵr. Felly byddwn yn crychu bysedd fy nhraed i'm hatgoffa i gamu'n ôl.
>
> Mae ein gwaith yn llawn trasiedi a thystiais i lif o ddagrau ymysg y galarwyr wrth iddynt hiraethu am eu plentyn. Ar y cychwyn roeddwn yn poeni y byddwn innau hefyd yn torri i lawr. Mae hi'n anodd weithiau i gadw rheolaeth dros fy nagrau. Byddaf yn colli deigryn ond fyddai byth yn crio mwy na'r galarwyr. Galar y cleiant ydy hwn nid fy ngalar i.

Sgiliau, gwybodaeth a rhinweddau sy'n angenrheidiol:

> Ceir cwnselydd naturiol empathetig a thosturiol
> Medraf 'fesur' hyd a lled darpar gwnselydd mewn eiliadau

Mae'n hanfodol bod y cwnselydd newydd yn ffitio'n gyfforddus i mewn i'r tîm

Ni fyddwn yn derbyn cwnselydd dan hyfforddiant na myfyrwyr

Gwersi o brofiad eang:

Er nad fu gan riant gollodd blentyn cyn ei eni, fabi byw fe gychwynnodd eu perthynas, eu gobeithion a'u breuddwydion yr eiliad daethant yn feichiog.

Ni allwn achub unrhyw un, ond gallwn gyd-gerdded ochr yn ochr â nhw wrth iddynt ddarganfod eu ffyrdd eu hunain drwy eu loes a'u poen. Yn aml, mae'r rhieni yn ymbalfalu am ystyr i'w colled: mae'n rhan o'r broses.

Pwysleisiodd Jane fod angen i'r cwnselydd fod yn sensitif iawn wrth siarad â chleiant yn ei golled ddwys. Bydd y cwnselydd yn defnyddio dulliau gwahanol i'w helpu i agor allan fel cwestiynau agored: 'Dywedwch fwy wrthyf am hynny?' a 'Sut ydych chi'n delio â **?

Trafod marwolaeth gyda phlant

Awyrgylch

Mae angen cryn dipyn o flaen gynllunio a pharatoad cyn cyfarfod plentyn. Byddaf yn paratoi'r stafell cwnsela'n ofalus iawn i greu awyrgylch groesawgar, gyfforddus gan ddefnyddio holl ofod yr ystafell.

Lle bach diogel

Yna byddaf yn ceisio dyfalu ble mae'r plentyn yn debygol o deimlo'n fwyaf diogel a chyfforddus. Gall hyn fod ar y llawr, ar gadair fechan, ar y soffa yn f'ymyl i neu ymysg y bagiau ffa. Y plentyn fydd yn dewis.

Gweithgareddau

Mae chwarae yn rhan allweddol o helpu plentyn drwy'r broses o alaru. Byddaf yn addasu f'ymagwedd a'r adnoddau yn ôl ymateb y plentyn. Cychwynnaf trwy ofyn pa deganau neu weithgareddau mae'r plentyn yn ei hoffi.

Siarad

Yn aml iawn, does gan y plentyn mo'r eirfa i ddisgrifio'i deimladau. Bryd hynny, mae chwarae a gweithgareddau yn ei helpu i fynegi ei deimladau naill a'i yn llafar neu drwy iaith y corff. O'n profiad ni, mae'n well rhoi esboniad cryno gonest i blentyn gan ddefnyddio'r geiriau 'marw' a 'marwolaeth'. Mae hyn yn galluogi'r plentyn i adeiladu sylfaen o wybodaeth sy'n seiliedig ar y gwir hyd yn oed gyda'r plant lleiaf, sy'n synhwyro bod rhywbeth wedi digwydd. Mae'n well i'r rhiant ddweud na gadael i'r plentyn glywed gan rywun arall. Yna wrth i blentyn aeddfedu bydd ei ddealltwriaeth yn datblygu ac mae'n debygol y bydd yn gofyn mwy o gwestiynau am farwolaeth. Mae pob sefyllfa'n wahanol ac mae'n hanfodol i adnabod ac ymateb i anghenion unigryw pob plentyn a phob teulu.

Dweud 'y gwir' yn syml

Er mor anodd yw rhannu newyddion trist gyda phlentyn, mae'n hanfodol clywed yn uniongyrchol gan y rhiant/oedolyn. Rhaid cofio bod plant yn aml yn clywed oedolion yn siarad er nad ydynt i fod i glywed. Gall hyn wneud niwed sylweddol i blentyn. Pan fydd brawd neu chwaer yn derfynol wael mae'n well a charedicach bod yn onest o'r cychwyn i osgoi'r sioc pan ddaw diwedd oes.

Dod i ddeall plentyn

Dod i ddeall profiad pob plentyn sy'n llywio a chanolbwyntio fy ymagwedd, a dyma sy'n fy ngalluogi i gysylltu â nhw ar eu lefel unigol a phenderfynu ar yr ymyrraeth fwyaf priodol. Mae defnydd o lyfrau gwaith yn helpu i ymgysylltu â'r plentyn. Rwy'n defnyddio un sydd wedi'i anelu at blant tair i saith oed o'r enw sef *What does dead mean?* gan Doris Zagydanski (2001) sy'n hybu'r cyfathrebu rhwng oedolion a phlant am farwolaeth.

Cofiai Jane un sesiwn penodol pan alluogwyd un plentyn bach i ddeall mwy am beth ddigwyddodd i gorff ei chwaer fach ar ei marwolaeth. Roedd wedi ymweld â'r bedd a dywedwyd wrtho fod ei chorff wedi ei gladdu yno. Ond nid oedd ei feddwl yn gallu prosesu'r ddelwedd hon. Roedd angen gwybod beth ddigwyddodd i'w phen. Bu siarad gyda'r cwnselydd yn gysur iddo am iddo fedru lleisio ei ansicrwydd.

Dywed Jane mai'r Nadolig yw'r amser gwaethaf i rieni mewn profedigaeth. Mae nifer yn drist ac yn unig iawn ond yn ceisio cuddio eu galar i osgoi taflu dŵr oer ar hwyl a mwynhad eraill. Mewn gwirionedd maent yn gwisgo 'masg' anweledig i guddio'u loes.

Cyfnod cwnsela

Yn arferol mae angen y pedair awr ar hugain lawn ar y rhai wynebodd trawma blaenorol neu sy'n delio a mwy nag un farwolaeth. Mae'r ddarpariaeth cwnsela ar gael i blant o bump oed hyd at bump ar hugain mlwydd oed. Bydd nifer y sesiynau yn amrywio ac yn ddibynnol ar yr angen. Nid yw pob un angen cwnsela. Mae rhai'n dymuno symud ymlaen yn gynt heb fawr o sesiynau ond yn gyffredinol bydd angen rhyw ddeuddeg sesiwn. Mae'r cwnselydd yn defnyddio'i brofiad ac yn gweithio o reddf i bennu pryd mae'r sesiynau wedi rhedeg eu cwrs.

Pwysleisiodd Jane mai gwasanaeth yw Tŷ Gobaith sy'n cefnogi pobl sydd wedi colli plentyn. Yn anffodus, er y galw, nid oes ganddynt yr adnoddau i gynnig gwasanaeth pellach hyd yn oed i blant sydd wedi colli rhiant neu berthynas arall agos iawn.

Poeni am ei 'phraidd'

> Byddaf yn sicrhau bod yr amser a dreuliais yn y sesiwn cwnsela yn ffocysu ar ei sefyllfa unigryw nhw. Dyna yw eu hamser nhw.
>
> Fel cwnselydd mae'n bwysig bod yr hyn a gyflwynir mewn sesiwn yn aros yno.
>
> Yr un pryd, byddaf yn cadw amser o'r neilltu i ofalu amdanaf fy hun. Mae fy siwrnai i'm gwaith ac yna adra'n ôl yn rhoi cyfle i mi adfyfyrio.
>
> Byddaf yn aml yn anfon neges neu weddi fach allan i'r bydysawd i garu a gofalu am y rhai sydd mewn gwewyr. Byddwn arfer a mynd i'r eglwys yn rheolaidd ac mi briodais i yno. Fodd bynnag, deunaw mlynedd yn ôl, bu farw ffrind annwyl yn sydyn o waedlif yr ymennydd. Roedd yn fam gariadus eithriadol i ferch anabl un ar ddeg oed. Ni allwn dderbyn y byddai Duw o gariad yn gallu bod mor greulon. Felly dwlles i 'rioed yr un eglwys oddi ar hynny. Os yw crefydd neu'r bydysawd yn helpu pobl yn eu profedigaeth, mae hynny'n beth da. Mae gan bob un ei ddull ei hun o ddelio â cholled a galar.
>
> Bu gweithio gyda chyplau yn agoriad llygad wrth ddelio â phersbectif dau berson i'r un golled. A dweud y gwir bu hyn o gymorth i mi ddeall a thrwy hynny, gryfhau yn fy mherthynas a fy ngŵr. Rwy'n sylweddoli'n ddyddiol bod helpu eraill yn fy helpu innau ar fy nhaith drwy'r byd.

Mae Jane yn diolch i'r bydysawd am ddylanwad ei mham arni. Teimlai iddi etifeddu empathi a thosturi diffuant ei mham oedd yn nyrs. Mae hi'n credu bod lefel dofn o empathi yn hanfodol i'r broses o gwnsela ond o'r herwydd mae'r gost emosiynol o weithio fel hyn yn gallu bod yn uchel. Felly, mae'n gwbl angenrheidiol i gwnselydd ofalu am ei hunan fel y gall rhoi o'i orau i gefnogi eraill.

* * *

Taro sylw: Mae'n hanfodol i rieni ddefnyddio iaith oedolion fel 'marw' yn syml ac onest os yw'r plentyn am wir ddeall a dygymod â cholled fel mae'n mynd yn hŷn.

Ysbrydoliaeth

Life is short, Break the Rules. Forgive quickly, Kiss slowly. Love truly. Laugh uncontrollably. And never regret *ANYTHING That makes you smile.*

Mark Twain

'*As we work to create light for others, we naturally light our own way.*'

Mary Anne Radmacher

Cyfeirnodau

Zagdanski, Doris, 2001, *What does dead mean?*
www.waterstones.com/book/whats-dead-mean/doris-zagdanski/9780855723163
Crossley, Diana, and Sheppard, Kate, *Muddles, puddles and sunshine*
www.waterstones.com/book/muddles-puddles-and-sunshine/diana-crossley/kate-sheppard/9781903458969

Sbardun

Nouwen, Henri, J. M., 1997, *The Inner Voice of Love: A Journey through Anguish to Freedom*

Cyswllt

www.hopehouse.org.uk
counselling@tygobaith.org.uk

1.1.2 Merith Shorter

Rheolwr Cwnsela a chymorth teuluol

Hosbis Sant Cyndeyrn, Llanelwy

Ganed Merith yn Llundain yn 1974. Pan oedd hi'n bedair oed, symudodd i fyw i Waunysgor 'yng nghanol y bryniau hardd uwchben Prestatyn'. Mynychodd Brifysgol Caerwrangon lle enillodd radd B.A. mewn Drama a Llenyddiaeth Saesneg. Ar ôl gadael y brifysgol gweithiodd mewn swyddi creadigol amrywiol. Priododd ei gŵr, Nick yn 2000 ac mae ganddynt ddau o blant, Anna a Daniel. Mae'r teulu wedi ymgartrefu yn Llanelwy lle mae'r hosbis.

Cefndir Hosbis Sant Cyndeyrn

Sefydlwyd yr Hosbis Sant Cyndeyrn fel elusen gofrestredig ac fe'i cefnogir gan y gymuned leol. Fe'i henwyd ar ôl Cyndeyrn, esgob y Brythoniaid yn y chweched ganrif oedd â chysylltiadau â Llanelwy. Agorwyd Uned Ddyddiol yn 1955 drwy weledigaeth ac ymroddiad trigolion dyngarol lleol. Mae bellach yn darparu gofal lliniarol arbenigol i gleifion tra hefyd yn cefnogi eu teuluoedd.

Mae'r ddarpariaeth ar gael i drigolion ar draws Gogledd-ddwyrain Cymru.

Adnewyddiad sylweddol

Yn 2020, cwblhawyd estyniad gan gynyddu'r nifer o wlâu o 8 i 12. Ail-agorwyd yr Uned Gleifion newydd i'r cyhoedd ym mis Mawrth 2020 gan ddarparu gofal arbenigol pedair awr ar hugain y dydd, 365 diwrnod flwyddyn. Bryd hynny hefyd: adeiladwyd caffi newydd, ehangwyd y gerddi, ychwanegwyd swyddfa ac adnewyddwyd yr ystafelloedd therapi dyddiol. Darperir gofal gan drawstoriad o wasanaethau yn cynnwys meddygon, nyrsys, therapyddion, gweithwyr cymdeithasol, arbenigwyr dementia a chaplan.

Gwireddu'r freuddwyd

Yn 2007, penderfynodd Merith wireddu ei breuddwyd i fod yn

Seicotherapydd/Cynghorydd ac i'r perwyl hwnnw mynychodd gwrs hyfforddi lleol. Yma, sylweddolodd mai hwn yn wir oedd ei galwedigaeth. Felly aeth ymlaen i astudio seicotherapi ar lefel uwch. Arweiniodd hyn iddi weithredu mewn lleoliadau cwnsela amrywiol gan gynnwys y GIG a Hosbis Sant Cyndeyrn. Cymhwysodd yn 2015 a'i phenodi'n arweinydd y Tîm Cymorth i Deuluoedd a rheolwr cwnsela llawn amser.

Rôl cwnselydd

Mae ein gwaith yn cwmpasu bob agwedd ar gymorth i deuluoedd. Byddwn yn gweithio'n agos iawn fel tîm i sicrhau bod y claf a'r teulu yn cael y gefnogaeth angenrheidiol yn ystod ac ar ôl cyfnod y salwch terfynol. Byddwn yn helpu cleifion i ddod i delerau â'u sefyllfa.

Bûm yn gweithio â theuluoedd dan amgylchiadau cymhleth dros ben gyda'r angen weithiau i oroesi tor perthynas a rhwygiadau hirdymor teuluol.

Derbyniad emosiynol a seicolegol

Gall y tîm helpu i fynd i'r afael â rhai o'r agweddau mwyaf anghyfforddus a brawychus sy'n ymwneud ag effaith marwolaeth.

Gall hyn yn ei dro helpu i gefnogi'r cleifion yn ysbrydol, yn gorfforol, yn seicolegol ac yn emosiynol. Mae hyn oll yn digwydd o fewn awyrgylch diogel o dderbyniad a gofal anfeirniadol.

Yn eu stad fregus wrth wynebu eu hanfarwoldeb, mae'r cleifion yn delio â'u hanghenion ysbrydol mewn ffyrdd gwahanol.

Mae rhai yn:

- canfod cysur a nerth o'u ffydd grefyddol
- digio â Duw am eu rhoi yn y fath sefyllfa
- ofni barn Duw

Cefndir ysbrydol

Yn blentyn, mynychais eglwys Gatholig, ac rwy'n tynnu ar y profiad hwnnw yn fy ngwaith.

Gall y rhai sy'n gadarn eu ffydd ennyn cysur mawr o weddi a chwmni eu hoffeiriad wrth wynebu eu dyddiau olaf. I eraill, cyfyd euogrwydd wrth iddynt bryderu am gyn lleied o sylw a roesent nhw i'w ffydd yn ystod eu bywydau. Wrth ddod i delerau â'u marwoldeb a thrafod agweddau dwys fel bywyd ar ôl marwolaeth, maent yn aml yn cwestiynu:

- Pam fi?
- Beth wnes i i haeddu hyn?

- Pam Dad pan oedd o'n ddyn mor gariadus oedd yn byw bywyd mor dda?
- Pam bod Mam yn cael ei chymryd oddi arnom a hithau mor ifanc?
- Sut bod Duw yn gallu bod mor greulon?

Trwy ei phrofiad eang gwêl Merith ffyrdd bobl wahanol o ymdopi â'u colled. Yn eu mysg, mae'n cofio ymdrech bachgen ifanc i geisio gwneud synnwyr o golli ei dad ac yntau ond yn bump a deugain mlwydd oed ac meddai:

> "Dwi'n meddwl bod bob un ohonon ni mewn bywyd yn cael set o guriadau calon yr un. Fe ddefnyddiodd dad ei set o'n gyflymach na'r cyffredin am ei fod bob amser mor brysur yn helpu eraill."

Mae canran isel o'r cleifion wedi cael profiad o ddefosiwn drwy wersi yn yr ysgol neu drwy fynychu capel neu eglwys. Yn aml bydd y rhain yn gofyn i ni ddal eu llaw a gweddïo gyda nhw ac fe gânt gysur yn hynny. Fodd bynnag, prin iawn yw magwraeth grefyddol canran uchel o'n cleifion.

Bron yn ddiarwybod maent angen y sicrwydd, y gofal a'r cariad hwnnw a gawsant pan oeddent yn blant bach. Maen nhw'n dychwelyd i'r cyfnod cynnar hwnnw pan maent yn ansicr ac ofnus wrth wynebu marwolaeth. Mae cyffwrdd a chydio dwylo yn gysur mawr i lawer ohonynt.

Athroniaeth yr hosbis

Mae'r hosbis yn cydnabod pob ffydd, ac yn parchu pawb yn gyfartal p'un oes ganddynt ffydd bersonol ai peidio. Byddwn yn creu amgylchedd cynhwysol llawn cariad. Byddwn yn annog myfyrdod tawel a sgyrsiau agored am ysbrydolrwydd. Bydd pawb yn profi'r egni ysbrydol.

Cofio cysur blaenorol

Nid anghofiaf byth y teimlad dwfn o gefnogaeth gefais i pan oedd un o'm hanwyliaid yn glaf mewn hosbis. O ganlyniad, rwy'n gwneud fy ngorau glas i gynnig yr un gefnogaeth gynnes a gefais i.

Gweithio'n reddfol

Fel tîm, rydyn ni'n cyd-weithio'n reddfol gydag empathi a dealltwriaeth. Mae'r ymdeimlad o gydweithio ar yr un donfedd gydag ysbrydolrwydd, a chariad yn ganolig yn un arbennig iawn.

Ar farwolaeth anwylyn, mae cymhorthydd bob amser ar gael. Yn ystod y cyfnod hwn, mae'r meddwl a'r ysbryd yn sensitif iawn. Bryd hynny, mae rhai'n cael cysur o weld 'arwyddion' – pluen wen neu robin goch 'arwyddocaol' ran amlaf. Yn ddiweddar dywedodd rhywun iddynt ddod o hyd i betalau rhosyn – hoff flodyn ei mhâm – un yn ei bag a'r llall yn ei chwpan de. Mae nifer yn teimlo'n gwbl 'sicr' bod y 'cyd-ddigwyddiadau' hyn yn neges dyner gan yr ymadawedig a thu hwnt i ddeallusrwydd dynol.

Siarad am farwolaeth, sy'n rhan naturiol o fywyd

Credaf fod rhannu ein hofnau ynghylch marwolaeth a marw yn gymorth enfawr i ni yn y pendraw. Buasai'n gymorth petai gennym fwy o lefydd i bobl fynd i sgwrsio. Byddai o gymorth i bawb drafod yn agored eu galar, eu hofnau a'u ffydd. Mae angen cymorth ar deuluoedd yn ystod cyfnodau pryderus fel hyn.

Gweledigaeth Cicely Saunders

Eglurodd Merith fel y newidiodd gweledigaeth arloesol Y Fonesig Cicely Saunders y dulliau o ofalu am bobl diwedd oes: gweledigaeth a seliwyd ar ei ffydd Gristnogol. Agorodd Y Fonesig Hosbis Sant Christopher ym 1967. Hwn oedd yr hosbis gyntaf i gyd gysylltu rheoli poen a symptomau arbenigol gyda gofal tosturiol, addysg ac ymchwil glinigol. Bellach mae'r patrwm wedi'u sefydlu ledled y byd. I gychwyn bwriad Y Fonesig oedd creu cymuned Anglicanaidd, yna penderfynodd greu hosbis i staff a chleifion o unrhyw ffydd, aml-enwad neu yn gyfan gwbl heb ffydd.

* * *

Taro sylw: Er bod marwolaeth yn rhan naturiol o fywyd, ar y cyfan, rydym yn gyndyn o'i drafod yn agored nes 'i bod hi'n rhy hwyr, nid yw hyn o les i neb.

Ysbrydoliaeth

Y Fonesig Cicely Saunders
www.bmj.com/content/suppl/2005/07/18/331.7509.DC1

Sbardun

Arnold, Johann Christoph, 2014, *Rich in Years*
Albom Mitch, 1997, *Tuesdays With Morrie*

Cyswllt

01745 585221
stkentigernhospice.org.uk
GL com/stkentigernhospice

1.1.3 Y Tad Allan R. Jones

Canon Rheolaidd ac Offeiriad
Eglwys Gatholig Our Lady of Charity St Augustine, Daventry

Ganed Allan ym Maesteg. Graddiodd mewn Astudiaethau Celtaidd ym Mhrifysgol Aberystwyth a'i hyfforddi fel athro mewn addysg bellach. Dewisodd ymuno ag Urdd y Canoniaid Rheolaidd a cheisio galwad i'r bywyd crefyddol a'r offeiriadaeth. Dechreuodd astudiaethau tair blynedd yn Llundain a chafodd nofyddiaeth am flwyddyn yn Abaty Klosterneuburg, Awstria. Yno cafodd amser i weddïo ac ystyried sicrwydd ei alwad i'r bywyd crefyddol. Dychwelodd i Gymru i Goleg Llanbed i astudio ar gyfer gradd M.A. mewn Cristnogaeth Geltaidd.

Cefndir a magwraeth

> Roeddwn i'n ymwybodol iawn o'm gwreiddiau Cymreig. Ar ôl symud i Loegr, i Harlow byddwn i'n mynd i aros gyda Mam-gu ym Maesteg dros wyliau'r ysgol. Roedd cymunedau'r cymoedd yn glos iawn adeg hynny. Roedd gen i nifer fawr o berthnasau yn y Cwm. Mae sefyllfa'r cymoedd a fy nheulu wedi newid yn sylweddol dros y degawdau.
>
> Yn Harlow, byddai Mam a fi'n mynychu'r Eglwys bob dydd Sul, a dyna'r cwbl. Dysgais am ffydd Gristnogol a dod o hyd i berthynas bersonol gyda Duw yn yr Ysgol Sul. Cefais fy medyddio'n bymtheng mlwydd oed a deuthum i adnabod pobl ifainc eraill drwy weithgareddau'r plwyf a'r esgobaeth. Ers hynny bum yn aelod brwd a selog o'r Eglwys.

Ordeiniwyd Allan yn ddiacon ac wedyn yn offeiriad ym Milton Keynes lle parhaodd ei weinidogaeth am saith mlynedd. Yna symudodd i Daventry, fel Offeiriad, Canon Rheolaidd a Chadeirydd y Cylch Catholig.

Natur y plwyf

> Plwyf tawel iawn yw Daventry. Dwi ddim y gwneud llawer yn y plwyf ar

wahân i'm hastudiaethau diwinyddol. Dwi'n gofalu am gapel bach ac mae'r ffyddloniaid yn dod o'r pentrefi cyfagos. Er bod tua dau gant yn mynychu'r Offeren yn wythnosol, does wybod beth fydd ei ddyfodol.

Swyddogaeth

Mae rhaid i offeiriaid nid yn unig ofalu am y plwyf, ond darparu gofal bugeiliol dros y sefydliadau yng nghyffiniau'r plwyf hefyd.

Yn fy mhlwyf presennol mae yna ddau garchar, ac fel offeiriad plwyf rwy'n dathlu'r Offeren yn y carchardai bob dydd Sadwrn. Ar ôl yr Offeren byddaf ar gael i siarad â'r carcharorion.

Caplan

Tra ym Milton Keynes, roeddwn yn gaplan i bum ysbyty. Doedd dim rhaid i mi ymweld â phob un yn aml ond roedd gan yr holl gleifion hyn anghenion gwahanol. Fi sy'n gofalu am Gatholigion ysbyty bach tref Daventry. Gweinidogaeth ysgafn ydy hon o'i chymharu â'r ysbytai ym Milton Keyenes. O bryd i'w gilydd bydd rhywun yn fy ffonio i ofyn am gymorth bugeiliol weithiau i drefnu sgwrs, derbyn y Cymun neu i gyffesu'u pechodau.

Gan fwyaf mae'r ymweliadau yn rhai pleserus iawn a dof i adnabod y cleifion drwy sgwrsio â nhw a chynnig y sagrafennau iddynt, ac ati. Mae'n ddigon hawdd treulio cwpl o oriau gyda'r bobl ffein hyn yn eu salwch gan enghreifftio cariad Crist iddynt. Bûm yn glaf ac ymwelsoch â mi. Matthew 25.3-6.

Mae rhai o'r cleifion yn yr ysbyty am beth amser. Mae eraill yn dioddef o gyflyrau cronig ac eraill o salwch angheuol. Weithiau maent yno am nad oes ganddynt unrhyw un i ofalu amdanynt gartref.

Y peth anoddaf ydy bugeilio'r bobl ifainc sy'n dioddef o ganser. Pan nad yw'r prognosis yn obeithiol, byddaf yn annog y teulu i siarad yn agored am eu loes a'u pryderon, eu siom a'u dicter. Byddaf yn gwrando gan roi rhyddid llwyr iddynt deimlo'n ddigon diogel i fod yn gwbl onest.

Effaith dioddefaint a marwolaeth teulu agos

Er i mi ddilyn cwrs penigamp mewn caplaniaeth, y wers bywyd orau gefais i oedd drwy brofiad uniongyrchol, sef farwolaeth fy nhad. Cafodd Dad niwmonia a bu farw chwe wythnos ar ôl derbyn diagnosis o ganser yr oesoffagws.

Roedd y profiad personol o golli fy nhad yn galed ond yn sicr fe'm helpodd i fugeilio gyda mwy o ddealltwriaeth ac empathi. Yn sgìl hyn, dysgais nad yw ffeithiau rhesymegol oer y dystysgrif marwolaeth, yn lleddfu unrhyw loes. Ar wely angau tydi rhesymeg ddim yn ateb y cwestiynau mawr am ystyr bywyd? Pam? Pam fi? Pam nawr?

Pum Cam Galar

Drwy brofiad eang Allan o ddelio a salwch terfynol a marwolaeth mae'n cymeradwyo gwaith y seicolegydd, Elisabeth Kübler-Ross yn ei llyfr *Living with Death and Dying: How to Communicate with the Terminally ill.* Yma cyflwynir y syniad o bum cam galar:

1. Gwadu
2. Dicter
3. Bargeinio
4. Iselder
5. Derbyn

Mae'r broses yr un mor wir i'r rhai sy'n gofalu am y cleifion. Mae'n anodd iawn i riant dderbyn bod plentyn wedi marw, hyd yn oed wrth golli 'plant' oedrannus. Yn aml mae'r rhieni'n methu'n lân a derbyn y realiti bod eu plentyn wedi marw o'u blaenau nhw, rhywbeth sy'n groes i'r drefn gyffredin.

Gwadu cyflwr difrifol

O bryd i'w gilydd, er bod y claf yn sylweddoli bod ei amser ar y ddaear yn dod i ben, mae'r teulu'n flin ac ofn y syniad o sagrafennau olaf. Yn arferol y plant sy'n parhau i wadu'r cyflwr difrifol ac yn gwrthod i'r claf dderbyn ei sagrafennau olaf er ei ddymuniad. Dwi wedi cael rhai'n gweiddi arnaf am feiddio awgrymu bod dyddiau'r claf yn brysur dirwyn i ben.

Rôl caplan

Hyd heddiw ceir llawer o syniadau anghywir am rôl caplaniaid mewn ysbytai a hosbisau oherwydd bod rhai yn credu'n gryf mai dim ond pan fydd rhywun ar fin marw y bydd yr 'angel angau' yn ymddangos.

Creu perthynas agored

Mae creu perthynas agored yn help mawr i fy ngwaith bugeiliol. Rwy'n agored fy meddwl ac agored fy marn. Rhaid hefyd imi fod yn barod i wrando a gwneud beth bynnag gallai i gefnogi a chysuro'r unigolyn a'r teulu.

Nid siarad am y nefoedd a'n gobeithion y tu hwnt i'r bywyd hwn yw gwaith y rhai sy'n ymdeithio â'r rhai sy'n marw, sy'n galaru, neu sydd wedi derbyn newyddion drwg. Fodd bynnag, rhaid i ni fod yn onest, os bydd y cwestiynau hyn yn codi.

Meddwl am Iesu yn dioddef drosom a chofio bod Duw yng Nghrist wedi profi galar fydd y Cristion. Cofiwn hefyd for Iesu ei hun wedi torri'i lawr i wylo ar ôl i Lasarus farw. Rhaid dweud fy mod innau hefyd wedi torri i lawr i wylo nifer o weithiau ar ôl clywed am farwolaeth rhywun dwi wedi dod i'w adnabod yn dda.

Bob dydd dwi'n proffesu fy nghred, cred yr Eglwys, 'Daw Iesu o'r nefoedd i farnu'r byw a'r meirw, ni fydd diwedd ar ei deyrnas, cymun y saint, maddeuant pechodau, atgyfodiad y cnawd a'r bywyd tragwyddol.' Fel Cristion, mae gennyf obaith bywiol yn Atgyfodiad Iesu a dirgelwch y Pasg cyntaf yn sylfaen i'm ffydd bod Duw wedi trechu angau.

Fodd bynnag, pan ddown at y rhai sy'n galaru, mae'n rhaid dilyn cyngor Pawl:

"Llawenhewch gyda'r rhai sy'n llawenhau, ac wylwch gyda'r rhai sy'n wylo." (Rhufeiniaid 12.15).

Bugeilio dirybudd

Dyn ni byth yn gwybod pwy fydd yn ffonio neu'n dod draw i siarad â ni, ond mae rhaid i ni fod yn barod i fod yn bob peth i bawb (1 Corinthaid. 9.22). Dim ond trwy afael yn dynn yn ein ffydd bersonol y gallem ni wneud hyn. Mae'n rhaid wrth flynyddoedd lawer o astudio, gweddïo a chael profiad ym maes gofal bugeiliol yr eglwys, cyn derbyn 'galwad'. Dim ond wedyn y cawn ein derbyn a'n hurddo. A hyd yn oed ar ôl i ni gael ein hurddo'n offeiriaid, mae rhaid i ni lynu'n dyn wrth y sylfaen, esiampl Crist.

Drwy ddathlu'r Offeren bob dydd, darllen yr Efengyl yn ofalud a myfyrio am waith Crist, byddwn yn nesáu at Dduw a'n cyd-ddyn. Felly yr offrymodd Iesu ei fywyd drosom ni ar y groes, rhaid i'r offeiriad ystyried ei fywyd yntau yn aberth hefyd.

Felly, rwy'n dehongli fy rôl, yn sicr nid fel *swydd* ond fel *ffordd o fyw fy mywyd* gydag Iesu yn y canol yw hi! A bod yn gwbl onest, er bod gan yr Eglwys restr hir iawn o ddyletswyddau gwahanol y dylai offeiriad plwyf eu cyflawni, bod yn athro, arweinydd, bugail, cenhadwr, tad, yn gyntaf oll Canon Rheolaidd ydw i. Cefais fy ngalw i foliannu Duw, i fyw mewn cymuned ac i wasanaethau'r bobl sydd yn ymddiried yn fy ngofal bugeiliol.

Cred Allan, mai un o'r agweddau anos yw cadw cydbwysedd rhwng y bywyd ysbrydol a'r weinidogaeth fugeiliol. Mae o'r farn ei fod yn hawdd colli'r cydbwysedd. Cred mai dyna'r fantais o ddefnyddio'r bore a'r nos i weddïo ac addoli. Fel canlyniad, mae'r oriau yn ystod y dydd yn rhydd i fod yng nghwmni aelodau eraill o'r gymuned.

Ffoaduriaid

Yn sgîl fy ngalwadau dros y blynyddoedd mewn plwyfi amrywiol, daeth nifer o ffoaduriaid ataf am gymorth. Nid oedd gennyf syniad am eu sefyllfaoedd gwahanol ond daeth y rhain yn gyfeillion imi. I ryw raddau rwy'n eu cyfri'n rhan o'm teulu estynedig.

Gweithio ar y cyd

Bûm yn rhan o dîm gweinidogaeth eglwys eciwmenaidd Crist y Conglfaen yng nghanol y ddinas, ym Milton Keynes. Mae gweithio ar y cyd gyda Christnogion o draddodiadau gwahanol yn rhan anhepgor o fywyd y Cristion erbyn hyn. Er bod rhagfarnau yn codi o bryd i'w gilydd, ar y cyfan mae cydweithio gyda Christnogion o draddodiadau gwahanol yn beth manteisiol.

Yn anffodus rhoddir llawer gormod o bwyslais gan rai enwadau ar ddathlu'r Ewcharist ar y cyd a chwestiynu'r pethau sy'n ein gwahanu. Fodd bynnag, gyda'r enwadau anghydffurfiol, carismataidd ac efengylaidd y pwyslais yw **cenhadaeth** a beth allwn ni wneud gyda'n gilydd i ledaenu'r newyddion da.

Undod nid unffurfiaeth

Ceir nifer o eglwysi efengylaidd sydd dal yn credu na all yr Eglwys Gatholig na'i haelodau fod yn rhan o brosiectau eciwmenaidd. Fodd bynnag, gydag amser mae'r agweddau hyn wedi newid llawer a bûm yn gweithio'n llawen gydag aelodau a gweinidogion eglwysi o'r fath. Yn aml, ceir y teimlad ein bod ni wedi cyrraedd diwedd y daith gyda'n hymdrechion eciwmenaidd a'r daith tuag at undod. Fodd bynnag, gyda'r eglwysi newydd hyn, mae llu o bosibiliadau am ddarparu cenhadaeth a gwasanaeth Cristnogol i'n cymunedau lleol ar y cyd.

Crefyddau amrywiol

Mae hyn yn wir hefyd am waith rhwng y crefyddau gwahanol. Yma yn Daventry nid oes yr un gymuned ffydd arall ar wahân i Gristnogaeth, ond ym Milton Keynes roedd grŵp brwdfrydig iawn yn dod ag aelodau o'r crefyddau gwahanol at ei gilydd. Fel y dywedai'r Pab Francis, mae rhaid i ni chwalu'r muriau sy'n gwahanu a chodi pontydd yn eu lle, ac i ddyfynnu Hans Küng "Fydd ddim heddwch rhwng y cenhedloedd heb heddwch rhwng y credoau, a bydd dim heddwch rhwng y credoau heb ddeialog rhwng y credoau." Nid mater o drafod diddiwedd, ond dod i adnabod aelodau'r credoau gwahanol yn eu cyd-destunau gwahanol, a thrwy ddod i adnabod yr aelodau, dysgu am eu traddodiadau gwahanol ac yr hyn y maent yn ei gredu.

Credaf i mi gael fy ngalw i'r weinidogaeth i groesawi'r dieithriaid yn ein plith. Fel aelod o urdd grefyddol, dwi i fod yn weledol yn gwahodd dieithriaid i mewn. Mae'r Pab Fransis, yn sgîl ei alwad fel Iesüwr, yn pwysleisio'r angen i fynd at ffiniau'r eglwys a'i chymdeithas i ddod o hyd i'r colledig a'r gwasgaredig. Rhaid i ni groesawu a derbyn pawb, nid croesawu'r cyfiawn yn unig.

Dechrau a gorffen gyda **gweddi** ar y cyd

Dywedodd sylfaenwr ein cynulleidfa o Ganoniaid Rheolaidd, Dom Adrien Gréa "Nid oes gan y Canoniaid Rheolaidd ysbrydolrwydd ar wahân i ysbrydolrwydd yr Eglwys," sef ysbrydolrwydd litwrgaidd. Mewn termau tebyg, ysgrifennai Sant Tomos o Acwin:

'Prif swyddogaeth y Canoniaid Rheolaidd yw'r litwrgi, sef gweddi'r Eglwys. Prif destun y gwasanaethau hyn yw'r salmau, cantiglau'r Beibl a darlleniadau gwahanol o'r Beibl. Yn Llyfr Caniad Solomon, ceir y wraig yn canmol ei gŵr, a dyna beth yw'r litwrgi, cyfle i ganmol ein Duw.'

Mae *darlleniad dwyfol yr ysgrythurau* ac ysgrifau crefyddol arall yn mynd law yn llaw a'i gilydd. Byddant yn defnyddio testunau'r litwrgi fel ffocws i'w myfyrdodau. Ffynhonnell popeth a wnânt yw'r *Offeren.*

Patrwm y dydd

Aberth Crist yw'r Offeren, ac effeithiau ei aberth drosom ni yw sylfaen ein bywyd bob dydd. Bob bore byddaf yn mynd i gapel yr Eglwys a byddaf yn:

- darllen darlleniadau'r Offeren a myfyrio drostynt
- mynychu Dwasanaeth y darlleniadau (yr hen awr blygain)
- gweddio am ryw chwarter awr
- dathlu Gweddi Foreol gyda phobl y plwyf cyn yr Offeren yn yr eglwys
- mynychu'r Offeren

Yna byddaf yn:

- dychwelyd i'r capel i wasanaeth a gweddi yn ystod y dydd
- ac eto gyda'r nos gyda hanner awr o fyfyrio a dathlu Gosber.

Cyn noswylio, bydd Allan yn cymryd amser i ystyried y dydd aeth heibio gan roi'r noson a'i hunan yn nwylo'r Arglwydd.

> Fel myfyriwr diwinyddol mae gennyf lawer o waith darllen i'w gyflawni bob dydd, ac mae testunau'r darlleniadau yn agwedd arall o fy mywyd ysbrydol. Rwy'n darllen testunau amrywiol ond gwaith y cyfrinwyr yw fy hoff lên ysbrydol, awduron fel Tadau'r Anialwch: Dionysius yr Areopagiad, Walter Hilton, Ioan Van Ruusbroec, Meistr Eckhart, Siarl de Foucauld, Thomas Merton, ac aelodau'r Urdd o'r Canol Oesoedd. Mae'r rhain nid yn unig yn cyd-fynd a'm hastudiaethau, ond yn ddeunydd ardderchog i'r rhai sy'n dymuno ymdrochi yn ysbrydolrwydd cyfrinwyr yr Eglwys.

Sicrwydd bendigaid

O'i brofiad helaeth dywed Allan bod pobl yn aml yn siarad am ofni marw. Nid yw ei eto'n poeni am farw ond mae'n bryderus rhag ofn iddo farw cyn ei fam. Er nad yw'n medru bod yn ofalwr llawn amser, mae'n gwneud digon i boeni'n ddirfawr ynglŷn â sut byddai ei fam byw heb ei gymorth yn enwedig o ran dygymod ag unigrwydd. Mae Allan yn dymuno marw yn dawel yn ei gwsg, heb wybod dim am y profiad.

* * *

Taro sylw: Mae'r Pab Fransis yn galw arnom fel Cristnogion i beidio derbyn y 'cyfiawn' yn unig, ond yn hytrach i ddilyn esiampl Crist a chwilio'r ffiniau am y colledig a phobl yr ymylon a'u derbyn nhw oll.

Ysbrydoliaeth

Llyfr y Salmau

Sbardun

Kubler-Ross, Elizabeth, 1997, *Living with Death and Dying How to communicate with the terminally ill*

Cyswllt

allanrjones@hotmail.com

1.2 Gwaeledd

1.2.1 Rhys Tudur

Uwch Nyrs
Bwrdd Iechyd Betsi Cadwaladr
Adran Cardioleg
Ysbyty Glan Clwyd

Ganed Rhys yn 1974 a'i fagu yn Llanelwy. Graddiodd yn y Gymraeg o Brifysgol Bangor. Profodd swyddi amrywiol cyn ei apwyntio'n uwch nyrs yn Adran Cardioleg, Ysbyty Glan Clwyd. Mae'n briod â Catrin ac yn dad i Mali ac Ilan. Mae'r teulu – ynghyd â Smwt y gath – wedi ymgartrefu yn Rhuthun.

Cefndir a magwraeth

A minnau bellach ar drothwy wyth a deugain mlwydd oed, dim ond dwy flynedd i ffwrdd o un o 'gerrig milltir' mawr bywyd, teg dweud na fu llwybr fy mywyd yn un arferol na chonfensiynol. Yn wreiddiol o Lanelwy, graddiais yn y Gymraeg ym Mangor cyn mynd i wneud doethuriaeth. Am ddwy flynedd a hanner bûm yn un o is-olygyddion Geiriadur Prifysgol Cymru yn Aberystwyth. Daeth fy nghytundeb i ben ar ddiwedd 2001. O bosibl da oedd hynny achos er fy mod yn gweithio hefo criw hyfryd o bobl roeddwn erbyn hynny wedi penderfynu nad oedd gwaith academaidd a fi am fynd law yn llaw am weddill fy mywyd.

Sut y deuthum i'r penderfyniad hwnnw dyn a ŵyr ond yn bendant roeddwn yn ysu am wneud rhywbeth mwy dyngarol? Fel canlyniad byddaf yn edmygu pobl sy'n helpu eraill. Treuliais flwyddyn wedi hynny yn teithio Awstralia a Seland Newydd gyda fy nghariad Catrin, sydd bellach yn wraig i mi ac yn fam i fy mhlant. Wedi dychwelyd i Gymru fach roedd yn bryd penderfynu go iawn ar gwrs gweddill fy mywyd.

Profiadau niferus mewn cyfnod byr

Treuliais rai misoedd yn gweithio mewn siop / garej yn Rhuthun. Dyma dref enedigol Catrin a thref yr wyf yn hoff iawn ohoni a hwn yw fy nghartref ers bron ugain mlynedd bellach. Fodd bynnag, nid oedd y swydd hon ychwaith yn llawn at fy nant er fy mod yn mwynhau cyfarfod cymaint o wahanol gwsmeriaid.

Colli cyfaill oes

Wrth weithio yn y siop cefais brofiad trist a thrasig, Bu farw ffrind i mi'n naw ar hugain mlwydd oed. Roedd wedi dioddef o iselder clinigol ers rhyw ddeunaw mis a chyflawnodd hunanladdiad drwy grogi ei hun.

Tair wythnos ynghynt, yn gwybod ei fod yn sâl, bûm yn ymweld ag ef yn ei gartref. Dywedodd ei fod wedi colli ei deimladau. Cefais fraw yn gwrando arno. Gwadodd ei fod yn bwriadu lladd ei hun ond dair wythnos yn ddiweddarach roedd yn farw gan adael tad, mam, brawd, chwaer a chariad a ffrindiau'n galaru ar ei ôl.

Fo oedd un o f'atgofion cyntaf fy mywyd gan inni arfer chwarae hefo'n gilydd yn blant ifanc iawn. Roeddwn yn crio yn ei angladd. Cofiaf deimlo'n flin hefo fo ar y pryd am wneud rhywbeth mor erchyll. Fodd bynnag, ers hynny deuthum i sylweddoli mai sâl oedd o. Roedd o'r math o berson na fedrai frifo unrhyw ddyn nac anifail. Trueni mawr iddo ddiweddu ei fywyd ac yntau'n ddyn mor hyfryd.

Damwain

Dyna ddigwyddiad trawmatig arall yn fy mywyd achos ychydig flynyddoedd ynghynt.

Deuthum ar draws car yn wenfflam yn hwyr fin nos ychydig o ffordd y tu allan i Fangor. Medrwn weld corff yn llosgi yn y fflamau. Y diwrnod wedyn darganfyddai fy mod yn adnabod y person hwnnw. Dyn ifanc yn ei ugeiniau ydoedd ac roeddwn wedi bod yn siarad ag o ychydig wythnosau ynghynt.

Effeithiodd y digwyddiad hwnnw'n fawr arnaf ar y pryd ond efallai fy mod i fod i weld y ddamwain car erchyll honno gan y byddai o bosib yn fy mharatoi at yrfa ym myd nyrsio ymhen blynyddoedd i ddod. Mae'n rhyfedd sut mae bywyd yn gweithio weithiau.

Cartref nyrsio

Felly penderfynais gymryd cam dewr a mentrus a chychwyn swydd fel Cynorthwywr Gofal yng Nghartref Nyrsio Plas Gwyn sydd ychydig tu allan i'r dref. Dyma agoriad llygad yng ngwir ystyr y gair a thipyn o sioc i'r enaid ar y pryd gan mai dyma oedd fy nghyflwyniad i fyd nyrsio a phobl sâl iawn. Yma deuthum ar draws pobl cwbl ddibynnol ar eraill am bob dim o'u bwydo i'w dilladu i'w hymolchi i'w hanghenion toiled a glanweithdra. Nid fyddai'r gwaith hwn yn siwtio unrhyw un gwan ei stumog. Fodd bynnag, sylweddolais ar unwaith bod hwn i mi yn waith pwysig iawn. Yn wir roeddwn yn angerddol yn ei gylch. Er nad oeddwn yno'n hwy nag ychydig fisoedd nid anghofiaf fyth y trigolion rheini. Deuthum ar draws cleifion yn y cartref, rhai hefo dementia drwg iawn a'u meddwl wedi dirywio a'u gallu i reoli pethau mwyaf sylfaenol eu cyrff wedi hen ddarfod. Gwelais eraill oedd wedi dioddef strôcs creulon gan eu gadael yn anabl; eraill hefo afiechyd y galon neu'r ysgyfaint ac yn cael trafferth anadlu. Roedd nifer yn gaeth i'w gwelyau. Cofiaf un gŵr arbennig iawn oedd yn dioddef o afiechyd niwrolegol prin. Golyga hyn bod ei feddwl mor siarp ag erioed ond bod ei gorff yn gynyddol yn methu. Nid anghofiaf ei ymateb wrth weld coeden Nadolig y cartref yn niwedd 2003 gan ei fod yn gwybod mai hwnnw oedd ei Nadolig olaf yn fyw. Druan ohono mae gennyf barch bythol iddo am ei ddewrder yn wynebu ei salwch.

Sylweddoliad

Ychydig wedi'r Nadolig hwnnw, a minnau wedi cael blas ar helpu eraill roeddwn yn sicr fy mod am dreulio gweddill fy mywyd gwaith yn y byd nyrsio. Cychwynnais ar gwrs tair blynedd yn Wrecsam yn hyfforddi i fod yn nyrs proffesiynol.

Gellir dadlau, yn ddigon teg mae'n siŵr, fy mod wedi 'gwastraffu' fy ngradd a fy noethuriaeth yn y Gymraeg. Fodd bynnag, ar drothwy fy mhen-blwydd yn deg ar hugain mlwydd oed edrychais ar y sefyllfa'n gwbl wahanol. Sylweddolais fod bywyd mor ofnadwy o fyr ac rwyf yn gwbl grediniol bod yn rhaid gwneud rhywbeth o werth go iawn yn y byd.

Rhaid pwysleisio nad wyf yn bychanu'r math o waith y bûm yn ei wneud yn flaenorol. Fodd bynnag wrth droi'r geiniog yn llwyr i'r ochr arall, buasai wedi bod yn wastraff o fy mywyd petawn wedi treulio degawdau yn gwneud rhywbeth nad oedd fy nghalon wir ynddo. Nid oedd gennyf unrhyw awydd i gyrraedd oed ymddeoliad ac edrych yn ôl ar fy mywyd gan ddifaru na fuaswn wedi ceisio helpu fy nghyd-ddyn yn y cyfamser.

Cynnyrch ein hanes a'n profiadau bywyd ydym i gyd ac mae'n dra phosibl na fuaswn wedi mynd i nyrsio o gwbl pe na bawn wedi gwneud gwaith academaidd a sylweddoli nad oedd hynny yn fy siwtio yn y tymor hir. Wnes i erioed gynllunio galwedigaeth ym myd gofal a nyrsio. Daeth y sylweddoliad na fyddwn yn medru byw bywyd hapus pe na bawn yn helpu dynoliaeth. Na, er mor anodd oedd newid gyrfa yn llwyr ar y pryd ac er mor anodd yw nyrsio yn aml iawn, rwyf yn llawenhau imi gymryd cam mor fawr.

Hyfforddiant

Roedd fy lleoliad cyntaf ar Ward 14, y ward strôcs, yn Ysbyty Glan Clwyd. Fy mhrofiad cyntaf erioed o ward ysbyty aciwt. Roedd hwn yn agoriad llygad arall. Ni wnaf i fyth anghofio hen wraig yn dweud wrthyf ar fy niwrnod cyntaf un, '*Old age soon creeps up on you*'. Hynaf yr af a minnau bellach yn dad i ferch doed a mab degoed cofiaf ei geiriau syml a phwerus. Maent yn fwy perthnasol yn flyeuddeg nyddol. Yn y ward hon, gwelais rywun yn marw yn uniongyrchol am y tro cyntaf erioed. Gwaith anodd ond breintiedig iawn oedd glanhau ei gorff yn barod ar gyfer y Capel Gorffwys. Yn anffodus, gwnes y ddefod hon ddwsinau lawer o weithiau ers y tro cyntaf hwnnw. Dros fy nhair blynedd fel myfyriwr nyrsio, yn Ysbyty Glan Clwyd, Ysbyty Cymunedol Rhuthun a lleoliadau eraill ac yn gweithredu fel nyrs banc byddwn yn helpu i ofalu am sawl gŵr a gwraig sâl iawn a thrwy hynny yn delio â sawl marwolaeth.

Nyrs gofrestredig

Cymhwysais fel nyrs yn swyddogol ym mis Mawrth 2007. Dechreuais fy swydd gyntaf ar Ward 9 Ysbyty Glan Clwyd. Ward feddygol hynod o brysur oedd hon oedd yn arbenigo mewn clefyd y siwgr, clefyd arennol a gastroenteroleg. O edrych yn ôl roedd y profiad hwn yn fedydd tân go iawn. Mae cymaint o wahaniaeth rhwng bod yn fyfyriwr nyrsio yn gweithio gyda mentoriaid, a bod yn nyrs cymwysedig yn llwyr gyfrifol am fy nghleifion fy hun. Wedi hynny treuliais gyfnod fel nyrs ar Uned y Galon Ysbyty Glan Clwyd. Roedd hyn yn cynnwys bod yn rhan o'r tîm oedd yn ceisio adfywio bywydau pan oedd cleifion wedi dioddef ataliad ar y galon mewn wardiau gwahanol. Yna gweithiais yn Uned Gofal Dwys Ysbyty Glan Clwyd a olygai ofalu am lawer o gleifion ar beiriannau cynnal bywyd ac yn Uned y Galon Ysbyty Maelor Wrecsam. Erbyn hyn rwyf wedi dychwelyd i Uned y Galon Ysbyty Glan Clwyd, y tro hwn fel uwch nyrs. Felly, mewn pymtheg mlynedd teithiais gylch cyfan.

Profiad personol

Blwyddyn dyngedfennol arall yn fy mywyd oedd 2009. Ym mis Ionawr y flwyddyn honno bu farw fy Nain annwyl yn naw deg mlwydd oed, yr olaf o'r pedwar Taid a Nain. Roeddem ill dau yn ffrindiau mawr er bod dwy genhedlaeth rhyngom. Byddwn yn mynd i'w chartref yn Henllan yn ystod misoedd yr Haf am flynyddoedd pan oedd hi'n iach. Byddwn wrth fy modd yn torri'r lawntiau iddi. Byddem wedyn yn mwynhau pryd o fwyd a sgwrs oedd wastad yn ddifyr. Yn anffodus dirywiodd ei hiechyd yn y blynyddoedd olaf a bu'n dioddef o afiechyd Alzheimer's.

Yn ffodus ni chollodd ei hanwyldeb na'i hurddas fel sy'n medru digwydd yn y salwch creulon hwn. Erbyn diwedd ei hoes nid oedd hi'n adnabod unrhyw un gan gynnwys fy nhad sef ei mab ei hun. Roeddwn hefo hi yn Ward 11 Ysbyty Glan Clwyd pan fu farw a dyna oedd diwedd y genhedlaeth honno. A minnau yn nyrs fy hun erbyn hynny profiad gwahanol iawn oedd bod 'ar ochr arall y ffens' hefo Nain ar ei gwely angau ac yn marw. Byddaf yn fythol ddiolchgar i'r staff am eu caredigrwydd. Ym mis Mawrth yr un flwyddyn canfyddom fod Catrin yn disgwyl babi ac ym mis Rhagfyr ganwyd Mali, y gyntaf o genhedlaeth newydd i ni fel teulu. Dyna flwyddyn o Gylch Bywyd go iawn felly, marw a geni, diwedd cenhedlaeth a chychwyn cenhedlaeth newydd. Ymunodd Ilan â ni cyn diwedd 2011.

Dros y blynyddoedd o weithio fel nyrs rwyf wedi achub sawl bywyd yn uniongyrchol, rhywbeth sy'n rhoi boddhad enfawr i mi. Yn sicr mae'n rhywbeth na fuaswn yn medru ei ddweud pe na bawn wedi newid cyfeiriad fy mywyd. O feddwl am y pum mlynedd diwethaf yn unig rwyf wedi rhoi ambell sioc drydanol i bobl sydd wedi dioddef ataliad ar y galon

- un i fam o dri o blant bach yn ei thridegau cynnar a oroesodd y profiad brawychus
- dro arall i ddyn ifanc un ar hugain mlwydd oed a oroesodd saith sioc cyn cael ei drosglwyddo i Ysbyty'r Galon a'r Frest yn Lerpwl

Gwneud gwahaniaeth

Gwneuthum wahaniaeth gwirioneddol i bobl a'u teuluoedd bob dydd yn fy ngwaith. Mae'r mwyafrif sylweddol o fy nghleifion yn mynd adref o'r ysbyty ychydig yn iachach nag oeddent yn dod i mewn. Mae'r geiriau caredig, diffuant o werthfawrogiad, yr ysgwyd llaw a'r cofleidio (cyn dyddiau Covid-19 wrth reswm) a'r cardiau a'r llythyrau diolch yn golygu llawer iawn i bob un ohonom yn y maes,

Bu'n bleser llwyr ac yn fraint amhrisiadwy gofalu am y mwyafrif helaeth o gleifion a'u teuluoedd sydd yn wirioneddol ddiolchgar am yr hyn yr ydym yn ceisio'i wneud. Nid pawb sydd mor raslon, ac ar brydiau mae angen amynedd enfawr a chroen caled i fod yn nyrs.

Wynebu marwolaeth

Ochr arall y geiniog yw imi bellach fod yn dyst i sawl marwolaeth. Roedd y mwyafrif yn ddisgwyliedig a'r teuluoedd yn bresennol. Fodd bynnag roedd sawl un hefyd yn annisgwyl ac yn ddisymwth.

Fel nyrs Uned Gofal Dwys byddwn weithiau â'r ddyletswydd hynod o anodd, ond angenrheidiol, o droi peiriannau cynnal bywyd claf i ffwrdd, a hynny yn aml o flaen eu teuluoedd oedd yn gwylio.

Yn sicr mae gweld cleifion yn marw yn fy atgoffa yn feunyddiol am fy marwoldeb fy hun a fy nheulu. Un o'r pethau anoddaf o fod yn nyrs yw gorfod gwneud ambell alwad ffôn dirdynnol i bartneriaid a theuluoedd yn eu hysbysu am farwolaeth eu hanwyliaid.

Mae hynny yn aml yn digwydd yn oriau mân y bore. Anghofiaf fyth mo'r rhain, ond ar yr un pryd maen yn wirioneddol fraint bod hefo pobl a'u teuluoedd ar adeg mor dyngedfennol a phwysig iddynt.

Yn aml mae sawl un yn dweud wrthyf na fuasent yn medru bod yn nyrs a delio â materion fel hyn. Byddaf yn brysio i ddweud na fuaswn innau chwaith yn medru gwneud eu gwaith hwythau. Mae gennym oll ein cryfderau a'n gwendidau.

Beth sy'n gwneud nyrs?

Credaf fod pedwar gair yn croniclo'r cwbl **caredigrwydd, parch, empathi a gonestrwydd.**

Mae pob claf a'u teuluoedd, a phob cydweithiwr, yn haeddu cael eu trin â charedigrwydd a pharch. Mae'n swnio'n beth sylfaenol ond yn anffodus tydi o ddim yn digwydd bob amser.

'Trin eraill fel yr hoffet gael dy drin dy hun' mae'n debyg yw'r dywediad sy'n cyfleu hyn yn well na dim. Mae gennym bob un ein teimladau.

Mae empathi yn hanfodol. Does wybod pryd y byddwn ni ein hunain, neu'n hanwyliaid, yn yr un sefyllfa yn wynebu dyddiau tyngedfennol ac anodd.

Yn anffodus yn achlysurol dof ar draws nyrs fu yn y gwaith cyhyd fel bod eu hempathi yn prysur brinhau.

Credaf fod yna linell denau iawn rhwng cryfder meddyliol ac emosiynol i ymdopi â'r gwaith, a chaledu gydag arferiad i fethu teimlo a dangos empathi.

Mae gonestrwydd hefyd cyn bwysiced â dim yn fy marn i ac yn un o gonglfeini fy agwedd at y gwaith ers y cychwyn. Os oes rhywun yn wirioneddol wael ac yn debygol o ddirywio ymhellach a marw, mae'n hanfodol bwysig bod y cleifion eu hunain a'u teuluoedd yn cael y cyfle i wybod a chydnabod hynny. Maent wrth reswm yn dymuno ffarwelio â'u hanwyliaid cyn ei bod yn rhy hwyr.

Mae'n hanfodol bod pob marwolaeth mor urddasol a di-boen ag sy'n bosibl. Derbyniais air o ddiolch droeon gan deuluoedd anwyliaid gwael iawn am fod yn hollol onest â nhw ac am eu paratoi am yr amseroedd anodd sydd ar y gorwel.

Dygymod â marwolaeth

Yn gyntaf rhaid cofio ein bod oll yn mynd i farw rywbryd. Mae'n swnio'n osodiad hollol amlwg ond o bosibl nid ydym fel cymdeithas y dyddiau hyn yn wynebu marwolaeth mor onest ag y dylem. Yn amlach na dim roedd ein teidiau a'n neiniau a'u teuluoedd yn gwneud hynny ychydig flynyddoedd yn ôl.

Yn wir, dim ond rhai degawdau yn ôl byddai'r corff yn cael ei gadw ym mharlwr y cartref am dridiau, gyda phawb, gan gynnwys y plant yn derbyn y ddefod hon fel arwydd o barch.

Mae gennyf barch eithriadol at y miliynau o bobl sy'n gofalu am eraill pedair awr ar hugain y dydd a hynny yn aml heb gymorth ymarferol nac ariannol. Dyma waith eithriadol o galed yn gorfforol ac yn emosiynol. Dyma wir arwyr anhunanol ein cymdeithas.

Serch hynny rhaid cydnabod bod canran uchel o'n teuluoedd yng Nghymru erbyn hyn yn dyrannu'r cyfrifoldeb o ofalu am eu cleifion i eraill. Fel canlyniad, nid ydynt erioed wedi bod yn dyst i farwolaeth gan fod canran uchel yn marw mewn ysbytai a chartrefi gofal. Gellir dadlau bod marwolaeth, sydd mor naturiol mewn bywyd, bellach wedi cael ei 'fedicaleiddio' bron yn llwyr.

Mae teuluoedd nifer o wledydd y byd yn cymryd rhan fwy uniongyrchol wrth ofalu am eu hanwyliaid ac wrth wynebu marwolaeth.

Pwnc tabŵ

Fel canlyniad i'r gwelliannau parhaus mewn technoleg a meddygaeth mae disgwyliadau cymdeithas yn gynyddol uwch. Fel canlyniad, mae marwolaeth bellach yn aml yn cael ei ystyried yn fethiant ar ran meddygaeth a gwyddoniaeth fodern.

Nid gormodiaith yw dweud fod trafod marwolaeth wedi datblygu i fod yn bwnc tabŵ lle bu sôn am ryw yn dabŵ ychydig yn ôl. Mae agweddau pobl wedi newid yn sylfaenol at y ddeubeth mewn ychydig ddegawdau.

Crefydd

Peth arall sydd wedi newid yn sylfaenol mewn cymdeithas yn ddiweddar yw agweddau at grefydd. Gyda chymdeithas Orllewinol er gwell neu er gwaeth yn fwy seciwlar nag y buom ers canrifoedd. I rai cleifion a'u teuluoedd mae crefydd yn bwysig eithriadol, i eraill ddim o gwbl. Rwyf yn gweithio gyda phob math o gydweithwyr o gefndiroedd tra gwahanol, llawer ohonynt yn wreiddiol o wledydd Cyfandir Ewrop, Affrica, y Dwyrain Canol neu India. Iddyn nhw, mae crefydd yn hollbwysig ac rwyf yn eu parchu yn fawr am eu ffydd a'u cred ac yn llawenhau bod eu cred o gymorth iddynt.

Gweithiaf hefyd gyda phobl sydd heb unrhyw ffydd o gwbl a does dim o'i le ar hynny chwaith.

Nid fy lle yw barnu'r naill na'r llall.

Yn fy marn i, rwyf yn y swydd i helpu fy nghyd-ddyn ac mae hawl gan bob un ohonom ni i gredu neu beidio ag ni ddylem geisio gwthio ein daliadau yn ormodol ar eraill.

Mae crefydd yn medru bod yn wych ar brydiau, yn cynnig hapusrwydd a chysur i bobl. Ochr arall y geiniog yw bod dynoliaeth wedi lladd ac arteithio yn enw crefydd ers cychwyn hanes. Yn anffodus mae'n rhywbeth sy'n parhau i ddigwydd yn y byd yn ddyddiol. Rydym oll â'n barn a'n credoau gwahanol a dyna sy'n ein gwneud oll yn unigryw. Yn fy marn i rhaid parchu gwahaniaethau yn ein gilydd oherwydd mae gennym ddyheadau tebyg iawn yn y bôn a hefo llawer mwy yn gyffredin nag sydd yn ein gwahanu.

Ymlacio

Rwy'n mwynhau fy ngwaith cymaint nes fy mod i'n gorfod gweithio'n galed i anghofio fy ngwaith o bryd i'w gilydd. Nid yw'n iach byw yn llwyr i weithio, mae'n rhaid cael diddordebau eraill mewn bywyd.

Mae'r teulu yn bwysig iawn yn fy mywyd ac yn gymorth mawr i mi. Byddwn yn mynd am ddyddiau allan mor aml ag y medrwn ac yn ceisio cael gwyliau bach oddi cartref o bryd i'w gilydd. Nid hawdd yw byw hefo nyrs bob amser, yn enwedig gan fod cymaint o fy shifftiau yn ystod y nos ac ar benwythnosau ac ar adegau eraill anghymdeithasol iawn ar brydiau. Yn naturiol nid yw pob shifft yn fêl i gyd.

Bu fy ngwraig Catrin a fy nheulu ehangach yn dra chefnogol i mi ar hyd y blynyddoedd. Buont yn gefn i mi yn fy mhenderfyniad i newid gyrfa o'r cychwyn cyntaf.

Athrawes ysgol gynradd yw Catrin, gwaith arall yr wyf yn ei barchu yn fawr. Gellir dweud felly rhwng y ddau ohonom ein bod yn gweithio ar ddau begwn bywyd, hithau yn helpu plant bach i ddatblygu yn y byd a minnau yn gofalu am bobl ar ddiwedd eu hoes. Yn naturiol mae'r ddau ohonom yn hynod o falch o'r plant Mali ac Ilan. Edrychwn ymlaen at weld i ba gyfeiriad y byddant hwy yn troedio yn y dyfodol. Yn sicr, cyn belled eu bod yn hapus yna byddwn ninnau fel rhieni'n hapus hefyd.

Am sawl rheswm, mae ymarfer corff a ffitrwydd, a chymryd rhan mewn gwahanol driathlons, rasys rhedeg a digwyddiadau seiclo, yn fanteisiol gan ei fod yn newid llwyr o'r gwaith ac yn gyfle i adlewyrchu'n feddyliol ar fywyd. Rwyf hefyd yn grediniol bod rhaid byw heddiw orau medrwn ni tra bod gennym yr iechyd a'r cyfle i wneud hynny, oherwydd efallai y bydd yfory'n rhy hwyr. Un uchafbwynt amlwg oedd Dyn Haearn Cymru yn Ninbych-y-pysgod yn 2015.

Dro arall mae peint neu ddau ar benwythnos i ffwrdd gyda Catrin fy ngwraig a'n cyfeillion yn gymorth i ymlacio.

Rhaid diolch i fy nghydweithwyr ar draws y gwahanol swyddi nyrsio am eu cefnogaeth a'r holl ddifyrrwch a chwerthin a gaf yn eu cwmni. Mewn gwaith gall fod yn drist ar brydiau mae chwerthin a hiwmor yn gymorth ac yn gwbl angenrheidiol. Cawsom lond trol o hwyl ar draws y blynyddoedd.

Wrth gloi ei 'gwta hanner canrif yn y byd' Mae Rhys yn synfyfyrio am beth all ddigwydd yn ystod yr hanner canrif nesaf. Ar brydiau gwêl y gwaethaf mewn pobl ond yn amlach lawer fe wel y gorau yn serennu. Er mor galed yw ei waith ar brydiau, mae'n trysori ei atgofion, a diolch am y cyfleoedd amhrisiadwy a gafodd yng nghwmni'r cleifion niferus a'u teuluoedd yn eu gwir helpu a gwneud gwahaniaeth.

* * *

Taro sylw: Dyma rybudd o erchwyn gwely angau i roi pethau mewn persbectif cyn ei bod hi'n rhy hwyr gan ddathlu'r hyn sy'n gyffredin rhyngom, parchu'n gwahaniaethau a gollwng ein hofnau am farw sydd wedi'r cwbwl yn rhan annatod o fywyd.

Ysbrydoliaeth
Cân Trebor Edwards

Os gallaf helpu rhywun ar fy ffordd drwy'r byd
Nid yn ofer y bu imi fyw

Sbardun
Owen, Wynford Elis, 2004, *Raslas Bach a Mawr: Hunangofiant*

Cyswllt
rtudur@yahoo.co.uk

1.2.2 Christine Marston

Nyrs Ardal
Bwrdd Iechyd Betsi Cadwaladr
Cynghorydd Sir

Ganed Christine yn 1967 a'i magu ym Mhentrecoch, Dyffryn Clwyd. Hyfforddodd fel nyrs ac fe'i hapwyntiwyd yn Sister a rheolwr ward yr Uned Adsefydlu Strôc, Ysbyty Glan Clwyd. Priododd Hugh yn 1998, ac fe gawsant fab John a gefeilliaid Will a Kate. Ymgartrefodd y teulu yn Waengoleugoed, ger Llanelwy. Bu farw Hugh ym mis Ionawr 2020 ychydig fisoedd wedi gwerthu ei ganolfan garddio llewyrchus er mwyn ymlacio a mwynhau bywyd.

Y diagnosis

Cafodd Hugh ddiagnosis ym mis Mai 2018 o *Gliobastoma* Gradd 4, canser yr ymennydd, math ymosodol o ganser a phrognosis gwael iawn. Roedd ganddo wendid ochr chwith, ac yn dilyn sgan *Magnetic Resonance Imaging* (*MRI*) trosglwyddwyd ef i Ganolfan Walton, Lerpwl. Yno cafodd lawdriniaeth.

Er bod yn ymwybodol bod rhywbeth sylweddol allan o'i le roeddwn dal yn obeithiol o ran y diagnosis. Cofiaf yn glir y teimlad o lwyr anobaith wrth i'r arbenigwr egluro realiti'r diagnosis. Dywedodd y byddai'r cyflwr yn cyfyngu bywyd Hugh yn sylweddol. Byddai'r tîm meddygol yn ceisio rheoli'r tiwmor er na ellid cael gwared ohono'n llwyr.

Delio â'r realiti

Roedd dod i delerau â'r realiti newydd ein bywyd, yn hynod heriol. Fyddai Hugh byth yn cwyno nac yn gofyn 'pam fi?', na theimlo'n sori drosto'i hunan. Yn hytrach penderfynodd ar agwedd 'ffwrdd a hi'. Arhosom yn gadarnhaol trwy holl driniaethau chemotherapi, radiotherapi a'r llawdriniaeth. Roeddwn i bob amser yn edrych ar y sefyllfa fel rhyw drên cyflym yn dod yn syth amdanom, heb wybod yn union bryd y byddai'n ein bwrw'i lawr. Roeddem yn gwybod nad oedd modd ai osgoi.

Rhannu baich

I mi fel gofalwr Hugh, ei anghenion ef oedd flaenllaw. Fodd bynnag, dros y Nadolig 2019, tua diwedd ei fywyd, gwaethygodd ei anghenion nyrsio i'r fath raddau fel nad oeddwn yn medru ymdopi. Ffoniais y nyrs canser pen a'r gwddw yn Uned Oncoleg, Ysbyty Glan Clwyd, gan gyffesu wrthi na allwn mwyach wneud beth a ddymunwn ac erfyn arni i dderbyn y sefyllfa.

Roeddwn yn ei ffeindio'n anodd iawn i ofyn am unrhyw gymorth. Yn waeth na hynny wrth gyfaddef na allwn bellach ymdopi â gofal Hugh, teimlais yn fethiant llwyr a fy mod wedi ei adael i lawr.

Ond o'r foment honno ymlaen, camodd tîm cyfan o bobl i'r bwlch – y gwasanaethau cymdeithasol, ffysio therapyddion a therapyddion galwedigaethol meddygon. Cawsom y gefnogaeth orau posib gan dîm nyrsio ardal Dinbych. Roeddent yn eithriadol.

Roeddent nid yn unig yn bresennol i ddiwallu anghenion Hugh dair gwaith y dydd, ond i sicrhau ein bod ninnau fel teulu yn gallu ymdopi. Yn bendant, mae empathi ac agwedd ofalgar yn cyfrif cymaint mewn sefyllfa mor hunllefus.

Nyrsys

Byddai'r tîm Nyrsio Ardal â'r Nyrsys Marie Curie yn galw bob nos i'm rhyddhau o'm cyfrifoldeb gofal dros nos a'm galluogi i ddal i fyny â'm cwsg. Dyma roddodd nerth i mi fedru dal ati'r diwrnod canlynol, fy nghadw i fynd. Roeddem fel teulu mor ddiolchgar bod Hugh wedi marw gartref gyda'i deulu o'i gwmpas.

Fy eglwys

Bum yn gysylltiedig â rota blodau Cadeirlan Llanelwy ers rhyw bum mlynedd ar ddeg. I mi mae eglwys yn fan heddychlon, lleddfol. Mae bywyd yn gallu bod mor brysur, mae'n braf bod yno mewn lle mor dawel a myfyriol.

Y Bugail

Wedi marwolaeth Hugh fe ddaeth Y Deon Nigel Williams i'n cartref i drafod trefniadau'r angladd. Cyn dechrau sgwrsio cymerodd funud i weddïo ac i fyfyrio ar fywyd Hugh. Eisteddon fel teulu o gwmpas bwrdd y gegin gyda phanad yn gwerthfawrogi'r teimlad o gefnogaeth a chariad gawsom ganddo ef.

Cofiaf ddweud wrth Nigel y buaswn yn hoffi *Widor's Organ Toccata* yn angladd Hugh, sef y gerddoriaeth a chwaraewyd yn ein priodas. Yna tybiais y byddai hyn yn amhriodol. Poeni roeddwn i rag iddo swnio'n rhy fuddugoliaethus i angladd. Gwenodd Nigel a dwedodd,'Pam lai onid ydym yn dathlu bywyd Hugh?'

Felly fe gytunon ni y byddai'r darn yn cael ei chwarae. Wrth i ni adael yr Eglwys Gadeiriol, fe ofynnais i'r organydd ei chwarae mor uchel â phosib gan ei fod yn gerddoriaeth mor fendigedig â'r acwsteg yn yr eglwys gadeiriol yn anhygoel.

Galwodd y Deon unwaith eto i ni gytuno ar yr emynau a'r darlleniadau a dywedodd fy mab Will, 'Dyna ydy gofalaeth fugeiliol go iawn. Mam yn de?' Roeddem fel 'Tîm Marston' yn unfrydol yn ein gwerthfawrogiad o'r cysur arbennig a gawsom o'i ymweliad.

Symud ymlaen

Ddeuddeg mis ar ôl colli Hugh, roeddwn yn teimlo'r angen i mi wneud rhywbeth p werth. Roeddwn yn gynghorydd yn Sir Dinbych ac yn mwynhau gweithio gyda'r trigolion, y cynghorwyr eraill a'r swyddogion. Er hynny, roeddwn i'n teimlo nad oedd hyn yn ddigonol i mi fel person.

Roeddwn yn awchu i fod yn aelod o dîm, ac i ddarganfod gwir bwrpas i'm bywyd. Yn fwy na hynny, roeddwn eisiau talu'n ôl am y cariad a'r gefnogaeth gawsom ni fel teulu yn ystod cyfnod mor boenus a phryderus.

Roedd fy ffrind annwyl iawn imi a hyfforddodd yr un pryd a mi yn Ysbyty Glan Clwyd yn y 1980au wedi dychwelyd i nyrsio. Byddai'n dweud dro ar ôl tro cymaint oedd ei mwynhad yn gweithio fel bydwraig yn Ysbyty Glan Clwyd. Ei brwdfrydedd hi mewn gwirionedd a'm hysgogodd i ddilyn cwrs ail hyfforddi er mwyn i minnau hefyd ddychwelyd i nyrsio.

Teimlais fod ffawd wedi chwarae rôl yn yr holl broses. Rhaid bod hyn oll i fod i ddigwydd.

Wrth ail gychwyn fel hyn rwy'n awyddus i dreulio amser a'm ffrindiau a'm cydweithwyr. Rwy'n ceisio trefnu i'r grŵp hyfforddi gwreiddiol ddod at 'i gilydd yn ei grynswth yn fuan.

Ail gychwyn: taith newydd

Roeddwn wrth fy modd â'r dysgu. Roedd bod yn rhan o grŵp unwaith eto, yn ollyngdod yn enwedig yn fy lleoliad yn Ysbyty Glan Clwyd. Bu'r cwrs yn heriol a bûm yn aml yn cwestiynu os oeddwn yn gymwys. Fodd bynnag, mwyaf o amser dreuliais ar y ward gyda'r cleifion, mwyaf oedd fy moddhad. Yr hyn a roddodd y boddhad mwyaf i mi oedd y sylweddoli nad oedd anghenion cleifion am ofal ac ymgeledd wedi newid o gwbl er yr holl ddatblygiadau newydd.

Deuthum ar draws claf oedd wedi cael diagnosis tebyg i Hugh. Gwyddwn o'm mhrofiad yn union sut oedd y claf a'r teulu'n teimlo. Gallais eu cefnogi'n emosiynol yn ogystal ag yn gorfforol. Roeddwn yn fwy na pharod i wneud hyn – er na ddatgelais fy mhrofiad personol fy hun gyda nhw.

Dal i frifo

Mae fy mab, John, yn fferyllydd yn yr ysbyty ac roedd ei adwaith ef yn wahanol iawn pan ddaeth ef hefyd ar draws scenario tebyg i un ei dad. Fe'i cafodd yn eithriadol o anodd i ddelio a'i emosiynau. Cyfaddefodd bod cefnogi'r claf penodol hwn wedi bod yn drech na fo oherwydd y 'flashbacks' o ddioddefaint ei dad.

Medrais gefnogi John, drwy wrando arno, deall ei deimladau, sychu ei ddagrau a'i cwtchio'n dyn.

Mae bywyd yn gallu codi rhwystrau ond rhaid ffeindio ffordd o lywio o'u cwmpas. Wrth fynd yn hŷn rydym gydag agwedd bositif yn gryfach i ddelio â nhw.

Yn sicr, mae'n hanfodol siarad am a rhannu – fel y gwnaeth John i rannu ei friwiau gyda mi.

Nyrs ardal

Dechreuais ar fy swydd gyda thîm nyrsio ardal Rhuthun yn hynod o falch o ddychwelyd i dref fy mebyd ac ail gydiad yn fy ngyrfa. Rwyf wrth fy modd ac yn caru'r gwaith. Yr un pryd teimlaf ollyngdod a braint o fedru cyflwyno'r math o ofal gawsom ni fel teulu wrth i ofalu am Hugh.

Mae Christine yn gobeithio'n fawr y bydd ei dealltwriaeth ar lefel broffesiynol a'i empathi oherwydd ei phrofiad personol o gymorth i eraill i wynebu eu heriau hwythau.

* * *

Taro sylw: Dyma offeiriad uchel ael Eglwys Gadeiriol yn cynnal teulu yn eu galar drwy eistedd o amgylch bwrdd y gegin gyda phaned yn hel atgofion ac offrymu gweddi fach. Tydi hwn ddim yn *rocket science* ond mae'n batrwm eithriadol o fugeilio sy'n werth i'w hefelychu.

Ysbrydoliaeth

Mawredd Duw yng nghefn gwlad Dyffryn Clwyd un o lecynnau mwyaf naturiol brydferth y byd.

Pan fo eraill yn cydnabod undod Tîm Marston mae'n llonni fy nghalon.

Sbardun

Tomlinson, Dave, 2006, *I Shall Not Want – Spiritual Wisdom from the Twenty-third Psalm*

Cyswllt

christine.marston@denbighshire.gov.uk

1.2.3 Parchg Wynne Roberts

Rheolwr Caplaniaeth Ysbyty
Bwrdd Iechyd Betsi Cadwaladr:
Ysbyty Gwynedd, Bangor

Ganed Wynne yn 1961 yn Seion. Ef yw Rheolwr Caplaniaeth Betsi Cadwaladr. Bu Wynne, yn gweithio i'r Bwrdd Iechyd ers dros ugain mlynedd. Fe'i hanrhydeddwyd gyda *British Empire Medal* (BEM) am ei waith diflino fel yr Elvis Cymraeg, 'Y Parchedig sy'n Rocio' i godi arian dros £250,000 ar gyfer elusennau fel Awyr Las, Cyfeillion Ysbyty Gwynedd, Marie Curie, *Dementia and Tenovus Cancer Care*. Mae'n byw ym Mhorthaethwy ac yn ŵr a thad ac meddai.

> Er fy mod wedi edmygu Elvis erioed, y rheswm pam ddechreuais ganu fel Elvis oedd difyrru fy niweddar fam mewn cartref nyrsio. Feddyliais i erioed y byddai fy ngyrfa ganu mor llwyddiannus.

Mae bod yn Elvis ac yn Gaplan yn gweithio'n dda meddai

> Pan ddechreuais ganu doeddwn i ddim yn rhy siŵr sut fyddai hynny'n gweithio – ond wir, mae o wedi bod yn wych. Gofynnir yn aml i mi ganu i gleifion yn yr ysbyty – nid yn unig yn Ysbyty Gwynedd ond mewn Ysbytai Cymuned a Chartrefi Nyrsio ar draws yr arfordir.
>
> Roedd Elvis yn unigolyn ysbrydol iawn – a does dim amheuaeth mai miwsig Efengylaidd oedd ei hoff steil cerddorol. Mae gweithio fel Caplan Ysbyty a bod yn Artist Teyrnged i Elvis yn gyfuniad da oherwydd mae cerddoriaeth yn fath o therapi sy'n codi ysbryd pobl. Pan fyddai'n ymweld â chleifion sy'n byw gyda dementia ac maent yn ymateb yn rhyfeddol i'm caneuon.

Perfformiodd Wynne nifer o ganeuon Elvis yn Eisteddfod Genedlaethol Y Fenni yn 2018 ac meddai:

> Fe drefnais gyfieithiadau i nifer o ganeuon Elvis a gwneud clogyn dramatig siâp baner y Ddraig Goch ac arni 8,000 o emau'n sbarclo. Erbyn hyn, mae pobl o ar draws y byd yn fy nilyn drwy *YouTube* ac ar GL.

Mae Wynne o'r farn bod perfformio'n hwyliog fel hyn yn ei alluogi i bontio hefo cleifion a rhoi rhywbeth heblaw eu salwch iddynt ei drafod.

Cafodd fraw ei hun yn ystod pandemig Covid-19 pan ddwedwyd wrtho ei fod yn dioddef o ganser y coluddyn. Bu'n hunan-ynysu ers dechrau'n pandemig gan weithio o'r stiwdio a greodd yn ei garej adre ym Mhorthaethwy.

Erbyn hyn, mae'n ôl yn gweithio yn ei swyddfa yn Ysbyty Gwynedd ac yn cyflwyno ei raglenni ar orsaf Radio Ysbyty Gwynedd. Darlledir sioe Wynne yn fyw ar Radio Ysbyty Gwynedd bob yn ail ddydd Mawrth rhwng wyth a naw o'r gloch. Mae'r cleifion yn gallu gwrando ar y rhaglen gyda'u teuluoedd a'u ffrindiau ar y ward. Gall y teuluoedd hefyd diwnio i mewn i'r rhaglen ar-lein. Mae nifer o'r cleifion yn edrych ymlaen at wrando ar y gerddoriaeth fyw ar ei sioe.

Meddai un o staff yr ysbyty

> Mae'n dda cael Wynne yn ôl i ail gydio yn ei sioe hwyr: Yr Awr Hapus rhwng wyth a naw o'r gloch y nos. Mae medru cysylltu â fo unwaith eto'n llonni calonnau ein cleifion.

Meddai Wynne

> Dwi mor falch o fod yn ôl ar radio Ysbyty Gwynedd. Edrychaf ymlaen at ddarlledu a chynnig hwyl a chysur i'r cleifion a siarad â nhw unwaith eto. Mae Radio Ysbyty Gwynedd yn elusen gofrestredig a gynhelir gan wirfoddolwyr a chyfraniadau ariannol hael. Gellir cyfrannu drwy ymweld â'r wefan. Rydym yn cynnig gwasanaeth i'r cleifion ar adeg anodd yn eu bywydau. Gall teuluoedd a ffrindiau anfon negeseuon godi ysbryd a chadw cyswllt drwy anfon negeseuon o gariad a chefnogaeth i'r rhaglen.

Bu Gorsaf Radio Ysbyty Gwynedd bellach yn gwasanaethu'r gymuned leol ers dros ddeugain mlynedd. Mae'n wasanaeth sy'n cael ei staffio'n gyfan gwbl gan wirfoddolwyr sy'n cynnig amrywiaeth o wybodaeth a cherddoriaeth. Mae'r cleifion yn edrych ymlaen yn fawr at glywed cerddoriaeth fyw Wynne eto. Mae'n ffordd o gyflwyno negeseuon a cheisiadau gan ffrindiau a pherthnasau yn uniongyrchol i glyw'r cleifion.

Dwedodd Kevin Williams, cadeirydd yr orsaf

> Er ein bod ni gyd yn mynd trwy gyfnod ansicr iawn ar hyn o bryd rydym yn sicrhau'r cleifion, y teuluoedd a'n ffrindiau ein bod ni 'yma o hyd' ar eu cyfer. Rydym mor hapus o fedru croesawu bod Wynne yn ôl gyda'i raglen arbennig. Diolch hefyd i'n holl gyflwynwyr a'n Swyddog Technegol, Roger Richards a weithiodd mor galed i'n galluogi i barhau i ddarlledu.

Gwasanaeth caplaniaid

> Mae gweithio fel Rheolwr Caplaniaeth yr ysbyty yn fraint. Ceir mwy o ddiddordeb y dyddiau hyn yng ngwaith y gaplaniaeth o fewn GIG nag a fu ers tro byd. Credaf mai'r rheswm am hyn yw bod y rhai sy'n ymwneud â gofal iechyd meddwl wedi llwyddo i ddylanwadu ar yr awdurdodau i gydnabod arwyddocâd anghenion ysbrydol y claf.

Mentora caplaniaid

Cyfeiria'r Parchg Carwyn Siddall at ei brofiad gwerthfawr fel caplan yn Ysbyty Gwynedd. Mae'n talu teyrnged i Wynne am ei gyflwyno i'r gwaith a'i fentora. Bu Wynne yn barod i adael iddo fel gweinidog ifanc ei gysgodi wrth ei waith.

> Fel rhan o'm hyfforddiant treuliais gyfnod o gysgodi Caplan Ysbyty Gwynedd i ddysgu am rôl fugeiliol caplaniaid ysbyty. Bu'r hyfforddiant a'r profiad hwnnw'n un amhrisiadwy. Drwyddo cefais fy mharatoi sut i gynnig gofal bugeiliol mewn amgylchiadau anodd. Deuthum i ddysgu a deall ehangder gwaith y Ganolfan Gaplaniaeth sy'n cynnig gofal bugeiliol i holl gredoau, crefyddau, a thraddodiadau gwahanol yn ogystal â chynnig gofal bugeiliol i rai sydd ddim yn arddel credo grefyddol. Deallais hefyd bod y Caplaniaid yn rhan o ddarpariaeth sy'n sicrhau sylw i anghenion holistig y claf corfforol, meddyliol, ac ysbrydol.

Sylw i anghenion ysbrydol

Dengys yr ymchwil mewnol diweddar a wnaethpwyd yn Ysbyty Gwynedd bod 77% o'r cleifion yn awyddus i'r ysbyty dalu sylw i'w anghenion ysbrydol yn ogystal â'u hanghenion corfforol tra yn yr ysbyty. Roedd 40% yn datgan eu dymuniad i drafod materion ysbrydol gyda meddyg pe baent yn ddifrifol wael.

Y Capel

Yn ystod y degawd diwethaf bu twf sylweddol o ran adeiladu capeli mewn ysbytai. Yn ddiweddar atgyweiriwyd capel Ysbyty Gwynedd i fod yn fangre tawel, ysbrydol lle gall y cleifion, teuluoedd a staff encilio am eiliad o lonyddwch a gweddi.

Sefyllfa'r cleifion a'u teuluoedd

> Dywed rhai bod ysbrydolrwydd yn mynd y tu hwnt i ymlyniad crefyddol. Mae'r cleifion yn erfyn ystyr a phwrpas i'w bywyd, hyd yn oed pan nad ydynt yn credu mewn unrhyw dduw. Mae'r gair 'ysbrydol' yn disgrifio hanfod dynol o chwilio am ystyr a phwrpas i'w bywyd. Gall godi i'r wyneb pa fo'r cleifion yn pryderu am eu hiechyd a'u marwolaeth. Yn aml maent yn chwilio am ystyr o fewn realiti eu bodolaeth.
>
> Nid yw dyn yn cael ei ddinistrio gan ddioddefaint, yn hytrach mae'n cael ei ddinistrio gan ddioddefaint heb ystyr. Ac felly, mae'r dasg o bennu ystyr bywyd yn rhedeg yn ddwfn ynom – mae'n gynhenid i ddynoliaeth. Mae gwasanaeth Caplaniaeth yr Ysbyty yn dod ar adeg pan fo'r claf yn dymuno cwestiynu ystyr ei fywyd.

* * *

Taro sylw: Wrth wynebu diwedd oes mae canran uchel yn cwestiynu ystyr eu bywyd. Tybed pam i'w gadael hi reit i'r weiar?

Ysbrydoliaeth

Mawredd byd Duw: Gogoniant clogynnau, tonnau a thraethau Penrhyn Gŵyr.

Sbardun

Quoist, Michael, 1965, *Prayers of Life*

Cyswllt

www.radioysbytygwynedd.com
@YGRadio
@radioysbytygwynedd

1.3 Cefnogaeth

1.3.1 Geraint Rhys Davies

Arweinydd
Capel Blaen-y-cwm, Treherbert,
Cwm Rhondda

Ganed Geraint yn 1948 yn Nhreherbert, yn fab i John Haydn Davies arweinydd Côr Meibion Treorci ac Olwen. Astudiodd am radd fferylliaeth ym Mhrifysgol Llundain ac Ysbyty Rookwood Caerdydd. Bu'n gweithio fel rheolwr fferyllfa Boots am gyfnod cyn agor ei fferyllfa ei hun yn Nhreherbert ac wedyn yn Nhreorci. Mae Geraint yn briod a Merril ac mae ganddynt bedwar o blant. Bu'n gynrychioli ward Treherbert ar Gyngor Bwrdeistref y Rhondda a Chyngor Rhondda Cynon Taf ers 1983. Yn ogystal â bod yn Gynghorydd Sir, bu Geraint yn aelod Plaid Cymru dros Cwm Rhondda yn y Cynulliad cyntaf erioed yn 1999. Mae ar Bwyllgor Gwaith Cymdeithas y Cymod ac yn aelod o Gôr Godre'r Garth.

Cefndir yr ardal

Yn 1854, agorodd pwll glo ager cyntaf y Rhondda yn Nhreherbert. Ar ei anterth roedd saith pwll glo yn ardal Treherbert yn unig. Llifodd gweithwyr i mewn i'r cwm o bob rhan o Gymru a Lloegr. Caewyd 'Fernhill' y pwll glo olaf yn 1981.

Erbyn hyn mae ffatrïoedd *Burberry* a *Stelco Hardy* wedi cau. Ac yn y degawd diwethaf caewyd y pwll nofio, y llyfrgell, clwb ieuenctid a sawl capel. Mae'r ardal erbyn hyn yn ardal dra ddifreintiedig.

Hanes Capel Blaenycwm

Ar ôl darganfyddiad glo yn Nhreherbert, estynnwyd y rheilffordd i fyny i'r pentre' yn 1856. Adeiladwyd rhes ar ôl rhes o dai teras ar lethrau'r mynyddoedd i gartrefu'r cannoedd o fewnfudwyr lifodd i'r cymoedd i weithio yn y pyllau glo.

Daeth y boblogaeth newydd â'u crefydd gyda nhw. Roedd nifer

ohonynt yn Fedyddwyr. Gorfu iddynt deithio o dop y cwm i addoli yn Libanus yng ngwaelod Treherbert. Ymhlith y mewnfudwyr roedd Thomas Joseph o Gapel Heol y Felyn Aberdâr. Ef oedd perchennog gwaith glo Dunraven.

Yn 1869 cynlluniwyd i adeiladu'r capel presennol. Roedd y capel yn dal cynulleidfa o dros wyth gant ar ei hanterth ac roedd mwy na mil o bobl yn dod i gymanfa neu gyngerdd. Llanwyd y capel yn ystod y Diwygiad pan oedd Evan Roberts yn pregethu yma.

Aeth cant pum deg a thair blynedd heibio ers sefydlu'r achos ac fe brofwyd mwy nag un llanw a thrai dramatig yn ystod y cyfnod hwnnw.

Partneriaethau adferiad

Mae'r capel wedi'i phartneru â Chroeso i'n Coedwig, sefydliad sy'n ceisio defnyddio'r goedwig o'n gwmpas er lles y gymuned. Trefnir gweithgareddau amrywiol yn y goedwig i'r plant ac oedolion fel ymarfer corff a theithiau cerdded.

Maent hefyd wedi sefydlu cynllun pŵer trydan dwr. Gobeithiwn weithio gyda Chyfoeth Naturiol Cymru* i reoli tri rhan o'r goedwig hon.

Mae yma ymgyrch i ail agor Twnnel y Rhondda i alluogi cerddwyr a beicwyr i deithio rhwng Blaen-y-cwm a Blaengwynfi yng Nghwm Afan.

Fe fydd y Wifren Zip newydd ar ben mynydd y Rhigos yn denu twristiaid i'r arda.

Yn 2023 fe fydd y rheilffordd i Dreherbert yn cael ei dirdynnid dan gynllun Metro De Cymru. Yna cawn bedwar trên yr awr o'r Cwm i'n prif ddinas.

Hefyd mae ymgyrch ar led i ymestyn y rheilffordd i Dynewydd ar bwys Capel Blaen-y-cwm.

Addasiadau ar gyfer y gymuned gyfoes

Ym 2010 daeth Capten Ralph Upton o Fyddin yr Eglwys atom fel gweinidog. Dan ei arweiniad aethpwyd ati i addasu'r capel i fod yn fwy perthnasol i'r gymuned oedd ohoni. Felly crewyd lle tân, caffi a chegin a dechreuodd y Banc Bwyd. Yn 2014 ymunodd Y Parch Phill Vickery a ni fel gweinidog cynorthwyol i weithio yn y gymuned. Roedd ef yn gogydd proffesiynol a datblygodd y caffi i fod yn Café Talwch Faint A Fynnwch (*Pay As You Feel*).

Mae'r caffi yn defnyddio bwyd da sy'n mynd yn wastraff. Mae'n cael ei baratoi a'i roddi i unrhyw un sydd yn dymuno dod a'i fwyta. Mae pobl yn talu beth a fynnant ac mae'n gyfle i bobl unig gymdeithasu. Mae hyn yn digwydd bob dydd Iau ac mae'n llwyddiannus iawn. Rydyn ni'n ddiolchgar i UBC am ei chymorth ariannol hael.

Heb weinidog

Ar ddechrau 2020 gadawodd y gweinidogion ac felly roedd y capel unwaith eto heb weinidog. Daeth y Pandemig, a gaeodd y capel am gyfnod. Pan agorodd y capel eto ym mis Medi 2020 penderfynodd yr aelodau gynnal eu gwasanaethau eu hunain heb weinidog,

Trwy ein cysylltiad â Phen-rhys mae pedwar ohonom wedi bod yn aelodau o Grŵp Magwraeth dan arweiniad Parchg Peter Noble. Mae hwn wedi magu hyder ynom ac mae'r pedwar ohonom, gydag eraill, yn arwain ein gwasanaethau.

Banc Bwyd

Sefydlwyd Banc Bwyd y capel yn 2014 fel rhan o Fanc Bwyd y Rhondda. Roedd hwn yn ymateb i'r tlodi a grëwyd gan flynyddoedd o lymder. Mae'n fanc bwyd sy'n cael ei gynnal ar brynhawn dydd Gwener.

I dderbyn bwyd o'r Banc Bwyd mae rhaid cael taleb oddi wrth sefydliad fel *Citizens Advice*, Canolfan Gwaith, gweithwyr cymdeithasol ac yn y blaen. Rhoddir digon o fwyd am dri diwrnod. Mae pump ohonom yn gweithio yn y Banc Bwyd ac rydyn ni ar ddyletswydd bob yn ail wythnos.

Yr Ardd Gymunedol

Am flynyddoedd roedd y darn o dir wrth gefn y capel wedi bod yn rhandir llwyddiannus. Ond pan dorrodd iechyd y garddwr dechreuodd y rhandir ddirywio'n gyflym. Roedd rhaid gwneud rhywbeth, derbyniodd y capel grant i sefydlu gardd gymunedol. Mae'r ardd yn llawn o goed a phlanhigion ac mae mynediad i'r anabl wedi ei sefydlu. Mae'r ardd yn rhan o'r Mudiad Gerddi Tawel ac mae wedi derbyn Baner Werdd Cadw Cymru'n Daclus. Un o gymdogion y capel sy'n gyfrifol am yr ardd ac yn arwain criw o wirfoddolwyr. Mae un o'n haelodau'n agor yr ardd pob bore.

Bu Geraint yn arweinydd Capel y Bedyddwyr Blaen-y-cwm am dwy flynedd ar bymtheg a'i dad, John Haydn Davies, yn arweinydd Côr Meibion Treorci, a'r ddau ohonynt yn ysbrydoledig a chelfydd yn arwain pobl i gyrraedd yr entrychion.

* * *

Taro sylw: Yn yr enghreifftiau mwyaf effeithiol, mae'r eglwys yn adnabod ei chymuned unigryw ac yn teilwra eu hymateb i'w gofynion. *One size does not fit all.*

Ysbrydoliaeth

Cristnogaeth bositif ac ymarferol Parchg John Morgans a'i wraig Nora, Pen rhys

Sbardun

Morgans John & Noble, Peter, 2016, '*Our Holy Ground The Welsh Christian Experience*'

Cyfeirnodau

https//welcometoourwoods.org
https//naturalresources.wales

Cyswllt

01443771850
DaviesGeraint1@yahoo.com
blaenycwmchapel.com/payfcafe.html

1.3.2 *Pastor* Mike Holmes

Bugail
Eglwys Deuluol *Coastlands*, Y Barri

Ganed Mike ym 1956 ac fe'i magwyd yn Lloegr. Mae ganddo radd Meistr o Brifysgol Cymru ar effaith Arweinyddiaeth Genhadol ar fywiogi cymunedau. Gweithiodd Mike fel hyfforddwr i gwmniau cyfrifiadurol rhyngwladol cyn mynd yn weinidog llawn amser yn 1988. Deg mlynedd ar hugain yn ddiweddarach fe'i penodwyd yn Brif Fugail Eglwys Deuluol *Coastlands*, Y Barri. Mae'n briod â Cathy ac mae ganddynt dri o blant. Mae'n awdur dau lyfr. Mae'r gyfrol ddiweddar yn cofnodi datblygiad ei waith cymunedol.

Cefndir a magwraeth
Magwyd Mike yn y ffydd '*Christadelphian*'. Pregethodd am y tro cyntaf yn un ar bymtheg mlwydd oed. Bryd hynny roedd ei ddiwinyddiaeth ymhell o fod yn Gristnogol efengylaidd. Fodd bynnag yn ei ugeiniau cynnar dechreuodd gwestiynu rhai o'i gredoau. Yn 1982, cafodd 'achubiaeth ryfeddol' ar ôl ei fedyddio yn yr Ysbryd Glân. Yna wrth fynychu cynhadledd Gristnogol bum mlynedd yn ddiweddarach teimlodd bod Duw yn galw arno i weinidogaethau llawn amser.

Dylanwadodd amrywiaeth o grefyddwyr ar feddylfryd Mike gan ei ysgogi i feddwl yn ehangach na *Christadelphian*. Cenhadwr ysbrydoledig o Ogledd Ddwyrain Brasil oedd ei fentor cyntaf. Roedd gan hwnnw brofiad o greu cymunedau byrlymus.

Datblygodd ffydd a brwdfrydedd Mike yn bellach wrth ddarllen yn eang ac astudio ar gyfer gradd Meistr mewn Arweinyddiaeth Genhadol. Teimlai Mike bresenoldeb Duw yn ei gynnal ar hyd ei daith. Fel canlyniad, gadawodd ei swydd gyfrifiadurol i gymhwyso mewn Astudiaethau Beiblaidd mewn coleg yn Llundain.

Ymunodd â staff ei eglwys leol, yn Reading fel Bugail Cynorthwyol. Yn sefydlodd eglwys lle bu'n arwain am bum mlynedd cyn dychwelyd i'r fam eglwys yn 1994. Erbyn hynny, roedd yn ddigon profiadol i fedru gwasanaethu fel Bugail ei hun.

Yn ôl ei arfer arferol erfyniodd ar Dduw am arweiniad ac fe'i derbyniodd. Blwyddyn yn ddiweddarach dewiswyd Mike yn Fugail ar eglwys yng Nghefn Cribwr. Roedd hon yn eglwys nodweddiadol o eglwys Bentecostaidd ddaeth i'r amlwg yn dilyn Diwygiad 1904. Bu'r eglwys yn addasu a datblygu dros y blynyddoedd. Felly, pan gyrhaeddodd Mike roedd yn eglwys weddol fywiog.

Trwy berthynas a ddatblygodd rhyngddo ef a '*Megachurch*' yn Indonesia, crëwyd tŵr gweddi ar lawr uchaf yr eglwys. Daeth pobl o bob cwr o'r byd i weddïo yno. Ffocws pennaf y gweddïau rheini oedd am ddiwygiad arall.

Cyfarfod gweddi misol am hanner nos
Yn ystod un o'r cyfarfodydd hyn, datgelodd Duw ei bwrpas i Mike sef i 'iachau'r tir'. Trawsnewidiodd y profiad hwnnw gwrs bywyd Mike oherwydd sylweddolodd heb os nac onibai

- Duw sydd wrth y llyw yn rheoli popeth
- mai dim ond drwy drawsnewid y gymuned y deuai teyrnas Duw i fodolaeth

Felly aeth ati i geisio ateb o sut i weithredu gydag egni i hwyluso

- eglwys newydd
- mewn dull newydd
- gyda strwythur newydd
- drwy arweinyddiaeth ar y cyd

Grymuso eraill
Sylweddolodd mai ei rôl oedd grymuso eraill i gymryd cyfrifoldeb fel y gellid defnyddio a datblygu cryfderau unigolion: Aeth ati i baratoi bobl i dderbyn cyfrifoldebau cyn creu'r timau strwythuredig i rannu cyfrifoldebau.

> Mae twf ac egni eglwys yn arwydd o aelodau ysbrydol iach. Rhaid cael cydbwysedd rhwng edrych i fyny at Dduw, edrych yn fewnol i'r eglwys ac edrych allan i'r gymuned a thu hwnt.

Nod arweinyddiaeth Mike yw cyd weithio â phobl ar yr un sylfaen gyda ffocws clir.

Mae'r sylfaen yn syml a chadarn a hawdd ei gofio sef **Caru Duw: caru pobl.**

Ei athroniaeth yw bod Duw yn caru pobl, felly, os ydym ni'n caru Duw, byddwn ninnau hefyd yn caru pobl. Yn ei dyb ef, mae caru pobl yn llywio ein sylw a'n hegni oddi wrthym ein hunain.

Bydd yn herio ei hun yn gyson ynglŷn â sut y gall ddyrannu cariad Duw i bobl ddifreintiedig ei gymuned.

Mae'n credu'n gryf bod y ddarpariaeth yn gorfod bod yn addas i natur benodol yr eglwys ac i anghenion penodol ei chymuned.

Mae'r atebion mor amrywiol â'r mathau o bobl sy'n byw ac yn bod yng nghyffiniau'r eglwys.

> Fy ngweledigaeth yw creu cymuned iach, dosturiol, grymus a Coastlands yn ganolbwynt iddi. I weithredu'r weledigaeth mae angen sefydlu 5 tîm craidd i'w sefydlu ar frys.

Dyrannodd feysydd penodol i bob aelod ar ôl eu paratoi i gymryd gwir gyfrifoldeb:

Bwrdd Rheoli o 4 ymddiriedolwr

Nhw sy'n gyfrifol am lywodraethu adnoddaur eglwys yn effeithiol gan gynnwys cynnal a chadw, cyllid a materion staffio.

Mentrau i gefnodi teuluoedd ifanc, plant ac ieuenctid

Tair mentr drugarog sef

- *Baby Basics*,
- *ReStore* (Dodrefn)
- Banc Bwyd

Arweinir y mentrau gan aelod o'r tîm craidd neu gan un o'r ymddiriedolwyr.

Ysbrydoli plant a phobl ifanc: dyfodol yr eglwys

Mae pontio gyda'r genhedlaeth nesa yn hanfodol.

Yr unig ffordd effeithiol o wneud hynny yw sicrhau cydbwysedd yn oedran y tîm arweiniol. Bydd arweinwyr a bugeiliaid ifanc yn siŵr o ddenu pobl o'r un oedran a nhw sydd â phlant eu hunain.

Mae Ysgolion Sul, clybiau plant yn ystod yr wythnos, clybiau ieuenctid, rhaglenni Llan Llanast ac ati yn greiddiol i'r eglwys hon.

Yn ogystal â hyn, mae diddordeb a chyswllt gweledol hefo'r ysgolion lleol yn hanfodol. Mae'n fanteisiol i gyfrannu i weithgareddau'r ysgolion lleol trwy wirfoddoli, dod yn llywodraethwr neu drwy gynnal gwasanaethau creadigol.

Mae *Coastlands* yn darparu sesiynau Llan Llanast hwyliog yn rhad ac am ddim sy'n apelio at deuluoedd ifanc y gymuned. Maent yn cynnwys gweithgareddau amrywiol, gemau, cystadlaethau, ymweliadau, siaradwyr ynghyd â neges Gristnogol a phryd o fwyd dau gwrs.

Ceir hefyd glybiau wythnosol i blant ac ieuenctid. Ac mae Mike fel llywodraethwr yr ysgol gynradd yn cynnal gwasanaethau yno'n rheoliadd.

Mentrau dyngarol

Mae Mike yn disgrifio sut mae Cristnogaeth drugarog yn gweithio i wireddu gweledigaeth yr eglwys o garu pobl yn dosturiol. Trefnir mentrau amrywiol yn *Coastlands* sy'n dystiolaeth ymarferol o hyn. Bydd yr aelodau'n cyfrannu i brosiectau niferus drwy roi o'u hamser a'u sgiliau i reoli gwirfoddolwyr ac i gasglu arian i ariannu'r mentrau. Mae i bob menter staff cyflogedig a gwirfoddolwyr nad sydd bob amser yn perthyn i *Coastlands*.

Banc Bwyd *Trussell Trust*

Mae'r Banc Bwyd wedi bwydo miloedd o bobl ers ei sefydlu dros ddeng mlynedd yn ôl. Rheolir y canolfannau dosbarthu, pecynnu'r bwyd a'r cyfrifoldeb o gyfarch y gwesteion gan yr aelodau.

ReStore

Siop elusen ydy hon sy'n cynnig dodrefn ac eitemau cartref i bobl ar incwm isel. Mae'r aelodau yn cyfrannu at y prosiect drwy roi o'u hamser a'u sgiliau i gyfarwyddo'r gwaith. Maent hefyd yn adfer rhywfaint o'r dodrefn ac yn gofalu am y cyllid a gwirfoddolwyr y siop.

Baby Basics

Prosiect sy'n darparu offer babanod a hanfodion i rieni sy'n methu eu fforddio. Mae ein haelodau yn helpu i baratoi eitemau i'w dosbarthu fel basgedi Moses o hanfodion, matres, giât diogelwch ac ati.

Cenhadaeth

Mae cenhadaeth Mike yn glir, ei fri yw arwain aelodau eglwys *Coastlands* i

- garu Duw'n angerddol
- wasanaethu pobl yn dosturiol
- adnabod eu cymuned a'i chefnogi yn ôl ei anghenion penodol

Gwerthoedd personol

Mae Mike yn glir am ei werthoedd personol ac mae'n gwerthfawrogi medru canolbwyntio ar Dduw, grymuso pobl a chael ei gyflyru gan bwrpas sef

- gras y Duw byw a'i bŵer a'i gariad diamod
- y Beibl fel Gair Duw i mi ac yn llawlyfr i'm bywyd a f'oes
- fy ffydd gadarn a grymus i wasanaethu Duw a'i bobl
- f'ymrwymiad i wneud popeth yn ddiffuant gyda rhagoriaeth
- strwythur pendant ac arweinyddiaeth tîm canolog

Cyllid yr eglwys

Ariennir yr eglwys yn gyfan gwbl trwy roddion yr aelodau. Anogir aelodau i gyfrannu degwm o'u hincwm yn ôl yr egwyddor Feiblaidd. Anogir Cymorth Rhodd hefyd.

Mae yna nifer o bolisïau a gweithdrefnau sy'n cwmpasu iechyd a diogelwch, amddiffyn plant a phobl fregus a materion cyflogi ac ati.

Cred Mike bod athroniaeth a gwerthoedd y mentrau i'w cael yn y damhegion allweddol hyn

Dameg Y Defaid a'r Geifr Matthew 25. 31-40 BNET

Pan fydd Mab y Dyn yn dod yn ôl, bydd yn dod fel brenin i deyrnasu. Bydd yn dod mewn ysblander, a'r holl angylion gydag e, ac yn eistedd ar yr orsedd hardd sydd yno ar ei gyfer yn y nefoedd. Bydd yr holl genhedloedd yn cael eu casglu o'i flaen, a bydd yn eu rhannu'n ddau grŵp fel mae bugail yn gwahanu'r defaid a'r geifr. [33] Bydd yn rhoi'r defaid ar ei ochr dde a'r geifr ar ei ochr chwith.

Dyma fydd y Brenin yn ei ddweud wrth y rhai sydd ar ei ochr dde, 'Chi ydy'r rhai mae fy Nhad wedi'u bendithio, felly dewch i dderbyn eich etifeddiaeth. Mae'r cwbl wedi'i baratoi ar eich cyfer ers i'r byd gael ei greu. Dewch, oherwydd chi roddodd fwyd i mi pan oeddwn i'n llwgu; chi roddodd ddiod i mi pan oedd syched arna i; chi roddodd groeso i mi pan doeddwn i ddim yn nabod neb; [36] chi roddodd ddillad i mi pan oeddwn i'n noeth; chi ofalodd amdana i pan oeddwn i'n sâl; chi ddaeth i ymweld â mi pan oeddwn i yn y carchar.'

Ond bydd y rhai cyfiawn yma yn gofyn iddo, 'Arglwydd, pryd welon ni ti'n llwgu a rhoi rhywbeth i ti i'w fwyta, neu'n sychedig a rhoi diod i ti? [38] Pryd wnaethon ni dy groesawu di pan oeddet ti'n nabod neb, neu roi dillad i ti pan oeddet ti'n noeth? [39] Pryd welon ni ti'n sâl neu yn y carchar a mynd i ymweld â ti?' [40] A bydd y Brenin yn ateb, 'Credwch chi fi, pan wnaethoch chi helpu'r person lleiaf pwysig'

Dameg Y Samariad Trugarog Luc 10. 33-37 BNET
Ond wedyn dyma Samariad yn dod i'r fan lle'r oedd y dyn yn gorwedd. Pan welodd e'r dyn, roedd yn teimlo trueni drosto. Aeth ato a rhwymo cadachau am ei glwyfau, a'u trin gydag olew a gwin. Yna cododd y dyn a'i roi ar gefn ei asyn ei hun, a dod o hyd i lety a gofalu amdano yno. Y diwrnod wedyn rhoddodd ddau ddenariws i berchennog y llety. 'Gofala amdano,' meddai wrtho, 'Ac os bydd costau ychwanegol, gwna i dalu i ti y tro nesa bydda i'n mynd heibio.'

"Felly" meddai Iesu, "yn dy farn di, pa un o'r tri fu'n gymydog i'r dyn wnaeth y lladron ymosod arno?"[37] Dyma'r arbenigwr yn y Gyfraith yn ateb, "Yr un wnaeth ei helpu." Ond daeth Samariad, fel y teithiodd, i le'.

Mae strwythr clir Mike yn apelgar fel '*blue print*' syml ei weithredu i ymateb i natur ac anghenion penodol y gymuned a'r eglwys. Mae'r mantra'n dalp amhrisiadwy o aur. **Caru Duw, caru pobl**

* * *

Taro sylw: Wedi dadansoddi anghenion y gymuned rhaid blaenoriaethu adnoddau a chydweithio gyda'r gwasanaethau statudol a'r elusennau perthnasol i sicrhau'r gefnogaeth orau i'r difreintiedig. *Joined up thinking and working.*

Ysbrydoliaeth

Damhegion Crist.

Ei gyhoeddiadau

Holmes, Mike, 2022, *Personalized Psalms – The Psalms applied to your world*

Holmes, Mike, 2021, *Transition for Transformation:A case study of transforming church to transform community*

Sbardun

M. Charlesworth & N. Williams, *A church for the poor – transforming the church to reach the poor in Britain today*

M. Charlesworth & N. Williams, *The myth of the undeserving poor a Christian response to poverty in Britain today*

Cyswllt

coastlandsfamilychurch@hotmail.co.uk

Baby Basics	07933 918031
ReStore	07874696684
Banc Bwyd	07879562077

1.3.3 Margaret Jones

Cadeirydd

Eglwys Bresbyteraidd Carmel, Aberafan: Pwyllgor Banc Bwyd

Ganed Margaret yn 1943 yn nhref ddiwylliannol *Port Talbot*. Tom Buckingham oedd enw ei thad – yn gweithio yn y gwaith dur ac yn aelod o deulu enwog y "Stwpla". Ei mam oedd Megan Bevan, ac yn perthyn i deulu adnabyddus arall, sef Bifansiaid Saron – 'amenwyr' gorau Cymru yn ôl y diweddar Gomer Roberts! Ar ôl priodi ag Alan a chael dwy ferch, Elen a Nerys, aeth i ddysgu Cymraeg fel ail iaith yn Llansawel Castell-nedd.

Cefndir a magwraeth

Yn ferch i ddau o selogion Carmel Aberafan, yn nhref *Port Talbot*, gyda phum ewythr yn y set fawr ac un wrth yr organ, a mam-gu yn byw yn nhŷ'r capel, yn ddigon naturiol, treuliais lawer o fy mhlentyndod yn y cwrdd, ar y Sul ac yn yr wythnos.

Yn fuan iawn, des i i'r casgliad bod rhaid meithrin doniau fel, addfwynder, newyn a syched am gyfiawnder a thrugaredd i fod yn Gristion.

Roedd fy nhad yn sosialydd i'r carn, a mam yn gweithio tuag at annibyniaeth i Gymru. Gwelais i bwysigrwydd safbwynt y ddwy blaid wrth ddarllen y Beibl. Esgob Tutu, un o fy arwyr, ddywedodd os nad ydych yn gweld y wleidyddiaeth yn y Beibl rydych yn darllen fersiwn gwahanol imi! Sôn yr oedd am apartheid siŵr o fod ac rwyf i wastad wedi dweud taw dim ond tun dylai gael label arno – dim pobl.

Effaith dameg y Samariad Trugarog

Sefydlwyd mudiad y Samariaid pan oeddwn i'n astudio'r ddameg yn yr Ysgol Sul. Penderfynais i fasen i'n ymuno â'r mudiad ryw ddydd ac yn wir, gwireddwyd fy mreuddwyd. "Trugarhaodd wrtho" yw geiriau Iesu, wrth sôn am y Samariad Trugarog. I fi, mae tri pheth yn bwysig – cydymdeimlad, empathi a thrugaredd. Gall cydymdeimlad fod yn eithaf arwynebol – mae dangos empathi llawer gwell achos wedyn inni'n troedio'r ffordd gyda phobl, ond i ddangos trugaredd, rhaid gwneud y pethe ymarferol. A dyna ein braint ni fel Cristnogion.

Teimlais weithiau taw dim ond gwrando ar bregeth dda a chanu mewn cynghanedd oedd addoli – yn eich gwisgoedd gorau wrth gwrs! Rwy'n cofio gorymdaith y Sulgwyn – dillad newydd inni'r plant a cherdded drwy'r dre yn canu'i bob un sy'n ffyddlon' nerth ein pennau – wn i ddim beth oedd trigolion Aberafan yn gweld yn hwnna!

Wedyn, wyth mlynedd yn ôl, cafwyd cyfle i ddechrau Banc Bwyd yng Ngharmel – roedd Margaret wrth ei bodd.

Fe fuon ni'n ffodus bod ni, fel Presbyteriaid wedi llwyddo i ariannu swydd ac yn y swydd roedd menyw am sefydlu Banc Bwyd a defnyddio Carmel fel canolfan.

Aethpwyd ati i ffurfio pwyllgor, gyda chynrychiolwyr o'r gwahanol enwadau.

Cysylltwyd â'r *Trussel Trust*, a chafwyd bob cymorth gyda nhw. Nhw wnaeth ein hyfforddi a dangos inni sut i gychwyn. Fe fuon ni'n hynod o ffodus yn y gwirfoddolwyr dan ni wedi llwyddo i'w denu, ac mae haelioni pobl Port Talbot yn anhygoel. Llwyddwyd i ddenu trysorydd gwych sy'n bwysig iawn wrth redeg elusen.

Cafwyd hyd i safle arall cyn bo hir, yn y Cwm, sef Tabernacl. Buont yn gweithio gyda phartneriaid – fel *Shelter* a *Wallich* dwy elesen cenedlaethol sy'n cefnogi'r di-gartref.

Nhw sy'n anfon pobl aton ni ac rydan ni'n rhoi tri diwrnod o fwyd iddynt. Tra bod un set o wirfoddolwyr yn dodi parsel at ei gilydd, mae set arall yn siarad â nhw ac yn ceisio cynnig mwy o help iddynt dros ddysglaid o de. Yn enwedig ar ôl effeithiau Brexit a Covid-19, mae mwy a mwy o alw arnom, dan yr egwyddor ein bod ni'n cynorthwyo pobl i ddod dros gyfnod anodd – tra eu bod nhw'n aros am waith, neu am fudd-daliadau neu yn ceisio talu dyled.

Mae llawer o bobl yn achwyn am gyn lleied o bobl sy'n mynychu llefydd addoli a chyn lleied sy'n rhoi yn ariannol tuag at yr achos. Mae gennym ni adnoddau gwerthfawr iawn yng Nghymru sef ein hadeiladau a pheth braf yw gweld yr adnodd pwysig yma yn cael ei defnyddio i ddangos trugaredd at bobl sy'n byw drwy amser anodd. Braint yn wir.

Maged Margaret yn nhref *Port Talbot*, mewn ardal ddifreintiedig. Doedd ganddynt fel teulu ddim dŵr poeth – dim bath, ac roedd y tŷ bach ar waelod yr ardd.

Deall y difrientiedig

> Ond oherwydd aberth fy rhieni, ces i'r cyfle i fynd i ysgol ramadeg ac ymlaen i'r brifysgol. Ar ôl hynny, fe'm cyflogwyd fel athrawes mewn ysgol gyfun mewn ardal ddifreintiedig. Roedd y canran fwyaf ohonom ni'r athrawon wedi'n magu yn yr un amgylchiadau ac yn deall pa mor anodd oedd hi i rai o'r plant wneud gwaith cartref, prynu pen a gwisgo gwisg ysgol.
>
> Cofiaf un bachgen yn enwedig yn dod yn hwyr i'r ysgol bob dydd ac yn cael stŵr gan ei athrawes ddosbarth – menyw ifanc – un o do newydd o athrawon a oedd wedi eu magu ar aelwydydd cysurus, oedd ddim yn gallu dirnad pa mor anodd yw amgylchiadau rhai o'r plant. Ond wrth holi ymhellach, des i ar ddeall bod y plentyn yma yn byw gyda mam oedd yn gaeth i alcohol – fe oedd yn gorfod bwydo ei frawd a'i chwaer ifanc, eu gwisgo nhw a'u hebrwng i'r ysgol gynradd. Wrth reswm, roedd e'n mynd i fod yn hwyr!
>
> Teimlais drueni dros fechgyn tebyg ac ar ôl ymddeol treulies i amser yn gwirfoddoli fel ymwelydd annibynnol i blant mewn cartrefi gofal ac i *Youth Offending Team (YOT)* a oedd yn delio mewn ffordd newydd gyffrous gyda bechgyn ifainc oedd yn troseddu.

Mae Margaret yn mwynhau cael gweithio yn y gymuned, mae'n rhoi cyfle i gyfarfod llawer o ffrindiau newydd a gweld cariad ar waith ac yn eich helpu i ddeall beth yw cariad – yn enwedig cariad Duw. Ein perthynas bersonol ni a'n Duw ac ag eraill a chariad Crist yw sylfaen ein ffydd bersonol – nid brics a cherrig adeilad.

* * *

Taro sylw: Mae'r rheini a fagwyd mewn ardal difreintiedig o reidrwydd yn uniaethu ac eraill o'r un cefndir.

Ysbrydoliaeth

Ni all angau na dim arall a grewyd i'n gwahanu ni oddi wrth gariad Duw yng Nghrist Iesu ein Harglwydd. – Rhufeiniaid 8 38-39

Sbardun

Rutger Bregman, 2021, *Human Kind*

Cyswllt

info@porttalbot.foodbank.org.uk
Capel Carmel Riverside, Glan-yr-Afon, Aberafan, Glyn Nedd, SA13 1PQ

1.3.4 *Pastor* Wayne Roderick Evans

Bugail
Church on the Rise, Beaufort,
Glyn Ebwy
Arweinydd Bugeiliaid y Stryd
De Cymru

Ganed Wayne yn 1954 yn Rhydaman ac fe'i magwyd yn Ystalyfera. Treuliodd un mlynedd ar bymtheg ar hugain yn gweithio mewn dwy gangen ar hugain o *Lloyds Bank* yn Ne Cymru ac yn rheolwr mewn llawer ohonynt cyn ei ymddeoliad yn 2008, mis cyn yr argyfwng fancio.

Ers 1989 bu Wayne yn aelod o dîm rheoli '*Church on the Rise*' (Soar *Baptist Church* gynt) yn Cendl (*Beaufort*) Glyn Ebwy. Yn 2009, fe'i dewiswyd yn Uwch Arweinydd. Ym mis Chwefror 2020 ymunodd yr eglwys â'r *Destiny Church Network*, Glasgow. Y Bugail Andrew Owen ynghyd â'i wraig, Sue, sefydlodd y mudiad hwn. Mae Wayne a'i wraig wedi ysgaru ac mae ganddo ddau fab a dau ŵyr.

Magwyd Wayne ac Andrew yn Ystalyfera. Mynychodd y ddau '*Mission Hall*' Cwm-twrch oedd â'i gwreiddiau'n ddwfn yn Niwygiad 1905. Cafodd y ddau dröedigaeth yno.

Athroniaeth bersonol a ffydd *Destiny Church Network*:

> Mae hwn yn fudiad Apostolaidd sy'n prysur gynyddu. Fe'i sefydlwyd gan Andrew a Sue Owen. Yn 1991 symudon nhw i'r Alban gyda'r mantra proffwydol – '*Ddim pentref, ddim tref, ddim dinas, ond cenedl gyfan a chenhedloedd yn troi at Grist.*' Datblygodd y mudiad o'r cychwyn un pan sefydlwyd yr eglwys yng Nglasgow. Erbyn heddiw mae dros 1,400 o eglwysi yn bodoli ar draws Ewrop, Affrica, Asia ac America. Eu nod yn ysgogi eglwysi a sefydlwyd i ffynnu a thyfu yn egni'r Ysbryd Glân. Mae'r eglwysi'n lledaenu'r Efengyl yn angerddol ac yn tystio cariad Duw yn ymarferol yn eu cymunedau. Mae eu gwirionedd a'u cariad yn disgleirio mewn byd tywyll.

Proffil uchel o fewn y gymuned leol fel:

- Cyd-gordiwr Bugeiliaid y Stryd, Glyn Ebwy
- Cynrychiolydd yr '*Ascension Trust*' fel hyfforddwr tair ar ddeg o fentrau Bugeiliaid y Stryd yn Ne Cymru

- Trefnydd Banc Bwyd Blaenau Gwent
- Ymddiriedolwr Elusen 'Blaenau Gwent *Community Aid*' sy'n gyfrifol am y Banc Bwyd
- Is-Gadeirydd Bwrdd Llywodraethwyr Ysgol Arbennig, Pen y Cwm
- Trysorydd '*Ebbw Vale Churches Together*'
- Trysorydd Clwb Criced Glyn Ebwy
- Cyfarwyddwr Cwmni Cyfyngedig Ysgol Griced Glyn Ebwy

Cefndir a magwraeth

Yn sicr, cefais fy mendithio drwy gydol fy mywyd oherwydd y magwraeth Gristnogol a gefais gan fy rhieni. Mynychais yr Ysgol Sul o oedran ifanc iawn a fy rhieni oedd yn gyfrifol amdani. Fe'i lleolwyd dan draphont y rheilffordd yn Ystalyfera! Byddai llwch glo yn disgyn ar ein pennau o'r nenfwd wrth i'r tryciau glo fynd i fyny ac i lawr y dyffryn. Fy nghyfrifoldeb i yn bedair oed oedd dwstio'r cadeiriau cyn i ni gychwyn!

Roedd gen i ofn Duw bryd hynny! Y drafferth oedd pan fyddem yn plygu'n pennau'n dawel mewn gweddi, **BANG** bydde tryc arall yn taranu dros y draphont. Yna byddai'r adeilad yn ysgwyd a gwichian a ninnau eistedd yno dan haen arall o lwch glo. Roeddwn i wedi penderfynu nad oedd Duw yn hoffi fy ngweddi ac mai dyna oedd ei ffordd o ddangos ei ddig!

Bron i drigain mlynedd yn ôl, cyflwynais fy nghalon a'm bywyd i'r Iesu a dydw i erioed wedi difaru gwneud hynny. Cefais brofiadau ysbrydol dwfn yn ŵr ifanc ac ar fy nhaith Gristnogol drwy ddarllen lyfrau goleuedig a thrwy wrando ar bregethwyr ysbrydoledig. Llywiodd rhain fy nyfodol – yn Nuw.

Gyrfa

Yn fy arddegau derbyniais yr adnod hon i'm calon: '*Trust in the Lord with all your heart and lean not on your own understanding; in all your ways submit to him, and he will make your paths straight*' (Diharebion 3.5-6). Ers hynny, hwn yw f'athroniaeth bywyd. Ers y foment honno teimlais law arweiniol Duw ar fy ysgwydd drwy gydol fy ngyrfa. Cefais gyfleoedd gwych i rannu fy nhystiolaeth gyda'm cyfeillion a'm cyd-weithwyr.

Rôl uwch arweinydd

Mae'n glir yn yr Ysgrythurau bod Duw eisiau i ni fod yn dystion iddo. "*Go ye into all the world and preach the Gospel.*" Teimlaf yn gryf fel Cristion y dylem fynd allan i'n cymunedau i dystio cariad Duw drwy ddangos gofal a chefnogaeth, heddwch a gobaith i'r genhedlaeth hon. Dyna pam rwy'n ymwneud â chymaint o bethau eraill heblaw am yr eglwys. Mae pobl yn gwybod fy mod yn Gristion am fy mod yn adlewyrchu egwyddorion y Gair yn fy mywyd bob dydd mewn ffordd gadarnhaol.

Mae llawer o bobl yn chwilio am ystyr i'w bywydau ac yn fwyfwy felly wedi trawma'r pandemig. Mae sicrwydd trefn ein bywyd fuom yn ei gymryd yn ganiataol wedi diflannu. Sylweddolwn nad oes gennym unrhyw bwer o gwbl mewn gwirionedd. Felly, credaf ei fod yn gyfrifoldeb arnaf fi fel Cristion i arddangos cariad Iesu drwy ymateb yn ymarferol i anghenion yn ofalus a chariadus.

Bugeiliaid y Stryd

Rhwydwaith aml-enwad o elusennau Cristnogol Prydeinig ydy Bugeiliaid y Stryd sy'n gweithredu Cymru gyfan ac ar draws y byd. Dyma ymgais yr eglwysi lleol i ymateb i broblemau trefol ar benwythnosau a gwyliau. Felly maent yn darparu a hyfforddi timau o bobl i gadw llygad ar strydoedd y trefi a'r dionasoedd. Mae un ar bymtheg o dimau'n bodoli yng Nghymru gan gynnwys: Abergwaun, Aberhonddu, Abertawe, Abertyleri, Bangor, Caerdydd, Caerffili, Casnewydd, Coed-duon, Cwmbrân, Glyn Ebwy, Penfro, Pontypridd, Rhisga, Wrecsam a'r Drenewydd. Rydym hefyd yn gweithredu pob haf am bedair noson yn y Sioe Frenhinol yn Llanfair-ym-Muallt.

Sefydlwyd y fenter ym mis Ionawr 2003 yn Llundain gan y Parchg Les Isaac, Cyfarwyddwr *The Ascension Trust*. Ers hynny gwelir canlyniadau rhyfeddol yn lleihad y nifer o droseddau yn yr ardaloedd lle fu'r timau yn gweithio. Erbyn hyn mae tua 12,000 o wirfoddolwyr hyfforddedig mewn dros dau gant saith deg o dimau'n gwirfoddoli ledled y Deyrnas Unedig.

Amodau

I weithredu fel Bugail y Stryd rhaid:

- bod dros ddeunaw mlwydd oed (does dim terfyn oedran uchaf)
- bod yn aelod o eglwys
- dderbyn deuddeg niwrnod o hyfforddiant

Yn arferol bydd aelodau o'r timau yn:

- gweithredu rhwng tua 10 o'r gloch y nos hyd 4 o'r gloch y bore
- yn disgleirio yn llachar ym mhob etholaeth.

Eu nod yw

- cynnwys o leiaf tri grŵp o bedwar
- gweithio o leiaf un noson y mis

- gofalu, gwrando a helpu
- adeiladu perthynas gefnogol yn y gymuned
- sicrhau diogelwch ar y strydoedd
- cynnig clust i wrando
- cefnogi pobl fregus mewn gwahanol sefyllfaoedd
- siarad â rhai sydd angen siarad
- helpu i dawelu sefyllfaoedd ymosodol

Ffocws y gwaith

Byddant yn:

- dosbarthu fflip-fflops i ferched ifanc i atal anaf i'w traed
- cynnig poteli o ddŵr
- rhoi blancedi i bobl sydd mewn perygl o 'hypothermia'
- clirio poteli neu wydr a ellid peri niweid
- ymateb i ddigwyddiadau gwrthgymdeithasol

Mae Bugail y Stryd yn cyfathrebu â phobl mewn dull agored ac anfeirniadol, beth bynnag fo'u sefyllfa. Bydd yn adeiladu perthynas er mwyn medru cynnig cefnogaeth. Rhaid i Fugeiliaid y Stryd ennill hygrededd y gymuned, a chodi hyder yn yr eglwysi lleol am eu bod yn barod i'w cefnogi a gofalu amdanynt heb ddisgwyl dim yn ôl.

Fel dywedodd un o'r gwirfoddolwyr yn Wrecsam: "*We do this not because you are Christians but because we are.*"

Manteision i'r gymuned

Yn gyfochrog ag effaith gadarnhaol y bugeiliaid ar y strydoedd yn wythnosol, ceir manteision ehangach oherwydd mae'n cynnig cyfle i:

- Gristionogion aml enwad i gyd-weithio ochr yn ochr a'i gilydd ac adeiladu perthynas
- eglwysi lleol ennill hygrededd gyda'r cymunedau lleol, y llywodraeth leol a'r heddlu.
- drafod rannu ffydd pan fo pobl yn holi am Dduw a Christnogaeth

Partneriaethau

- Cychwynnodd nifer o fentrau i ymateb i alwad yr awdurdodau lleol a'r heddlu am gefnogaeth i ddelio â phroblemau sy'n deillio o effaith gor-yfed alcohol yn enwedig ar benwythnosau. Yn dilyn cyflwyniadau'r awdurdodau i'r eglwysi lleol bu'r ymateb yn gadarnhaol iawn.
- Dyrennir 'lolipops' yn wythnosol gan fod ymchwil yn dangos eu heffaith gadarnhaol ar leihau tensiwn ac adeiladu cyfeillgarwch drwy siarad.

- Cefnogi'r unig ar yr ymylon. Gall hyn arwain at sgyrsiau a chyfle pellach i'w cyfeirio at gymorth arbenigol.

Ariannu'r fenter:

Cododd nifer o eglwysi arian i gefnogi'r cynllun a chynnig gwirfoddolwyr i redeg pwyllgor rheoli er mwyn cofrestru'r mentrau lleol yn rhai elusennol. Cafwyd cefnogaeth ariannol bellach drwy grantiau a rhoddion gan y cyhoedd.

Yn ystod fy ymchwil i'r gyfrol hon derbyniais wahoddiad gan Siwan, Swyddog Ieuenctid Capel y Groes, i ymuno a hi a gweld drosof fy hunan weithgarwch Bugeiliaid y Stryd yn Wrecsam. Drwy hynny, gallaf dystio bod eu gwaith mewn cydweithrediad a'r gwasanaethau brys a Chyngor Bwrdeistref Wrecsam yn hynod effeithiol wrth gadw ieuenctid yn ddiogel ar nosweithiau ac oriau man y penwythnosau yn nhref fwyaf Gogledd Cymru.

* * *

Taro sylw: Drwy eu hymateb diduedd ac anfeirniadol mae Bugeiliaid y Stryd yn efelychu gweithredoedd Crist a'n rhannu ei gariad yn ddi-amod heb ddisgwyl dim yn ôl.

Ysbrydoliaeth Codi arian i Bugeiliaid y stryd a'i weithredu

Y Beibl: fy *'Highway Code'* ar gyfer ein siwrne hir a'r atebion i gwestiynau mwyaf bywyd.

Pa lyfr arall yn y byd y gellwch chi'i godi, a siarad gyda'r awdur yr un pryd?

Cyfeirnod

Destiny Church Network, Senior Pastor Andrew Owen, *Glasgow*
0141 616 6777
connect@destiny-church.com

Cyswllt

office@churchontherise.org.uk
07812425130
@churchontheriseuk

1.4 Gofal

1.4.1 Glain Wynne Jones

Asesydd Anghenion Gofalwyr
North East Wales Carers Information Service (*NEWCIS*)

Ganed Glain yn ardal Llansannan ac mae'n rhugl yn y Gymraeg. Bu'n cefnogi gofalwyr Siroedd Conwy a Dinbych am dros ugain mlynedd ac o'r farn ei bod yn anrhydedd iddi wneuthur hynny. Dywed fod ei phrofiadau personol o ofalu am ei theulu wedi bod yn gymorth iddi uniaethu â'r gofalwyr a deall y rhwystredigaethau y maent yn eu hwynebu'n ddyddiol.

NEWCIS
Mae Glain yn gweithio i **NEWCIS* (Gwasanaeth Cefnogi Gofalwyr yng Ngogledd-ddwyrain Cymru) fel Asesydd Anghenion Gofalwyr di-dâl. Rhain yw'r unigolion sy'n gofalu'n wirfoddol am aelod o deulu, ffrind neu gymydog.

Anfonwyd Angel
Daeth Glain i'n cefnogi pan sylwodd mod i'n gwegian o bwysau gofalu am fy ngŵr sydd yn dioddef o dementia ar fy mhen fy hunan, heb na theulu nac unrhyw fath o gymorth. Gweithredu athroniaeth 'un dydd ar y tro' oeddwn i. Doedd gen ddim ymwybyddiaeth, na gwybodaeth na briwsionyn o ddealltwriaeth o sut i ofalu am wr oedd yn prysur suddo mewn '*melt down*' o flaen fy llygaid.

Ynghanol f'ymdriniaeth â'r gwasanaethau cymdeithasol lleol 'anfonwyd angel' imi, sef Glain. Fe newidiodd fy mywyd mewn amrantiad. Cyfeiriodd Glain fi at ffynonellau gwerthfawr gan gynnwys:

- Gofal Dydd: sesiynau wythnosol o weithgareddau, cymdeithasu a bwyd blasus i ddau
- hyfforddiant *NEWCIS* i godi f'ymwybyddiaeth a'm dealltwriaeth o effeithiau dementia

- arweiniad cyfreithiwr teulu
- therapi siarad / clust a phaned i'm galluogi i roi pethau mewn persbectif mewn *'hall of mirrors'*
- gweithiwr cymdeithasol penodol
- cyngor ar sut i dorri drwy coedwigoedd o fiwrocratiaeth sirol i ganfod cymorth i un bach dryslyd

Meddai Glain

Mae nifer fawr o'r oedolion dan f'adain yn gofalu am anwyliaid sy'n byw gyda dementia. Mae hwn yn dipyn o sialens iddynt, gan ei fod yn salwch cymhleth heb ffiniau rhesymegol ac felly'n anodd ei ddeall a'i drin.

Deallaf o brofiad pa mor bwysig yw hi i ofalwyr dderbyn cefngaeth a chyfeiriad at asiantaethau statudol a gwasanaethau'r trydydd sector mor fuan ag sy'n bosibl.

Fel yn fy ngwaith, fy niléit yw treulio fy amser hamdden ymysg pobl. Mae cwmni fy nheulu, fy ffrindiau annwyl a'm cymdogion gofalus yn bwysig iawn imi. Byddaf wrth fy modd hefyd yn derbyn mwythau gan ein ci bach *Wee-Chon* o'r enw Tecwyn.

Adborth dderbyniodd Glain yn ddiweddar
(Newidiwyd yr enwau o ran cyfrinachedd)
Gŵr am ei wraig

"Cafodd fy ngwraig ddiagnosis o *Alzheimer's* dros dair blynedd yn ôl. Ar ôl ei diagnosis roedden ni'n teimlo ar ben ein hunain, wedi cael ein rhyddhau o'r clinig cof ac yn poeni na fase dim ychwaneg o gymorth nes 'y diwedd'. Yn ystod Covid-19 dechreuodd fy ngwraig ddirywio, a chefais drafferth gyda'r ddynameg newidiol a bod mor ynysig (ddim cysylltiad gyda chymdeithasau ayb). Yn ystod y cyfnod hwn dechreuais ymddiried yn fy merch am fy nheimladau a chyfeiriodd fi at gael Asesiad Gofynion Gofalwr. Ers yr alwad ffôn gyntaf mae ein byd wedi newid. Rydym wedi cael ein cyfeirio at lawer o sefydliadau gan gynnwys y Gymdeithas *Alzheimer's* ac rydym wedi sefydlu *Lasting Power of Attorney* (*LPAs*) sy'n rhoi hyder i mi ar gyfer ein dyfodol. Un o'r pethau mwyaf syfrdanol o garedig oedd pan wnaeth yr asesydd gais am gyllid ar gyfer seibiant bach, Fe aeth fy ngwraig a minnau i ffwrdd am wythnos gyda'n merch a'n hŵyr. Roedd yr wythnos yn wirioneddol arbennig. Fe wnaethon ni atgofion hyfryd, tynnu gormod o luniau a chwerthin mwy mewn un wythnos na gawsom trwy gydol Covid-19. Mae gwybod bod yna sefydliadau fel

NEWCIS a phobl wych allan yna i'n cefnogi ni a'n harwain ni yn gwneud y dyfodol ychydig yn llai brawychus. Rwy'n diolch iddynt, o waelod fy nghalon."

Merch am ei mam

"Rwyf mor ddiolchgar am gefnogaeth *NEWCIS* dros y blynyddoedd diwethaf. Fel gofalwr sy'n gofalu dros Mam â chyflyrau meddygol cymhleth, rwyf wedi dod o hyd i *NEWCIS* yn achubiaeth i ddarparu gwybodaeth i mi fy hun ac anghenion fy mam. Mae'r asesydd yn sensitif ac yn broffesiynol. Dwi'n ffeindio'r cyfarfodydd *Zoom* a'r cyrsiau hyfforddi, i gyd yn fuddiol iawn i fy rôl fel gofalwr, gan nad oes dim yn eich paratoi i'r sefyllfa yma. Dydw i ddim yn dweud y gair achubiaeth yn ysgafn. Gallaf ddweud yn wirioneddol bod *NEWCIS* wedi darparu atebion imi wrth orfod delio a sefyllfaoedd anodd o ddydd i ddydd fel gofalwr."

Chwaer am ei dau frawd

"Mae gofalu am fy nau frawd iau sydd ag anawsterau dysgu yn anodd iawn. Y rhan fwyaf o'r amser, rwy'n teimlo'n unig ac yn isel fy ysbryd oherwydd fy mod wedi fy ynysu ac yn gyfyngedig i fy rôl gofalu. Mae *NEWCIS* bob amser wrth law i fy nghefnogi ac i siarad! Rwyf hefyd wedi gwneud ffrindiau gyda gofalwyr eraill trwy *NEWCIS* ac wedi mynychu cyrsiau hyfforddi sydd wedi fy helpu i reoli fy mhryder a straen. Mae'r staff wir yn mynd gam ymhellach i sicrhau bod gofalwyr yn cael yr holl gymorth sydd ei angen arnynt; maent yn ymroddedig i ddarparu gwasanaeth o ansawdd uchel."

Merch am ei rhieni

"Hoffwn ddiolch yn fawr iawn am y gefnogaeth rydych chi wedi'i rhoi i fy rhieni yn ystod y cyfyngiadau diweddar. Rwy'n byw i ffwrdd ac roedd mam a dad angen eu gwarchod, felly roeddwn i'n gwybod na fyddwn i'n gallu eu helpu yn ymarferol. Ar ôl cwblhau Asesiad Anghenion Gofalwyr derbyniodd fy rhieni, sydd ill dau dros 70 oed, alwad ffôn yn syth i sefydlu eu hanghenion. Maent wedi cael cymorth gyda phresgripsiynau a siopa yn ogystal â pharseli bwyd a werthfawrogir yn fawr. Mae'r galwadau ffôn niferus wedi bod yn gysur i dawelu meddwl Mam a'r canmol am ei gwaith diflino ag weithiau diddiolch, wedi codi ei chalon. Mae wedi bod mor galonogol i mi wybod bod ganddynt gyswllt agos a allai helpu lle bo angen. Diolch yn fawr am bopeth yr ydych wedi'i wneud ac yn parhau i'w wneud. Rydych chi wedi darparu gwasanaeth amhrisiadwy yn ystod y cyfnod anodd iawn hwn."

Cais am offer

> "Diolch i chi am fy helpu i wneud cais am y grant, drwy asesiad gofynion gofalwr, i gael peiriant newydd yn lle'r offer a oedd wedi torri. 'Doedd gen i ddim syniad fy mod yn gymwys i gael unrhyw help o gwbl ac nid wyf erioed wedi meddwl gofyn. Mae wedi gwneud cymaint o wahaniaeth ac rydych chi wedi gwneud i mi deimlo bod yr hyn rydw i'n ei wneud bob dydd yn cael ei werthfawrogi. Diolch."

Gwraig am ei gŵr

> "Pan siaradais gyda'r asesydd roeddem yn eitha emosiynol, jyst yn clywed hi'n gofyn sut mae pethau o fy safbwynt i. Nid oes unrhyw un arall wedi gofyn sut ydw i! Wrth gwrs, mae pawb yn garedig, ond maen nhw'n canolbwyntio ar ofal fy ngŵr. Rydw i newydd sylweddoli faint mae'n ei olygu i mi gael rhywun sydd â'r amser a'r ddealltwriaeth i ganolbwyntio arnaf, i wrando ac eisiau gwybod beth sy'n bwysig i mi a sut ydw i."

Rhoddodd Glain flas o'r gwasanaethau a'r gweithgareddau mae'r adran yn ei gynnig i ofalwyr. Mae'n erfyn ar ofalwyr sydd angen gwybodaeth a chymorth i gysylltu â'ch canolfan gofalwyr lleol neu gydag 'Un Pwynt Mynediad' eich Awdurdod Lleol. Gobeithio bydd yr amlinelliad o gymorth.

Mae Glain yn pwysleisio dro ar ôl tro nad yw unrhyw un achos yr un fath: rhaid gwerthuso pob achos yn unigol. Rhaid derbyn cyngor ar sail yr amgylchiadau penodol sy'n bodoli. Dylid cofio'r dywediad, 'Os ydych wedi gweld un person â dementia, rydych wedi gweld **un** person â dementia'. Yn sicr nid ydych wedi gweld pawb. Glain buost yn angel ac yn angor i ni a diolchaf i Dduw amdanat ti.

* * *

Taro sylw: Mae ymofyn cymorth y gwasanaethau statudol yn weithred gyfrifol yn hytrach na'n arwydd o wendid. Er budd ac iechyd pawb gorau bo gyntaf y gwneir hyn.

Ysbrydoliaeth
'Anfonaf Angel' Hywel Gwynfryn, 2008

Sbardun
Noewen, J.M., 2011, *A Spirituality of Caregiving*

Cyswllt

NEWCIS
Sir Ddinbych
01745 331181
denbighshire@newcis.org.uk

NEWCIS
Sir Fflint
01352 752525
flintshireshire@newcis.org.uk

*North Wales Carers Information Service

1.4.2 Mari Lloyd Davies

Swyddog Teulu
Cyngor Sir Bwrdeistref Conwy

Ganed Mari yn 1977 ac fe'i magwyd yn y Rhyl. Derbyniodd radd ym Mhrifysgol Bangor a bu'n gweithio fel athrawes ddosbarth mewn ysgolion amrywiol fel athrawes ymgynghorol meithrinfeydd. Erbyn hyn mae Mari a'i gŵr Owain, sy'n weinidog yr efengyl, yn byw yn Llanrwst ac mae ganddynt ddau o blant, Gruff a Lena a chi bach del o'r enw Nela.

Cefndir a magwraeth

Tra oeddwn yn yr ysgol gynradd mynychais Ysgol Sul Capel Bethel, Vale Road – capel Methodistiaid Calfinaidd dan ddylanwad fy athrawes babanod Mrs Glenys Thomas. Hi oedd yn gyfrifol am yr Ysgol Sul ac yn ein perswadio ni fel plant (a'n rhieni hefyd) i ymaelodi â'r Ysgol Sul fyddai'n cwrdd bob bore Sul. Cymaint oedd ei dylanwad nes iddi gael perswâd ar fy nhad i gymryd gofal o'r dosbarth oedran uwchradd. Wedi dweud ein hadnod byddem ni'r plant a phobl ifanc yn symud i'r festri tra byddai'r oedolion yn dilyn yr oedfa dan arweiniad y gweinidog.

Mae gennyf atgofion melys o'r amser hwnnw a buan y deuthum i wybod am Iesu Grist a chymryd rhan mewn pob math o wasanaethau. Byddem hefyd yn cystadlu yn eisteddfodau'r capeli lleol. Drwy hynny, datblygais fwy o hyder. Roedd unig blentyn swil fel fi yn ei chael hi'n anodd ar brydiau mewn ysgol fawr yn llawn o gymeriadau cryf. Credaf i'r profiadau hyn fy helpu i ddatblygu gwerthoedd Cristionogol fel parchu eraill a gofalu am ein gilydd.

Fel roedd gwasanaethau adrannau addysg leol yn lleihau, daeth swydd Mari i gefnogi darpariaeth y Cyfnod Sylfaen i ben.

I ryw raddau roedd hyn yn fendith oherwydd yr holl deithio. Hefyd, roeddwn wedi cyrraedd pwynt yn fy ngyrfa lle nad oeddwn bellach yn cael y boddhad o helpu eraill fel y bu. Newidiodd greddf y swydd dros y blynyddoedd ac roedd ychwaneg o newidiadau ar y gorwel.

Targedau

> Ers rhai blynyddoedd bellach bu Owain a minnau yn treulio cryn amser dros ambell i fotel o win yn trin a thrafod targedau ein bywyd. Roedd gosod targedau yn rhan annatod o waith y ddau ohonon ni fel gweithwyr yr awdurdod lleol felly nid oedd y broses yn ddiarth i ni. Cytunwyd bod gennym ill dau awch i newid cyfeiriad. A dyna a fu.

Bellach mae Owain wedi dilyn ei freuddwyd o fod yn weinidog yr efengyl ac mae'n gyfrifol am Ofalaeth Bro Nant Conwy. Penderfynodd Mari hithau i newid cyfeiriad.

> Roeddwn yn awyddus i weithio mewn maes lle gallwn adeiladu ar fy mhrofiad a'm sgiliau a pharhau i helpu eraill. Rwy'n ffodus yn fy mherthynas ag Owain oherwydd gallwn drafod popeth yn agored. Bu rhaid i mi feddwl yn ddwys am fy sefyllfa ac er bod fy nheulu a ffrindiau yn llai na chefnogol i'm cam i'r tywyllwch, gorfu i mi wrando ar fy nghalon a thrystio fy hun.

Yn 2020, penderfynodd Mari arall gyfeirio gan dderbyn swydd gyda Bwrdeistref Conwy fel Swyddog Gwybodaeth a Chefnogi Busnes. Digwyddodd hyn chwe wythnos cyn i Covid-19 barlysu'r wlad. Yn y swydd hon mae Mari'n aelod o dîm sy'n cefnogi teuluoedd. Yn Haf 2021, symudwyd hi dros dro i fod yn Swyddog Teulu gyda mwy o gyfrifoldeb i ymyrryd a chefnogi teuluoedd yn uniongyrchol ac yn weithredol. Moto'r tîm ydy 'Teuluoedd Cadarn, Cymunedau Cadarn'. Mae cefnogaeth debyg, ar ffurfiau gwahanol, ar gael ledled Cymru drwy gysylltiad â'r awdurdodau lleol. Mae'r gwasanaeth ar gael i helpu rhieni, gofalwyr a theuluoedd i sicrhau bod eu plant yn cael 'dechrau da' mewn bywyd.

Pum canolfan deulu

Lleolir pum canolfan teulu ar draws Sir Conwy ac oddi yno mae tîmau o weithiwr yn darparu cyngor, cyfeiriad a chefnogaeth ar sail naill a'i un-i-un, grŵp neu mewn dull cyfannol aml-asiantaeth.

> Mae'r timau yn gweithio ar draws y gwasanaethau cyhoeddus, adrannau awdurdodau lleol a'r trydydd sector. Byddant yn darparu rhaglen aml-asiant sy'n ffocysu ar alluogi rhieni / gofalwyr i wella ansawdd bywyd eu teuluoedd a chanlyniadau i blant
>
> Y nod yw hyrwyddo'r 'Ganolfan Deulu' fel 'Siop Un Alwad' i

ymgysylltu â'r gymuned. Y pwrpas yw cydlynu darpariaeth y gwasanaethau aml-asiantaeth i ddiwallu anghenion y teuluoedd nad sydd angen cymorth arbenigol. Mae'r gwasanaeth nid yn unig yn 'blentyn canolog' ond yn 'deulu canolog'. Mae ar gael i bawb sydd angen cyngor, cyfeiriad a chefnogaeth ynglŷn â bywyd teuluol. Yma, yn y ganolfan, mae ganddynt wybodaeth a phrofiad eang o sut i ddod o hyd i'r cymorth gorau.

Hyd a lled yr angen am gefnogaeth

Mae nifer o'n 'cleientiaid' yn cael trafferthion oherwydd amgylchiadau y tu hwnt i'w dylanwad. Mae canran uchel wedi colli hyder oherwydd pryder, iselder, anobaith, methiant ac unigrwydd. I eraill mae'r cyfrifoldeb o fod yn rhiant yn heriol yn aml oherwydd diffyg hyder, prinder cymorth a lefel isel o ddeallusrwydd.

Mae llawer o amser y staff yn mynd i wrando a sgwrsio gyda chleientiaid, ond gwrando fwyaf. Ac yn amlach na dim mae hyn yn ddigonol:

Ein lle ni yw helpu nid beirniadu. Y pwyslais bob tro yw gwrando heb ymyrryd na bod yn feirniadol. Mae dangos parch a derbyniad yn gwbl allweddol i'n perthynas oherwydd maent wedi cael eu beirniadu cymaint cyn ein cyrraedd ni.

Mae'r holl broses yn wirfoddol a does dim pwysau ar y rhiant i dderbyn cyngor, cyfeiriad na chefnogaeth. Mae'r dewis a'r penderfyniad yn eu dwylo nhw. Mae'r ceisiadau am gefnogaeth yn amrywiol gan gynnwys:

- arian
- iechyd meddwl
- tai / cartrefi
- gofal plant
- rhianta
- iechyd a lles y teulu
- datblygiad plant ifanc
- gweithgareddau plant
- sut i sgwrsio
- anghenion addysgol ychwanegol
- cymdeithasu / cyfarfod 'Taro Mewn'

Mae'r gweithgareddau sydd ar gael yn Sir Conwy yn cynnwys:

- tylino babi
- stori a chân yn y llyfrgell
- 'Rhieni Chwareus' cyfle i blant chware ac i'r rhiant gymdeithasu a chyfarfod ag eraill

- 'Clwb Hanner Awr' cyfle i rieni ifanc gymdeithasu, rhannu profiadau a chwalu unigrwydd
- 'Chware Fforest' cyfle i blant chwarae yn yr awyr agored yn ddiogel a hwyliog

Yn yr un modd mae'r dulliau o gysylltu â'r gwasanaeth yn amrywio i gynnwys hunan-gyfeiriad a chyfeiriad gan:

- y meddyg teulu
- yr Adran Iechyd
- y gweithiwr cymdeithasol
- y nyrs cymunedol
- yr ysgol
- Gwasanaeth Lles Plant

Mae gallu'r tîm i adeiladu perthynas a'r cleientiaid a dod i'w hadnabod er mwyn ennyn eu hyder yn hanfodol i lwyddiant y gwasanaeth ac medd Mari:

> Does dim pwysau na gorfodaeth i gysylltu â ni nag i gydweithio â ni. Gall y cleient benderfynu dirwyn y berthynas i ben unrhyw bryd. O'r herwydd mae'n angenrheidiol i ni greu ethos diogel, anfeirniadol gan bwysleisio cyfrinachedd o'r cychwyn cyntaf.
>
> Fel tîm dangoswn barch i'n cleientiaid gan gofio maen nhw sydd berchen y mater a'u cyfrifoldeb nhw yw dod i'r afael ag ef. Ein gwaith ni yw cynnig cyfeiriad, cyngor a chymorth ymarferol. Byddwn yn dangos parch drwy ddod i adnabod y cleient fel person llawn.
>
> Fodd bynnag, teimlwn yn rhwystredig pan fo dyheadau a disgwyliadau'r unigolyn tu hwnt i beth sy'n bosib. Nid yw dod o hyd i '*quick fix*' bob amser yn bosib. Ac yn sicr does dim '*one size fits all*'.

Mae'r gwasanaeth ar gael i helpu'r unigolyn helpu'i hunan ac felly mae'n hanfodol bod yr unigolyn yn ymgysylltu ac ymrwymo'i hunan i'r broses. Ceir dulliau amrywiol o ymgysylltu sy'n cynnwys: siarad wyneb yn wyneb, trafod mewn grŵp, defnyddio *Zoom* a fideos, darllen llyfrynnau, cysylltu dros y ffôn drwy alwadau neu anfon neges destun drwy *WhatsApp*. Mae'r gwasanaeth gwerthfawr hwn ar gael os yw'r unigolyn yn barod i ofyn, i gymryd arweiniad ac i ymrwymo i'r berthynas.

* * *

Taro sylw: I sefydlu perthynas gyda'r difreintiedig, rhaid dangos croeso a pharch yn syth gan fod canran uchel ohonynt wedi cael eu beirniadu cymaint am eu tranc cyn cyrraedd 'harbwr' ddiogel.

Ysbrydoliaeth

Fy nheulu a fy mhlant a cherdded hyd afon Conwy yn eli i'm calon
Ffydd, Gobaith, Cariad: 1 Corinthaidd 13.13
Ffydd yn Nuw a'm hunan. Gobaith y caf gymorth Duw i wynebu heriau'r dyfodol a chariad Duw, fy nheulu a'm cyd ddyn.

Sbardun

Jeffers, J Susan, 2014, *Feel The Fear And Do It Anyway: How to Turn Your Fear and Indecision into Confidence and Action*

Cyfeirnodau

www.familylinks.org.uk/resources-for-parents
www.familylives.org.uk
www.conwy.gov.uk/en/Resident/Social-Care-and-Wellbeing/Children-and-families/Conwy-Family-Centres

Cyswllt

mari.davies@conwy.gov.uk

1.5 Cynnal

1.5.1 Merfyn Lloyd Turner (1951-1991)

Cyfaill Carcharorion
Gweithiwr Cymdeithasol

Ganed Merfyn ym Mhen-y-graig, Rhondda yn 1915. Roedd yntau fel fi'n blentyn i weinidog gyda'r Wesleaid felly'n symud bob pum mlynedd. Yn wir, bu Merfyn a minnau'n byw yn yr un Mans yn Nhregeiriog – ysywaeth, nid yr un pryd! Roedd ein teuluoedd yn agos 'yn y ffydd' fel petai! Ers yn blentyn ifanc gwyddwn fod Merfyn yn 'sant' ac yn fwy felly pan glywais ef yn siarad yng nghapel *Minny Street*, Caerdydd yn eistedd gyda'i frawd, Parchg Rhiwallon Turner.

Yn bump ar hugain mlwydd oed ac yn ymwrthodwr cydwybodol, cafodd ei ddedfrydu i dri mis o garchar gyda llafur caled yng ngharchar Abertawe. Dyma a ddywedodd am y profiad hwnnw

> *Prison did many things to me as it did to my fellow prisoners... It caused physical discomfort... It caused humiliation and degradation. It challenged belief in human dignity. But the greatest injury inflicted on us all was psychological, for by exerting complete external control over our life, and thus making us totally dependent on the prison for all our needs, it forced us to regress into childhood. A smile from an officer brightened the day. Rebuff killed it. The smallest act of official kindness provoked an excited response. Prison made us into children again and, when our term was ended, let us loose into an adult world.* (1964, p.7).*

Normanhurst

Yn y diwedd fe'i hesgusodwyd o wasanaeth milwrol yn amodol arno'n gwneud gwaith cymdeithasol. Cychwynnodd ar ei yrfa fel gweithiwr cymdeithasol mewn clwb ieuenctid yn ardal Tiger Bay, Caerdydd. Symudodd i Lundain ym 1944 er mwyn gweithio gyda dynion digartref yn yr *Oxford House Settlement* ym Methnal Green. Bu'n byw a gweithio yn Llundain am weddill ei oes, er iddo ymweld â Chymru yn rheolaidd ac ysgrifennu a darlledu'n helaeth yn y Gymraeg.

Fel canlyniad i'w brofiad yng ngharchar Abertawe torrodd gŵys newydd fel cyfaill carcharorion. Roedd Merfyn yn hael gyda'i dalpiau o drugaredd. Dyma amlinelliad Llion Wigley o waith Merfyn (*Y Bywgraffiadur Cymreig*).

Norman House

> Yn 1946, apwyntiwyd Merfyn yn warden y *Webbe Boys Club* ym Methnal Green lle gweithiodd yn agos gyda'r bechgyn nad oedd yn medru cydymffurfio â rheolau'r clwb. Gyda chymorth nawdd o'r *London Parochial Charities*, sefydlodd glwb i'r bechgyn hyn ar hen gwch camlas o'r enw Normanhurst yn ardal Wapping ar afon Tafwys hyd. Gweithiodd fel warden hyd 1952 – a dyma oedd ei arbrawf cymdeithasol cyntaf.
>
> Yn y cyfamser, ysbrydolwyd ei ddiddordeb angerddol ym mywyd a gofal carcharorion gan ei brofiadau ei hun. Bu'n ymweld â throseddwyr yn wirfoddol yng ngharchar Pentonville am dros ddeugain mlynedd. Sylwodd faint ohonynt oedd yn gadael y carchar yn ddigartref a heb unrhyw deulu i'w cefnogi.
>
> Sicrhaodd gymorth unwaith eto o'r *London Parochial Charities* ym 1954 i sefydlu cartref teuluol ar gyfer tua deuddeg o gyn-garcharorion. Ei nod oedd rhoi cyfle iddynt ganfod gwaith a chyfeillgarwch. Yr unig ddewis arall iddynt fyddai canolfannau derbyn, a oedd yn debyg iawn i'r carchar o ran eu hamodau. Prynodd Merfyn dŷ helaeth yn ardal Highbury, gogledd Llundain, ac agorwyd Norman House ym 1955 ag ef fel y warden cyntaf. Priododd Shirley Davies a chawsant bump o blant – dau fachgen a thair merch (tripledi).
>
> Ysbrydolwyd y syniad ar gyfer y fenter yn rhannol gan ei deithiau rheolaidd yng ngwledydd Sgandinafia yn y pedwardegau a'r pumdegau. Yno gwelodd drosto'i hun ddulliau o drin ac adfer carcharorion a oedd yn llawer llai cosbedigaethol nag yr oedd yr agwedd draddodiadol tuag atynt ym Mhrydain yn ei ganiatáu.
>
> *Norman House* oedd y tŷ hanner ffordd gyntaf ym Mhrydain ar gyfer cyn-garcharorion.Rhannu bywyd fel teulu oedd yr allwedd i lwyddiant Norman House, a phrif nod y fenter oedd cynnig amgylchedd diogel a sefydlog i'r dynion er mwyn iddynt allu ailsefydlu eu hunain yn y gymdeithas.

Dilynwyd ei esiampl ledled y deyrnas yn y pumdegau hwyr a'r chwedegau, gan greu model newydd ar gyfer gofal carcharorion wedi iddynt gael eu rhyddhau. Derbyniodd ei arbrawf sêl bendith swyddogol o'r chwedegau cynnar ymlaen trwy grantiau llywodraeth i sefydlu tai hanner ffordd o'r un math.

Athroniaeth bersonol

Adlewyrchai hyn gred ganolog Merfyn mai amodau cymdeithasol, emosiynol a theuluol difreintiedig oedd yn arwain at y mwyafrif o droseddau yn hytrach nag unrhyw fath o ddrygioni cynhenid '*No man is born a criminal, and no man is only a criminal*'.

Credai o ganlyniad bod caethiwo'r rhan fwyaf o garcharorion yn ddiangen ac yn amhriodol. Credai y byddent yn ymateb yn well ac yn llai tebygol o ail-droseddu petai dulliau eraill o'u hadfer o fewn y gymuned yn cael eu datblygu a'u defnyddio. Amlinellodd y model amgen hwn i garchar yn ei bamffled pwysig *Prisoners Progress*, a gyfieithwyd i'r Gymraeg gan ei gyfaill agos Dyfnallt Morgan (1917-1994).

Addysgu

Daeth Merfyn yn adnabyddus ym Mhrydain yn y pumdegau trwy'r rhaglenni radio a theledu a gyflwynodd i'r BBC. Ar y rhain byddai'n rhannu profiadau carcharorion, y digartref a'r gwrthodedig yn y gymdeithas.

Profiad personol

Credai'n gryf ym mhwysigrwydd dysgu a dangos empathi a chefnogaeth trwy brofiad ymarferol. Yn wir, treuliodd dri mis yn byw mewn tŷ llety cyffredin er mwyn deall yn well y math o amgylchedd llwm a wynebai carcharorion ar ôl iddynt gael eu rhyddhau. Cerddodd strydoedd cefn Llundain gyda'r nos yn recordio pobl ddigartref ar gyfer rhaglenni radio am eu problemau. Yn ogystal â hyn, gweithiodd mewn ffair un haf er mwyn dysgu mwy am ddau 'gang' afreolus o bobl ifanc oedd yn ymgynnull yno.

Roedd ei barodrwydd cyson i'w roi ei hun mewn sefyllfaoedd a fyddai wedi brawychu eraill yn rhan o'i ddehongliad o Gristnogaeth yn nhermau byw o ddydd i ddydd. Roedd ei bwyslais bob amser ar faddeuant a derbyniad.

Practical Compassion
Yn hwyrach, gweithiodd yn agos gyda charcharorion yn Broadmoor a ystyrid gan lawer y tu hwnt i unrhyw gymorth, a gyda charcharorion o wledydd tramor a oedd yn wynebu cael eu halltudio, yn aml am resymau gwleidyddol. Mae ei gofnod o hyn yn ddirdynnol yn llyfr Tim Cook, *Practical Compassion.* *

Ychydig cyn ei farwoaleth, dychwelodd Merfyn i Gymru a bu fyw am gyfnod yng Nghraigfechan, ger Rhuthun yn agos at ei fam oedd mewn cartref gofal yn Y Fflint. Fodd bynnag, roedd ganddo hiraeth enbyd am ei gyfeillion o garchariona fel magned yn ei dynnu'n ôl i Lundain. Bu farw Merfyn o ganser yn ysbyty *Royal Free*, Llundain yn 1991.

Caplaniaeth carchardai
Yn ddiweddar bûm yn siarad â chaplan yn un o garchardai De Cymru. Eglurodd bod caplaniaid carchardai yn cael eu penodi gan y Swyddfa Gartref o dan drwydded. Nid yw'r enwad na chwaith yr esgobaeth yn rhan o'r broses apwyntio. O ran cwrteisi ac i wneud pethau'n gyfreithiol fel petai, mae pob offeiriad sy'n gweithredu o fewn y system gadwraethol yn berchen ar Drwydded Gyffredinol.

Disgrifiodd rôl caplan fel a ganlyn:

> Mae'r term 'caplan' yn un anenwadol. Gweinidog ffydd sy'n diwallu anghenion ysbrydol ydy caplan. Fe welir caplan mewn gwahanol sefydliadau fel ysbytai, y lluoedd arfog, swyddogaeth caplan yw diwallu anghenion ysbrydol y gweithwyr a'r rhai sydd yno dros dro.

Bugeilio

> Blaenoriaeth caplan carchardy yw bugeilio. Golyga hyn cynnig cymorth un-i-un mewn modd anfeirniadol, beth bynnag eu credoau. Yn nodweddiadol gwneir hyn mewn cyfnodau o argyfwng personol fel profedigaeth. Colli rhyddid a'u gwahanu oddi wrth eu teuluoedd neu wrth fygwth hunan laddiad.

Cefnogaeth ysbrydol

> Agwedd pwysig arall i'r swyddogaeth ydy darparu cefnogaeth ysbrydol drwy gynnig cyfle i weddïo, addoli, addysgu a chynghori. Gall y caplan hefyd fod o gymorth i staff y carchardai a'u teuluoedd pan fo hwythau yn wynebu argyfwng.

Cefnogaeth emosiynol

Nid pwrpas y caplan mwyach ydy trosi carcharorion ond yn hytrach i ddarparu gwasanaeth sy'n ffocysu ar eu hanghenion, yn enwedig cefnogaeth emosiynol. Mae caplaniaeth bellach yn fwy o weithgaredd aml ffydd.

Mae yng Nghymru bum carchar:

1832 Caerdydd Categori B/dynion
1939 Prescoed carchar agored ynghlwm ag
1844 Wysg Categori C/dynion a charchar agored
1939 Prescoed carchar agored ynghlwm ag Usk
1997 Parc, Pen-y-bont ar Ogwr Categori B/dynion a throseddwyr ifanc
2017 Berwyn Categori C/dynion (2,106)

Ni cheir carchar i droseddwyr ifanc nac i ferched Categori A yng Nghymru

Carchar Berwyn yw carchardy mwyaf y Deyrnas Unedig. Yn 2016, penodwyd dau gaplan dan drwydded i Esgob Llanelwy i redeg caplaniaeth dan arweiniad Parchg Alan Pierce-Jones. Arweiniodd Esgob Llanelwy wasanaeth Bore Nadolig cyntaf erioed yng nghapel y carchar. A dyma a ddywedodd

Although the men are, of course, separated from their own families at Christmas, we want them to know that we welcome them as members of our local church family.

On one level it's quite unremarkable. I'm a priest ministering to a congregation who'd like my presence. On another level, Jesus himself singled out the homeless and those in prison as deserving special attention. Fundamentally I believe there's no better place for a bishop to be on Christmas Day than in prison.

Y flwyddyn ganlynol offrymodd Esgob Gregory sacrament ar Fore Dydd Nadolig eto yng nghapel carchar Berwyn a dywedodd:

Although the men are of course separated from their own families at Christmas, we want them to know that we welcome them as members of our local church family – that the good news of God coming to bring joy to the world, is also an offer of God's blessing for them. For me, the command of

Jesus – to visit those in prison – means that there is no better place for me than with these men on Christmas Day.

Dros yr Ŵyl mae'r troseddwyr a'r staff yn cael eu hamddifadu o fod gyda'u teuluoedd ac medd Merfyn Turner:

> *It hurts people in varying degrees, but it always hurts. Loss of freedom is in itself a punishment. But there is separation too, and segregation, and the humiliation of loss of identity. For everything about prison strips a man naked of all that makes him different from a hundred others* (1999, p.7).*

Esgob Llanelwy

Yn ystod yr wythnosau yn arwain at y Pasg, fe fydd Esgob Llanelwy yn derbyn a bendithio nifer o ddynion yng ngharchar Y Berwyn. A gan nad oedd yn bosib i'r dynion derbyn ymwelwyr yn ystod cyfnod Y Pasg fel bod Covid-19 yn dechrau cydiad, bu'r esgob yng nghanol ymgyrch i ddosbarthu wyau Pasg iddynt fel rhan o wasanaeth digidol. Am fwy o fanylion, gwelir hwn
https//dioceseofstasaph.org.uk/virtual-celebrations-across-the-diocese-of-st-asaph-for-christianitys-queen-of-feasts/

Mae un caplan o'r farn bod agwedd y cyfryngau o '*Lock them up and throw away the key!*' i gynllun carchardy o roi teliffon ymhob cell i alluogi carcharorion siarad â'u teuluoedd yn gywilyddus. Rhown y gair olaf i'r arbenigwr, y diwygiwr a'r awdur, Merfyn Lloyd Turner sy'n dweud yn ei lyfr:

> *Pretty Sort of Prison *is by implication is an urgent plea for a re-thinking of public and private attitudes. Mr Turner maintaines, until the public has come to accept that offender as needing more help, not less than average.*
>
> *Loneliness is a withering condition whether you suffer it at home or amonst strangers. If you happen to be well-equipped you can escape into study and academic attainment. You can become distingushed in many pursuits. But if you are immature and inadeqaue and your life has never been distinguished by any achievement, then there's no satisfactory escape – unless you perhaps try to find it in crime* (1999, p 155).

Cyfaill Carcharorion

Medd Dyfnallt Morgan, ffrind oes Merfyn yn 'Cyfaill Carcharorion'* "Roedd Merfyn yn feddyliwr, yn athronydd ac yn ddiwygiwr cymdeithasol mawr ei ddylanwad, yn enwedig gyda golwg ar newid trefn trosedd a chosb. Ond yr oedd ei draed ar y ddaear hefyd, ac yntau'n ymwybodol o bwysigrwydd rhoi ei gredo ar waith. Treuliodd ei oes yn cyflawni gwaith arloesol mewn tri maes yn fwyaf arbennig, ymhlith pobol ifanc ddifreintiedig, yn ymweld â charcharion yn enwedig gyda golwg ar eu cynorthwyo ar derfyn tymor, ac yn olaf ond nid o'r pwys lleiaf, yn y gwaith mawr a pharhaol o geisio diwygio'r dull o gosbi troseddwyr (*penal reform*)."

* * *

Taro sylw: Mae'r gwerthoedd a'r argyhoeddiad Cristnogol a gawn yn ein magwraeth yn sail gadarn i'n cred a'n gweithredoedd i'r dyfodol. *Give me a firm spot to stand on and I'll conquer the world.*

Ysbrydoliaeth

Emyn E. A. Dingley, (1860-1948) *cyf.* Nantlais, (1874-1959) *Caneuon Ffydd*, Rhif 805

> Ehanga 'mryd a gwared fi
> rhag culni o bob rhyw,
> rho imi weld pob mab i ti
> yn frawd i mi, O Dduw.

Cyhoeddiadau Merfyn Lloyd Turner

Ship without Sails, 1953
Forgotten Men, 1960
Safe Lodging, 1961
A Pretty Sort of Prison, 1964
Ryfedd Ryw, 1970
Trwy'r Drws ac Allan, 1987

Sbardun

Cook, Tim, 1999, *Practical Compassion* *
Morgan, Dyfnallt, 1991, *Cyfaill Carcharorion: Cofio Merfyn Lloyd Turner*

Cyfeirnod

https//dioceseofstasaph.org.uk/virtual-celebrations-across-the-diocese-of-st-asaph-for-christianitys-queen-of-feasts/

1.5.2 Parchg Alan Pierce Jones

Rheolwr Caplaniaeth Carchar
Yr Eglwys yng Nghymru:
Carchar Berwyn, Wrecsam

Am resymau amlwg o ddiogelwch nid oes gennyf unrhyw fanylion am gefndir na chyfeiriad Alan dim ond ei gyfeiriad gwaith sef Carchar Berwyn, Wrecsam a dyma ei eglurhad:

> *There is not much I can say for security reasons, my address in Crockford's clerical directory is even that of the prison!*
>
> *Whilst we love our prisoners, we do need to be a little careful how much they know about us.*

Mae Alan yn offeiriad Anglicanaidd, ordeiniedig yng Nghymru. Bu'n gwasanaethu'r Eglwys yng Nghymru a'r Eglwys yn Lloegr mewn gwahanol blwyfi ac mewn mwy nag un carchardy.

Carchar Berwyn yw'r carchar mwyaf yn y Deyrnas Unedig, ac ar hyn o bryd yn cynnwys bron i 1900 o garcharorion, i gyd yn ddynion dros ddeunaw. Maent wedi eu dedfrydu ar ystod eang o droseddau a'u cosb yn amrywio o ychydig fisoedd i ystod bywyd cyfan.

Pwrpas carchar

Prif nod y carchardai yng Nghymru a Lloegr heddiw ydy diogelu'r cyhoedd a helpu pobl i fyw yn gadarnhaol o fewn y gyfraith. Ein nod yw lleihau aildroseddu trwy arwain ac addysgu ein carcharorion a darparu amgylchedd gweddus a diogel iddynt dalu eu dyled i gymdeithas a dysgu ffyrdd gwell o fyw. Mae caplaniaeth yn chwarae rhan bwysig yn hyn.

Pwrpas caplaniaeth

Nid pwrpas caplaniaeth ydy trosi'r carcharorion ond yn hytrach eu helpu i ymarfer y ffydd sydd ganddynt eisoes. Rydym yn awyddus iddynt ddysgu mwy am eu ffydd a sut y gallant ddefnyddio hynny i'w cynnal o ddydd i ddydd tra yn y carchar ac ar ôl eu rhyddhau.

Felly, i'r perwyl hwn rydym fel caplaniaid yn dîm aml-ffydd ac yn cynrychioli ystod eang o grefyddau – Cristnogaeth, Islam, Sikhaeth, Paganiaeth, Iddewiaeth, Bwdhaeth a llawer un arall. Rydym yn trefnu grwpiau addoli ar gyfer yr holl grefyddau ynglŷn â dosbarthiadau i ddysgu a deall mwy am eu ffydd. Er nad ein nod ydy ceisio trosi pobl, rydym serch hynny, yn croesawu'r rhai sy'n darganfod neu'n archwilio ffydd am y tro cyntaf, yn ogystal â'r rhai sydd o'u gwirfodd yn dymuno i archwilio ffydd wahanol.

Y capel

Rydym yn rhannu'r gofod addoli gyda'n gilydd a dwi'n ystyried y cyfle hwn i rannu dealltwriaeth a goddefgarwch gwirioneddol o grefyddau'n gilydd yn un buddiol dros ben. Rydym yn ymwybodol y gallai rhannu yn agored fel hyn fod yn fater sensitif i rai crefyddau. Er hynny rydym yn dyfalbarhau er mwyn datblygu gwell goddefgarwch a chyd barch.

Hyd a lled cyfnod yn y carchar

Yn ystod eu cyfnod yn y carchar mae'n ofynnol i bob carcharor weithio neu dderbyn addysg neu hyfforddiant o ryw fath. Yn wir, mae llawer o'r 'swyddi' fel coginio, glanhau, garddio ayb yn cael eu cynnal gan y carcharorion eu hunain, o dan oruchwyliaeth y staff. Rydyn ni hefyd yn cefnogi hyn, drwy gyflogi carcharorion i helpu yn y gaplaniaeth i lanhau neu fel mentoriaid i garcharorion eraill.

Dysgu empathi

Rydym yn trefnu cyrsiau i ddysgu empathi i'r carcharorion. Y nod ydy codi ymwybyddiaeth y troseddwyr – y carcharorion – i ddeall y profiad o ddioddef trosedd. Mae elusen y Samariaid wedi hyfforddi a darparu rhai o'r carcharorion ar sut i wrando ar eu cyd-garcharorion pan fo'r angen.

Gofal a chefnogaeth

Mae yna wahanol agweddau i'r Gaplaniaeth. Er bod rhan o'n gwaith yn naturiol yn grefyddol, mae'r rhan fwyaf ohono'n ofal bugeiliol. Mae pob carcharor yn cael ei weld gan gaplan o fewn 24 awr o gyrraedd y carchar. Rydym yn ymweld yn ddyddiol â'r Uned Wahanu (y carchar o fewn y carchar, i'r rhai sydd wedi torri'r rheolau), ac yn cefnogi'r rhai sydd mewn perygl o hunan niweidio. Rydym hefyd yn siarad â phob carcharor ychydig wythnosau cyn iddynt ddychwelyd i'r byd mawr.

Galaru

Fodd bynnag, y rhan fwyaf o'r gwaith caplaniaeth o bell ffordd ydy delio â'r carcharorion hynny sydd wedi derbyn newyddion drwg am aelod o'r teulu sydd wedi marw, yn ddifrifol wael neu'n derfynol wael. Gennym ni mae'r cyfrifoldeb o drosglwyddo'r newyddion i'r carcharor. Ond, ni ellir gwneud hyn tan i ni sefydlu bod yn newyddion yn rhai dilys a gwir.

Yna byddwn yn cynnig cefnogaeth i'r carcharor drwy'r broses o alaru ac yn ei helpu i wneud cais i fynd i'r angladd os ydynt yn gymwys (teulu agos yn unig), neu yn dewis mynd.

Os na all y carcharor fynd i'r angladd, os yn bosib gellir ffrydio'r achlysur a chaniatáu iddo wylio'r angladd. Gallwn hefyd os bydd angen ddarparu gwasanaeth a gweddïau yn y capel ar adeg yr angladd.

Gallwn gefnogi pellach drwy gynnig cwnsela i'r carcharorion i ddelio a'u galar.

Mae'r Gaplaniaeth hefyd yn darparu deunydd addas, crefyddol ei naws, i helpu ymdopi a'r galar wrth iddynt wario oriau hir dan glo yn y gell.

Dwyieithrwydd

Fel carchar yng Nghymru mae gofyn arnom allu darparu ein gwasanaethau yn ddwyieithog, lle bo'n briodol i'r ffydd unigol ac wrth gwrs yn ymateb i anghenion y gynulleidfa, sydd rhan fwyaf yn un Saesneg.

Tîm Rheoli

Fel Prif Gaplan, rwyf hefyd yn aelod o uwch dîm rheoli'r carchar ac yn gwerthfawrogi'r cyfle i gyfrannu fy safbwynt ar wahanol agweddau o fywyd y carchar a'r carcharorion.

Nid yw'r Gaplaniaeth yn cael ei ystyried yn asiantaeth allanol, i'r gwrthwyneb fe'i gwelir yn ganolog i holl fywyd y carchar. Mae gennym ddylanwad ar bob agwedd ac yn cael ein hystyried a'n parchu fel aelodau o'r staff. A dyna beth ydan ni mewn gwirionedd er ein bod yn gweithredu dan drwydded fel cynrychiolwyr ein henwad neu'r Esgob. Trwy gyflogaeth rydym yn weision sifil ac yn atebol i Lywodraeth San Steffan am faterion dydd i ddydd.

Cwmni a chlust

Rwy'n dweud wrth bobl yn aml, dydw i ddim yma i ddod a Christ i mewn i'r carchar, oherwydd roedd Crist yma'n barod o'm blaen i. Fy ngwaith i yw ei wasanaethu ar y tu mewn a helpu eraill i werthfawrogi, ei bresenoldeb.

Os oes yna un darlleniad sy'n fy nghynnal hwn ydy o Salm 46:10, 'Ymlonyddwch, a dysgwch mai myfi sydd Dduw.' Gall carchardai fod yn llefydd prysur iawn, ac mae gan bobl gymaint i'w wneud, ond yn fwy na dim yr hyn sydd ei angen ar ein carcharorion ydy rhywun i wrando. Braint y Gaplaniaeth ydy jest bod, bod yna i wrando a bod gyda'r carcharorion yn ystod eu poen, gan wybod bod Duw yna hefyd.

Mae'n wirioneddol bleser i wasanaethu fel Caplaniaeth carchar, sydd ar adegau'n heriol, yn flinedig iawn gydag oriau hir, ond rydym yn gweithio gyda phobl gwirioneddol wych, staff a charcharorion. Dwi erioed wedi teimlo'n ofnus am fy niogelwch neu yn difaru am symud o weinidogaeth blwyf i weithio y tu fewn, mewn carchar.

Manylion pellach

Os oes unrhyw un eisiau gwybod mwy am waith carchardai, mae nifer o elusennau sy'n helpu Caplaniaeth carchar. Y ddau rydym ni yma yn y Berwyn yn gweithio'n agos ydy Cymrodoriaeth y Carchardai ac Adnoddau Cristnogol Carchar (*Prison Fellowship and Christian Prison Resources*).

Llyfr defnyddiol sy'n cynnig cipolwg ar y daith adfer a bywyd fel Caplan carchar ydy "*Thief Prisoner Soldier Priest*" gan fy ffrind da Paul Cowley (Hodder a Stoughton 2020).

Mae yna lyfrau eraill wrth gwrs, ond gair o rybudd fod unrhyw lyfr a gyhoeddwyd dros ugain mlynedd yn ôl yn cyfeirio at gyfnod gwahanol iawn. Mae llawer o ddŵr wedi mynd dan y bont ers hynny.

Ers imi ymweld a charchar Berwyn a siarad ag Alan rwy'n gweld y byd yn wahanol iawn. Rwy'n gwerthfawrogi fy rhyddid bob eiliad ac yn diolch am Gristnogion fel Alan er imi fod yn ei gwmni cwta dair awr, rwy'n gallu datgan na ddeuthum ar draws neb tebyg iddo o ran ei wyneb a'i lais a'i agwedd. Petawn yn gloedig mewn cell am oriau, misoedd a blynyddoedd buasai *aura* diffuant a thosturiol Alan a'i gryfder yn angor bid siwr. Sôn am '*horses for courses*'

Dywedodd Alan y bydd pan yn siarad â grwpiau gwahanol am ei waith ob amser yn dweud. "Os na chawsoch unrhyw beth hyd yma allan o beth a ddwedais, nodwch hyn: Nid yw pobl yn aml yn siarad neu'n meddwl am y carchar, ond cofiwch ein bod ni yma, cofiwch ein bod ni yn rhan o weinidogaeth yr Eglwys ac yn anad dim, cofiwch ni yn eich gweddïau.

* * *

Taro sylw: Mae'r rhai sy'n gweithio fel caplaniaid mewn carchardai a chanolfannau milwrol yn gweithio mewn amgylchedd tywyll caled i geisio dod a goleuni a gobaith i fywydau toredig. Diolch i Dduw am gaplaniaid sy'n ymgeleddu'n ddiduedd ac i elusennau fel Byddin yr Iachawdwriaeth sy'n cynnig hwb ymarferol ac angor i droseddwyr.

Ysbrydoliaeth
"Ymlonyddwch, a dysgwch mai myfi sydd Dduw." Salm 46.10

Sbardun
Cowley, Paul, 2020, *Thief, Prisoner, Soldier, Priest*

Cyfeirnod
https://en.wikipedia.org/wiki/HM_Prison_Berwyn

Cyswllt
https://www.gov.uk/guidance/berwyn-prison

1.6 Adfer

1.6.1 Parchg Guto Llywelyn

Gweinidog
Undeb Annibynwyr Cymru:
Capel Tabernacl
Hendy-gwyn ar Daf

Ganed Guto yn 1965 yn fab i Bethan Llywelyn Davies a'r athro a'r ymgyrchydd iaith Emyr Llywelyn ac yn frawd mawr i Nia ac Owen. Yn ŵyr i'r athro, dramodydd a'r darlledwr Eic Davies (1909-1993) a'r awdur a'r prifardd T Llew Jones. Mynychodd Goleg Prifysgol Bangor a Choleg Llyfrgellwyr Cymru, Aberystwyth. Ar ôl chwarter canrif fel llyfrgellydd ymgeisiodd am y weinidogaeth. Yn 2013 fe'i hordeiniwyd yn weinidog gyda'r Annibynwyr yn ardal Hendy-gwyn. Mae Guto yn briod â Catrin ac mae ganddynt ddau o blant, Mari a Dafydd. Maent yn byw yng Nghaerbryn, ger Rhydaman, Sir Gaerfyrddin. Ei brif ddiddordebau yw criced a gwyddbwyll.

Roedd yn golygu'r byd i Guto iddo glywed gan ei dad ac Eiris (llysfam) i'w fam, Bethan, ddweud wrthynt rhai dyddiau cyn iddi gymryd ei bywyd ei hun, ei bod yn 'browd' iawn ohono. Mae'n cadw hyn yn agos iawn at ei galon. A dyma ei stori:

Braw

> Sul y Blodau, 2018, ac roeddwn yn sefyll yn y pulpud yn y Tabernacl, Hendy-gwyn yn arwain yr oedfa fel gweinidog y capel. A doeddwn i ddim yn gallu darllen brawddeg o'r Beibl o 'mlaen i. Roeddwn yn teimlo'n llawn ofn, llawn gorbryder ac arswyd. Yn ystod un emyn fe wnes ddod lawr o'r pulpud a dweud wrth ddau o'r diaconiaid yn y blaen sut oeddwn yn teimlo. Ond rhywfodd neu'i gilydd fe wnes i lwyddo i fynd trwy'r oedfa er ei bod yn amlwg i bawb fod rhywbeth mawr o'i le.
>
> Fel oedd hi'n digwydd y diwrnod hwnnw roedd gennyf gyfarfod

blynyddol gyda chadeirydd ac ysgrifenyddion yr ofalaeth i drafod sut roedd y gwaith yn mynd. Roedd y cyfarfod yn digwydd yn syth ar ôl yr oedfa. Yn y munudau rhwng diwedd yr oedfa a'r cyfarfod, penderfynais y byddwn yn gwbl onest gyda'r pedwar swyddog ynglŷn â sut roeddwn yn teimlo. A dyna a fu.

Gonestrwydd

Fe ddywedais yn hollol onest fel roeddwn wedi teimlo yn y pulpud ac ers wythnos neu ddwy bellach. Eglurais nad oedd gen i syniad o ble daeth yr ofnau yma, a hynny ar ôl pum mlynedd fel gweinidog pan fu popeth yn mynd yn iawn.

Bu eu hymateb y pedwar ohonynt yn drugarog a chariadlon. Dangosodd y pedwar cydymdeimlad rhyfeddol a diffuant. Yn wir ac roedd y cadeirydd, bron yn ei ddagrau ar y diwedd wrth ddiolch imi am f'onestrwydd. Rhoddwyd mis yn rhydd o'r gwaith imi er mwyn i mi gael ceisio gwella. A dechreuwyd gwneud trefniadau i leihau'r pwysau gwaith pan fyddwn yn ail-ddechrau

Cefnogaeth

Roeddwn wedi dweud wrth Catrin, fy ngwraig, yn gynt am hyn. Ac fe gwrddais gyda Dad ac Eiris y diwrnod hwnnw i egluro beth oedd wedi digwydd i mi yn y pulpud y bore hwnnw. Fe fuodd y teulu, y capeli a phawb arall yn hollol gefnogol i mi trwy hyn i gyd.

Roedd Guto mewn cryn benbleth am na wyddai beth allai ei wneud? Nag i ble allai droi? Aeth i weld y meddyg teulu ac awgrymodd hwnnw iddo geisio lleihau'r pwysau gwaith. Yn ffodus, fe'i cynghorwyd i beidio â chymryd tabledi oherwydd eu cryfder. Ond ni chyffyrddai hyn ag ymylon y broblem hyd yn oed. Yna awgrymwyd i Guto y dylai geisio help trwy **'Cynnal'**, y gwasanaeth cwnsela i weinidogion yr efengyl a'u teuluoedd. A dyma sut mae Wynford Elis Owen yn disgrifio'r gwasanaeth:

Cefnogaeth Cynnal

Sefydlwyd rhagflaenydd Cynnal, *The Churches' Counselling Service for Wales (CCSW)* yn 1995. Bwriad hwn oedd cynnig cymorth – yn arbennig i glerigwyr a gweinidogion o unrhyw enwad crefyddol. Roedd hefyd ar gael i aelodau o'u cynulleidfaoedd a'u teuluoedd pa un a ydynt yn preswylio neu'n byw dros dro o fewn Cymru. Y bwriad oedd cynnig clust i rai sydd mewn angen neu'n dioddef caledi neu ofid trwy ddarparu gwasanaeth cynghori a chwnsela.

Bu'r gwasanaeth yn llwyddiant ac o'r oherwydd bu cynnydd mawr yn nifer yr atgyfeiriadau, yn enwedig gan fod y gwasanaeth ar gael yn rhad ac am ddim. Daeth CCSW ben yn 2016.

Fodd bynnag, roedd un o'r ymddiriedolwyr, sef y diweddar Dr Dafydd Alun Jones, yn awyddus i'r gwasanaeth barhau ac i ddychwelyd at hanfod y gwaith, sef darparu cwnsela ar gyfer gweinidogion/clerigwyr/gweithwyr Cristnogol a'u teuluoedd. Roedd yn teimlo fod y galw'n parhau am y cyfryw wasanaeth. A dyna a fu.

Y Stafell Fyw

Penderfynwyd fod Y Stafell Fyw, canolfan adferiad yng Nghaerdydd, yn le delfrydol i sefydlu a datblygu gwasanaeth CYNNAL gan fod ei wreiddiau yn y cymunedau ffydd Gristnogol Gymreig. At hyn, roedd Y Stafell Fyw yn ddyddiol yn cynnig ateb ysbrydol i broblemau ysbrydol wrth fynd i'r afael mewn ffordd ymarferol â'r gallu i ymdopi â'r problemau hyn ym mywydau pobl o ddydd i ddydd

Felly yn 2016 lansiwyd CYNNAL gan Stafell Fyw Caerdydd (SFC), o dan arweiniad Wynford Ellis Owen fel y Prif Swyddog Gweithredol. Mae yn wasanaeth cwnsela cyfrinachol a oedd yn cael ei gynnig i Glerigwyr/Gweinidogion/Gweithwyr Cristnogol a'u teuluoedd yn rhad ac am ddim ar hyd a lled Cymru.

Athroniaeth Cynnal

Mae CYNNAL yn delio â phob math o broblemau ac yn dilyn trywydd cyfannol a fyddai'n mynd i'r afael â'r rhyngweithio sydd rhwng y meddwl, y corff a'r enaid. Byddai'r gwasanaeth yn cydnabod dimensiwn ysbrydol bywyd, ac os yn briodol, yn cyfeirio pobl ymhellach tuag at arweiniad ysbrydol arall. Darperir y gwasanaeth naill ai yn y Gymraeg neu'r Saesneg. Mae CYNNAL yn gweithredu o fewn set o safonau a luniwyd gan Lywodraeth Cymru ac sy'n dilyn polisïau allweddol cyfundrefnol Adferiad.

Rhaglen

Cyfarfod iaith Saesneg i Gaerfyrddin a Gorllewin Cymru

Zoom rhwng 13.00 a 14.30 bob dydd Gwener.

Tua 12 yn mynychu

Cyfarfod iaith Gymraeg i Aberystwyth, Ceredigion yn cyfarfod
Zoom 90 munud bob pythefnos ar nos Iau.
Tua 10 yn mynychu.

Cyfarfod Cymraeg "Caerdydd" i Gymru gyfan gyda rai o'r gogledd a rhanbarthau
Zoom ail nos Fercher bob mis. Unwaith eto, ar gyfartaledd mae
Tua 10 12 yn mynychu

Cwnsela un-i-un ar *Zoom* ar ddydd Mercher, dydd Iau a dydd Gwener.

I fod yn effeithiol yn therapiwtig rwy'n cyfyngu'r mynychwyr i grŵp i 12 cleient.
Ar gyfartaledd cynghorir 5 cleient bob dydd.

Mae cyfanswm o 154 o bobl ar gofrestr CYNNAL ar hyn o bryd – un o'r cleientiaid hynny yw'r Parchg Guto Llywelyn.

Dadansoddodd Wynford yr hyn a glywodd yna eglurodd i Guto beth oedd wedi digwydd am iddo wthio trawma hunan laddiad ei fam a'r holl emosiynau oedd yn gysylltiedig â'r digwyddiad yn ddwfn i'w isymwybod.

Dyma ymateb Guto:

Ac yn awr roedd y trawma wedi chwythu i'r wyneb dros 30 mlynedd yn ddiweddarach.

Aeth ymlaen i ddangos i mi fy mod wedi ymateb i'r trawma trwy geisio rheoli pawb a phopeth. Nid alcohol, na chyffuriau, na bwyd oedd fy mhroblem i ond ceisio rheoli pawb a phopeth (*controlling behaviour*). Roeddwn wedi ymateb i'r trawma trwy geisio rheoli pob sefyllfa a thrwy geisio rheoli pobol, yn enwedig y rhai agosaf a mwyaf annwyl i mi.

O edrych yn ôl gallaf weld ei fod yn hollol iawn. Yn fy arddegau roeddwn wedi datblygu ryw fath o *Obsessive Compulsive Disorder* (*OCD*) lle'r oeddwn yn treulio llawer o amser yn gwneud yn siŵr fod pob tap wedi ei droi i ffwrdd a phob switsh wedi ei ddiffodd. Fel oedolyn ifanc rwy'n cofio fel y byddai'n cymryd hanner awr i fi fynd i'r gwely wrth sicrhau fod popeth wedi ei ddiffodd yn y tŷ a phob drws wedi ei gloi.

Gweithio'n galed

Yn ogystal â thrawma hunanladdiad Mam, roedd o leiaf dau beth arall a wnaeth i mi bron â thorri lawr yn 2018. Yn gyntaf roeddwn yn gweithio gormod ac yn ceisio bod yn berffaith ymhob peth roeddwn yn ei wneud. Byddwn yn aml ar y cyfrifiadur yn y nos yn gwneud pethau nad oeddwn wedi cael amser i'w gwneud yn ystod y dydd. A byddwn fyth yn dweud 'na' i ddim byd ac yn ceisio plesio pawb. Ar ôl Pasg 2018 fe wnes dorri lawr ar nifer o bethau gan gynnwys rhoi'r gorau yn syth i fod yn Ysgrifennydd Cyfundeb Annibynwyr Gorllewin Caerfyrddin. Bu'n rhaid i mi ddysgu dweud 'na' i'r pethau ychwanegol gan gynnwys peidio gwneud angladdau pobol oedd ddim yn aelodau. Gwneud angladdau yw rhan anoddaf y swydd fel y byddai rhywun yn disgwyl.

Pwysau gwaith

Mae dwy brif ran i waith gweinidog sef paratoi a chynnal yr oedfaon a hefyd bugeilio'r aelodau. Wrth ganolbwyntio ar y ddau beth hyn, ac osgoi pethau ychwanegol, mae rhywun yn gallu dod i ben â phethau. Er hyn, nid oes un wythnos wedi bod lle rwy wedi gallu gwneud popeth roeddwn yn ei obeithio fel gweinidog, yn enwedig o safbwynt bugeilio. Sut mae unrhyw Aelod Seneddol yn gallu gwneud dwy swydd, rwy ddim yn gwybod!

A'r trydydd peth a wnaeth ddod â fi i fy ngliniau oedd bod y cyfan wedi mynd i fy mhen. Ar ôl pum mlynedd fel gweinidog, a derbyn ymateb ffafriol gan bawb, roedd y cyfan wedi mynd i fy mhen a fy 'ego' wedi mynd yn rhy fawr. Nid yw cael eich galw'n 'Parchg' yn gwneud lles i neb rwy'n siŵr! Y dyddiau hyn rhaid i mi wneud yn siŵr fy mod yn trosglwyddo pob clod i Dduw ac nid yn ei dderbyn i mi yn bersonol, neu byddaf mewn trwbl unwaith eto.

Cefnogaeth Wynford

Fe wnes barhâu i weld Wynford yn fisol am flwyddyn – a heb ei gymorth ef a'r gwasanaeth 'Cynnal' – rwy ddim yn credu y byddwn wedi gwella.

Hefyd byth ers hynny rwy'n mynychu Grŵp Adferiad Caerdydd unwaith y mis gydag eraill sydd yn adfer o wahanol gyflyrau fel straen, gorweithio neu fod yn gaeth i alcohol, bwyd neu gyffuriau. Mae gan aelodau Alcoholigion Anhysbys ymadrodd hyfryd '*I got sick, we got better*' ac mae grŵp fel yma yn wych i bobol adfer gyda'i gilydd ac i aros yn ddiogel.

Sut y daeth Guto'n weinidog

Er fy mod yn weinidog nawr ers bron i naw mlynedd, hyd nes fy mod yn chwech ar hugain roeddwn yn anffyddiwr – yn anffyddiwr o argyhoeddiad fel y mae fy chwaer yn fy atgoffa. Byddwn yn mynd weithiau i Ysgol Sul Tynygwndwn, Felin-fach ond dim ond pan oedd rhaid. Roedd '*The Big Match*' gyda Brian Moore ymlaen bob prynhawn Sul a byddwn yn casáu colli'r pêl-droed. Byddwn yn dadlau gyda Mam bob wythnos i gael peidio mynd, ac yn ennill y frwydr weithiau ac yn colli weithiau.

Prosiect ysbrydol

Yna ar ddiwedd 1991 fe gefais ryw fath o brofiad ysbrydol pan roeddwn yn mynd trwy gyfnod anodd. Galla i ddim egluro yn iawn beth ddigwyddodd ond rhywfodd neu'i gilydd fe deimlais 'y llaw na ellir ei gweld'. Eiliadau prin wnaeth y cyfan barhau ond gan adael rhyw dangnefedd ar ei ôl. Nid wyf wedi darllen na chlywed am brofiad tebyg gan neb heblaw gan Alun Lenny yn ei hunangofiant 'Byw Ffwl Pelt' lle mae'n disgrifio beth ddigwyddodd iddo ef.

Pregethwr Cynorthwyol

Rhai wythnosau yn ddiweddarach dyma benderfynu mynd nôl i Tynygwndwn am y tro cyntaf ers blynyddoedd. Rwy'n cofio'r edrychiad ar wynebau Lynford a Jennifer, ffrindiau'r teulu, pan ddywedais wrthynt fy mod i'n meddwl mynd nôl i'r capel. Ond fe fuont yn ddigon caredig i roi lifft i mi yn y misoedd cyntaf hynny i Tynygwndwn lle'r oedd O.T. Evans yn weinidog.

O fewn blwyddyn neu ddwy roeddwn yn gwneud cwrs i fod yn bregethwr cynorthwyol. Ac fe fues yn bregethwr cynorthwyol am ugain mlynedd ond heb unrhyw awydd i fod yn weinidog. Roedd dim ond meddwl am orfod gwneud angladd yn gwneud i mi deimlo'n sicr nad oeddwn eisiau bod yn weinidog. Ac fe wnes barhau fel llyfrgellydd am bum mlynedd ar hugain. Ond tua diwedd 2009, wrth ddarllen pregethau mawr Martin Luther King yn y gyfrol '*A knock at midnight*', digwyddodd rhywbeth a wnaeth i mi benderfynu fy mod eisiau bod yn weinidog. Dyma ddweud wrth Catrin a phenderfynu gadael y peth am ddau neu dri mis. Ond aeth y teimlad ddim i ffwrdd a dyma fynd i weld fy ngweinidog ar y pryd, Dyfrig Rees, fy nhad yn y ffydd. Yna dechrau cwrs gyda fy athro, Guto Prys ap Gwynfor, ac ymuno yn y grŵp yn Llandysul gan deithio i'r dosbarthiadau yno am dair blynedd.

Gweinidog

Yna daeth cynnig i fod yn weinidog ar gapeli Bethel, Llanddewi, Tabernacl, Hendy-gwyn a Trinity, Llanboidy. Fe wnes ddod ymlaen yn dda gyda phawb yn syth o'r diwrnod cyntaf ac roeddwn yn falch iawn cael derbyn y cynnig ond roedd rhaid aros yn gyntaf i orffen y cwrs. Ar ôl gwneud hynny dyma orffen yn y llyfrgell ganol Ebrill 2013 ar ddydd Gwener a dechrau yn Hendy-gwyn ar y dydd Llun canlynol.

Digwyddiad critical / bell gyrhaeddol

Wrth edrych yn ôl nawr gallaf weld mai hunanladdiad Mam trideg pum mlynedd yn ôl oedd y digwyddiad pwysig yn fy hanes a'r un sydd wedi llywio gweddill fy mywyd. Nid oedd Duw eisiau i Mam ladd ei hunan wrth gwrs, ond yn sicr ni fyddwn i wedi mynd yn weinidog os na fyddai hynny wedi digwydd. Dywedir mai dioddefaint yw'r pŵer mwyaf grymus yn y bydysawd ac fe wnaeth y dioddefaint hynny orfodi mi i edrych ar fy hunan ac ail ystyried popeth ynglŷn â bywyd. A gobeithio fod ychydig o ddaioni wedi dod mas o'r hyn ddigwyddodd.

Tabŵ

Mae'n ffaith fod y cywilydd a deimlir o fewn teuluoedd (a hynny yn ddiangen) ar ôl hunanladdiad yn gallu mynd lawr trwy'r cenedlaethau. A dyna a ddigwyddodd yn ein teulu ni wrth i ni, fel naw deg y cant o deuluoedd tebyg, ddewis peidio siarad am y peth, na meddwl am y peth, na theimlo'r teimladau oedd yn gysylltiedig â'r peth.

Gwasanaeth Coffa – siarad agored

Felly, i geisio dod i delerau â'r hyn oedd wedi digwydd fe wnaethom, fel teulu, gynnal gwasanaeth coffa i Mam yn Tynygwndwn yn 2019 a hynny tri deg dwy flynedd ar ôl ei marwolaeth. Arweiniwyd y gwasanaeth coffa gan Ceri Llwyd ac ef roddodd deyrnged i Mam yn yr angladd nôl yn 1987. Ac roedd rhai o'r genhedlaeth iau, nad oedd wedi eu geni pan fu farw Mam, yn llefain dŵr y glaw'r diwrnod hwnnw.

Gobeithio y bydd y gwasanaeth coffa a siarad yn fwy agored am y digwyddiad yn atal y cywilydd rhag effeithio cenedlaethau ein teulu ni yn y dyfodol.

Rhannu profiad

Mae manteisio ar y cyfle i ysgrifennu hyn i gyd lawr yn help mawr i mi ddod i delerau â'r hyn sydd wedi digwydd. Mae dywediad gennym ni yn y Grŵp Adferiad sy'n mynd fel hyn 'Wnâi ddim difaru'r gorffennol, na dewis cau'r drws arno' a dyna rwy'n gallu gwneud bellach.

Dros y pedair blynedd ddiwethaf gofynnwyd i mi drafod hunanladdiad Mam a'i effaith arnaf mewn nifer o lefydd gan gynnwys prif eitem newyddion S4C un noson. Hefyd ar gyfer 'Dechrau Canu, Dechrau Canmol' ac mewn oedfa yn yr Eglwys Gadeiriol yn Nhyddewi i ddathlu pen-blwydd 'Cruse', y gwasanaeth cwnsela galar. Ar bob achlysur ni phrofais ddim ond ewyllys da.

Lle da heddiw

Mae cynifer o bobol yn dioddef yn dawel o wahanol bethau heb i neb wybod amdanynt nac i'w helpu drwy rannu eu poen. Gobeithio y bydd hyn o gymorth i eraill siarad yn fwy agored am beth bynnag sy'n eu poeni.

Byddwn yn dweud yn y Grŵp Adferiad yn aml 'Rwy mewn lle da heddiw.' A heddiw rwy mewn lle da – a dyna'r unig beth y gallaf ddweud a'r unig beth y gallaf obeithio amdano.

Cefndir a magwraeth

Dwi am fod mewn lle da yn cofio fel byddai Mam yn mynd a ni'r plant i'r traeth yn aml yn ystod yr haf. Byddwn i'n gorwedd ar y traeth drwy'r dydd yn fy holl ddillad yn gwrando ar y chwaraeon ar y radio A byddai Mam yn ceisio'i gorau glas i fy mherswadio i fentro' i mewn i'r môr. Byddai ei hymdrechion bob amser yn ofer!

Byddai Mam yn 'joio' tenis a byddem oll yn mwynhau gwylio Wimbledon yn flynyddol. Byddai'n mwynhau cerddoriaeth 'pop' Cymraeg a Mam a fy chwaer Nia a sefydlodd 'Clwb Maffia Mr Huws'!

Roedd Mam yn hoff iawn o Waldo ac fe'n magodd ill tri gyda'r un gwerthoedd

Byddai'n ymgyrchu'n frwd dros yr iaith. Ar noson lansio S4C (Tachwedd 1af, 1982) fe'm henwyd ar y rhaglen newyddion am gael dirwy am arddangos platiau 'D' yn unig ar fy nghar a gwrthod defnyddio platiau 'L', Newidiwyd y ddeddf rhai blynyddoedd yn ddiweddarach.

I ni Waldo oedd bardd Cymraeg mwyaf yr ugeinfed ganrif, i eraill heddychwr a ddigwyddai fod yn fardd ydoedd. Yn ôl bob tebyg, roedd gan Waldo ffydd bersonol gadarn. Yn ganol oed ymunodd â'r Crynwyr. Carai'r distawrwydd i gyrraedd ei lonyddwch mewnol yn y Tŷ Cwrdd.

Mae gan Guto lun o'i fam gyda Waldo tu allan i garchar Abertawe ar ei ryddhâd ar ôl ei garcharu am wrthod talu treth incwm yn brotest yn erbyn rhyfel. Dewisodd Guto 'Brawdoliaeth' yn gerdd er coffadwriaeth o'r bardd a'i fam. Mae'n hoffi'r ddwy linell gyntaf ac yn credu fod y ddwy linell olaf yn well na unrhyw beth a ysgrifennwyd erioed mewn unrhyw iaith

> Mae rhwydwaith dirgel Duw,
> Yn cydio bob dyn byw.
> Pa werth na thry yn wawd,
> Pan laddo dyn ei frawd.

Roedd yn cymaint o ollyngdod i Guto bod ei fam wedi dweud wrth eraill 'i bod yn browd ohono. Salwch ydy iselder ac fe ddioddefodd ei fam 'run fath a phetai ganddi salwch gweledol fel canser.

Mae Guto wrth gofio bwrlwm a chariad ei fam yn diolch am ei dylanwad arno ac yn hynod o browd ohoni wrth iddi geisio ymladd yn erbyn salwch arall creulon.

* * *

Taro sylw: Mae'r pynciau tabw'n cynnyddu'n ddyddiol. Gochelwn rhag eistedd ar alar neu gyfrinach neu bydd yn siwr o chwythu a chwydu rhyw ddydd. Y gamp yw canfod clust diduedd sy'n 'teilyngu malwan bach'

Ysbrydoliaeth
'ac yr oedd dail y pren er iachâd y cenhedloedd' Llyfr y Datguddiad 22.2

Sbardun
Williams, Waldo, 1956, *Dail Pren*

Cyswllt
gutollywelyn@hotmail.com

1.6.2 Wynford Elis Owen

Uwch Gwnselydd
'Cynnal'

Ganed Wynford yn 1948 yn Llansannan yn fab i weinidog gyda'r Methodistiaid Calfinaidd. Fe'i magwyd yno ac yn Llanllyfni, Dyffryn Nantlle. Mynychodd Goleg Addysg Cyncoed, a Choleg Cerdd a Drama Cymru, Caerdydd. Ymunodd â'r BBC yn 1969 lle creodd y cymeriad y cymeriad 'Syr Wynff ap Concord y Bos. Crëodd hefyd y gyfres gomedi deledu, *Porc Peis Bach*, ac actiodd gymeriad y gweinidog, y Parchg Donald Parry.

Fel oedolyn, bu'n gaeth i alcohol a *valium*. Cafodd driniaeth am ddibyniaeth yng nghanolfan Rhoserchan yn Aberystwyth a bu'n sobr ers 20 Gorffennaf 1992. Graddiodd mewn Cwnsela Dibyniaeth yn 2008. Yna, cychwynnodd weithio fel Prif Weithredwr Cyngor Cymru ar Alcohol a Chyffuriau Eraill. Datblygodd ganolfan gymunedol Stafell Fyw Caerdydd i gefnogi pobl gyda dibyniaeth ar gyffuriau yn ardal Caerdydd. Agorwyd y ganolfan yn 2011. Ymddeolodd o Stafell Fyw Caerdydd yn 2017. Mae Wynford yn parhau i weithio ar brosiectau penodol fel ymgynghorydd cwnsela arbenigol i CAIS, rhiant gwmni'r Stafell Fyw.

* * *

Taro sylw: Mae siarad yn agored ac onest am faterion sensitif yn gallu goresgyn trawma bywyd.

Ysbrydoliaeth

Emyn Harri Siôn (1773) *Caneuon Ffydd*, Rhif 718

"Fy maglau wedi eu torri,
A'm traed yn gwbwl rydd."

Cyhoeddiadau Wynford Elis Owen

No Room to Live, A Journey from Addition to Recovery, 2010
Raslas Bach a Mawr: Hunangofiant, 2004
Porc Peis Bach, 2000

Sbardun

Nouwen, Henri, J. M., 2014, *The inner voice of love: a journey through anguish to freedom*

Cyswllt

WynfordEllisOwen@adferiad.org

1.6.3 Aled Jones Williams

Cyn offeiriad
Dramodydd a bardd

Ganed Aled yn 1963 yn Llanwnda, yn unig blentyn i ficer y plwyf, Richard Edward a'i wraig Megan Williams. Mynychodd Brifysgol Bangor a graddio yn 1977. Aeth ymlaen i Goleg Diwinyddol Mihangel, Llandaf a Phrifysgol Caerdydd. Fe ordeiniwyd i'r Eglwys yng Nghymru yn 1979 gan wasanaethu yng Nghonwy, Llanrug a Machynlleth. Wedi cyfnod yn dioddef o alcoholiaeth penderfynodd adael yr eglwys, a daeth yn aelod o gymuned L'Arche yn Lerpwl gan rannu ei fywyd â rhai ag anabledd meddwl. Yn ystod ei gyfnod yno priododd â Susan. Mae ganddyn nhw dri o blant Marc, Bethan a Gwydion. Mae Aled a Susan wedi ymgartrefu yng Nghricieth erbyn hyn.

Adnabyddir Aled fel llenor a dramodydd. Yn 2002, enillodd goron Eisteddfod Genedlaethol Tŷ Ddewi gyda'i gerdd gydag Awelon. Cafodd ei lyfr *Ychydig Is Na'r Angylion* ei enwebu ar gyfer rhestr hir Llyfr y Flwyddyn 2007. Achoswyd cryn ymryson gan ei ddrama Iesu yn 2008, gan iddo bortreadu'r Iesu fel merch.

Meddai Aled am ei frwydr

> 'Rwy'n ysgrifennu'r pwt hwn fel un a fu-ac sydd o hyd, oherwydd rhyw ogwydd mewnol sydd wedi troi'n arferiad peryglus-yn agored i or-ddibyniaethau (addictions), alcohol y pennaf ohonynt yn fy hanes i.
>
> Nid wyf wedi cyffwrdd dropyn ers tair blynedd ar ddeg, er fy mod wedi gweld yr wyneb alcoholaidd yn y ffenestr sawl tro. Ar y cyfan cedwais fy hun yn ddiogel. Yr oeddwn i mewn cyfnod clo ymhell cyn clywed yr enw Covid-19. Peidied neb â meddwl fod hwn yn fywyd di-liw. Nid ydyw o gwbl.
>
> Yr wyf wedi holi fy hun ugeiniau o weithiau beth ddigwyddodd i mi ac a barodd fy mod ar achlysuron wedi troi'n rhwydd, ac yn ymddangosiadol ddi-rybudd, at alcohol, a chreu y ffasiwn lanast yn fy mywyd i a bywydau pobl eraill. Gwariais ffortiwn ar therapi. A oedd angen i mi dalu cymaint o arian i wybod fod pob adict yn bihafio fel babi'n sgrechian yn ei got? A'r chwilio am rhywun neu rywbeth i'w beio?

Cefndir a magwraeth

Fe roddodd fy rhieni o'u gorau i mi o blith yr adnoddau a'r sythwelediadau a oedd ar gael iddynt hwy. Heb os, perthynas wenwynig oedd gennyf â'r eglwys, ond medwrn fod wedi gadael yn llawer cynt na wneuthum a chanfod swydd arall. Llwfr oeddwn mae'n debyg. Mae'r gair diog yn cynnig ei hun hefyd. Medrwn fod wedi sylweddoli'n gynnar iawn nad oedd fy ffydd yn ddigon cryf i gynnal un a oedd yn offeiriad yn y sefydliad. O'r cychwyn cyntaf rhyw ddau y cant o Gredo Nicea y medrwn ei arddel gyda dilysrwydd. Ond heb os, nid fi oedd yr unig un a deimlai hyn, fe wyddwn yn iawn. Ond ni fu i'r rhelyw o'r rhain droi'n alcoholigion. 'Roedd rhywbeth mwy yn fy ngyrru.

Y broblem

Hwn ydoedd gwrthod fy meidroldeb a'i oblygiadau. Yn ymarferol dyma a olyga hyn y gred y dylwn deimlo'n hapus drwy'r adeg, ac nad oes lle yn fy mywyd i boen a phryder, galar a cholled. A chyffur-boed alcohol neu heroin-yw'r un a fedr greu yr hapusrwydd parhaol hwn. Y mae'r cyffur am gyfnodau meithion yn hynod o lwyddiannus, gyda llaw. Na thwyller neb, y mae cyffuriau'n gweithio. Neu fel arall, pam fod cymaint sylweddol iawn yn parhau yn eu cwmni? Fe ferwinir poen. Ond yn y man, yn hwyr neu'n hwyrach, fel y gŵyr pob adict, daw defnyddioldeb y cyffur i ben, a'r unig reswm wedyn pam y parheir i'w gymryd yw i gael gwared ar sgîl-effeithiau y cyffur ei hun y cyfog ben bore, y dwylo sy'n barhaol grynu, y paranoia a'r cyfnodau llawn panic.

Ofni bod yn fyw yr oeddwn. A cheisio drwy gyffur rhyw fyw ffug, lledrithiol, gwawdlun o fywyd nad oedd ar ei gyfyl boen a braw, ac oherwydd hynny 'run rhyfeddod a gwefr ychwaith.

Y mae dirnad hyn, gyda'r blynyddoedd wedi pery i Aled ail-edrych ar yr hyn a elwir yn 'ysbrydoledd.' Erbyn hyn, mae wedi ymwrthod bron yn llwyr â'r crefyddol, fel y bu iddo ei ddehongli sef

- Duw Hollalluog
- 'ystyr' trosgynnol i fywyd
- bywyd ar ôl marwolaeth
- gweddi ymbil
- gwyrthiau
- cyffesiadau

A dyma ei eglurhad

Yn y bôn, mae'n debyg-ac y mae tebygolrwydd yn hynod bwysig-yr ydym ar bennau ein hunain yn y cosmos. Y mae i bopeth, gan gynnwys y cosmos ei hun, mae'n debyg, derfynau pendant.

Fe'm ganed ar y 27ain o Orffennaf, 1956; nid oeddwn ddeng mis cyn y dyddiad hwnnw. Y mae yn fy aros ddyddiad arall. Y diwrnod ar ei ôl ni byddaf. Felly, mae'n rhaid i mi, beth bynnag, wrth ysbrydoledd sy'n gwneud synnwyr i mi, ôl-alcohol.

Ystyr ysbrydoledd a meidroldeb

Ystyr ysbrydoledd i mi yw ffordd o fyw sy'n anelu at ddyfnder, yn ddychmygus, yn ddilys a gonest tu mewn i derfynau byw a marw. Ar sawl ystyr, taith i chwilio am anfarwoldeb oedd llwybr y cyffur y wlad hapus, ddi-boen, Tir na n-Óg y teimladau.

Yr oedd gwella yn golygu dychwelyd at feidroldeb a sut i fyw heb faglau a sgaffaldiau. Y mae yna'r ffasiwn beth ag ysbrydoledd meidroldeb.

Nid gwrth-ddywediad mo hynny. Medraf erbyn hyn gyfaddef fod gollwng fy ngafael ar y pethau yn fy rhestr crefyddol wedi fy rhyddfreinio. Tua'r diwedd yn yr eglwys ni fedrwn aros yr holl weddiau ymbil a phob un o'r rhai a ymbiliwyd drostynt yn marw. Ac wedyn yr esgusodi diwinyddol fod 'Duw wedi rhoi ateb arall.' Yr oedd crefydd o'r cychwyn cyntaf yn rhan o fy anhawsterau. Nid yw crefydd yn llesol i bawb, rhywbeth sy'n anodd i grefyddwyr ei dderbyn efallai.

Wrth reswm fod ysbrydoledd meidroldeb yn llai o beth na'r crefyddol gynt. Go brin y daw Cadeirlan Chartres ohono. Serch hynny, fan hyn wyf fi.

Cred Aled fod i ysbrydoledd meidroldeb o leiaf dair brif nodwedd

Yn yr ysbrydoledd hwn, meidroldeb pob un ohonom sy'n ein huno nid ein gwahaniaethau crefyddol, diwylliannol, ethnig. Oherwydd byr-ein-parhad dylem fedru bod yn fwy tosturiol wrth ein gilydd ac adeiladu gwleidyddiaeth ac economeg wedi ei seilio ar y tosturi hwnnw. Y mae cyfalafiaeth yn agos iawn at grefydd anfarwoldeb. Mae popeth yn y byd cyfalafol yn dihysbydd, nid oes diwedd ar adnoddau na thyfiant economaidd. Gor-ddibyniaeth par excellence yw cyfalafiaeth yn ei hanfod mae'n creu yr angen a wedyn ei ddiwallu. Mae'n addo hapusrwydd di-ben-draw ond yr hyn a geir ganddo yw trallod i'r mwyafrif. Yr ydym i gyd ar ein ffôn symudol bellach fel y mae'r alcoholig wrth geg ei botel.

Fy nghyfrifoldeb i yw popeth.

Ni allaf feio'r duwiau na ffawd am ddim byd. Nid oes dim yn mynd i fy achub. Mae fy lles i yn dibynnu ar eich lles chi. Bydd raid i mi fyw hefo llai. Fedra i ddim byw yn holliach os wyt ti'n sâl. Nid yw perffeithrwydd yn rhywbeth i'w ddeisyfu; nid yw ar gael i fodau meidrol beth bynnag. Yn hytrach, y nôd yw ceisio orau allwn ddal y pethau gwasgaredig a chroes ynom hefo'i gilydd mewn cytgord a heddwch mewnol. Nid ffydd yn yr amhosibl, ond dewrder tu mewn i'r posibl. Nid gelynion yw dioddefaint a marwolaeth ond rhan annatod ohonom.

Gwahaniaethu rhwng ffantasi a'r dychymyg.

Ar sawl ystyr byd ffantasïol yw'r byd gor-ddibyniaethol. Cau allan y mae ffantasi. Cau allan boen a dioddefaint fel arfer. Ar y cyfan arwynebol ydyw. Rhywbeth llawer gwytnach yw'r dychymyg sy'n agor a chadw ar agor. Fy 'amddiffyn' rhag fy meidroldeb a wna ffantasi. Mynd a fi i mewn i ganol fy meidroldeb a wna'r dychymyg a fy holi'n dwll Sut wyt ti am fyw hyn? A wedyn cwestiynu fy holl atebion. Fy ngorfodi i wynebu'r ofn a'r dychryn sydd ynghlwm wrth feidroldeb, a phery i mi geisio dyfnder yn hytrach na hir-hoedledd. Bu cymaint o Gristnogaeth yn ffantasïol. Creu allan o fioleg fywyd gwerth ei fyw a wna'r dychymyg:

Gras

Wedi byw hyn i gyd, beth sy'n aros? Yr hyn yr oedd yr hen air Gras yn ei ddal yn berffaith, sef rhodd diamod, heb ei haeddu, a ddaeth nid drwy ymdrech ond oherwydd fod Yr Haelioni ei hun yn mynnu ei roi; nad oes gennyf hawl i ddim ond mai rhodd yw'r cwbwl hyd yn oed y pethau a deimlwn ni nad ydynt o'n plaid. Ar Ras yr ydym yn byw.

* * *

Taro sylw: Dim ond cawr gydag ag asgwrn cefn o ddur all rhyddhau ei hun o grafangau dibyniaeth a llyffeiriau disgwyliadau eraill.

Ysbrydoliaeth
Nofio'n y môr er nad yw yn medru nofio
John Clay yn cyflwyno Sonatas piano Beethoven
Pedwarawdau llinynnol

Sbardun
Llenyddiaeth Charles Dickens a William Shakespeare am eu bod wedi ymdrin a bob teimlad dynol

Cyhoeddiadau Aled Jones Williams
Cnawd, 1997
Wal, 2000
Rhaid i Ti Fyned y Daith Honno dy Hun, 2001
Oerfel Gaeaf, 2002
Ta-ra Teresa, 2002
Be'O'dd Enw Ci Tintin? 2003
Lysh, 2004
Disgwyl Bys yn Stafell Mam, 2006
Ychydig Is Na'r Angylion, 2006
Yn Hon Bu Afon Unwaith, 2008
Iesu! 2008
Y Cylchoedd Perffaith, 2010
Merched Eira a Chwilys, 2010
Tuchan o flaen Duw, 2012
Pridd, 2013
Eneidiau, 2013
Duw yw'r Broblem, gyda Cynog Dafis, 2016

1.7 Parch

1.7.1 Y Tad Lee Taylor

Ficer
Yr Eglwys yng Nghymru:
Eglwys Sant Collen, Llangollen

Ganwyd Lee yn 1978 ac fe'i magwyd yn Bolton yn unig blentyn i rieni ifanc yn eu harddegau oedd yn dafarnwyr yn Swydd Gaerhirfryn. Astudiodd ddiwinyddiaeth ym Mhrifysgol Cymru, Llanbedr Pont Steffan, lle'r oedd hefyd yn gôr-feistr ac ysgolor organ. Yn dilyn ei gyfnod yn y brifysgol, gweithiodd Lee mewn *call centre* prysur i gyflenwr nwy a thrydan. Yn ddiweddarach gweithiodd am wyth mlynedd fel dirprwy bennaeth yn Eglwys Gadeiriol Southwark. I Lee bu'r profiad hwnnw'n ddylanwad amhrisiadwy arno o ran gwreiddio ei ffydd ac â'i benderfyniad i wasanaethu fel offeiriad. Sylweddolodd hefyd mai gwraidd ei waith oedd cenhadu a phontio dwy ffordd rhwng yn eglwys a'i chymuned.

Yn 2010 gadawodd Lee Llundain i hyfforddi'n offeiriad cyn gwasanaethu fel curad yn Leigh-on-Sea. Yna bu'n gwasanaethu fel *Vicar Associate*, gan sefydlu partneriaethau gyda gwahanol sefydliadau, busnesau ac elusennau o amgylch Croydon.

Magwraeth a dylanwad ei nain

Cefais fy ngeni a'm magu yn Bolton. Ni fyddai fy rhieni yn disgrifio eu hunain yn 'grefyddol' ond teimlai fy nhad ei bod yn bwysig i mi gael f'addysgu mewn ysgol Gatholig. Yn yr ysgol yn fy mlynyddoedd cynnar, cefais fy nghyfarwyddo a'm trwytho yn nefodau, seremonïau a thraddodiadau'r eglwys Gatholig. Roedd patrwm ffurfiol fel hwn yn bwysig iawn i'm nain a gredai bod yr eglwys yn rhoi sylfaen i unigolyn a chwmpawd moesol ar gyfer eu taith bywyd.

Treuliais fwy o lawer o amser gyda fy nain na gyda'm rhieni. Roeddwn yn ei charu'n fawr iawn a hithau finnau. Credai nain hefyd mai'r patrwm

Catholigaidd oedd y sylfaen ar gyfer bywyd teuluol hapus. Credai hyn oherwydd mai dyna oedd ei phrofiad. Roedd ganddi hi (yn wahanol i mi) lu o atgofion plentyndod melys o fynd i'r eglwys gyda'i rhieni, modrybedd ac ewythrod. Yn anffodus nid oedd fy mherthynas â'm rhieni yn un cariadlon a chefnogol. Nid wyf yn eu beio – roeddent yn ifanc iawn pan ganwyd fi. Nid wyf bellach mewn cysylltiad â hwy.

Roedd fy nain yn ymfalchïo yn y ffaith fod ganddi gefnder oedd yn offeiriad a modryb yn lleian. Roedd sylwi ar yr effaith positif gafodd hyn ar fagwraeth Nain a gwrando arni'n siarad mor gynnes am ei phlentyndod a'i ffydd yn f'ysbrydoli i ystyried mynd yn offeiriad fy hunan.

O edrych yn ôl roedd fy nain yn dipyn o efengyl-wraig, er na fyddai'n cyfaddef hynny. Fel plentyn, roeddwn yn ddistaw, yn fyfyriol, yn sensitif ac, yn ol f' adroddiadau ysgol, 'yn fewnblyg'. Ni fues erioed ar fy ngorau mewn ystafell ddosbarth mawr, nac yn wir mewn unrhyw le llawn o bobl. Roeddwn yn fwy cyfforddus yn sgwrsio mewn grwpiau bach neu'n siarad un i un.

Ym nhymor yr Hydref 2018 daeth y Tad Lee Taylor yn ficer newydd Cymunedau Llangollen, Llantysilio a Trevor. Yn ei wasanaeth croeso, dywedodd

> Gweithio gyda'r gymuned yw sylfaen fy ngweinidogaeth gan fy mod i'n credu bod gwaith Duw yn ffynnu orau yno. Edrychaf ymlaen yn fawr iawn at symud i Langollen – Prifddinas Eisteddfod Ryngwladol Cymru – ac i wasanaethu pob rhan o'r gymuned fywiog hon.

Dywedodd Esgob Llanelwy, y Gwir Parchg Gregory Cameron:

> Rydym yn falch iawn o groesawu Lee i'r ofalaeth hon yn Llangollen ac i ardal genhadaeth Glyn y Groes. Mae Lee yn offeiriad creadigol a thalentog, fydd yn dod â bywiogrwydd a brwdfrydedd i'w rôl Yr un pryd yn ei amser hamdden mae Lee yn mwynhau chwarae a chyfansoddi cerddoriaeth, dawnsio, paentio, heicio, a chadw'n heini. Mae'n aelod o'r *British Music Hall Society*, yn gadeirydd y '*London's Players*' *Theatre*, ac ynaelod brwdfrydig o'r '*Mary Ward Players.*'

Pontio gyda'r gymuned

> *Music is a primary way in which I engage with the community, which also allows me to connect with my own faith. Playing the organ, singing and composing music is something that I still enjoying doing in my spare time. It helps me to re-energise myself and keep in touch with my creative self. Music*

is a powerful way of learning and expressing the awe and wonder of God's presence. As a musician, I often use music when I lead school assemblies as a teaching tool to communicate the Gospel.

Eglwys Sant Collen yw eglwys blwyf tref Llangollen o fewn Esgobaeth Llanelwy Dynododd CADW hon yn adeilad rhestredig Gradd 1. Sefydlwyd yr eglwys gyntaf gan Collen yn y chweched ganrif. Adeiladwyd eglwys newydd yn y drydedd ganrif ar ddeg a datblygodd yr eglwys dros y canrifoedd nesaf hyd nes ei hail adeiladwyd yn llwyr yn y bedwaredd ganrif ar bymtheg. Yma ym mynwent yr eglwys y claddwyd yr enwog '*Ladies of Llangollen*', Plas Newydd sef Eleanor Charlotte Butler a Sarah Ponsonby a'u morwyn Mary Carryl.

Cynhaliwyd gwasanaeth hanesyddol yn Eglwys Collen ym mis Tachwedd 2021, pan fendithiwyd y cwpl un rhyw gyntaf yn swyddogol gan EYC. Y cwpwl hwnnw oedd Y Tad Lee Taylor a'i bartner Fabiano da Silva Duarte. Yr Esgob Gregory Cameron, fendithiodd y bartneriaeth sifil hwn o flaen ffrindiau a theuluoedd y ddau. Yn ddiweddarach cafwyd derbyniad swyddogol yn y neuadd gyfagos i ddathlu'r achlysur. Roedd y seremoni yn bosibl oherwydd bod EYC wedi cynnal pleidlais hanesyddol diweddar yn caniatáu bendithio partneriaethau sifil cyplau o'r un rhyw yn yr eglwys, gan ddefnyddio defod litwrgaidd.

Yr ofalaeth

Mae gennyf ddyletswydd fugeiliol ac ysbrydol mewn tair eglwys yng nghyffiniau Llangollen sy'n cynnwys

- pregethu ac arwain gwasanaethau yn yr eglwysi ac mewn ysgolion
- addysgu
- bugeilio /
- ymweld â chartrefi gofal
- cacdeirio sefydliadau ac elusennau lleol
- rheoli goruchwylio staff y plwyf a mentora myfyrwyr wedi eu lleoli acw.
- cynrychioli aelod o grŵp Strategaeth Wledig i genhadu ac efengylu yn Esgobaeth Llanelwy. Ffocws y grŵp hwn ydy dod o hyd i ffyrdd newydd a chreadigol o helpu eglwysi gwledig i – gysylltu â'u cymunedau lleol.

Ei swyddogaeth

Fy swyddogaeth yw cyflwyno cariad Duw ac adnabod Crist trwy gysylltu â'r gymuned sy'n llywio fy ngweinidogaeth offeiriadol. Felly, yn ogystal â'm dyletswyddau bugeiliol rheolaidd, rwy'n neilltuo amser i weithio ar y cyd gyda sefydliadau dinesig, seciwlar ac eciwmenaidd. Rwyf hefyd yn arwain grŵp anffurfiol yn y dref o'r enw ***'Expand'***, grŵp ar gyfer y rhai sy'n cyfrif eu hunain yn 'ysbrydol ond nid yn grefyddol'. Rydym yn cyfarfod yn rheolaidd mewn tafarn i drafod popeth sy'n gysylltiedig ag ymwybyddiaeth o'r metaffisegol.

Defnydd o gerddoriaeth

Mae cyflwyno cariad Duw trwy gân hefyd yn rhan annatod o'm hoffeiriadaeth. Fel y dywedais eisoes roedd gan fy nain gryn ddylanwad ar fy mywyd. Mae gennyf atgofion melys iawn ohoni yn canu caneuon y *Music Hall* ac emynau Fictorianaidd. Roeddwn wrth fy modd gyda hyn ac yn edrych ymlaen yn eiddgar at eu clywed. Cefais fy nghyffwrdd yn arbennig gan y defnydd o rythm, comedi, y corws a'r cytgan cerddorol '*catchy*'. Caneuon syml a hwyliog eu naws ac yn hawdd iawn eu canu, yn enwedig mewn cwmni.

Mae Lee yn defnyddio amrywiaeth o gerddoriaeth i fywiogi pob math o weithgareddau

Sankey & Moody

Cyfansoddwyd llawer o'n hemynau poblogaidd a chaneuon y *Music Halls* yn ystod y cyfnod Fictorianaidd. Nid syndod felly i mi weld tebygrwydd cerddorol rhyngddynt, er enghraifft, '*chord progressions and chromaticisms*'. Roedd emynau bywiog *Sankey & Moody* yn hawdd eu cofio ac yn frith o alawon ysgafn sentimental. Yn union fel perfformwyr y *Music Halls* roedd *Sankey & Moody* hefyd yn ymgysylltu â'u cynulleidfaoedd drwy ddefnyddio '*patter and jokes*'. Roedd yr iaith lafar a'r straeon yn taro adra gyda'r bobl gyffredin. Byddai'r sesiynau *Pimms and Hymns* hefyd yn hwyl ac yn gymdeithasol iawn.

Music Halls

Yn ystod y cyfnodau clo, cymerais fantais o dechnoleg mewn ymgais i ymgysylltu gyda'n cynulleidfaoedd lleol a dod â phobl at ei gilydd trwy emynau, caneuon y *Music Halls* a chael hwyl, GL oedd fy mhrîf ddull i gynnal sesiynau o ganu cynulleidfaol wythnosol – '*From the Mission Halls to the Music Halls*'. Gyda diolch i *live streams* bu'n bosib i'r gynulleidfa rithiol rannu eu sylwadau gyda mi ar GL neu drwy e bost.

Gyda'n gilydd, buom yn archwilio caneuon a straeon y *Music Halls*, yn enwedig rhai *Sankey & Moody*, yr efengylwyr Americanaidd. Byddwn wrth fy modd yn eistedd wrth fy mhiano gyda gin a tonic mawr, pob nos Sul am chwech o'r gloch.

Canu rhithiol

Rwy'n dal i arwain y canu cynulldiefaol rhithiol hwn. Yn y sesiwn cyntaf, rydym yn canu emynau '*by request*'. Bydd y dewiswr yn dweud ychydig am beth mae'r emyn penodol yn ei olygu iddo ar ei daith ysbrydol. Tyfodd hyn yn fuan iawn yn gynulleidfa ar-lein fyd-eang ac roeddwn bron a boddi ynghanol cynifer o negeseuon e-bost, galwadau ffôn a llythyrau gan bobl ledled y byd. Roedd pobl yn awyddus i rannu eu storiau o ffydd gyda mi. Yn ddiweddar, derbyniais neges hyfryd hon gan gwpl yn eu 60au o Wisconsin, UDA.

Your singalongs have restored some of my faith in Christianity; religion in this country has gotten so angry and politicised that it seems to have forgotten its path. Thank heavens there's still people like you out there, to keep things right!"

Codi arian

Yn aml byddaf yn cyflwyno'r live-streams yma i elusen, sefydliad neu grwp dyngarol penodol. Bydd y cyfraniadau ariannol wedyn yn mynd iddyn nhw. Hyd yma rydym wedi casglu arian i:

- Grwp cefnogi ffoaduriaid y dref
- Banc Bwyd y dref
- Clwb Brecwast Matt
- Cŵn i'r deillion

Brecwast Matt

Mae Eglwys Sant Collen yn estyn allan i'r anghenus mewn sawl ffordd. Bob bore Sadwrn byddwn yn cynnal 'Brecwast Matt', i'r rhai sydd ar incwm isel neu heb incwm o gwbl. Fe'i sefydlwyd gan Matt a fu farw o ganser ychydig flynyddoedd yn ôl.

Banc bwyd

Byddwn hefyd yn gweithio mewn partneriaeth gyda'r Banc Bwyd lleol ***'Llangollen Food Share'*** sy'n casglu a dosbarthu bwyd i'r rhai mewn angen. Yn ystod y pandemig, fe ffurfiwyd '*Collen's Kitchen*'. Roedd hwn yn fenter ymroddedig i baratoi a chyflwyno parseli bwyd i'r rhai unig ac anghenus yn ein hardal.

Celfyddydau perfformio

Teimlwn yn fendithiol o gael cynifer o bobl dalentog yn ein cynulleidfaoedd sy'n gallu perfformio, actio a chanu. Byddwn yn chwilio am ffyrdd i rannu ein ffydd drwy berfformio a rhrwy'r celfyddydau gweledol. Byddwn yn estyn allan i'n hysgolion drwy ymweld a chymryd gwasanaethau gan fwyaf yn ein hysgol uwchradd leol.

Credwn bod hwyl a chwerthin yn rhan annatod o'n bywyd ysbrydol. I'r perwyl hwn yn ddiweddar aethom ati i ffurfio grŵp o'r enw '*The Collen Players*'. Maent yn aelodau yn yr eglwysi lleol ac yn perfformio yn ein neuaddau cymunedol. O fewn y grŵp hwn mae actorion proffesiynol, myfyrwyr yn y celfyddydau o Brifysgol Glyndŵr Wrecsam, ac eraill sydd wrth eu boddau gydag unrhyw agwedd o'r adeg Fictorianaidd.

Denu'r gymdeithas leol i eglwys aml bwrpas

Mae hwn yn ffordd wych o ddod ag aelodau o'n cymuned leol a thu hwnt i mewn i fywyd yr eglwys. Yn wir mae'r mentrau a'r digwyddiadau hyn wedi llwyddo i ddwyn ynghyd grŵp amrywiol iawn sydd fel arfer sydd yn mynychu'r eglwys dim ond ar y Pasg a'r Nadolig. Fel hyn rydym yn llwyddo i ymestyn allan at bobl o bob cefndir mewn ffyrdd newydd a ffres sydd wrth wraidd fy ngweinidogaeth yma yn Llangollen.

Mae'r tueddiad i symud i ffwrdd o fynychu'r eglwysi traddodiadol fel y bu wedi creu angen i ymgysylltu â'r gymuned. Yn sgìl hyn rhaid wrth fwy o hyblygrwydd yn y defnydd o'n hadeiladau er mwyn hwyluso hyn. Dyma gyfle felly i gyflwyno digwyddiadau seciwlar yn ogystal â digwyddiadau sanctaidd o fewn ein heglwysi.

Yn ddiweddar, sefydlais weithgor i gynllunio dulliau o godi arian i ail gyfeirio'r eglwys. Ein gweledigaeth yw atgyfnerthu rôl yr eglwys fel canolbwynt y gymuned. Hefyd datblygu defnydd llawer mwy hyblyg o'r adeiladau fel y gall y gymuned ehangach eu defnyddio ar gyfer gweithgareddau cymunedol, cyngherddau ac ati.

Ein galwedigaeth: ymestyn allan

Yn ogystal â derbyn croeso cynnes wrth ymweld â'r eglwys mae angen i bobl deimlo'r egni cysegredig, dwyfol a'r heddwch yr un pryd. Pwysleisiwn nad oes unrhyw ffin na rhwystr o fewn i'n heglwysi. Bu Eglwys Sant Collen, yn fan addoli i'r gymuned hon am bron i bymtheg canrif. Gofalwyd am yr adeilad ar draws y canrifoedd drwy ei haddasu'n sylweddol yn ôl gofynion yr oes.

Mae'r gair '*parish*'/plwyf' yn tarddu o'r iaith Roeg'. Ei ystyr yn llythrennol yw 'y rhai sy' tu allan i'r tŷ. Mae hyn yn ein hatgoffa fod ein cenhadaeth yn ymestyn y tu hwnt i furiau'n hadeiladau.

Ein galwedigaeth yw ymestyn allan i fywydau'r rhai sy'n byw ac yn gweithio yn ein cymuned leol. Cnewyllyn y prosiect hwn yw ymateb i'w hanghenion hwy.

Hon yw'r athroniaeth sy'n treiddio holl fodolaeth yr eglwys. Felly rhown sylw i'r dynol a'r dwyfol yn ein holl ymdrechion. Mae ein heglwys yn hardd, sanctaidd, a chymhellol i adlewyrchu gogoniant Duw. Defnyddiwn y Gair a gweddi, symud a chân, llun a lliw, drama a dawns i glymu'r galon a'r meddwl i'n hysbrydoli ar bob lefel.

Y cynllun

Ar hyn o bryd, mae'r allor uchel yn creu gwagle sy'n gwahanu offeiriad o'i gynulleidfa. Anelwn at addasu pen dwyreiniol y '*Nave*' ar gyfer *Dais* a *Nave Altar* i ni ymateb i'n anghenion diwinyddol. Bydd hwn yn symbol pwerus o bobl Duw yn ymgynnull o amgylch y bwrdd i rannu yn y wledd ewcharistaidd.

Y rheidrwydd dynol

Mae hyn yn golygu canolbwyntio ar anghenion ymarferol bob dydd bobl a sicrhau eu bod yn teimlo'n gynwysedig a chyfforddus yn ein hadeilad. Bydd creu gofod litwrgaidd ar gyfer *Dais* a *Nave Allor* yn galluogi pobl (yn enwedig y rhai â golwg a chlyw gwael) i weld a chlywed yn well. Mae'r seddau a'r dodrefn sefydlog o fewn ein heglwysi yn gallu bod yn rhwystredig. Mae nifer yn cwyno bod y seddau yn anghyfforddus.

Cawn ein hatgoffa bod angen i'r Eglwys fedru cysylltu â bywyd bob dydd bob cenhedlaeth ac â diwylliant ei chymuned boed yn wledig neu'n ddinesig.

Felly, gan i ni ein lleoli mewn tref gerddorol a chreadigol yn frith o grwpiau'r celfyddydau perfformio, mae'n flaenoriaeth uchel gennym i greu mangre hyblyg lle gall y grwpiau a'r bobl ifanc ddatblygu a ffynnu.

Cred Lee bod Duw yn ein caru ni bob un ac na ellir gwahardd unrhyw un o'r cariad dwyfol hwn. Cawsom ein creu drwy weithred fawr o gariad ac felly rydym bob un yn cael ein galw i fyw bywydau cariadlon. Gallwn estyn allan at bawb, a'u caru'n hyderus am ein bod yn un teulu o dan yr Un Creawdwr Anfeidrol.

Bydd nifer ohonom yn colli ein ffordd ar ein taith bywyd oherwydd byddwn yn:

- anghofio'r gwirionedd tragwyddol hwn

- ymlacio'n gyfforddus i fywyd ffisegol pleserus
- gadael i'n synhwyrau ein temptio
- a byddwn yn mynd ar gyfeiliorn.

Mae dysgeidiaeth Iesu yn cyfleu gwir natur Duw tra'n dehongli rôl yr Eglwys yn glir:

- gweinidogaethu
- cenhadu drwy gyhoeddi a chyfeirio eraill at Deyrnas Duw drwy bŵer yr Ysbryd Glân
- bugeilio gan ddangos i'r byd fod pob un ohonom yn cyfri yng ngolwg Duw
- argyhoeddi eraill mai'r eglwys yw'r offeryn sy'n arwyddo'r deyrnas

Gwaith yr eglwys yw lledaenu'r newyddion da fod presenoldeb Duw yn gwneud gwahaniaeth enfawr i fywyd dynol.

Mae Lee yn defnyddio profiad ei ieuenctid fel mab i dafarnwyr i ymweld â thafarndai'r dref i gymdeithasu a'r trigolion. Cymrodd fantais o'r cyfle i drafod y rhesymau pam nad oedd y mwyafrif ohonynt yn mynychu'r eglwys. Fel canlyniad i'r sgyrsiau lluniodd y poster hwn gan ei ddosbarthu i bob tŷ tafarn, ei bostio ar GL yr eglwys a'i ddosbarthu'n eang o gwmpas y dref.

Welcome poster for the Llangollen Group of Anglican Churches

No matter who you are or where you are on life's journey, you are welcome in our churches.

Welcome if you're 'just browsing,' just woke up, or just got out of prison. Welcome to those who are single, married, divorced, widowed, gay, transgender, confused, filthy rich, comfortable, or dirt poor.

Welcome if you're more Christian than the Archbishop of Wales, or haven't been in church since little Jack's christening.

Welcome if you're having problems or you're down in the dumps or if you don't like 'organised religion', if you blew all your money on the horses, if you work too hard, don't work, don't know anything about 'church' or are only here because grandma is in town and she wanted to go to church.

Welcome if you believe in God some of the time or none of the time or all of the time.

Welcome seekers and doubters, saints and sinners, regulars, visitors, friends and strangers.

There is something for all in our group of churches.

Mae'r ymateb wedi bod yn bositif ac mae'n amlwg o sgwrsio a nifer o drigolion y dref bod ganddynt barch mawr tuag at y Tad Lee Taylor am ei fod yntau yn eu parchu nhw. Ei nod yw helpu eraill i dyfu mewn aeddfedrwydd ysbrydol. Roedd ef a'i Nain yn caru ei gilydd – mae hynny'n dangos yn ei holl agwedd ac at eraill.

* * *

Taro sylw: Mae'n bosib dangos drwy weithred bod Duw yn ein caru ni bob un ac nad oes gan unrhyw fodyn dynol y gallu i wahardd unrhyw un o'r cariad dwyfol hwnnw.

Ysbrydoliaeth

God of Mercy God of Grace yn seiliedig ar Salm 67 ar yr emyn-dôn, *Heatherlands.*

Paul Westermeyer (2005), Let the People Sing Hymn Tunes in Perspective

> *Let the people praise thee, Lord;*
> *earth shall then her fruits afford;*
> *God to man his blessing give,*
> *man to God devoted live;*
> *All below, and all above,*
> *one in joy, and light, and love.*

Sbardun

Sacred Songs and Solos by Sankey & Moody

Cyswllt

www.stcollenschurch.org.uk
01978 861768 / 592092
Twitter @Llan_churches @FrLeeAnthony
www.a/ llthingsheavenandmirth.com

RHAN 2

Tanio'r fflam – cenhadu i ddenu'r ifainc a'r gymuned leol

'Wrth in wrando'r Iesu, haws adnabod Duw'

Hyfryd eiriau'r Iesu,
    bywyd ynddynt sydd,
digon byth i'n harwain
    i dragwyddol ddydd:
maent o hyd yn newydd,
    maent yn llawn o'r nef;
sicrach na'r mynyddoedd
    yw ei eiriau ef.

Newid mae gwybodaeth
    a dysgeidiaeth dyn;
aros mae Efengyl
    Iesu byth yr un;
Athro ac Arweinydd
    yw efe 'mhob oes;
a thra pery'r ddaear
    pery golau'r groes.

Elfed (1860-1953)
Caneuon Ffydd, rhif 381

"The future depends on what we do in the present."

Mahatma Gandi (1869-1948)

2.1 Thomas Jones: Y cenhadwr cyntaf Cymraeg

2.1.1 Parchg John Owen

Gweinidog

Portread Thomas Jones

(1810–1849)

Cododd Thomas Jones, y cenhadwr cyntaf o Gymru yn aml yn ein sgwrs. Roedd John 'di dotio at allu'r cenhadwr i ddenu cynulleidfaoedd yn hytrach na'i dwrdio â bygwth tân a brwmstan. Fe aeth Thomas Jones cyn belled a dysgu'r iaith Khasi er mwyn cyfathrebu gyda'i gynulleidfaoedd. A dyna wers i ni oll cyn cychwyn ar ei hanes: dysgu iaith ein cynulleidfa darged.

Portread lliwgar a diddorol John o Thomas Jones, y model hwnnw o genhadwr o Gymru

Dwyrain India

> Yn 1841 bu i'r Methodistiaid Calfinaidd (Presbyteriaid bellach) sefydlu Cymdeithas Genhadol gan anfon Thomas Jones o Ferriw gyda'i briod newydd, Annie, yn genhadwr tramor cyntaf i Ddwyrain India gyda'r nod o ennill calonnau'r brodorion i'r Ffydd Gristnogol. Edrychid ar y Genhadaeth am flynyddoedd yn nhermau'r Genhadaeth Gartref a'r Genhadaeth Dramor gan sylweddoli yn y ganrif ddiwethaf mai un genhadaeth sydd gartref neu dramor. Yn ffodus i drigolion Cherrapunjee, Bryniau Khasia a Jaintia, fe gawson nhw ddyn oedd ymhell o flaen ei oes i arloesi'r ffordd i'r cenhadon eraill âi dilynodd. Nid un oedd yn ymddiddori yn yr enaid yn unig ydoedd, ond un oedd yn meddwl am y person cyfan yn gorff, meddwl, ac enaid, a pherson oedd hefyd yn perthyn i deulu ac i gymuned arbennig.

Dyna aml sgiliol

Ar wahân i'w gymwysterau fel Methodist ac yn wir fel un o'r rhai cyntaf a addysgwyd yng ngholeg newydd yr enwad yn y Bala a sefydlwyd gan y Dr Lewis Edwards, roedd hefyd yn fab i saer coed oedd yn saer maen, yn felinydd ac yn ffarmwr. Ganed Thomas Jones yn Nhant y Ffridd cyn i'r teulu ymgartrefu ym Melin Llifior ym mro Llangynyw heb fod ymhell o Ferriw. Roedd Thomas Jones wedi meistroli sawl crefft gyda'i dad, ond crefft y saer coed a chrefft y saer maen yn fwyaf arbennig. Pan gafodd ei feddiannu gyda'r syniad o fynd yn genhadwr, gwrthodwyd ei gais i fynd i India ar y cyntaf gan Gymdeithas Genhadol Llundain ar sail ei iechyd ac ni fynnai yntau fynd i Dde Affrica. Ond yn 1841 cafodd wireddu ei freuddwyd o fynd i India.

Hiliaeth y Fyddin Brydeinig

Croeso braidd yn oeraidd a gafodd ymysg aelodau'r Fyddin Brydeinig yn Cherra. Meddai un aelod wrtho

> "Jones, ewch adra, mi fydd yn haws i chi addysgu'r mwncïod yn y goedan yna nac addysgu'r bobol yma."

Ond fe gafodd groeso ar aelwyd Lewin oedd yn aelod o'r fyddin. Roedd y fyddin yno i amddiffyn yr East India Company. Ond fe ymbellhaodd Thomas Jones oddi wrth y Fyddin a'r East India Company wedi gweld eu hagwedd orthrymus tuag at y brodorion.

Dysgu iaith

Ar y dechrau cyfyng iawn oedd y canllawiau i'r cenhadwr gan mai'r unig gymhwyster oedd yr awydd a'r ddawn i gyflwyno'r Efengyl i'r brodorion mewn geiriau eraill "achub eneidiau". Ni chyfyngodd Thomas Jones ei weithgarwch i'r amcan hwnnw yn unig. Roedd dysgu'r iaith Khasi wrth gwrs yn angenrheidiol er mwyn cyfathrebu hefo'r brodorion.

Dyfeisio gwyddor Khasi

Aeth Thomas Jones ymhellach gan sefydlu'r iaith oedd yn llafar yn unig yn iaith ysgrifenedig. Sylfaenodd yr iaith ar sail y dull Rhufeinig yn hytrach nag ar y dull Bengalaidd. Roedd y dull hwnnw a fabwysiadwyd o'i flaen gan y Bedyddwyr o dan arweiniad William Carey yn fethiant. Bu Thomas Jones yn llwyddiannus gyda'i ddull Rhufeinig. Yn sgìl ymroddiad Thomas Jones fe gafodd ei ddisgrifio fel "Tad y Wyddor Khasi a'i Llenyddiaeth".

Rhannu'r efengyl

Wedi meistroli'r iaith fe ddefnyddiodd y dull llafar a'r dull ysgrifenedig i rannu'r Efengyl gyda'r brodorion. Ar y dechrau mi fyddai'n pregethu i'r brodorion yn yr awyr agored yn ogystal â chynnal Ysgol Sul yn ei gartref. Trwy wahoddiad y digwyddai hynny, rhai gyda diddordeb dilys yn ei neges ac eraill yn mynychu oherwydd chwilfrydedd. Ar y dechrau mae'n wir i ddweud fod presenoldeb Thomas Jones a'i neges yn rhannu teuluoedd. Ond byrhoedlog fu hynny diolch i Thomas Jones a'i ddoniau.

Ysgol Sul

I bwrpas yr Ysgol Sul fe gyfieithodd y Rhodd Mam a'r Hyfforddwr i'r iaith frodorol ac fe luniodd Lyfr Darllen Khasi. Yn y man fe gyfieithodd Efengyl Mathew. Yn y man sefydlodd dair ysgol ddyddiol. Nid oes gofnod iddo ennill aelodau a fyddai'n sylfaen i Eglwys yn y wlad am y tro cyntaf, ond yn sicr fe arloesodd y ffordd ar gyfer hynny i'w olynydd William Lewis.

Cenhadu ehangach

Cael yr Efengyl yn yr iaith a throi'r iaith honno yn ysgrifenedig oedd yn gyfrifol am ennill calon y bobol, yn ogystal â'i gonsyrn am y bobol yn eu cartrefi ac yn y gymuned. Sylwodd fod y brodorion yn byw mewn bythau cyntefig heb ffenestri agored. Pan welodd hynny anogodd hwy i agor eu ffenestri a'u helaethu yn eu bythau er mwyn yng ngeiriau Thomas Jones ei hun "Agorwch ffenestri eich tai er mwyn i haul Duw ddod i mewn ac i drychfilod fynd allan."

Dysgu crefftau

Fel crefftwr profiadol roedd yn gallu rhoi'r brodorion ar ben y ffordd yn ogystal â dysgu iddyn nhw grefft y saer coed. Roedd Thomas Jones yn saer maen hefyd ac fe ddysgodd y brodorion i drin cerrig ar gyfer codi cartrefi cadarnach iddyn nhw eu hunain. Dangosodd iddyn nhw hefyd ei bod hi'n rhatach i losgi calch hefo glo yn hytrach na gyda choed. Cyflwynodd iddyn nhw yn ogystal ddulliau newydd o gynhyrchu tatw. Fo awgrymodd hefyd fod angen ffordd addas i drafnidiaeth i weddill India. Byddai hynny yn hwyluso datblygu masnach hefo gweddill India. Byddai hynny yn gwella eu hamgylchiadau economaidd.

Ffrwgwd

Ymhen dwy flynedd ar ôl dyfodiad Thomas Jones fe ddaeth William Lewis a'i briod i'r maes. Bu peth tensiwn rhwng y ddau ynghylch natur eu cenhadaeth. I William Lewis achub eneidiau oedd y flaenoriaeth a'r unig flaenoriaeth. Dyna bolisi'r enwad yn y cyfnod hwn, ond gwelai Thomas Jones fod ei genhadaeth yn ehangach na hynny. Nid yn unig oedd gan y brodorion eneidiau, roedd ganddyn nhw gyrff a meddyliau hefyd.

Diarddeliad

Yn eironig wedi iddo ef a'i briod golli plentyn, ac yntau yn ei dro yn colli ei briod, ymhen amser fe ail briododd gyda merch bymtheg oed o waed cymysg. Y canlyniad oedd iddo gael ei ddiarddel a daeth nawdd ei enwad yng Nghymru i ben. Ond ni pheidiodd Thomas Jones â bod yn genhadwr dros Grist. Yn y cyfnod unig hwn a ddilynodd ei ddiarddeliad mae tystiolaeth iddo sefyll dros un o'r brodorion a gafodd ei gam drin gan aelod o'r fyddin. Roedd cyfiawnder cymdeithasol yn bwysig iddo hefyd.

Diwygiwr cymdeithasol

'Does ryfedd i un brodor grynhoi gyrfa Thomas Jones yn yr India yn y termau canlynol,"Y diwygiwr cymdeithasol mawr o Gymru". Fel Cymry fe ddylem ymfalchïo ynddo ef fel llais i'r Efengyl a'r hyn a wnaeth yn ysbryd yr Efengyl.

Yn 1991 ar achlysur dathlu canmlwyddiant a hanner Y Genhadaeth fe gafodd John wahoddiad i lunio sgript ar gyfer yr achlysur. Canolbwyntiodd ar Thomas Jones y Cenhadwr cyntaf a bu hynny yn agoriad llygad i fawredd y dyn wrth iddo durio'n ddyfnach i'w hanes.

Ac meddai John

Ond i goroni'r cyfan fe gefais y fraint o ddilyn ôl ei droed wrth i mi gynrychioli'r Cyfundeb fel ei Llywydd ar ymweliad â Cherra, Bryniau Khasia a Bryniau Jaintia yn 2008. Gwelais fedd ei briod yn Cherra a dychwelyd yn 2010 gan weld ei fedd yntau ym Mynwent Albanaidd, Kolcatta. Hefyd wrth gwrs cefais gyfle i fynd i Faldwyn a bro Beriw i ymweld â Than y Ffridd lle ganed ef a Melin Llifior lle cafodd ei fagu a meistroli sawl crefft yng nghwmni ei dad.

* * *

Ganed John yn 1940 yn Nhregaian, Sir Fôn yn fab i Robert Hugh ac Eira Wen ac yn frawd hynaf i'r diweddar Emyr ac i Eilir. Mynychodd Ysgol Gynradd Sirol Tŷ Mawr, Capel Coch ac Ysgol Gyfun Llangefni cyn mynd i Aberystwyth i astudio Cymraeg ac yna i Fangor i astudio diwinyddiaeth. Bu'n weinidog yn Nyffryn Peris am dair ar ddeg mlynedd, yn Nyffryn Clwyd am saith mlynedd ar hugain a bellach mae wedi ymddeol ers deunaw mlynedd. Mae gan John ddau fab o'i briodas gyntaf i'r ddiweddar Ann a thri llys fab o'i ail briodas i'r ddiweddar Gwenda. Mae ganddo deuddeg o wyrion i gyd. Mae John wedi ymgartrefu yn nhref Rhuthun ac mae mor brysur a gweithgar ag erioed.

Taro sylw: Oni ddylem yn 2022 wthio'r cwch i'r dŵr a defnyddio 'lingo' cyfoes i daenu'r efengyl yn hytrach na glynu'n dynn a ffyddlon at iaith a threfniadau 1922 er mor ysbrydoledig ac addas bryd hynny.

Ysbrydoliaeth
Emyn Eifion Wyn (1867-1926) *Caneuon Ffydd*, Rhif 164

Dy garu, digon yw
wrth fyw i'th wasanaethu,
ac yn oes oesoedd ger dy fron
fy nigon fydd dy garu.

Sbardun
Gibbs Mark & Morton T Ralph, 1964, *God's Frozen People*

Cyswllt
johnowen217@btinternet.com

2.2 Sefydliadau cenedlaethol

2.2.1 Parchg Dafydd Aled Davies

Cyfarwyddwr
Cyngor Ysgolion Sul /
Cyhoeddiadau'r Gair
Gweinidog rhan amser:
Chwilog, Pencaenewydd,
Llwyndyrys, Tyddynshon a
Capel y Beirdd

Ganed Aled yn 1967 ym mhentref Llanllwni, Sir Gaerfyrddin. Fe'i hyfforddwyd ym Mangor fel gweinidog i enwad y Bedyddwyr, a bellach mae'n gweithredu fel gweinidog bro rhan amser yn ardal Chwilog, Eifionydd i dri enwad gwahanol (Annibynwyr, Bedyddwyr a Phresbyteriaid), ac fel Ysgrifennydd Cymanfa Bedyddwyr Arfon. Mae'n briod a Delyth Wyn, ac mae ganddynt dau o blant, sef Gruffydd a Llio. Fel mab i arwerthwr mae'n mwynhau chwarae rhan arwerthwr o dro i dro trwy gynnal ambell arwerthiant i godi arian at elusennau.

Ers ei benodi gan Gyngor Ysgolion Sul yn 1989 y mae Aled Davies wedi gweithredu fel Swyddog Datblygu Gogledd Cymru (1989-1996), Ysgrifennydd Cyffredinol (1996-2006) a bellach fel Cyfarwyddwr y gwaith ers 2006. Ef hefyd yw Cyfarwyddwr Cyhoeddiadau'r Gair ers ei sefydlu yn 1992.

Magwraeth a dylanwad yr Ysgol Sul

> Dwi'n ddiolchgar am fagwraeth dda, am ddylanwad rhieni cariadus a gofal teulu. Roedd ein teulu ni – yn hen deulu o Fedyddwyr ac felly i Ysgol Sul Aberduar yn Llanybydder yr es i. Roedd Dad wedi ei fagu yn Annibynnwr, ym Mhisgah, Talgarreg, ond wedi priodi Mam, fe gymrodd ei fedyddio ac ymuno fel aelod yn Aberduar. Mae gen i atgofion plentyndod melys o'r aelwyd gynnes honno yn Aberduar. Dosbarth Ysgol Sul Anti Wini ar gyfer y meithrin, a lot fawr o liwio. Roedd Anti Wini

hefyd yn berchen ar siop fferins, a bob Sul bydde hi yn dod a jar fawr gyda hi, oedd ac ychydig o ddanteithion yn weddill ynddi, a ninnau yn cael y fraint o'i gwagio. Yna i ddosbarth Yncl Dewi, ac erbyn fy arddegau dosbarth ieuenctid Helen Davies. Roedd hi'n Ysgol Sul niferus, gyda llawer iawn o fechgyn,

Gweledigaeth

Ond yna yn un ar bymtheng mlwydd oed dwi'n cofio mynd i sgwrsio efo Mam yn y gegin un pnawn, a dweud mod i am fynd yn weinidog. Rwy'n credu bod hyn wedi bod yn dipyn o sioc i bawb ar y pryd. Does gen i ddim cof o neb wedi awgrymu'r peth, a hyd y gwn i doedd e ddim yn rhywbeth oedd wedi bod yn cyniwair yng nghefn fy meddwl innau chwaith. Ond o'r foment honno ymlaen, doedd dim edrych 'nôl i fod. Ymateb Mam oedd mynd â fi lawr i siop Gomerian Press yn Llandysul, a gofyn am lyfr a fyddai'n help i'r cyw bregethwr. *The Lion Handbook of the Bible* oedd y llyfr a ddangoswyd i ni. Fe ofynnodd Mam oedd e ar gael yn Gymraeg, ond doedd e ddim wrth gwrs, ac felly mae'r copi Saesneg hwnnw'n dal gen i hyd heddiw, yn drysor.

Gwireddu breuddwyd: hau hadau

Deng mlynedd yn ddiweddarach, wedi llwyddo i berswadio deuddeg o ddiwinyddion amlycaf Cymru i'w gyfieithu. Fe'i cyhoeddwyd yn y Gymraeg fel Llawlyfr y Beibl. Roedd y syniad o fynd ati i'w gyhoeddi wedi ei blannu deng mlynedd ynghynt rwy'n siŵr. Weithiau mae'n werth dal gafael mewn breuddwydion a mynd amdani. Mae'n rhyfeddol weithiau be sy'n bosib. Peidiwn â bod ofn mentro, a chredu bod pethe y tu hwnt i'n gafael a'n gallu ni, yn enwedig os yw Duw yn rhan o'r fenter. Dwi wrth fy modd efo geiriau'r cenhadwr, William Carey: 'Disgwyliwch bethau mawr. Ceisiwch bethau mawr.'

Prentis gweinidog

Teg dweud i Aled fwrw ei brentisiaeth o gwmpas de Ceredigion a Sir Gaerfyrddin. Am tua blwyddyn a hanner bûm yn pregethu bob Sul, tair oedfa fel arfer, o gwmpas eglwysi de Ceredigion a gogledd Sir Gaerfyrddin. Derbyniodd Aled gydnabyddiaeth gynnes fel pregethwr ifanc a chafodd gyfle a chefnogaeth frwd gan yr eglwys leol i ymarfer ei ddawn.

Hyfforddiant a dewis gyrfa

Derbyniwyd Aled yn fyfyriwr B.D. yn y Coleg Gwyn a Choleg Bala-Bangor pryd gafodd y cyfle i flasu posibiliadau ychwanegol a thu hwnt i'r weinidogaeth.

Ond wedi cyrraedd Bangor dyma sylwi bod 'na lwybrau eraill hefyd y gallwn droedio arnynt, a bu'r cyfnod cynnar yn y coleg yn gyfnod o holi a stilio ac efallai yn gyfle i gwestiynu a herio'r llwybr ro'n i wedi cychwyn arno. Yn ogystal â gwneud cwrs gradd mi ffeindies i fy hun yn gwneud o leiaf dair swydd arall. (A be sy'n newydd am hynny, medde chi!) Mi ro'n i'n dipyn o whîlyr dîlyr, yn prynu a gwerthu bob math o bethe o'm hystafell yn y coleg – siop recordie Cymraeg, offer trydanol ayb – ac fel Arthur Daley y bydd fy ffrindiau coleg yn fy nghofio bob amser. Dyma un llwybr oedd yn agor o'm blaen.

A llwybr arall fyth

Daeth cyfle i brynu disco Cymraeg – hen ddisgo Mici Plwm, ddaru droi yn Ddisgo'r Corwynt, ac yna Disgo'r Brenin (gan gadw'r enw brenin Arthur Daley i fynd). Roedd hyn yn golygu teithio i bob twll a chornel o Gymru, o Glwb Ifor Bach yng Nghaerdydd i'r Dicsi yn Rhyl, a dwy noson yr wythnos yn y Clwb Cymraeg ym Mangor. Roedd gen i raglen ar Radio Ysbyty Gwynedd, a phytiau rheolaidd i Radio Cymru, a cheisiadau i gyflwyno bandiau mewn gwylie roc cenedlaethol. Roedd 'na lwybr arall eto yn agor o'm blaen.

Gwirfoddolwr: Cyngor Ysgolion Sul

Ond dal ar y llwybr gwreiddiol wnaeth Aled ac ychwanegu at ei brofiadau drwy wirfoddoli gyda Chyngor Ysgolion Sul. Yn y cyfnod yma daeth cyfle i wirfoddoli gyda Chyngor Ysgolion Sul mewn gwersylloedd yn Rhyd-ddu, stiwardio gornestau pêl-droed Ysgolion Sul, helpu ar stondinau llyfrau ayb. A thrwy'r profiadau hynny a chriw myfyrwyr Bala Bangor lle ro'n i'n byw, dod i sylweddoli bod taith ffydd hefyd yn siwrne, a bod mynegbyst ar hyd y ffordd honno.

Ffydd bersonol

Dwi ddim yn cofio adeg pan nad oedd gen i ffydd. Fel plentyn mi ro'n i'n weddïwr cyson a ffyddlon, a'r peth naturiol mewn unrhyw amgylchiad oedd i rannu hynny gyda Duw.

Llwybr bywyd yn ymddangos yn bendant a chadarn.

Ond yn y cyfnod yma ym Mangor fe wnaeth y gwahanol ddarnau jig-so ddisgyn i'w lle, er mwyn gweld falle am y tro cyntaf sgerbwd o'r darlun llawn. Rwy'n cofio bod mewn siop fargeinion un tro. Roedd ganddyn nhw gannoedd o jig-sos mewn bagiau plastig. Doedd gan neb syniad beth oedd y llun ar y jig-so wrth ei brynu. Rwy'n siŵr bod 'na wefr, wrth ddechrau rhoi'r darnau at ei gilydd, o ddod i wybod be yn union oedd y llun. Profiad tebyg i hyn ddigwyddodd i fi yn y cyfnod yma, a dod i

> sylweddoli bod Iesu am berthynas bersonol gyda fi, a fy mod i'n medru ymddiried ynddo fe am bopeth. Mae'r daith yn parhau, ac mae 'na ambell fyny ac i lawr, ond mae e wedi aros yn ffyddlon drwy'r cyfan.

Teimlai Aled y byddai'r holl brofiadau dyddiau coleg ym Mangor yn dwyn ffrwyth mewn rhyw ffordd neu'i gilydd. Byddent yn dylanwadu ar weddill ei fywyd ac yn chwarae rhan flaenllaw yn ei yrfa a'i weinidogaeth. A dyna a fu:

> Wrth i 'nghyfnod i ym Mangor ddirwyn i ben roedd yr alwad wedi ei chadarnhau, ac roeddwn yn ysu am gael rhan yng ngwaith yr efengyl yng Nghymru. Fe ddois o Fangor efo gradd mewn DJ'io ac anrhydedd dosbarth cyntaf mewn whîlio a dîlio, ond y B.D. wedi hen ddiflannu, a dim ond trwy drugaredd a graslonrwydd y prifathro y ces fy nghymeradwyo i'r weinidogaeth. Eto, mewn rhyw ffordd ryfedd, bydde'r holl brofiadau ges i yn nyddiau Mangor yn dylanwadu ar weddill fy mywyd, ac yn chwarae rhan yn fy ngweinidogaeth i.

Cyngor Ysgolion Sul

> Yn y cyfnod yma hefyd fe ddaeth swydd ar gael gyda Chyngor Ysgolion Sul, sef swyddog datblygu gwaith yr Ysgol Sul yng Ngogledd Cymru. Cefais gyfweliad ar ddydd Mercher canol Mai, a dechrau ar y swydd yn llawn amser y dydd Gwener hwnnw, gan yrru lori yn llawn offer a llyfrau ar gyfer cynnal stondin yn Eisteddfod yr Urdd.

Y *whilyr dilyr* i'r wyneb unwaith yn rhagor

> Wedi derbyn y swydd, dyma alwad i fod yn weinidog rhan-amser yn y Bont. Roedd ambell un yn amheus a fyddai cyflawni'r ddwy swydd yn bosib a chytunwyd ar flwyddyn o gyfnod prawf o'r ddwy ochr, a chyfle i werthuso deng mlynedd ar hugain yn ddiweddarach – nid yw'r cyfarfod hwnnw byth wedi cymryd lle.

Mae cyfrifoldebau Aled yn niferus ac amrywiol, yn eang a'i ddylanwad a'i weithgarwch yn bell gyrhaeddol. Mae'n amlwg o sgwrsio gydag ef ac eraill sydd yn cyfrannu i'r gyfrol fod gwaith diflino Aled a'i drosolwg cenedlaethol yn unigryw. Yn ystod y pandemig roedd ei gefnogaeth a'i egni fel manna o'r nefoedd.

Mae'r deunyddiau a gynhyrchwyd ar adeg mor bryderus ac ansicr wedi achub sawl teulu a sawl plentyn s sawl athro gan gynnig cymorth ymarferol ddefnyddiol mewn cyfyngder.

Mae'r wybodaeth sydd ar gael ar y gwefannau niferus a thrwy'r tudalennau cymdeithasol yn werthfawr iawn ac yn drosolwg o'r trysorau gwerthfawr a hawdd eu defnyddio sydd ar gael yng Nghymru gyfoes.

Gwefannau
www.cristnogaeth.cymru
Adran ffeithiol am Gristnogaeth

www.beibl.net

- dros 1500 o ffeiliau
- adnoddau i ysgolion ac eglwysi: PowerPoint, ffilmiau, sgetsus
- studiaethau a gwasanaethau

www.gair.cymru

- oddeutu 1700 eitem i'w lawr lwytho adnoddau yn rhad ac am ddim.
- tua 200 o wersi ysgol Sul mewn adrannau
- lluniau lliwio, taflenni gweithgaredd a phosau.
- gwasanaethau/gweddïau a myfyrdodau thematig i achlysuron arbennig
- myfyrdod yn y gyfres 'Blwyddyn gyda Iesu'
- adnoddau ar gyfer y Nadolig a'r Pasg

www.gobaith.cymru

- 'hyb' i dros 1000 o emynau a chaneuon Cristnogol Cymraeg

Sianel deledu newydd: Teledu Cristnogol Cymru

Tudalennau ar y Cyfryngau Cymdeithasol
Crewyd dwy dudalen newydd ar Gweplyfr

Gair o Weddi

- weddïau amserol a thymhorol.
- cafwyd ymateb yn syfrdanol, gyda nifer fawr yn hoffi, dilyn a rhannu.

Emynau Gobaith

- emynau a chaneuon newydd trwy linc YouTube
- emynau 'cyfarwydd' nad ydynt yn '*Caneuon Ffydd*'

Addaswyd adnoddau a luniwyd eisoes

- Cyngor Ysgolion Sul / Cyhoeddiadau'r Gair
- tudalen wreiddiol sy'n rhannu newyddion a gwybodaeth.
- ddeutu 20 postiad wythnosol i gyfeirio at fentrau ac ymdrechion mudiadau ac enwadau
- gwersi Ysgol Sul wythnosol, ffilmiau newydd i'w gwylio, linciau at y we ayb

Beibl Byw / Cristnogaeth Cymru
Myfyrdod dyddiol gyda'r Iesu trwy'r Grawys, ac yna o'r Pasg i'r Pentecost

- deunydd newydd ar gyfer yr Adfent i deuluoedd ac oedolion
- ffilmiau byrion i rannu negeseuon gobeithiol a thymhorol.
- dyfyniadau ysbrydol mewn llun
- gwybodaeth am gynlluniau darllen y Beibl, a ffilmiau tystiolaethau a defosiynol.

Beibl.net
Rhannwyd adnod y dydd:

- pennod o'r Efengyl yn ôl Luc yn ddyddiol trwy'r Grawys
- pennod o lyfr yr Actau trwy gyfnod y Pasg i'r Pentecost
- thaith coeden Jesse dros gyfnod yr Adfent a

Twitter ar gyfer yr Ysgol Sul a beibl.net.

Crëwyd ffilm i esbonio nod ac amcan pob un gwefan
Cynhyrchwyd 4 pop-yp ar gyfer arddangosfeydd, ac argraffwyd 10,000 marc llyfr sy'n crynhoi cyfeiriadau a gwybodaeth syml am y 5 gwefan.

* * *

Taro sylw: Mae cyfuniad amhrisiadwy o adnoddau ar gael ar y we. Tybed sawl 'achos' sy'n manteisio'n llawn arnynt, a pha wahaniaeth a wnant i werthoedd Cristnogol plant ac ieuenctid. A phwy sy'n gwybod... o enau plant bach?

Ysbrydoliaeth

"Gwyddoch nad yw eich llafur yn yr Arglwydd yn ofer." 1 Corinthiaid. 15.58

Cyfeirnodau

Gwefannau, tudalennau cymdeithasol ayb

Cyswllt

aled@ysgolsul.com

2.2.2 Nerys Siddall

Rheolwr a Swyddog Addysg
Cymdeithas y Beibl Canolfan
Byd Mary Jones yn Y Bala

Ganed Nerys yn 1989 a'i magu yn Llangefni, Mynychodd Brifysgol Bangor gan raddio yn y Gymraeg a diwinyddiaeth. Yna aeth ymlaen i gwblhau cwrs Tystysgrif Addysg ôl-raddedig uwchradd. Yn 2014, ar ôl cyfnod o addysgu Addysg Grefyddol yn Ysgol Uwchradd Caereinion fe'i apwyntio gan Gymdeithas y Beibl yn Rheolwr Canolfan a Swyddog Addysg Byd Mary Jones yn Y Bala. Mae'n byw yn Llanuwchllyn gyda'i gŵr, Carwyn a'u merch, Miriam.

Cymdeithas anenwadol i gyflenwi copïau o'r Beibl trwy'r byd yw Cymdeithas y Beibl, yr enw llawn yw Cymdeithas Feiblaidd Frytanaidd a Thramor ac yn Saesneg *British and Foreign Bible Society*.

Ffurfiwyd y gymdeithas yn Llundain ar Mawrth 4ydd 1804. Rhoddwyd y sbardun i greu'r gymdeithas pan gerddodd Mary Jones pum milltir ar hugain o Lanfihangel-y-pennant i'r Bala i geisio prynu Beibl gan Thomas Charles. Nid oedd ganddo'r un yn weddill, ond o weld siom Mary, gwerthodd un oedd wedi ei addo i rywun arall iddi.

Ar ymweliad a Llundain yn dechrau 1804, soniodd wrth nifer o gyfeillion am yr hanes, gan bwysleisio'r prinder Beiblau Cymraeg. Ymhlith y rhai oedd yn amlwg yn y gymdeithas yn ei dyddiau cynnar roedd William Wilberforce. Ymestynnodd y gwaith i Loegr, India a rhai o wledydd Ewrop.

Hanes y ganolfan

> Mae hanes canolfan Byd Mary Jones yn deillio'n ôl i 2007 pan gafodd Gymdeithas y Beibl y weledigaeth i ailagor drysau eglwys Beuno Sant, Llanycil. Mae cysylltiadau cryf rhwng yr eglwys â'r mudiad gan fod un o brif sylfaenwyr Cymdeithas y Beibl, Parchg Thomas Charles (1755-1814) wedi priodi yno ac wedi cael ei gladdu yn y fynwent. Erbyn imi ymuno â Chymdeithas y Beibl ym mis Mehefin 2014 roedd yr holl waith caled o gynllunio, a'r rhan fwyaf o'r gwaith i ailddatblygu'r eglwys wedi ei wneud. Roedd cryn edrych ymlaen at yr agoriad ar Hydref 5ed. Roedd

y dyddiad arwyddocaol iawn gan y byddai'r agoriad swyddogol ar ddiwrnod nodi dau gan mlynedd ers marwolaeth Parchg Thomas Charles.

Bwriad y ganolfan

Bwriad y ganolfan yw cael safle parhaol yng Nghymru. Bydd nid yn unig yn adrodd hanes y mudiad ond hefyd yn edrych ymlaen at y dyfodol gan arddangos sut mae Cymdeithas y Beibl yn parhau i ddod a'r Beibl yn fyw i bobl ar draws y byd. Ceir yno sgriniau rhyngweithiol am hanes Mary Jones a pha mor benderfynol oedd hi i gael copi ei hun o'r Beibl Cymraeg. Ceir yma hefyd waith Parchg Thomas Charles i sefydlu mudiad a fyddai'n sicrhau Beiblau fforddiadwy mewn ymateb i daith Mary (1800). Mae hwn yn gosod y sail i'r wybodaeth am Gymdeithas y Beibl a'r gwaith diflino sy'n parhau heddiw. Dros ddau gan mlynedd yn ddiweddarach, da gwybod fod Mary Jones (1784-1864) yn parhau i ysbrydoli ac annog eraill i ddilyn ôl ei throed drwy astudio'i hanes yn yr ysgol, ymweld â'r ganolfan neu/a chwblhau'r daith wyth ar hugain milltir eu hunain.

Y defnydd a wnaed o'r ganolfan yn ystod y blynyddoedd diwethaf:

Yn ystod y blynyddoedd diwethaf, rydym wedi croesawu sawl grŵp ysgol, eglwys, Merched y Wawr ynghyd ag unigolion a theuluoedd lleol, a'r rhai sy'n ymweld â'r ardal. Rydym yn cynnig nifer o elfennau gwahanol er mwyn rhoi profiad ychwanegol i'r ymwelwyr. Cynigir sgwrs gan aelod o staff ar gyfer y grwpiau amrywiol i egluro fwy am gefndir y ganolfan a hanes sefydlu Cymdeithas y Beibl. Crëwyd pecyn addysgol i ysgolion sy'n llawn o weithgareddau amrywiol fel ysgrifennu creadigol, celf a chrefft a gwaith map er mwyn dod a'r stori yn fyw iddynt ac i ddysgu am y Beibl a nodweddion yr eglwys yn ogystal. Cynhelir digwyddiadau a gweithgareddau i deuluoedd hefyd.

Cerdded y daith o Lanfihangel-y-Pennant i'r Bala

Mae'r ganolfan hefyd yn cynnwys gwybodaeth am y daith ac mae bob amser yn bleser croesawu rhai sydd wedi ei gwblhau. Yn 2000, cofnododd Mary Thomas daith gerdded Mary Jones i nodi dau gan mlwyddiant yr achlysur. Yn 2009, cyhoeddwyd llyfr 'Taith Mary Jones'* i alluogi eraill i gerdded. Ers hynny, bobl o bob oed, sawl gwlad a chefndiroedd ffydd amrywiol wedi mwynhau cerdded y daith honno. Nid manylion stori Mary Jones sy'n bwysig ond yn hytrach ei phendantrwydd a'i hawch am gopi Cymraeg iddi ei hun o'r Beibl. Mae hyn yn rhywbeth sy'n parhau i ysbrydoli ac i annog eraill i ddilyn ôl ei throed. Neges bwysig bod modd cyflawni unrhyw beth drwy ddyfalbarhau ac nid yw'r agwedd hwn byth yn dyddio na mynd allan o ffasiwn.

Dyma sefydlu'r egwyddor gynhenid fod gan bawb hawl i Feibl yn eu hiaith eu hunain. Dyma ysbrydolodd genhadon fel William Carey cyfrifol am gyfieithu a chyhoeddi'r Beibl i ddeugain o ieithoedd gwahanol

Prif amcanion Byd Mary Jones

Rhai o brif amcanion Byd Mary Jones yw ymgysylltu gyda phobl i helpu iddynt ddod yn fwy hyderus wrth drafod y Beibl. Mae hefyd yn annog pobl i fod yn rhan o'r gymuned leol yn ogystal â mentora cenhedlaeth newydd drwy addysgu plant a phobl ifanc am effaith Mary Jones sy'n parhau ar y byd hyd heddiw.

Ein her fwyaf yw canfod ffyrdd newydd o ddweud yr hanes i ddenu pobl i ailymweld. Nid oes modd newid yr hanes ond mae modd archwilio i elfennau gwahanol o fywyd Mary Jones i ganfod persbectif newydd. Mae hyn wedi bod yn rhan fawr o ddatblygu'r safle yn ddiweddar. Mae archwilio i agweddau eraill, llai amlwg o'r stori yn fodd o agor drysau newydd a denu cynulleidfa newydd i Fyd Mary Jones. Er mwyn datblygu'r busnes ymhellach mae angen bod yn arloesol, creadigol a mentrus i geisio pethau newydd.

Mae plant (ac oedolion) o bob oed yn mwynhau ymweld â'r Ganolfan sydd wedi ei lleoli mewn llecyn mor brydferth ar lan Llyn Tegid. Wrth gwrs, mae'r siop a'r caffi hefyd yn cyffro. Dyma flas o'r ymateb gan dri o'r cannoedd o blant fuodd ymweld â'r ganolfan:

Nedw

Dwi 'di mwynhau cymryd rhan yn y gweithgareddau fel actio'r hanes a chael gwisgo fel Thomas Charles a mynd i'r siop.

Cadi

Dwi 'di mwynhau dysgu llawer am Mary Jones, y Beibl a gwaith Cymdeithas y Beibl ac actio.

Gruffydd

Mae'r lle yn llawn technoleg, yn fodern ac mae wedi bod yn hwyl i ddysgu am Mary Jones drwy wahanol weithgareddau.

Beibl.net (2015)

Datblygiad hynod bwysig yn hanes y Beibl Cymraeg yn y blynyddoedd diwethaf yw Beibl.net. Mae'n gyfieithiad cwbl wreiddiol gan Arfon Jones mewn Cymraeg llafar a syml. Cyfieithiad ar gyfer y we oedd y bwriad cychwynnol ond cyhoeddwyd y copi argraffedig yn 2015 ac mae'r ffaith ei fod wedi bod allan o brint sawl tro yn dysteb i'w boblogrwydd.

Mae Nerys hefyd yn ein cyfeirio at fersiwn arall o Beibl.net a addaswyd yn arbennig ar gyfer pobl ifanc drwy ddefnyddio iaith, a symbolau sydd yn eu byd ac sy'n apelio atynt.

Beibl.net i bobl ifanc (2020)

> Prosiect arbennig mae Cymdeithas y Beibl wedi bod ynghlwm ag o yn ddiweddar yw cyhoeddi Beibl.net – i bobl ifanc. Mewn partneriaeth gyda *Youth for Christ*, a sefydlwyd yn 1946 gan Billy Graham fe wrandawyd ar syniadau a barn phobl ifanc ar beth sy'n bwysig iddyn nhw wrth ddarllen y Beibl, maent wedi creu'r Beibl unigryw hwn. Mae gweld y datblygiad sy'n parhau i ddigwydd gyda'r Beibl Cymraeg yn gyffrous wrth archwilio ffyrdd newydd i bobl ddarllen y Beibl. Mae'r elfennau rhyngweithiol fel y fideos sy'n cyflwyno nifer o themâu sy'n gynwysedig yn y Beibl. Ceir hefyd gofod gwag i alluogi'r darllenydd i ysgrifennu nodiadau a thudalennau lliw yn llawn o agweddau allweddol i'w ddysgu am y Beibl. Mae'r holl agweddau hyn yn cyfoethogi'r profiad o'i ddefnyddio.

Dyma hefyd oedd nod Parchg Thomas Charles wrth geisio sicrhau Beiblau i bawb o bobl y byd. Mae'r cyfieithiadau newydd hyn yn ceisio gwneud y Beibl yn fwy hygyrch i barhau'n berthnasol hyd heddiw. Gan fod cymaint o ddewis erbyn hyn, mae gan bawb ryddid i ddewis pa gyfieithiad i droi ato i ddod i adnabod Iesu'n well bob dydd a dod i'w adnabod.

* * *

Taro sylw: Pa well canolfan i warchod hanes ac arwyddocâd y Beibl Cymraeg i'r dyfodol. Hefyd ceir yma gyfle i gyflwyno'r neges drwy hanes a chymeriad Mary Jones bod modd cyflawni **unrhyw beth** gyda phenderfyniad a dyfalbarhad. Mae'r agweddau hyn yn ffitio'n rhwydd i'r cwricwlwm newydd yng Nghymru sy'n ei gwneud yn ofynnol i ysgolion fanteisio ar yr hyn sydd ar gael yn eu cynefin. Yn enwedig felly gan mai Cymdeithas y Beibl, sy'n cynhyrchu deunydd ac arweiniad i alluogi eglwysi lleol i ddyfnhau eu cysylltiadau â'u hysgolion lleol.

Ysbrydoliaeth
Emyn Gwilym R. Tilsley (1911-97), *Caneuon Ffydd*, Rhif 201

Mawl i Dduw am air y bywyd,
gair y nef yn iaith y llawr,
gair y cerydd a'r gorchymyn,
gair yr addewidion mawr;
gair i'r cadarn yn ei afiaith,
gair i'r egwan dan ei bwn,
cafodd cenedlaethau daear
olau ffydd yng ngeiriau hwn.

Cyfeirnod
Thomas, Mair, 2009, *Taith Mary Jones*
www.bydmaryjoneswordl.org.uk

Cyswllt
01678 521877
GL. Byd Mary Jones
Amseroedd agor Mis Ebrill – Hydref

2.3 Eglwys Bresbyteraidd Cymru

2.3.1 Siwan Jones

Gweithiwr Plant ac Ieuenctid
Capel y Groes Ebeneser a
Bro'r Gogledd Ddwyrain

Ganed Siwan yn Wrecsam yn 1995, ac fe'i magwyd hi a'i brawd, Berwyn yn Rhosllannerchrugog.

Roedd ei thad, Geraint yn athro Dylunio a Thechnoleg yn Ysgol Morgan Llwyd a'i mam, Marian, yn weithiwr cenhadol gydag EBC yn ardal Rhos a Wrecsam. Yn amlwg cafodd y cyfuniad diddorol yma gryn ddylanwad ar yrfa Siwan.

Cefndir a magwraeth

Bu Siwan yn aelod brwd a ffyddlon o Ysgol Sul a C.I.C. Capel y Groes, pan oedd yn ferch ifanc. Cynigiodd y capel gyfle i'r plant fynychu cyrsiau yng Ngholeg y Bala a byddai Siwan yn manteisio ar y cyfle yn rheolaidd. Yma sylweddolodd fod Iesu yn dylanwadu bob rhan o fywyd unigolyn. Dyma hefyd iddi sylweddoli ei hangen i gael perthynas bersonol gydag Iesu a byw ei bywyd iddo ef.

Bu'n ddisgybl yn Ysgol Gynradd I. D. Hooson. Cofiai Richard Jones, cyn bennaeth Ysgol Hooson, am Siwan fel hyn:

> Merch swil oedd Siwan yn blentyn ifanc. Eto, byddai'n cyfeillachu efo merched oedd ddim yn rhyw boblogaidd iawn ymysg y gweddill o'r plant. Er fy mod yn ymwybodol o'i chefndir crefyddol, nid oedd yr elfen hon yn amlwg bryd hynny.
>
> Fel aelod ac organydd yng Nghapel y Groes rwyf yn dotio at ddylanwad penigamp Siwan ar y plant ac ieuenctid. Rhydd iddynt grefydd gyfoes drwy eu cymryd allan i'r gymuned yn aml. O'r herwydd, maent yn arddangos agwedd iach tuag at y gymdeithas tu allan i'r capel. Maent yn ffyddlon i'r Ysgol Sul ac i GIC. Er bod hyn wedi lleihau yn ystod y pandemig llwyddodd Siwan i gadw cysylltiad â'r aelodaeth yn rhithiol.

Darlledwyd nifer helaeth o'r gwasanaethau ar Zoom a GL a hi sy'n bennaf gyfrifol am yr elfen dechnolegol hon hefyd o fewn ein heglwys. Fel cyn-ddisgybl imi, rwy'n hynod falch ohoni.

Addysg Bellach

Ar ôl mynychu Ysgol Uwchradd Morgan Llwyd, aeth Siwan ymlaen i Goleg Cambria, Wrecsam i ddilyn cwrs sylfaen mewn celf a dylunio. Yna mynychodd Brifysgol Metropolitan Caerdydd i ddilyn cwrs gradd mewn tecstilau. Arhosodd yn y ddinas am flwyddyn ychwanegol i weithio gydag Undeb Cristnogol Cymraeg Caerdydd (UCCC). A dyma ddywedodd Siwan am y profiad hwnnw:

> Roedd hon yn flwyddyn o dyfu mewn ffydd a dealltwriaeth o'r Beibl wrth helpu Undebau Cristnogol creadigol y ddinas i gynnig cyfleoedd i fyfyrwyr eu prifysgolion glywed am Iesu.

Dylanwad

Tra yng Nghaerdydd mynychodd Siwan Gapel Ebeneser, Eglwys Newydd. Yno cafodd brofiadau allweddol yng nghwmni Alun Tudur. Cafodd groeso cynnes i'r capel a chefnogaeth gref yn ystod ei hamser yn y brif ddinas. Bu'n helpu i arwain y canu mewn ambell oedfa, i gynorthwyo gyda'r Ysgol Sul ac i arwain clwb ieuenctid am y tro cyntaf. A dyma ddywedodd Alun Tudur amdani:

> Tros y blynyddoedd cafodd Eglwys Ebeneser, Caerdydd, y fraint o groesawu nifer o Gristnogion ifanc i'n plith. Yn rhannol digwydd hynny oherwydd y deuant yma i'r colegau gan ddod yn rhan o'n bywyd ni fel eglwys. Gresynwn mai 'ar fenthyg' mae cynifer ohonynt a chwith yw gorfod ffarwelio a nhw pan ddychwelant i'w bro... Er hynny, teimlwn fendith mewn dau gyfeiriad.
>
> Yn gyntaf, mae ein heglwys yn elwa trwy'r egni, eu creadigrwydd a'r hwyl a ddaw yng nghwmni'r ifanc. Ac yn ail, gobeithiwn iddynt hwythau gael bendith o fod yn aelod o deulu Duw Ebeneser.
>
> Un peth ddysgon ni fel eglwys, yw'r pwysigrwydd o roi cyfle i'r ifanc brifio yn y ffydd a datblygu'u doniau naturiol ac ysbrydol. Yn aml, mae hyn yn golygu gwneud camgymeriadau a'n braint ni yw meithrin eu hyder. Un o gamgymeriadau tristaf eglwysi dros hanner canrif yw'r amharodrwydd i drosglwyddo mantell cyfrifoldeb ac arweinyddiaeth i bobl iau.
>
> Pan gyrhaeddodd Siwan y ddinas, dechreuodd fynychu rhai o'n hoedfaon boreol a'n hastudiaethau Beiblaidd. Dyma wraig ifanc addfwyn

a dibynadwy gyda ffydd gadarn yn yr Arglwydd Iesu a doniau creadigol arbennig. Roedd yn awyddus iawn i dyfu yn y ffydd ac i ddefnyddio'i doniau i rannu'r newyddion da am Iesu fel Arglwydd a Gwaredwr. Estynnwyd iddi gyfleoedd i helpu yn oedfa'r bore ac i arwain yr astudiaeth Feiblaidd. Yr oedd yn amlwg fod ganddi'r doniau angenrheidiol i wneud hynny.

Wedi graddio, penderfynodd wneud blwyddyn Relay gyda'r UCCC, fel gweithiwr Cristnogol ymhlith myfyrwyr Caerdydd. Cawsom y fraint fel eglwys i'w noddi yn ariannol ac i'w chefnogi'n gyson trwy weddi. Yn ystod y flwyddyn honno cafodd gyfle i arwain 'Y Mob', sef clwb ieuenctid Capel Ebeneser. Elwodd yr ieuenctid dan ei gweinidogaeth a bu'r eglwys ar ein hennill o gael ei chwmni.

Trueni na allai aros gyda ni, ond yn amlwg roedd gan yr Arglwydd waith arall iddi'n ôl ym mro ei mebyd Ymfalchïwn wrth glywed am ei gwaith da ac i ni fod yn rhan o'i phererindod ysbrydol. Clodforwn yr Arglwydd am barhau hyd yn oed y dyddiau hysb hyn i alw pobl ifanc i weithio ar ei ran.

Gweithiwr Plant ac Ieuenctid

Yna dychwelodd Siwan i Wrecsam i gychwyn busnes yng nghanolfan newydd Tŷ Pawb. Yn fuan wedi iddi gychwyn ar hyn, fei apwyntiwyd yn weithiwr plant ac ieuenctid Capel y Groes ac ardal Wrecsam ar ran Henaduriaeth y Gogledd Ddwyrain (EBC). Ar hyn o bryd, mae hi'n gweithio gyda chlybiau plant ac ieuenctid y capel, yr Ysgol Sul a hefyd gyda thimoedd Agor y Llyfr yr ardal. Mae'r gefnogaeth a gafodd a'r sgiliau a ddatblygodd yn Ebeneser Caerdydd, wedi dod i'r amlwg. O'r herwydd, mae'n hyderus wrth ei gwaith yn yr eglwys ac yn yr ardal yn prysur rannu cariad Iesu gyda phlant ac ieuenctid yr ardal i rannu cariad Duw gyda'r plant a'r ieuenctid yr ardal.

Clybiau plant

Fel rheol, bydd y clwb yn cychwyn gyda gêm. Wedyn byddwn yn adrodd neu actio stori a thrafod ei neges. Yna byddwn yn mwynhau mwy o gemau. I mi mae hon yn ffordd ardderchog o gysylltu hwyl gyda'r Beibl ac yn ei dro mae'n arwain at blant yn meddwl mwy.

Yr Ysgol Sul

Dros y blynyddoedd buom yn cynnig siawns i blant ddefnyddio eu lleisiau. Yn enwedig y rhai mwyaf swil. Mae awyrgylch gefnogol a hwyliog yr Ysgol Sul a chlybiau'r capel wedi cynnig siawns i blant fagu hyder. Mae rhai o'r plant wedi tyfu a datblygu rhyfeddol yn ystod eu hamser mewn grwpiau llai. Byddwn yn cynnig cyfle i rannu stori am eu hwythnos. Mae pob plentyn yn bwysig yng ngolwg Duw, ac mae'n angenrheidiol fod ein heglwysi yn dangos hyn. Mae siarad allan wedi gwneud gwahaniaeth.

Dylanwad cyrsiau Coleg y Bala

Dros y blynyddoedd, fe ddysgais sut i arwain clwb plant wrth wylio eraill yn gwneud hynny yn y capel ac yng Ngholeg y Bala. Roedd ganddynt y sgiliau i fynegi'r efengyl mewn ffordd ddeniadol hwyliog. Rwy'n credu bod Duw yn dymuno bod yn rhan o bob agwedd o'n bywydau ni. Felly mae o hefyd yn rhan o hwyl yr Ysgol Sul a'r clybiau. Mae'n bwysig fod plant ac ieuenctid yn teimlo'n ddiogel i fwynhau llawer o hwyl tra byddant hefyd yn clywed y newyddion da fod Iesu yn fyw. Mae'n sialens ar brydiau i gadw pethau'n ffres a deniadol i'r plant. Rwyf wedi dysgu gwerthfawrogi bod gan weithiwr plant ac ieuenctid gryfderau gwahanol a bod angen defnyddio'r rheini a datblygu eu cryfderau.

Mae gen i barch enfawr tuag at Owain Edwards, Coleg y Bala mae'n deall plant a phobl ifanc. Bydd ganddo neges bwysig i bob un ohonom ni swyddogion plant ac ieuenctid wrth iddo'n paratoi ni ar gyfer gweithgareddau'r cyrsiau penwythnos cyn i'r plant gyrraedd.

Un o'i negeseuon cofiadwy oedd er bod angen i'r plant gael hwyl a mwynhau mae angen inni ddyfeisio ffyrdd iddynt fwynhau gwrando ar stori, gweld goleuni'r Iesu a dysgu rhywbeth am Iesu er mor brin yw'r amser. Mae hyn yn llawn mor berthnasol ar gwrs penwythnos ac mewn clwb wythnosol eglwys.

Prosiect Agor y Llyfr

Mae *Open The Book* (Gweler 4.8.2) yn brosiect sy'n galluogi pobl o eglwysi lleol i fynd i ysgolion yr ardal i adrodd storiâu'r Beibl mewn ffordd syml a deniadol. I rai o'r plant dyma'r tro cyntaf iddynt weld a chlywed stori o'r Beibl. Credaf fod y gwaith hwn yn gwbl allweddol a theimlaf yn chwilfrydig a hapus yn ymwneud ag ef.

Mae'r plant yn cael bod yn rhan o'r 'perfformiad' drwy helpu'r grŵp o oedolion i actio'r stori. Yn amlwg, bu cryn addasu'n angenrheidiol yn ystod cyfyngiadau Covid-19 – 19. Bellach bu nifer yn recordio fideo dros *Zoom* a'i anfon i'r ysgolion i'w arddangos yn eu gwasanaethau.

'*Xplore! Goes to Church*': pontio gyda'r Eglwys yng Nghymru

Ers i ni ail ddechrau'r Ysgol Sul buom yn rhan o'r prosiect '*Xplore! Goes to Church'* gydag Eglwys Sant Marc, Parc Caia. Mae'r prosiect yn cynnig cyfle i eglwysi weithio gyda chanolfan wyddoniaeth 'Xplore!' i greu sesiynau sy'n defnyddio gwyddoniaeth i'w hybu i ddysgu rhywbeth am ffydd. Bu hwn yn ffordd effeithiol o ddangos i'r plant fod Duw yn gallu bod yn rhan o bob agwedd o'n bywyd. Trwy ddysgu mwy am sut mae'r byd yn gweithio, deuwn i nabod a gwerthfawrogi Duw yn well.

Cymuned Ieuenctid *Hope Street*

Dechreuais fynychu eglwys newydd *Hope Street* yng nghanol tref Wrecsam. Fe'i lleolwyd yn hen siop dillad dynion. Mae hon yn eglwys fywiog egnïol sy'n estyn croeso i bawb. Dyma le i ganfod Duw i ganfod cartref ac i ganfod ystyr a thrwy hynny i wneud gwahaniaeth.'

Mae ganddynt agwedd obeithiol gan roi eu hunain yn gyfan gwbl i'r Iesu ac i'w weledigaeth o adnewyddu canol tref Wrecsam. Yma rwyf wedi darganfod cymuned o Gristionogion ifanc lle gallaf ymuno'n llawn a nhw gan ein bod o'r un gred a'r un anian. Mae'r profiadau a gaf yma yn hybu fy ngwaith fel Gweithiwr Plant ac Ieuenctid.

Yma byddant yn cynnal nifer o ddigwyddiadau bywiog i gymdeithasu yn ogystal â nosweithiau cwis ar *Zoom*, diwrnod mabolgampau yn yr haf a noson tân gwyllt. Mae'r digwyddiadau i wahodd teulu a ffrindiau sydd a dim cyswllt ag eglwys i brofi'r croeso cynnes.

Cyrsiau Alpha

Ceir yma gyfle i ymuno â chyrsiau 'Alpha' ar-lein ynghyd â chyfle i fwyta, gwylio fideo a thrafod a gofyn cwestiynau mewn grwpiau bychain. Sesiynau ar-lein ydynt sy'n ymchwilio i hanfodion Cristionogaeth ac maent yn cynnig cyfleoedd gwych i bobl ifanc wyntyllu cwestiynau mawr bywyd. Ceir sesiwn penodol i ysbrydoli pobl ifanc i feddwl am eu ffydd bersonol.

Alpha i'r eglwys gan yr eglwys a thrwy'r eglwys
The Alpha Course is created to outline the core principles of the Christian faith that all denominations agree on. We believe that what unites us is infinitely greater than what divides us. The Alpha Course is an effective form of evangelism when run by and through the local church. By focusing on the fundamentals of Christianity, it opens the door for Alpha to be used in almost any context so that everyone has the opportunity to engage is discussions and be transformed by the Gospel of Jesus Christ.
alpha@org

Our goal is to continually support the church with resources and tools that help create a space where people are excited to bring their friends for a conversation about Jesus. The Alpha Film Series and Alpha Youth Series were designed to take guests on a journey of faith over multiple weeks. Each session covers a key element of the gospel in a way that is easy to follow and leaves space for people to explore their questions about life, faith, and God.

Bugeiliaid y Stryd

Ers dychwelyd i Wrecsam i fyw, ymunodd Siwan gyda 'Bugeiliaid y Stryd'. Criw o Gristnogion ydy'r rhain sy'n mynd allan yn hwyr y nos bob penwythnos i geisio cadw'r bobl yn ddiogel (Gweler 1.3.4). Yn ôl trefn bob tîm, byddant yn offrymu gweddi cyn cychwyn ar eu taith drwy'r strydoedd. Tra byddant yn cadw llygad ar bawb, byddant hefyd yn ymgymryd â thasgau penodol yn unol â'u hyfforddiant fel:

- casglu caniau / poteli gwydr all rhoi niwed
- helpu i alw tacsi i gludo rhywun adre'n ddiogel
- sgwrsio'n gyfeillgar gydag unrhyw un sydd mewn angen
- cynnig 'fflip fflops' i'r rhai sy'n cael trafferth cerddded e.e. mewn sodlau uchel.

Mae Siwan yn croesawu'r cyfle i ddangos cariad Duw yn ymarferol trwy ofalu am eraill. Mae'n gwerthfawrogi'r cyfle i ddangos fod yr eglwys yn ymestyn allan ac yn rhannu cariad Duw gyda phob adyn byw.

* * *

Taro sylw: Er mor brin yw'r amser mewn oedfa neu CIC, gellir, gyda dychymyg ddyfeisio ffyrdd i hoelio sylw plant wrth wrando ar stori Feiblaidd. Wrth gynllunio'n ofalus gellir nodi pa elfen o gymeriad Crist sy'n cael sylw a thrafod pa wahaniaeth a wnaiff i'w bywydau dyddiol. Mae Agor y Llyfr yn cynnig dull arall o wneuthur hyn'

Ysbrydoliaeth
Emyn Eifion Wyn (1867-1926), *Caneuon Ffydd*, Rhif 681

> Dod i mi galon well bob dydd
> a'th ras yn fodd i fyw
> fel bo i eraill drwof fi
> adnabod cariad Duw.

Sbardun
Ortlund, Dane, C., 2020,

Cyfeirnod
alpha@org

Cyswllt
@'Ebeneser a Chapel y Groes'

2.3.2 Owain a Siân Edwards

Rheolwyr
Coleg y Bala

Mae i'r Bala a'r cyffiniau le arwyddocaol yn ein hetifeddiaeth grefyddol fel Cymry Cymraeg gyda Mary Jones a Thomas Charles yn ddau gymeriad a chwaraeodd rannau blaenllaw yn sicrhau bod gennym Feibl yn ein hiaith ein hunain.

Bu'r Beibl yn allweddol yn natblygiad addysg a datblygiad ysbrydol y werin bobl. Mae Eglwys Sant Beuno, sydd bellach dan nawdd Cymdeithas y Beibl yn ganolfan godidog i'n hatgoffa ni ac i ddarbwyllo'r cenedlaethau i ddod o allu unigolion dewr a Christionogol eu naws i wrthdroi cymdeithas er gwell.

Yma hefyd yn nhref y Bala y lleolir Coleg y Bala sy'n un o sefydliadau eiconig Cristionogaeth yng Nghymru. Fe'i hadeiladwyd yn 1863 fel Coleg hyfforddi'r Methodistiaid Calfinaidd ar gyfer y weinidogaeth. Bellach ers 1968, mae'n ganolfan ar gyfer gwaith plant ac ieuenctid.

Yr arweinwyr presennol ers pymtheng mlynedd yw'r cwpwl priod, Owain a Siân Edwards.

Ganed Owain yn 1972 yn fab i David Royce a Dorothy Mair a brawd i Geraint Hywel, Beth a'r diweddar Dafydd. Ganed Siân yn 1974 yn ferch i Emlyn a Gwyneth Jones.

Magwyd y ddau yn Wrecsam a byddent yn mynychu Capel y Groes a Choleg y Bala pan oeddent yn blant ac fel ieuenctid. Yno eginodd eu cariad at ei gilydd. Ar ôl gadael yr ysgol aeth Siân i hyfforddi fel athrawes ac Owain fel meddyg. Yn bedair ar bymtheg oed, roedd eu ffydd yn Nuw yn ddofn. Teimlai'r ddau fod Duw yn eu galw i weithio drosto ac medd Siân:

> Daeth addysg, priodi, gwaith a theulu yn eu tro, a gyda nhw eu her. Wrth gael ein bendithio â dau o blant ganwyd ein merch ag anabledd, ac mae llaw Duw a'i ffyddlondeb tuag atom wedi bod yn amlwg ar bob cam o'i thaith hi drwy fywyd. Ychydig flynyddoedd yn ddiweddarach fe'n bendithiwyd â thrydydd plentyn, a phan oedd hi'n flwydd oed, fe deimlon ni'r alwad i ddod i Goleg y Bala.

> Rydw i'n cofio eistedd yn blentyn yn yr hyn sydd bellach yn ystafell chwaraeon Coleg y Bala, yn meddwl sut beth fyddai hi i weithio yma yn y Coleg. Naw mlynedd ar hugain yn ddiweddarach fe drodd y meddyliau hynny'n realiti!

Mae Siân ac Owain Edwards yn cyfri'r cyfle i arwain y gwaith yn y coleg yn fraint:

> A dyna fraint mae hi wedi bod i arwain y gwaith yma yn y Coleg dros y bymtheng mlynedd ddiwethaf. Fel y gellwch ei ddychmygu, mae yna uchafbwyntiau ac adegau isel wedi bod ond drwy gydol y blynyddoedd fe fu i ni brofi'n gyson o ffyddlondeb Duw.
>
> Mae o wedi bod yn bleser cael byw ac arwain y gwaith yma yng Ngholeg y Bala. Mae o wedi ein siapio ni fel teulu ac fel unigolion, a'n gobaith ydi ei fod hefyd wedi helpu siapio rhai o blant a phobl ifanc ein gwlad.

Perchnogion presennol y coleg yw EBC. Bu'r coleg yn ganolfan plant ac ieuenctid Eglwys Bresbyteraidd Cymru ers hanner can mlynedd bellach. Pwrpas y coleg yw trefnu cyrsiau sy'n dilyn themâu Beiblaidd. Mae bob agwedd o waith y coleg yn anelu ennyn ffydd bersonol yn Iesu Grist. Tybed faint yn union o:

- bobl ifanc gafodd y pleser o fynychu'r ganolfan unigryw hon dros y blynyddoedd?
- reini aeth ymlaen i fod yn arweinwyr ac yn ddisgyblion ysbrydoledig i'r Iesu?
- arweinwyr presennol Cristnogaeth Cymru sy'n ddyledus i'r coleg am danio'r fflam ynddynt?

Bid siwr, maent yn rhy niferus i'w mesur ac mae nifer o gyfranwyr i'r gyfrol hon yn tystio i ddylanwad cryf y coleg arnynt naill a'i fel mynychwyr neu fel swyddogion ieuenctid. Maent yn mynegi eu gwerthfawrogiad ac mae'r dylanwad parhaus yn amlwg yn eu storiâu.

Nod Owain a Siân

> Y nod sydd yn llenwi'n calonau dros ein plant a'n pobl ifanc yw eu bod yn dod i berthynas fyw efo Iesu Grist, ac yn penderfynu byw eu bywydau dros yr Iesu mynd ati i greu disgyblion. Ceisiwn rannu'r efengyl mewn modd sy'n berthnasol i oedran a diddordeb y plant a'r bobl ifanc ac felly sydd o fewn eu cyrraedd.

Dulliau

> Bu yma lond gwlad o hwyl, sŵn, creadigrwydd a chwaraeon, a thros y blynyddoedd rydym ni wedi gweld cymaint yn dod i berthynas fyw â'n

Harglwydd Iesu Grist, yn ceisio bywyd sy'n adlewyrchu disgleirdeb yr Iesu, ac yn mynd allan i wneud disgyblion.

Effaith y Beibl. net

Daeth llawer i berthynas bersonol â'r Iesu, digwyddiad sydd wedi siapio eu bywydau, eu penderfyniadau a'u dyfodol. Mae'n fraint gennym ni i agor gair Duw yng nghwmni'r bobl ifanc yma ac yn hynny o beth mae Beibl. net wedi bod yn allweddol.

Mae o wedi trawsnewid y ffordd mae cymaint ohonyn nhw'n darllen eu Beibl. Mae'n Feibl yn iaith eu calonnau ac mewn iaith y maen nhw'n gallu ei deall. Bydd Cristnogion yng Nghymru'n dragwyddol ddiolchgar am waith Arfon Jones yn creu'r Beibl.net. Mae o wedi trawsnewid a ffurfio cenhedlaeth.

Barn tri o'r mynychwyr

Rhyddid, Leusa, Brython a Mali'r ci

Leusa, 12 oed

dwi wrth ym modd yn cael mynd i Goleg y Bala i gymdeithasu ond hefyd i edrych i mewn i ystyr dyfnach bywyd...

Rhyddid 9 oed

Dwi wastad wrth ym modd cael mynd i Goleg y Bala er mwyn cal gneud llawer o anturiaethau, dysgu am Dduw ac i gael "midnight feast"!

Brython 6oed

Dwi'n cael bwyta fferins, chwarae hefo ffrindiau a neud ffrindiau newydd a dysgu am stori Jona yng Ngholeg y Bala

Barn Gweithiwr plant ac ieuenctid

Dysgais gymaint ynglŷn â sut i arwain clybiau plant yna yn y Coleg wrth wylio eraill wrth eu gwaith. Dysgais hefyd sut i fynegi'r efengyl mewn ffordd ddeniadol hwyliog.

Mae'n hanfodol i arweinwyr gadw'n egnïol a brwdfrydig i gynnal gweithgareddau ffres a deniadol i'r plant. Mae mynychu penwythnosau'r coleg fel un o'r tîm o arweinwyr yn rhoi chwistrelliad o egni i mi.

Yn ddiweddar, rhannodd Owain Edwards neges bwysig iawn gyda ni'r arweinwyr cyn i'r plant landio ar gyfer eu cwrs. Arhosodd ei neges gyda mi ac fe'i cofiaf am byth.

"Dydi'r amser sydd gennym i rannu stori o'r Beibl neu yn dysgu rhywbeth am Iesu ddim yn hir iawn. Mewn gwirionedd dydi o ddim hyd yn oed yn chwarter o'r amser mae'r plant yn ei dreulio yn y coleg."

Mae hyn yr un mor berthnasol i glwb wythnosol eglwys.

Felly, er mwyn sicrhau bod plant yn gweld goleuni'r Iesu, mae'n angenrheidiol i'r arweinwyr dreulio amser sylweddol gyda nhw.

Croesawu plant mewn system gofal

Dros y bymtheng mlynedd ddiwethaf rydym ni fel prif arweinwyr Coleg y Bala wedi bod â chalon dros y plant hynny sydd o fewn y system gofal. Rydym ni wedi brwydro i roi cyfleoedd i'r plant hyn gael mynediad i'r efengyl a bod yn rhan o waith y Coleg.

Clybiau wythnosol

Buom yn chwilio am gynlluniau sy'n noddi plant i fynychu gweithgareddau ac aros yma am benwythnos i fwynhau a chymysgu â phlant eraill. Mae mwyafrif y plant sy'n mynychu ein clybiau wythnosol yn blant o'r system gofal ac mae'n hyfryd cael adeiladu perthynas â nhw. Fe ddaeth Iesu ar gyfer yr amddifad a'r gweddwon, ac rydym ni fel tîm wedi ceisio dangos cariad i'r plant a'r bobl ifanc hyn.

Addasiadau yn ystod y pandemig

Am gyfnod, rhoddodd Covid-19 ddiwedd i'r gwaith a'r dulliau fu mor gyfarwydd i ni.

Gorfu i ni feddwl yn dechnolegol a dysgu'n gyflym ac fe'n gorfodwyd i 'feddwl tu allan i'r bocs', ynghylch sut orau i annog ein pobl ifanc ar eu taith gyda'r Iesu. Ac felly fe ddaeth:

- yr astudiaeth Feiblaidd ar-lein
- y cwrs Alpha ar-lein
- y mentora ar-lein
- a rhai cyrsiau lwyddo ar-lein

Cydweithiodd mewn partneriaeth â chyrff cymunedol i:

- ddosbarthu hamperau bwyd, cardiau nwy a thrydan
- gynnig help, yn glust i wrando a chyngor i bobl fregus fel 'lein gymorth'
- roi dillad gwely i ferch ifanc oedd yn methu cysgu oherwydd ei bod mor oer
- weithio gyda'r ysgol a'r Ymwelydd Iechyd i gefnogi pobl oedd mewn angen
- greu hamperau Nadolig hyfryd i nifer o bobl anghenus y Bala a'r cylch
- ddosbarthu un ar hugain o fagiau rhodd i weithwyr allweddol y fro

fu'n gweithio'n ddiflino i'n gwasanaethu ers dechrau'r pandemig yn arwydd o'n gwerthfawrogiad ac yn fodd i ddangos cariad Iesu iddynt

Gweithredu fel canolfan dosbarthu bwyd

> Roedd Duw yn ffyddlon ond roeddem ni fel pobl yn colli'r gallu i gysylltu wyneb yn wyneb. Un datblygiad hynod gadarnhaol yng ngwaith y cyfnod hwn oedd cais cymuned y Bala i'r Coleg fod yn ganolfan i waith dros y bobl hynny oedd yn cael trafferth ymdopi â'u hamgylchiadau. Felly fe ddaethom yn ganolfan dosbarthu bwyd, ac yn creu pecynnau bwyd ar gyfer teuluoedd mewn trafferth.

Cyrsiau Alpha

> Bu cyrsiau Alpha ac Emaus ar-lein yn fendith enfawr oherwydd iddynt gyrraedd mwy o bobl na fydden ni erioed wedi'i ddychmygu!

Yn ystod y cyfnod hwn bu mwy o bobl yn gofyn cwestiynau, a mwy eto wedi profi cariad Crist drwy'r weithredodd cariadlon o roddion, bwyd, gwres a chlust i wrando. Felly, pan ail-agorwyd drysau'r coleg yn ystod Haf 2021, roedd y lle unwaith eto'n llawn. Roedd y cyrsiau'n well nag erioed, roedd y plant a'r bobl ifanc yn sychedu am air Duw, yn fwy awyddus i ddysgu ac yn awchu am fod yng nghwmni ieuenctid eraill. Roedd Duw wedi parhau â'i waith ac mae o ar waith o hyd.

Y dyfodol

Taflodd datganiad diweddar Ysgrifennydd Cyffredinol EBC gwmwl du dros ddyfodol Coleg y Bala fel canolfan hyfforddi.

> Mi fyddwn yn parhau i gyllido'r gwaith allweddol a bendithiol sydd yn digwydd yng Ngholeg y Bala dros y tair blynedd nesaf. Yn ystod y cyfnod, wrth ddiogelu lefel ein buddsoddiad ariannol yn ein gweinidogaeth i blant, ieuenctid ag oedolion iau, mi fyddwn yn edrych i sicrhau ein hawydd i roi cyfle i'r grwpiau hyn ddod at ei gilydd, mewn canolfannau eraill yng Nghymru. Byddwn yn cychwyn trafodaethau i weld pa bartneriaid eraill fyddai â diddordeb yn y safle yn y tymor hir, gan weithio tuag at ddirwyn ein buddsoddiad ariannol blynyddol yn y Ganolfan i ben ar ddiwedd 2024. (Gwefan EBC)

Bu cryn ymateb i'r datganiad:

Dywedodd Parchg Jim Clarke, ei hun yn rheolwr Coleg y Bala am rai blynyddoedd,

> "Bu'r ganolfan yn unigryw yn hanes gwaith Cristnogol ymhlith plant a

phobl ifanc. Roedd modd i bobl ifanc ddod yno i drafod eu ffydd yn agored. Roedd yn fraint bod yn rhiant ysbrydol i'r bobl ifanc yma – a does dim dianc o'r atgofion o fod lawr wrth y llyn yn dal ati i drafod am 2.00 y bore!

Mae Coleg y Bala hefyd wedi creu arweinwyr ac mae'r rheini wedi bod yn ddylanwadol ac ysbrydoledig."

Ymateb Owain a Sian i'r newyddion hyn oedd:

Ac, er bod dyfodol Coleg y Bala'n ansicr, mae'r un rydym ni'n ei wasanaethu'n Dduw sicr, yn un sy'n ffyddlon ac yn arglwydd pob peth. Mae Salm 31 yn adrodd: 'Ond yr wyf yn ymddiried ynot ti, Arglwydd, ac yn dweud "Ti yw fy Nuw". Y mae fy amserau yn dy law di.'

Mae ein hamserau, amserau Coleg y Bala ac amserau Emaus yn ei ddwylo Ef. Y cwbl gallwn ni ei wneud ydi ymddiried yn y ffyddlondeb y bu iddo ddangos i ni dro ar ôl tro. Hwn barodd i ni weithio â'n holl galon wrth rannu'r Iesu a chreu ac annog ei ddisgyblion. Geiriau olaf yr Iesu oedd, "Ewch, gan hynny, a gwnewch ddisgyblion o'r holl genhedloedd" a dyna, gyda nerth Ei Ysbryd Glân, y byddwn ni'n parhau i'w wneud.

* * *

Taro sylw: Dim dim amheuaeth am gyfraniad Coleg y Bala i feithrin arweinwyr crefyddol dylanwadol ar hyd y blynyddoedd. Mae gwasanaethau Emaus yn gyfle i addoli mewn dull cyfoes gydag adnoddau digidol amrywiol yng nghwmni plant ac ieuenctid. Caf fendith ac egni o ymuno a nhw.

Ysbrydoliaeth
Gweld bywyd plentyn yn newid wrth iddo ddod i adnabod Iesu Grist yn sylfaen gadarn i'w fywyd.

Sbardun
Greig Pete, 2018, *Dirty glory: Where your best prayers take you*
Chan, Francis, 2018, *Letters to the church*
Ponsonby, Simon, 2010, *More:How you can have more of the spirit when you already have everything in Christ*
Chester, Tim and Timmis, Steve, 2007, *Total Church: A Radical Reshaping Around Gospel and Community*
Fielder, Geraint, 2004, *Grace Griit & Gumption: Spiritual Revival in South Wales*

Cyswllt
owaincoleg@gmail.com

2.4 Yr Eglwys Fethodistaidd Cymru

2.4.1 Diacon Jon Miller

Diacon
Wales Synod

Ganed Jon yn 1978 ac fe'i magwyd yn Nuneaton, yn fab i Janice a Frank ac yn frawd i'r diweddar. Stevan. Mynychodd ysgol gynradd leol a choleg uwchradd John Cleveland yn Hinkley, Leistershire cyn mynd ymlaen i astudio diwinyddiaeth ym Mhrifysgol Aberystwyth. Wedi graddio gweithiodd fel pobydd yn yr archfarchnad leol yn y bore ac fel Swyddog Ieuenctid gyda'r nos yng Nghanolfan Ieuenctid Methodistaidd y dref. Mynychodd goleg diwinyddol Hartley Victoria a *Queens Foundation for Ecumenical Theological Education*. Yn 2007 fe'i hordeiniwyd yn ddiacon yr Eglwys Fethodistaidd. Mae'n briod â Rebecca ac mae ganddynt dri o blant. Ar hyn o bryd, maent yn byw yn San Clêr.

Rhoi llais i bobl ifanc

Bum ag angerdd dros arwain pobl ifanc i adnabod Iesu ers i mi ddod o hyd i gartref ysbrydol yn yr Eglwys Fethodistaidd yn fy arddegau. Mae gennym ni'r Methodistiaid draddodiad hir a chyfoethog o geisio rhoi cyfle i bobl ifanc siarad gyda'r eglwys a bod yr eglwys yn gwrando, yn cydnabod ac yn gweithredu.

Cynhadledd Ieuenctid Methodistaidd

Pan ymunais gyntaf â'r Eglwys Fethodistaidd roedd dau ddigwyddiad blynyddol fu'n denu pobl ifanc o Gymru, yr Alban a Lloegr. Y cyntaf oedd y Gynhadledd Ieuenctid Methodistaidd, a oedd, fel yr awgryma'r enw, yn fersiwn yr ieuenctid o'r Gynhadledd Fethodistaidd Flynyddol. Bu cyfnewid llu o adroddiadau a chynrychiolwyr rhwng y ddwy gynhadledd.

Methodist Association of Youth (MAYC)

Roedd yr ail yn ddigwyddiad llawer mwy, Penwythnos Llundain y MAYC, sef cynulliad o filoedd o bobl ifanc fel rhan o *MAYC*. Cynhaliwyd y digwyddiad anhygoel hwn ar draws Llundain, gyda phobl ifanc yn cael eu gosod mewn eglwysi o amgylch y ddinas trwy gynllun Operation Friendship. Diweddglo'r achlysur oedd gwasanaeth cyd-addoli yn Neuadd Albert yn llawn o bobl ifanc wedi'u gwisgo mewn gwyrdd a melyn – lliwiau *MAYC*.

Yr oedd, mae'n siŵr, yn hunllef logistaidd i'r rhai a fu'n ymwneud â'i harwain, ond i mi fel person ifanc yn darganfod fy mherthynas â Christ roedd yn rhagflas o'r nefoedd. Daeth miloedd o bobl ynghyd i'r un pwrpas, addoli Duw mewn cymaint o ffyrdd amrywiol â phosibl.

'3Generate'

Dros y blynyddoedd newidiodd y digwyddiadau eu henw a'u ffurf ond yr un oedd syniad o hyd. Cyfle i bobl ifanc addoli Duw ac archwilio eu perthynas â Christ. Cyfle i bobl ifanc ein heglwys siarad â'r eglwys eraill a'n herio i fod yn well!

Mae'r Gynhadledd Ieuenctid a'r digwyddiad o gydaddoli bellach wedi eu cyfuno i lunio un achlysur o'r enw '*3Generate*' sy'n digwydd yn y NEC. Dim ond un digwyddiad blynyddol yw *3Generate* ac mae yna alwad ar daleithiau a chylchdeithiau Methodistaidd i ymgysylltu â phobl ifanc gydol y flwyddyn.

Youth Work Action Group (*YWAG*)

Yng Nghymru, roeddem ar flaen y gad gyda'r ddau Synod – Synod Cymru a *Wales Synod* – wrth weithredu trwy'r *YWAG* i gynnal Fforwm Ieuenctid yn y Synod ym mis Medi, y *Big Sleepover* (sef fersiwn lleol bach o *3Generate*) yn y gwanwyn oedd yn arwain at annog ein pobl ifanc i fynychu achlysur cenedlaethol *3Generate*.

Ymweld â Jamaica

Ym mis Gorffennaf 2016, fel rhan o waith *YWAG* es i a gweinidog o'r *Wales Synod* â grŵp o bobl ifanc ar ymweliad cyfnewid â'r Eglwys Fethodistaidd Jamaica. Roedd y grŵp yn gymysgedd o Gymry Cymraeg a Chymry Saesneg eu hiaith.

Roedd yn gyfnewid diwylliannol yn hytrach na thaith genhadol, roeddem am roi cyfle arbennig i bobl ifanc deithio mewn ffordd na fuasent yn arferol yn gallu ei wneud. Roedd yn brofiad anhygoel i'n pobl ifanc ni weld sut mae Methodistiaid ifanc mewn gwlad arall yn byw eu ffydd.

Nid Jamaica'r twristiaid y buom ynddo ond y Jamaica iawn ble'r roedd pobl yn byw, gweithio ac addoli. Cafodd y bobl ifanc y cyfle i fynychu Gwersyll Ieuenctid Jamaica, aros gyda theuluoedd a hefyd cymryd cyfrifoldeb am glwb gwyliau yng Nghartref Cenedlaethol Plant Jamaica (Cartref Plant Methodistiaid) gynt.

Bu'n achlysur trawsnewidiol i'r bobl ifanc, a ddychwelodd yn ôl i Gymru i rannu eu profiad yn y Synod ac yn eu heglwysi lleol.

Y flwyddyn ganlynol fe wnaeth yr union bobl ifanc helpu i drefnu'r un math o brofiad i ieuenctid Jamaica. Yn ystod eu hymweliad buont yn ymweld â Phrosiect Fferm Ymddiriedolaeth Amelia a sefydlwyd gan y Methodistiaid i helpu pobl ifanc bregus a difreintiedig. Mynychwyd yr Eisteddfod Genedlaethol yn Ynys Môn hefyd.

Momentwm: efelychiad o wersyll ieuenctid Jamaica yng Nghymru

Fodd bynnag, yr hyn a weddnewidiwyd gwaith yr Ieuenctid Methodistaidd yng Nghymru oedd y penderfyniad i gynnal fersiwn Cymru o'r gwersyll ieuenctid a welwyd yn Jamaica. Cynhaliwyd yr achlysur gyntaf mewn canolfan weithgareddau yng Nghanolbarth Cymru, gyda chymysgedd o weithgareddau awyr agored yn cael eu rhedeg gan staff y ganolfan a gweithgareddau Cristnogol yn cael eu rhedeg gan aelodau o *YWAG* ac arweinwyr eraill.

Yr adwaith o'r achlysur oedd i'r bobl ifanc ddatgan wrthym mai hwn oedd y math o achlysur yr oeddent am ei ail-gynnal ond bod angen newid yr enw er mwyn adlewyrchu'n well yr hyn oeddynt am fod wrth symud ymlaen.

Newidiwyd yr enw i **Momentwm** oherwydd bod hyn yn ymgorffori'n well eu teimladau ac yn cyd-fynd a'u dyhead i gadw'r momentwm i fynd rhwng y gwahanol achlysuron.

Yn dilyn y gwersyll ieuenctid cyntaf hwnnw, penderfynodd ein grŵp craidd y byddai hyn yn rhan reolaidd o'n gweithgareddau blynyddol. Felly, mewn blwyddyn arferol byddai gennym gyfres o achlysuron i gasglu ynghyd ein pobl ifanc o'r ddwy dalaith yng Nghymru.

Oddeutu diwedd Chwefror cynhelir dau ymgynulliad o'r Diwrnod Mawr Allan, un yn y gogledd ac un yn y de. Dechreuir gyda gweithgaredd (nofio, Ninja Tag, rhwydi Treetop, trampolinio). Yna ymgartrefu mewn eglwys leol ar gyfer bwyta, chwarae gemau, gweithgareddau, cymdeithasu ac addoli.

Cynhelir y gwersyll yn ystod wythnos gyntaf gwyliau haf yr ysgol yng Ngwesty Llyn Abernant yn Llanwrtyd – canolfan gweithgareddau awyr agored. Treulir y penwythnos gyda chyfuniad o weithgareddau antur awyr agored fel saethyddiaeth a dringo creigiau, ac amserau penodol i gymdeithasu ac addoli.

Yna yn yr Hydref mae'r Eglwys Fethodistaidd yn genedlaethol yn cynnal cynulliad tebyg i'n Gwersyll ni ond gyda miloedd o bobl ifanc o bob rhan o Brydain Fawr – *3Generate*!

Diben y Gwersyll a'r Diwrnod Mawr Allan, yw clywed llais ein pobl ifanc yn y Gymraeg a'r Saesneg ar faterion sy'n ymwneud â nhw wrth fyw eu ffydd yng Nghymru.

Yn y blynyddoedd diwethaf mae nifer y bobl ifanc sy'n siarad Cymraeg wedi lleihau ac ymddengys fod hyn yn rhan o fater ehangach na Methodistiaeth Cymraeg.

Y sefyllfa bresennol

Gwelir bod mwy o siaradwyr Cymraeg, hen ac ifanc, yn ein cynulleidfaoedd Saesneg nag sydd yn ein cynulleidfaoedd cwbl Gymraeg. Mae'r cynulleidfaoedd uniaith Cymraeg yr Eglwys Fethodistaidd wedi dirywio'n sylweddol dros y blynyddoedd.

(Gweler 5.3.1)

Rhesymau am y dirywiad yn y sector Gymraeg

Mae'r rhesymau dros y dirywiad hwn yn niferus, yn amrywiol ac yn destun llawer o drafod. Credaf fod hyn oherwydd amharodrwydd y capeli i symud gyda'r amseroedd.

Mewn ymgais ddilys i ddiogelu defnydd o'r iaith Gymraeg caewyd y rhengau fel petai i wrthwynebu unrhyw newid rhag ofn y gallai newid wanhau'r iaith. Rwy'n siŵr bod hyn oherwydd bod traddodiad ac arfer arferol yn clymu'n agos â'r iaith Gymraeg yng nghalonnau a meddyliau ein haelodau sy'n siarad Cymraeg.

Fodd bynnag, golygai hyn bod llawer o'n hadnoddau yn Synod Cymru yn cael eu neilltuo i gynnal y safiad hwn ar draul yr angen i genhadu. Er bod angen i'n capeli symud gyda'r amseroedd ni wnaethpwyd hynny. Pe baech yn edrych ar fap o Gymru o ran dosbarthiad yr iaith byddech yn gweld nad oes gan ein hardaloedd mwyaf Cymreig eglwysi Methodistaidd Cymraeg mwyach. Mae rhai o'n capeli sy'n weddill mewn ardaloedd lle mae mudo wedi golygu mai ychydig iawn o siaradwyr Cymraeg iaith gyntaf sy'n byw yno bellach.

Fe wnaethom barhau â phatrwm o beidio â gosod hysbysfyrddau, oherwydd bod y rhai yr oedd angen iddynt wybod, yn gwybod yn barod.

Fe wnaethom barhau â thal aelodaeth flynyddol er nad oedd gweddill yr Eglwys Fethodistaidd bellach yn gweithredu fel hyn. Ar y cyfan roeddem yn dibynnu ar draddodiad a diwylliant y siaradwyr Cymraeg o fynychu'r eglwys.

Wrth i'r niferoedd ostwng, fe wnaethom bwyso'n drymach fyth ar y traddodiadau hyn a chredaf ein bod wedi colli'r cyfle. Ochr yn ochr â hyn, tueddai *Wales Synod* i anwybyddu'r Gymraeg er gwaethaf faint o siaradwyr Cymraeg oedd yn eu cynulleidfaoedd oherwydd eu bod yn cyfrif cenhadaeth a gweinidogaeth yn yr iaith Gymraeg yn gyfrifoldeb i Synod Cymru.

Uno *Wales Synod* a Synod Cymru

Yn ystod y cyfnod hwn o ddirywiad, credaf fod yr eglwysi Saesneg wedi ennill rhai o'n haelodau sy'n siarad Cymraeg. Naill ai oherwydd eu bod yn priodi rhywun nad oedd yn siarad yr iaith ac fe benderfynon nhw fynd i ble y gallai'r ddau addoli, Efallai iddynt ymuno â'r eglwysi hynny oherwydd bod eu haddoliad yn fwy cyfoes.

Mae'r sefyllfa'n newid ar hyn o bryd. Mae *Wales Synod* a Synod Cymru yn ymuno â'i gilydd i ffurfio Synod dwyieithog unedig. Yn rhannol mewn ymateb i'r sefyllfa yng Nghymru ond hefyd i gysylltu â llawer o'r datblygiadau o fewn yr Eglwys Fethodistaidd yn genedlaethol. Mae yna ffocws newydd ar genhadaeth trwy waith y tîm Efengylu a Thwf, a tuag at fod yn Eglwys gynhwysol trwy waith y strategaeth Cyfiawnder, Urddas a Chydsafiad a gweithredu'r addunedau o adroddiad 'Duw mewn cariad sy'n ein huno' gan gynnwys caniatáu cydraddoldeb mewn undod..

Mae'r uno hwn yn gwneud llawer o synnwyr i waith Momentwm gan ein bod yn ymwybodol bod rhuglder bobl ifanc yn y Gymraeg ar draws Cymru ynamrywio o ysgol i ysgol.

Dyfodol disglair

Dwi'n falch o ddatgan bod dyfodol yr Eglwys Fethodistaidd felly yn edrych yn ddisglair ac yn llawn posibiliadau. Er bod y cyfrifoldeb am waith ieuenctid trwy gyfrwng y Gymraeg, ochr yn ochr â chenhadaeth wedi bod yn gyfrifoldeb i gapeli Synod Cymru yn unig, mi fyddwn yn ceisio gweld sut allwn dystiolaethu a gwasanaethu yn y ddwy iaith ar draws Cymru. Bydd gwaith ieuenctid a gweinidogaeth Momentwm wrth wraidd ein cenhadaeth wrth i ni symud ymlaen.

Derbyniodd Jon ddiagnosis o 'dyslecsia ychydig cyn dechrau hyfforddi ac mae'n credu bod hyn yn rhan bwysig o'i hunaniaeth yng Nghrist:

Mae bod yn ddyslecsig yn golygu fy mod yn meddwl ac yn myfyrio ar bethau mewn ffordd wahanol iawn i'r person cyffredin. Cyn y diagnosis, ni allwn ddirnad pam fy mod i'n gorfod gweithio mor galed i ddeall pethau oedd yn dod mor amlwg i eraill. Ac i'r gwrthwyneb byddai nifer yn rhyfeddu at fy ngallu i ddeall pethau oedd yn anodd iddynt hwy!

Mae gwybod fy mod yn ddyslecsig wedi fy ngalluogi i ddeall fy lle yn Eglwys Duw. Mae Duw angen pobl fel fi sy'n meddwl yn wahanol a chwestiynu i hybu newid. Fel bydd y plentyn bach chwilfrydig dyflwydd oed yn gofyn 'Pam? Pam? PAM?' atebaf innau **'Pam lai?'**

Er gwaetha'r holl frwydrau Jon yn sgîl dyslecsia, mae'n credu fod yna fanteision hefyd cyn belled â'i fod ef yn deall ei hun a bod eraill yn sylweddoli, parchu a derbyn y rheswm pam ei fod ychydig yn wahanol.

* * *

Taro sylw: Mae dadansoddiad mewnol y Methodistiaid yn honni fod cwymp Synod Cymru yn ymwneud â phrinder gweinidogion ac aelodau rhugl yn y Gymraeg. Maent yn argyhoeddedig bod uno mudiad *Momentum* a Momentwm yn cynnig gobaith i'r dyfodol. Nid ydynt i weld yn deall mae trwy gyfrwng y Gymraeg y byddwn ni'r Cymru yn cyfathrebu gyda'n Duw.

Ysbrydoliaeth
Guide me, O my great Redeemer
https//hymnary.org/text/guide_me_o_thou_great_jehovah
William Williams (1717-91), *Caneuon Ffydd*, Rhif 702

Sbardun
Tomlinson, Dave, 2013, *How to be a Bad Christian: And a better human being*

Cyswllt
deacon.jon@gmail.com

Mae dyslecsia'n cael ei gydnabod yn anabledd sy'n dod o dan Ddeddf Cydraddoldeb 2010. Dylai neb orfod wynebu gwahaniaethu ar sail anabledd.

2.4.2 D Geraint Roberts

Ysgrifennydd
Capel Bethel, Prestatyn

Ganed Geraint yn 1957 yng Nghroesoswallt yn unig fab i Clifford a Lilian. Gan fod ei dad yn weinidog, cafodd blentyndod teithiol oedd yn nodweddiadol o fywyd gweinidog 'Wesle' bryd hynny. Enillodd ysgoloriaeth i Goleg Cerdd Frenhinol Llundain lle'r arbenigodd mewn llais a thelyn. Yno fe'i hanrhydeddwyd yn fyfyriwr mwyaf addawol ei flwyddyn. Ers 1980, ymgartrefodd ef a'i deulu ym Mhrestatyn. Cafodd dri o blant gyda'i wraig gyntaf Gwenda: Ffion, Daniel a Manon a Sam a Laura yn llys blant gyda'i ail wraig, Angela. Rhyngddynt mae ganddynt bymtheg o wyrion.

Dylanwadau

> Bu dylanwad ardal lofaol Ffynnongroyw yn ddwfn ar Gapel Bethel a'r traddodiad cerddorol yn rhan annatod o hynny yn enwedig felly gan fod Rhys a Gwen Parry Jones yn aelodau selog. Dros hanner can mlynedd yn ôl cefais y cyfle i chwarae organ bib am y tro cyntaf, arferiad sy'n parhau hyd heddiw.

Llundain

> Bryd hynny, roeddwn yn addoli yng Nghapel Chiltern Street – capel modern iawn a adeiladwyd yn y pumdegau. Bu farw fy nhad yn ddisymwth yn 49 mlwydd oed ychydig cyn fy arholiadau terfynol. Fel unig blentyn teimlais yr angen i gefnogi fy mam.

Ar ddiwedd ei gwrs, dychwelodd Geraint adre'n ôl i Brestatyn a chychwynnodd ar yrfa ym myd addysg uwchradd gan serennu yn y byd cerddorol gyda'i gorau plant, corau cymysg a chorau meibion. Bu'n feirniad cenedlaethol droeon a bu'n arwain cymanfaoedd ar draws y byd.

Dirywiad syfrdanol

Mewn cyfnod byr, roedd y plant ac ieuenctid wedi mwy neu lai diflannu o Fethel. Gwyddwn y buasai hynny wedi bod yn siom enfawr fy nhad hefyd. Felly mentrais ar genhadaeth bersonol i ail-gynai'r fflam ymysg plant, ieuenctid a theuluoedd yr ardal. Doedd dim dewis ond mynd ati i ymweld â theuluoedd addawodd y byddai'u plant yn mynychu'r capel doed a ddel. Credais y buasent hwythau dros amser yn penderfynu dod yn aelodau. Felly, ffwrdd a mi i gnocio ar ddrysau ac apelio'n daer am iddynt gadw eu haddewid i sicrhau dyfodol i Fethel a'i chyfraniad i fywyd ysbrydol y dref.

Yn ogystal â hyn, ail-gydiais â chyfeillion dyddiau ysgol a fagwyd mewn capeli cyfagos ond oedd bellach wedi colli diddordeb.
Felly, un cam ar y tro a fesul un ag un dychwelodd y teuluoedd ifanc i'r capel a braf oedd clywed hyrli byrli'r plant yn y capel ac yn yr Ysgol Sul.

Yn ddiweddarach a'm wyrion yn prifio a'r cyfryngau cymdeithasol yn datblygu, lledaenwyd y newyddion da am fywyd a bwrlwm Capel Bethel. Buasai fy rhieni wedi llawenhau o weld eu hwyrion a'u gôr wyrion a'u ffrindiau yn gymaint rhan ail o'r 'achos'.

Hoelion wyth

Buom yn ffodus o gefnogaeth hoelion wyth yr Ysgol Sul pan oeddem ni yn blant. Byddent yn ein mentora i fod yn athrawon ac arweinwyr ein hunain. Fel canlyniad roeddem yn barod i gymryd cyfrifoldeb yn ein dauddegau – buddsoddiad cariadlon sydd wedi dwyn ffrwyth. A 'dan ni yma o hyd!

Croesawu a chenhadu lleol

Dros y blynyddoedd bûm yn cymryd bob cyfle i siarad â phawb a'u gwahodd i ymuno â theulu, Bethel. Sylwais un tro ar fam ifanc yn oedi tu allan i'r capel ac fe'i gwahoddais i mewn i ymuno am baned. Yn fuan ymaelododd hi a'i theulu â ni.

Erbyn heddiw, mae aelodaeth y capel wedi cynyddu i ychydig dros 80 er mai dim ond tua hanner dwsin o aelodau gwreiddiol sydd ar ôl bellach. Bu'r golled yn bennaf drwy farwolaeth. Fodd bynnag, llwyddodd yr eglwys i ddenu aelodau newydd yn gyson felly, fe gadwyd y niferoedd yn weddol gyson.

Derbyn aelodau newydd

Byddwn yn cynnal seremoni arbennig i groesawu aelodau newydd i'n corlan. Cedwir at yr hen draddodiad o gyflwyno llyfr emynau i bob un gyda chroeso personol oddi mewn iddo. Pan fo ganddynt blant, cyflwynir Beibl Lliw y Teulu* yn anrheg iddynt.

Yr Ysgol Sul

Bydd yr Ysgol Sul yn cyfarfod yn wythnosol. Cynhelir oedfa deuluol fer bob bore Sul. Bydd y plant yn mwynhau sylw a phroffil uchel ymhob oedfa Neilltuir rhan gyntaf yr oedfa i'r plant – stori ac emyn – cyn iddynt ymadael am y festri. Nod hyn yw magu'r genhedlaeth iau i ddeall eu bod yn rhan o gymdeithas yr eglwys ac nid grŵp bach sy'n bodoli arwahan yn y festri.

Byddant yn rhoi perfformiadau cerddorol ar adegau penodedig y flwyddyn fel Gŵyl Dewi, Y Pasg, Y Cynhaeaf a'r Nadolig.

Mae cynnwys y plant yn ein hoedfaon hyn yn denu rhieni ifanc a'u teuluoedd i ymuno â ni. Fel hyn, cawn gwmni croestoriad o'r cenedlaethau yn gyson.

Bydd un o'r mamau ifanc yn llunio rhaglen i arddangos trosolwg o weithgareddau blwyddyn yr Ysgol Sul i gynulleidfa'r capel. Byddwn, yn blant, ieuenctid ac aelodau hŷn – yn mwynhau'r arddangosfa ar y sgrin fawr.

Oedfa

Mae Bethel yn rhan o ofalaeth Bro Colwyn a bydd y Bugail yn gweinyddu'r cymun unwaith y mis. Bryd hynny, bydd y mamau yn ymuno â'r gynulleidfa ar gyfer y sacrament a bydd pawb yn bresennol i gydganu'r emyn olaf. Mae sgiliau arbennig Geraint wrth yr organ yn gweu'r defosiwn yn un cyfanwaith cysegredig.

Cynhelir oedfa bob bore Sul ac oedfa undebol ddwywaith y mis gyda'r chwaer gapel sef EBC Rehoboth.

Bugeilio

Oherwydd gwaeledd a'r nerfusrwydd sy'n parhau yn dilyn Covid-19, bydd y bugail yn paratoi oedfa ysgrifenedig yn wythnosol. Byddwn yn eu dosbarthu i bawb drwy e-bost neu fel copi caled a'u ddosbarthu i'r cleifion ynghyd â lluniau o'r oedfaon.

Roeddem cyn Covid-19 yn cadw mewn cysylltiad drwy ffonio neu ymweld â'r aelodau bregus. Byddwn yn rhoi cnoc ar y drws neu gysylltu drwy alwad ffôn i gyd o fewn cyfyngiadau rheolau Covid-19.

Mae Geraint fel ysgrifennydd y capel yn gofalu am bob teulu fel petaent yn aelodau o'i deulu ei hun. Cofiaf fod i'w rieni enw arbennig am eu gofal hwythau o'u 'praidd'. Yn amlwg mae'n dilyn ôl eu traed.

Dilynaf batrwm fy rhieni yn hyn o beth yn ogystal â thraddodiad byw mewn pentrefi bychain. Byddaf mewn cyswllt agos a phob aelod i ddathlu newyddion da ac i gydymdeimlo mewn salwch, tor perthynas a phrofedigaeth.

Cyfathrebu o fewn y capel ac yn ehangach

Mae'r ieuenctid yn cysylltu'n agos drwy *WhatsApp*, *Messenger* a GL. Er nad yw llawer o'r aelodau bregus yn defnyddio technoleg i dderbyn gwybodaeth gymdeithasu, bydd eraill yn eu cynorthwyo i wylio oedfa ar *Zoom* ac i ddarllen hanes yr Ysgol Sul ar gyfryngau cymdeithasol GL. Mae pob aelod yn derbyn 'Y Gwyliedydd', misolyn y Wesleaid. Yma gallent ddarllen hynt a helynt y capel.

Atgoffwn y plant fod pob aelod yn bwysig i ni. I'r perwyl hwn byddant yn gwneud cardiau Nadolig a lluniau i'w dosbarthu i'r aelodau bregus.

Y dref a'r fro

Byddwn yn cefnogi digwyddiadau cyhoeddus y dref fel cymanfaoedd canu, cyngherddau a'r Ŵyl Goed Nadolig. Ceir hanes Capel Bethel yn fisol yn y Gwyliedydd, cylchgrawn y Methodistiaid a'r Glannau'r papur bro leol. Bydd hynt a hanes y capel yn amlwg a chyson ar y gwefannau cymdeithasol ac ar ddadlen GL.

Banc Bwyd

Mae'r rhoddion o fwyd ac arian i'r Banc Bwyd lleol yn hael. Byddwn yn casglu bwyd yn fisol gan ffrindiau, cymdogion, perthnasau ac aelodau. Ym mis Rhagfyr yn ogystal â'r rhoddion arferol, rhoddwn nifer o focsys siocled i'r banc yn anrhegion Nadolig gan yr Ysgol Sul.

Cymdeithas y Merched a'r Gymdeithas Ddiwylliannol Undebol

Cynhelir cyfarfodydd yn festri Bethel yn rheolaidd

Panad a Sgwrs

Byddem yn cynnal Panad a Sgwrs pob bore Mercher ym Methel i alluogi'r aelodau hŷn i gyfarfod eu ffrindiau a mwynhau sgwrs dros baned. O dro i'w gilydd, byddwn yn paratoi cinio syml a bydd plant yr ysgol Gymraeg lleol yn dod i'n diddori gydag eitemau cerddorol.

Eglwys deuluol

Datblygodd Bethel i fod yn 'Eglwys Deuluol' gydag ystod eang o oedrannau yn addoli gyda'i gilydd o fabanod newydd anedig i aelodau yn eu nawdegau. Erbyn heddiw, mae rhai o'r rhai iau yn datblygu hyder a phrofiad i gymryd mwy o gyfrifoldeb. Bu'n draddodiad ar hyn y blynyddoedd i wahodd tîm egnïol Coleg y Bala i arwain gwasanaeth..

Ac medd un fam:

> Cefais fy medyddio a'm derbyn ym Methel. Priodais yma hefyd. Cefais gyfle i feithrin a datblygu pob dawn o fewn y capel. Erbyn hyn rwy'n fam i dair merch. Mae pob un yn mwynhau bod yn rhan o deulu'r Ysgol Sul. Byddant wrth eu boddau yn cymdeithasu hefo'u ffrindiau a dysgu am Iesu Grist a chymeriadau'r Beibl. Byddant yn mwynhau perfformio mewn gwasanaethau a gweld effaith eu mwynhad ar wynebu'r gynulleidfa. Yma maent yn magu hyder o flaen cynulleidfa, wedi dysgu sgiliau gwrando a chymdeithasu ac wedi magu hyder perfformio sydd wedi bod yn werthfawr iawn iddynt yn eu datblygiad personol."

Ac medd mam arall:

> Bûm yn mynychu capel Bethel ers yn fabi. Erbyn hyn rwy'n fam i dri o blant ifanc fy hun. Fe fydd Casi, fy merch 4oed, yn rasio i'r festri pob bore Sul i ofyn pa fisgedi sydd ar gael hefo'i diod! Dwi'n falch o fedru dweud fy mod i a fy ngŵr a'n plant yn elwa'n fawr o fod yn rhan o deulu Bethel ymysg ein ffrindiau dibynadwy. Byddwn yn gofalu am ein gilydd ac fe gawn ddigonedd o hwyl hefyd. Roedd yn ollyngdod enfawr i mi ddychwelyd adre'n ôl i'r capel wedi cyfnod coleg yn Llundain.
>
> Ar ôl dros ddeugain mlynedd mae'r Ysgol Sul mor fywiog ag erioed. Byddwn (yn ôl oed a diddordeb y plant) yn cyflwyno storiâu'r Beibl ac yn sôn am fywyd Iesu Grist. Gwneir hyn yn aml gyfrwng drwy gerddoriaeth a chaneuon, drama, crefft a thechnoleg. Er hynny, rydym yn ymwybodol bod angen inni ddatblygu'r agwedd dechnolegol yn ehangach. Mae plant yn dangos eu bod yn mwynhau ac yn elwa o'r arlwy:
>
> Noa (5 oed) "Pam oedd Brenin Herod ddim yn drama Nadolig ni? Roedd o yn stori fi yn y Beibl. Ro'n i isio bod yn Herod!"
>
> Beatrice (6 oed)
> "Dwi'n cael hwyl yn yr Ysgol Sul! Dwi'n hoffi bod hefo fy ffrindiau!"

Beirniadaeth

Cawn ein beirniadu weithiau am fod teuluoedd cyfan (rhieni a phlant) yn gadael y gwasanaeth yn ystod y bregeth i fynychu'r Ysgol Sul yn y festri. Credwn y dylid croesawu rhieni i ymuno a'u plant os ydynt yn dymuno. Y rhieni hyn yw cyn aelodau'r Ysgol Sul sydd bellach yn aelodau llawn o'r capel. Yn ystod y blynyddoedd cawsom lawer o hwyl a sbri mewn Cymanfaoedd Canu a phartïon.

Dysgwyr

Byddwn oll yn 'cenhadu' i sicrhau fod y dysgwyr yn ein mysg yn gwybod bod iddynt groeso cynnes yn ein gwasanaethau ac ym mywyd y capel. Byddwn yn cynnal gwasanaethau i ddysgwyr o dan un o'r blaenoriaid sydd ei hun yn ddysgwr.

Croesawn bawb i'n sesiynau Paned a Sgwrs.

Erbyn heddiw, Bethel yw'r capel cryfaf yng nghylchdaith yr Eglwys Fethodistaidd yng Nghymru a'r capel ymneilltuol cryfaf yn yr ardal. Mae Bethel erbyn hyn dan weinidogaeth bro gweinidog gyda'r EBC.

Cred Geraint y buasai ei dad, wrth ei fodd petai'n gweld achos ffyniannus Bethel. Er cof am ysbrydoliaeth ei rieni mae Geraint wedi dylunio ffenestri lliw i'r fynedfa. Er cof am ei ysbrydoliaeth ei dad, naddwyd y geiriau canlynol ar ei garreg fedd:

"Bywyd pur di-seguryd
I'r Iesu roes, hyd ei oes"

Mae cenhadaeth ddiflino Geraint i ail sefydlu'r Ysgol Sul ac i gryfhau dyfodol y capel yn dwyn ffrwyth.

* * *

Taro sylw: Rhaid wrth weledigaeth glir, agwedd bositif ac arweiniad goleuedig i ollwng gafael wrth baratoi ifanc i ffynnu'n hyderus i'r dyfodol. "*Leaders start with the end in mind.*"

Ysbrydoliaeth

Emyn Peter Jones (Pedr Fardd 1775-1845), *Caneuon Ffydd*, Rhif 527, Emyn dôn Navarre Rhif 610

Cyn llunio'r byd,
cyn lledu'r nefoedd wen,
Cyn gosod haul, na lloer,
na sêr uwchben,
Fe drefnwyd ffordd
yng nghyngor Tri yn Un
I achub gwael
golledig euog ddyn.

Sbardun

Thickens, John, 1945, *Emynau a'u Hawduriaid*: Llyfr emynau'r ddwy Eglwys Fethodistaidd yng Nghymru, 1927

Cyfeirnod

Beibl Newydd y Teulu, 2021, Cyhoeddiadau'r Gair

Cyswllt

@ Ysgol Sul Bethel Prestatyn

2.5 Undeb Annibynwyr Cymru

2.5.1 Parchg Owain Idwal Davies

Gweinidog
Gofalaeth Bro Nant Conwy

Ganed Owain yng Nglyn-nedd yn 1979. Fe'i magwyd mewn sawl lle cyn ymgartrefu yn Llanrwst yn 1986 lle bu ei dad yn weinidog eglwysi lleol. Mae'n briod a Mari ac mae ganddynt ddau o blant, Gruff a Lena. Mae'r teulu'n byw yn Llanrwst. Ordeiniwyd Owain Idwal Davies ym Mehefin 2021 a'i sefydlu fel gweinidog ar ofalaeth newydd Bro Nant Conwy ar Fedi 25ain 2021.

Cyn cymhwyso fel gweinidog gydag Undeb yr Annibynwyr treuliodd Owain ugain mlynedd fel rheolwr yn Adran Hamdden Sir Conwy. Yna penderfynodd arall gyfeirio a gwasanaethodd fel Swyddog Ieuenctid a Chynorthwy-ydd Gweinidogaethol EBC Gofalaeth Ardal Bangor.

> Dechreuais fy nghwrs swyddogol ar gyfer y weinidogaeth yn 2016. Gwelais hysbyseb ar gyfer swydd Gweithiwr Plant, Ieuenctid, a Theuluoedd yn ardal Bangor.
>
> Anodd iawn oedd gadael fy ngyrfa ym maes hamdden ar ôl ugain mlynedd, ond bu'n gyfnod gwerthfawr, pleserus, a chyffrous yn fy mywyd. Wrth newid cyfeiriad teimlaf yn ffodus o gael arweiniad wrth weithio dan oruchwyliaeth Parchg Ddr Elwyn Richards a'r diweddar Barchg Euros Jones. Bu'r profiad yn amhrisiadwy.

Yn ystod y cyfnod hwn, bu Owain yn sbarduno plant, ieuenctid, a theuluoedd ifanc gyda rhaglen amrywiol i ddenu eu diddordeb mewn gweithgareddau cyffrous fel:

> Groto Siôn Corn 'Gyrru Trwodd'
> Yn ystod y cyfnod clo a'r capel ar gau, trefnwyd gweithgareddau gwahanol yn lle rhai arferol o gwmpas y Nadolig fel:
>
> - recordio gwasanaeth Nadolig y plant a chreu fideo i'w rannu gyda'r aelodau

- addurno carafán â goleuadau i greu groto ym maes parcio'r capel a mynychodd dros wythdeg o deuluoedd.

Rygbi

Disgynnodd un o gemau rygbi Cwpan y Byd ar fore Sul Diolchgarwch. Achososdd hyn gryn bryder gan fod y gêm yn digwydd yn ystod amser yr oedfa, felly

- darparwyd brecwast i bawb cyn y gêm
- trefnwyd i ddarlledu'r gêm ar sgrin fawr yn y festri
- ymunodd pawb o'r aelodau hŷn yn y capel mewn sefyllfa gymdeithasol
- gwnaethpwyd eitem ar BBC Radio Cymru o'r digwyddiad unigryw

Bwrlwm y Pasg

Ar ôl Oedfa'r Pasg trefnwyd Bwrlwm Pasg i blant, ieuenctid, a theuluoedd y capel. Yma trefnwyd gweithgareddau celf a chrefft, rasys wy ar lwy ym maes parcio'r capel, a helfa drysor wyau o amgylch yr adeilad ei hun.

Mae Gofalaeth Bro Nant Conwy yn ardal wledig sy'n frith o bentrefi bychain gwasgaredig, ffermydd, busnesau bychain. Mae'r ysgolion cynradd bychain yn bwydo Ysgol Uwchradd Dyffryn Conwy, Llanrwst. Mae'r boblogaeth yn wasgaredig gyda'r mwyafrif yn Gymry Cymraeg.

Erbyn hyn, mae'r math o her sy'n wynebu Dyffryn Conwy yn gyffredin ledled Cymru. Mae'n gynyddol anoddach i gynnal capeli ac eglwysi pan mae'r aelodaeth yn lleihau sy'n gwneud hi'n anodd parhau gyda'r achos.

Yn Nyffryn Conwy, wrth wynebu'r argyfwng daeth swyddogion capeli'r Annibynwyr a'r Presbyteriaid at ei gilydd gyda gweledigaeth a chynllun newydd. Drwy hyn, esgorwyd ar fenter arbrofol o weinidogaethu a chenhadu mewn ardal sy'n cynnwys tri chapel ar ddeg. Felly crëwyd Gofalaeth Bro Nant Conwy, sy'n cynnwys capeli Rowen, Llanbedr y Cennin, Tŷ'n y Groes, Tal y Bont, Efail Uchaf, Melin y Coed, Llangernyw, Pandy Tudur, Capel Garmon, Siloam, Nebo, Padog ac Ysbyty Ifan.

Crëwyd targed i ddenu gweinidog i wasanaethu'r capeli mewn dull newydd gan agor allan er mwyn apelio at y gymuned ehangach. Gwaith pennaf y gweinidog fyddai cenhadu ac apelio at blant, pobl ifanc a theuluoedd y fro. Lluniwyd cais i wneud yr ofalaeth yn addas i ddiwallu anghenion cymdeithas gyfoes ar yr un llaw a sefyllfa gynaliadwy ar y llall.

Derbyniwyd cefnogaeth gan EBC am y ddwy flynedd gyntaf 2021-2023 i ariannu

- cyfran o amser y gweinidog
- y Gronfa Genhadol i ariannu dau ddiwrnod yr wythnos i ymgysylltu â phlant, pobl ifanc a theuluoedd
- adnoddau
- cyrsiau a hyfforddiant
- dulliau newydd a chreadigol i ymgysylltu gyda'r gymuned

Darperir 3 gweinidog profiadol i gynnal, cefnogi a chyfrannu'n uniongyrchol i'r ofalaeth. Mae'r tri cyfrannu'n wirfoddol ac yn ddi-dâl (4.5.2).

Aethpwyd ati i lunio cyfres o egwyddorion ynglŷn â natur Gofalaeth Bro Nant Conwy cyn ei sefydlu'n ffurfiol. Penderfynwyd y byddai hon yn:

- cwmpasu enwadau
- gweithredu'n gymdeithas ganolog, tu hwnt i furiau'r capel
- cyflwyno'r neges i'r gymdeithas nid disgwyl i'r gymdeithas fynychu'r addoldy i'w chlywed
- weladwy yng nghanol bywyd y gymdeithas
- ffocysu ar gydweithio â phlant, ieuenctid a theuluoedd
- diwallu anghenion yr aelodau hŷn
- gwarchod hunaniaeth a thraddodiad y capeli unigol
- cyd rannu addoldai, deunyddiau, adnoddau, cyfrifoldebau a beichiau

Ac meddai Owain

> Er bod Covid-19 yn parhau i achosi pryder a rhwystro rhai o'r cynlluniau, rwy'n fodlon iawn ar beth a gyflawnwyd o fewn pum mis cyntaf bodolaeth yr ofalaeth.
>
> Derbyniais groeso a chefnogaeth arbennig gan yr eglwysi, y cymunedau amrywiol, y clybiau a'r ysgolion. Bu hyn yn gymorth mawr wrth i mi sefydlu fy hun a dechrau rhoi'r weledigaeth newydd ar waith.

Er mwyn cynnal pob un capel, penderfynwyd ar strategaeth bendant yn seiliedig ar y cysyniad o rannu. Felly rhannwyd yr ardal yn bedair gan sicrhau fod pob capel yn deall pwrpas a manteision y fenter. Yna dyrannwyd cyfrifoldebau er mwyn creu perchnogaeth a rhannu baich. Aethpwyd ati hefyd i rannu adnoddau er budd pawb ac i sicrhau gwerth am arian.

Cred y tîm bod angen manteisio ar sgiliau, doniau a phrofiad y capeli a'u cymunedau. Maent yn hyderus y bydd hyn yn codi awydd a diddordeb ehangach. Ac meddai Owain

> O'r cychwyn cyntaf bu yma ewyllys gref ymysg y capeli i fod yn rhan o'r cynllun.
>
> Cytunodd bob un i gyd-weithio yn gwbl hyderus na fyddent yn colli eu hunaniaeth.
>
> Cam naturiol felly oedd sefydlu tîm cefnogi o unigolion brwd i greu a chefnogi bwrlwm bro.
>
> Mae'n hollol angenrheidiol i'r cymunedau unigol gymryd perchenogaeth o'r fenter a chyd-weithio os yw hwn am lwyddo a bod yn gynaliadwy.
>
> Cynhelir cyfarfodydd chwarterol i greu cynllun gwaith tymhorol a bydd hwn yn bwydo 'i mewn i Bwyllgor yr Ofalaeth.

Mae iddi gynrychiolaeth o bob capel a'i thasg yw:

- creu perthynas agos gyda'r gymuned
- cynnal gweithgareddau allan yn y gymuned ehangach
- cysylltu â'r rheini nad sy'n mynychu na pherthyn i gapel/eglwys

Yn ogystal â hyn ceir Is-grŵp Gwaith Plant ac Ieuenctid a Theuluoedd sy'n canolbwyntio ar hyn ym mhob ardal. Byddant yn cyfarfod i drafod, gwerthuso, cynllunio a gwireddu eu cynlluniau. Yn ystod y flwyddyn gyntaf hon bydd y ffocws ar sefydlu gweithgareddau diddorol hwyliog i ennyn diddordeb. Gellir wedyn adeiladu ar hyn i'r dyfodol. Credant fod gweithio ar draws enwadau yn hanfodol i ddyfodol cymuned Gristnogol Dyffryn Conwy.

Ysgolion Sul

> O fewn y misoedd cyntaf llwyddwyd i ail gychwyn yr Ysgolion Sul wedi cyfyngiadau pandemig Covid-19 a sefydlu dwy arall newydd a thrydydd

un bellach ar y gweill. Gwnaethpwyd hyn drwy gyfarfod yn rheolaidd i:

- drafod cynlluniau gwaith
- archebu adnoddau newydd
- penderfynu arddulliau hysbysebu a hyrwyddo
- sefydlu cysylltiadau agos gydag ysgolion gan ymweld â nhw'n rheolaidd

Er bod gan yr Ysgolion Sul eu harweinyddion bu'n fanteisiol iddynt fynychu'r cyfarfodydd i ddod i adnabod ein gilydd.

Clybiau Ieuenctid Cristnogol (CIC)

Sylfaenwyd wyth CIC gyda sesiynau i blant cynradd ac ieuenctid uwchradd

Fodd bynnag, nid oedd yn bosib i'r ardal hon nac unrhyw ardal arall osgoi'r her o ddelio a chyfyngiadau Covid-19. Un o'r effeithiau negyddol oedd anallu teuluoedd i fynychu eu haddoldai. Roedd hyn yn amharu ar y gallu i rannu gwybodaeth a chynnal perthynas.

Defnydd ehangach o dechnolegol

Penderfynwyd manteisio ar y cyfle i addasu'r dulliau cyfathrebu er mwyn:

- denu cynulleidfa newydd o bob oedran
- defnyddio pob agwedd o dechnoleg fodern.

Erbyn hyn, maent yn edrych i mewn i'r posibiliadau o greu capeli a lleoliadau'n addas i bwrpas drwy sicrhau mynediad rhyngrwyd a sgriniau rhyngweithiol.

Cyfryngau cymdeithasol

Y cam cyntaf oedd sefydlu presenoldeb ar y cyfryngau cymdeithasol drwy GL Gofalaeth Bro Nant Conwy i gyfathrebu'n bell gyrhaeddol. Fe'i defnyddiwyd i hysbysu ein cynulleidfa o oedfaon, manylion yr Ysgolion Sul, CIC, cyrsiau hyfforddi ar addoli a phregethu a chyrsiau i flaenoriaid. Drwy *Zoom*, buom yn cynnal gwasanaethau teuluol tra bo'r sefyllfa Covid-19 yn parhau'n fregus.

Cylchlythyr Bro Nant Conwy

Crëwyd Cylchlythyr Gofalaeth Bro Nant Conwy, dosbarthwyd cylchgronau Cristnogol fel Cennad Cymru, Cristion a lluniau o weithgareddau'r plant.

Gweplyfr a *Zoom*

Daeth 'GL' a *Zoom* yn rhan annatod o sgyrsiau pob dydd pawb. Amlygwyd hyn yn ystod dau brif ddathliadau'r Calendr Cristnogol – y Diolchgarwch a'r Nadolig.

Gweithgareddau cymdeithasol

Gan fod bob capel yn gymdeithas ynddo'i hun mewn gofalaeth eang mae angen digwyddiadau cymdeithasol i gadw pawb mewn cyswllt â'i gilydd. Y bwriad yw gwneud hyn drwy weithgareddau ymhob ardal gan gynnwys:

- Llan Llanast
- Bwrlwm Pasg
- tripiau pêl-droed
- rygbi a nosweithiau adloniant

Cynlluniau'r dyfodol

Yn y dyfodol bydd y gweithgarwch yn symud tu hwnt i furiau'r capel gan greu:

- cyfleoedd i ddyfnhau gwybodaeth drwy sgyrsiau astudiaethau Beiblaidd
- cysylltiadau gyda gwahanol glybiau e.e. clybiau'r Ffermwyr Ifanc
- sesiynau i glybiau eraill fel rhieni a'i babanod
- presenoldeb mewn ffeiriau Haf a sioeau amaethyddol
- prosiect Agor y Llyfr i ddod a'r Beibl i glyw'r plant

Y Clwb Rygbi

Fel canlyniad i fyw a gweithio yn y dyffryn am dros deg mlynedd ar hugain mae gan Owain adnabyddiaeth eang o'i fro a'i thrigolion. Mae ganddo ymdeimlad cryf o berthyn iddi. Gan fod gan blant Owain, Gruff a'i ferch, Lena ddiddordeb brwd mewn chware rygbi mae gan yr holl deulu berthynas agos â Chlwb Rygbi Nant Conwy. Mae'r clwb yn rhan bwysig o fywyd y dyffryn ac yn gyrchfan i gannoedd o aelodau a theuluoedd. Manteisiodd Owain ar y cyfle i gyd-weithio gyda'r clwb i ddatblygu rôl fugeiliol. Felly fe'i penodwyd yn gaplan y clwb gyda dyletswyddau penodol sy'n cynnwys:

- bod yn glust ac yn gefn i chwaraewyr, hyfforddwyr, cefnogwyr a'u teuluoedd beth bynnag fo'u ffydd a'u crefydd
- hyrwyddo lles drwy gydweithio gydag asiantaethau iechyd meddwl lleol i godi ymwybyddiaeth o'r gefnogaeth sydd ar gael

Er mwyn cyflawni'r dyletswyddau hyn, mynychodd Owain hyfforddiant ar iechyd meddwl i'w alluogi i gefnogi amaethwyr sydd yn ôl ymchwil diweddar yn tueddu i ddioddef oherwydd natur unig y gwaith yn enwedig yn ein hardaloedd cefn gwlad. Ei nod yw hybu'r cyd-weithio drwy ei frwdfrydedd a'i egni.

Mae'r timau sy'n ymwneud â'r ofalaeth ar ei newydd-wedd yn ymwybodol mai megis cychwyn maen nhw. Edrychant ymlaen at ddysgu a datblygu fel bo'r gwaith yn agor allan.

* * *

Taro sylw: Pwrpas bwrlwm Cristnogol ydy denu pobl i glosio at Grist yn eu bywydau bob dydd nid i chwyddo aelodaeth y capeli ar y Sul i'w hachub rhag cau.

Ysbrydoliaeth

Dau siaradwr / awduron hunangymorth rhyngwladol

Tony (Anthony) Robbins

Paul McGee (Sumo Guy-**S**hut **U**p And **M**ove **O**n)

Sbardun

Robbins, Tony, *Unleash the Power Within*

Cyfeirnodau

www.tonyrobbins.com

www.thesumoguy.com>

sumo@paulmcgee.com

Cyswllt

@Gofalaeth Bro Nant Conwy

owaindavies10@btinternet.com

2.5.2 Andy Hughes

Arweinydd Tîm Datblygu Cymru
Saint y Gymuned a
Chenhedloedd Celtaidd

Ganed Andy yn 1963 yn Ne Llundain ac fe'i magwyd yn Brixton. Bu'n gweithio fel cigydd, clerc cyfrifon a gweithiwr ieuenctid cyn dysgu siarad Cymraeg yn rhugl a dod i gydweithio ag eraill fel Arweinydd Tîm Saint y Gymuned (*Urban Saints*) yn 1996. Mae'n briod a Rachel ac mae ganddynt ddau o blant – Carys a Rhys sy'n oedolion erbyn hyn. Maent wedi ymgartrefu yn Llandderfel, Gwynedd.

Cefndir a magwraeth

Roedd fy nhad yn wreiddiol o Fae Colwyn ac wedi symud i Lundain i weithio fel canwr opera. Yr oedd hefyd yn aelod (ac yn ddiweddarach yn ysgrifennydd) Capel Tabernacl, Kings Cross. Ond oherwydd nad oedd fy mam yn siarad Cymraeg ac roedden ni yn Llundain, wnes i ddim dysgu'r iaith fel plentyn. Er hyn, roeddwn i'n ystyried fy hun yn Gymro – yr unig blentyn yn fy ysgol i gefnogi Cymru mewn rygbi yn y dyddiau pan wnaethon ni ennill popeth!

Roedd cerddoriaeth wastad yn rhan allweddol o fywyd – dysgais y piano, ffidil, bas dwbl a gitâr tra yn yr ysgol ac mi es i i '*Centre for Young Musicians*' yn Llundain bob dydd Sadwrn am 6 mlynedd.

Aethon ni fel teulu i gapel (Saesneg) bob bore Sul ac mi es i i Ysgol Sul lle wnes i ddysgu am Iesu. Pan oeddwn i'n bedair ar ddeg mlwydd oed, wnes i ddod yn Gristion – gan wneud ymrwymiad personol i ddilyn Crist. Newidiodd hyn bopeth i mi. O hynny ymlaen rwyf wedi bod ag awydd cryf i rannu fy ffydd gyda'r rhai o'm cwmpas.

Plant a phobl ifanc

Wrth fyw a gweithio yn Llundain, dechreuais weithio gyda phlant a phobl ifanc – rhedais grŵp Cub Scouts a grŵp ieuenctid eglwys, cymerais rai gwasanaethau mewn ysgol leol yn ogystal â bod yn gerddor ar achlysur cenhadol plant bob haf.

Dysgu Cymraeg

Ym 1988, symudodd fy ngwraig a minnau i Cumbria lle roeddwn i'n gweithio fel Gweithiwr Ysgolion Cristnogol am nifer o flynyddoedd cyn symud i Gilgwri i weithio i eglwys enfawr fel gweithiwr ieuenctid a phlant. Yn ystod y cyfnod hwn, cefais encil ym Meddgelert a, thra yno, siaradodd Duw â mi yn rymus am Gymru. Rhoddodd alwad cryf i mi ddysgu'r iaith ac i symud i weithio yng Nghymru – yn enwedig gyda Chymry Cymraeg. Felly mi es i bob wythnos i ganolfan Ieuenctid y Fflint i wers Cymraeg. Wnaeth dysgu'r iaith yn cymryd amser ond roedd yn teimlo fel caffael rhywbeth oedd yn perthyn i mi ond wedi bod ar goll yn fy nghenhedlaeth.

Saint y Gymuned

Llai 'na flwyddyn wedyn, wnaethon ni symud i Gymru i weithio efo Croesgadwyr (rŵan Saint y Gymuned) i ddatblygu grwpiau newydd, rhedeg digwyddiadau a gwersylloedd. Mae wedi bod yn fraint i helpu pobl Gristnogol o bob enwad i ymestyn allan i blant a phobl ifanc yn eu cymunedau. Dwi wedi bod yn y gwaith hwn ers 25 mlynedd rŵan.

Rhywbeth newydd

Nid yw'r angen yn ein cymunedau am rywbeth ffres a pherthnasol i ymestyn allan at blant, pobl ifanc a'u teuluoedd erioed wedi bod yn fwy nag y mae yng Nghymru heddiw. Mae cymaint o'n ffurfiau traddodiadol o gapel/eglwys y tu hwnt i'w deall i'r cenedlaethau iau. Os na wnawn rywbeth gwahanol yn awr, byddwn yn parhau i weld yr achos yn marw allan mewn mwy fyth o gymunedau. Mae'r Arglwydd yn gwneud rhywbeth newydd.

Un mlynedd ar hugain yn ôl, wnaethon ni symud o Brestatyn i Landderfel a dyn ni'n rhedeg dau clwb plant, clwb ieuenctid a, bob hyn yn hyn, Llan Llanast. Mae'r rhan fwyaf o'r rhai sy'n dod heb gyswllt efo eglwys neu gapel ond maen nhw dal efo'r diddordeb mewn ffydd achos y ffordd dyn ni'n gweithio efo nhw. Mae hwn yn sylfaen i'n bywydau yma. Ar ran y gwaith, dwi'n hapus i weithio efo capeli/eglwysi ledled Cymru i helpu nhw gweld be sydd yn bosib, rhoi hyfforddiant a galluogi nhw i ddechrau rhywbeth newydd lle maen nhw. Mae'r gefnogaeth hwn ar gael yn y ddwy iaith.

Defnydd o gerddoriaeth

Dwi hefyd yn berson cerddorol ac mae wedi bod yn fraint i gyfansoddi ac i greu adnoddau a chaneuon modern i gael eu defnyddio efo oedolion a phlant. Yn ystod cyfnod cloi Covid-19, roeddwn yn rhan o dîm bach yn ysgrifennu 'Clwb Plant Trwy'r Post' bob wythnos i'w ddosbarthu i blant lle nad oedd eu grwpiau arferol neu eu hysgolion Sul yn gallu cyfarfod. Wedi'i gyfieithu i'r Saesneg hefyd, aeth yr adnodd hwn o Ogledd Cymru i filoedd o ddefnyddwyr mewn dros deg gwlad.

Bydd Andy yn denu pawb (hen ac ifanc!) i forio canu i'w gyfeiliant gyda gitâr ac allweddell rhythmig. Hefyd bydd yn denu plant (a ni!) i mewn i ateb ei gwestiynau syml a pherthynasol fel:

Pa bethau faset ti'n hoffi 'i rannu gyda Duw?
Pa bethau mae pobl yn dweud ti ddim yn cael 'i wneud, ti wir isio'i gwneud?
Sut wyt ti'n teimlo bryd hynny?
Pa storiâu sydd yn y Testament Newydd am blant?
Beth mae plant YN gallu 'i wneud?

Mae Andy ar yr un donfedd a phlant a phobl ifanc ac mae'n siarad iaith maen nhw'n ei ddeall. Y freuddwyd sy'n gyrru ei holl weithredodd yw y byddant yn dod i adnabod Iesu Grist fel a wnaeth ef: breuddwyd a adlewyrchir yn un o'i hoff adnodau Beiblaidd:

'Gadewch i'r plant bach ddod ata i' meddai wrthyn nhw,
'Peidiwch eu rhwystro, am mai rhai fel nhw sy'n derbyn teyrnasiad Duw'.
Marc 10,14.

Datblygodd adnoddau a syniadau i helpu eraill i danio eu diddordeb. Mae'n rhannu e syniadau'n hael ar y gwefannau a nodir isod.

* * *

Taro sylw: Er mor werthfawr a dylanwadol ar y pryd, ni fydd iaith, arferion, gweithredodd retro 1922 yn denu teuluoedd ifanc, plant ac ieuenctid yn 2022. Saif y Gair a phŵer gweddi yn gryf a thrwy bob gwybodaeth newydd i'n cynnal deued dilyw, deued tan

Ysbrydoliaeth

Gweld plant yn dod i nabod Iesu Grist.

Sbardun

DeVries,Mark, 2004, *Family-Based Youth Ministry: Reaching the Been-There-Done-That Generation*

Cyfeirnodau

Dolenni defnyddiol i'w lawr lwytho

Clwb plant trwy'r post
https//www.energize.uk.net/pages/kids_club_by_post
Caneuon plant ac oedolion
https//www.youtube.com/channel/UCX9v1qcOnnB4QY261Xq4msA

Cyswllt

AHughes@saintygymuned.org
Andyhughesllandderfel

2.6 Undeb Bedyddwyr Cymru

2.6.1 Parchg Isaías Eduardo Grandis

Gweinidog
Gofalaeth 'Bro'r Sosban', Llanelli

Ganed Isaías yn 1982 yn Villa Maria, Córdoba (Yr Ariannin), ond cafodd ei fagu yn Nhrevelin (Y Wladfa) lle bu'n diwtor yn y Gymraeg am ddeng mlynedd ar ôl dysgu'r iaith mewn dosbarthiadau allgyrsiol. Enillodd gystadleuaeth Dysgwr y Flwyddyn yn Eisteddfod Genedlaethol Bro Morgannwg 2012. Mae'n aelod o Orsedd Beirdd Cymru a'r Wladfa. Fel tywysydd twristiaid Cymraeg, mae'n arwain teithiau o gwmpas y Wladfa yn Chubut o bryd i'w gilydd! Mae'n byw yn Llanddarog, Caerfyrddin gyda'i wraig Eluned Owena a'u dau fab ifanc, Llewelyn Owen a Joseff Lewis. Bu Eluned hithau yn athrawes Gymraeg yn yr Andes pan gyfarfu ag Isaias cyn dychwelyd i ddarlithio yn y Gymraeg ym Mhrifysgol Cymru Y Drindod Dewi Sant.

Bu Isaías yn arwain gwasanaethau trwy gyfrwng y Gymraeg a'r Sbaeneg yng nghapeli'r Andes. Fe'i ordeiniwyd yn weinidog Bethel Trevelin a Seion Esquel yn 2016. Erbyn hyn, ef yw gweinidog capeli Cymraeg Adulam Felinfoel, Salem Llangennech a Seion Llanelli.

Mae Isaías yn danbaid am ddenu pobl ifanc i adnabod Iesu Grist a dyma ei stori

> Yn 2019 cododd y syniad o lansio clwb ieuenctid yn Seion Llanelli i ddenu Cymry Cymraeg y dref. Nid oedd unrhyw grŵp tebyg yn bodoli bryd hynny. Ond yn fwy na hynny, teimlem fod Duw drwy ei Air Sanctaidd yn ein galw i wneuthur hyn. Roeddwn yn gwbl ffyddiog y byddai'r fenter gyffrous hon yn gweithio. Gwyddwn inni gael ein galw i gyhoeddi'r newyddion da am Iesu Grist.

Partneriaeth hyfforddi: dwylo dros y môr
Fel cyd-ddigwyddiad, mae UBC wedi penderfynu mynd ati i gydweithio

gyda Cameron Roxburgh o Ganada er mwyn iddo geisio cynorthwyo gweinidogion ac arweinwyr i genhadu yn eu sefyllfaoedd unigryw eu hunain.

> Gwyddom ond yn rhy dda am y darlun cyffredinol o Gristnogaeth yng Nghymru heddiw: eglwysi yn cau, nifer yr addolwyr yn lleihau, diffyg gweinidogion a phrinder swyddogion i ysgwyddo cyfrifoldebau. At hynny, digon cyfarwydd yw cael cynulleidfaoedd o dan 10 mewn nifer. Cawn ein herio yn aml i holi'r cwestiynau pam nad ydym yn medru denu pobl i'r ffydd Gristnogol? Beth fydd cyflwr Cristnogaeth yng Nghymru ymhen deng mlynedd? Sawl capel fydd gan enwad y Bedyddwyr? A fydd yr Undeb a'r Cymanfaoedd yn bodoli? Dyma gwestiynau anodd ac anghyfforddus, ond cwestiynau sydd yn rhaid eu hwynebu. A oes yna ateb felly i'n sefyllfa heddiw?
>
> Yn sicr un ateb yw cenhadu ac ymateb yn gadarnhaol i'r heriau amrywiol sydd yn ein hwynebu. Ond haws dweud na gwneud! Sut ydyn ni'n cenhadu mewn oes lle mae seciwlariaeth ar gynnydd a llawer o bobl yn gwbl ddifater am achos Crist?

Mae Cameron Roxburgh yn Gyfarwyddwr Cenedlaethol mudiad o'r enw Forge, Canada ac yn arweinydd Eglwys Gymunedol Southside Vancouver. Mae hefyd yn gwasanaethu fel Is-lywydd Mentrau Cenhadol Bedyddwyr Gogledd America ac yn gyfrifol am nifer o gyhoeddiadau. Bu'n darlithio yn Athrofa Tyndale, Coleg Regent, Toronto a Chanolfan Cenhadaeth Coleg Diwinyddol Carey. Mae ganddo ystod eang o brofiad o gynorthwyo enwadau, grwpiau o eglwysi ac eglwysi unigol i fynd ati i genhadu o fewn eu cyd-destun lleol eu hunain.

Mewn partneriaeth â Forge, mae UBC wedi lansio rhaglen hyfforddiant genhadol ddwy flynedd ar gyfer eglwysi ac arweinwyr sy'n synhwyro'r angen i ddeall yr amseroedd a pharatoi ar gyfer yr heriau a'r cyfleoedd cenhadol sydd o'm blaenau yma yng Nghymru.

Hyfforddiant Isaias

Yn 2020, derbyniodd Isaias wahoddiad i ymuno â rhaglen hyfforddiant. Lleolwyd y sesiynau dechreuol mewn gwesty yn Saundersfoot gyda dilyniant ar *Zoom*. Dywedodd Cameron nad oedd ganddo yr ateb oherwydd:

- yn gyntaf, mae'r arweiniad i'r cenhadu penodol hwnnw yn y Gair

- yn ail, y gweinidog sy'n adnabod cymeriad ac anghenion unigryw ei gymuned.

Aeth Isaías ati felly i ganfod yr atebion drwy astudio'r Gair:

> Bûm yn myfyrio dros hanes Iesu ar ôl penodi'r 12 disgybl yn danfon 72 ychwanegol allan i rannu'r newyddion da fod Duw'n dod i deyrnasu. Dywedodd fod y cynhaeaf mor fawr a'r gweithwyr mor brin fel bod nifer fawr heb gael y cyfle o gael Iesu'n eu bywydau. 'Felly' mae'n dweud, **'gofynnwch i Arglwydd y cynhaeaf anfon mwy o weithwyr i'w feysydd'**. (Luc 10. 1-12 a'r efengyl yn ôl Ioan 2.11-14).
>
> Pan fyddi di'n gweddïo, dos i ystafell o'r golwg, cau'r drws, a **gweddïo ar dy Dad** sydd yno gyda thi er dy fod ddim yn ei weld. Wedyn bydd dy Dad, sy'n gweld pob cyfrinach, yn rhoi dy wobr i ti (Mathew 6..6).

Gwyddai felly mai'r unig ffordd ymlaen oedd drwy weddïo am gymorth yr Arglwydd a thrwy hyn fe'i cyfeiriwyd at Y Gair.

> Bu Pedr a'r lleill yn pysgota heb lwyddiant. Yna daeth Iesu i'r lan heb iddynt sylweddoli mai pwy ydoedd. **Rhoddodd gyfarwyddyd** iddynt ar sut i ddal pysgod ac fe ddaliwyd cant pum deg a thri o bysgod mawr! Y neges yw cawn fywyd tragwyddol drwy ufuddhau i Air yr Arglwydd a dilyn ei gyfarwyddiadau (Ioan 2,11-14).

Wrth arwain menter Seion Llanelli, aeth Isaías ati i fyfyrio ar y cyfarwyddiadau yn y Gair:

> Felly gadewch i ni ddal ein gafael yn beth dyn ni'n credu. Cafodd Iesu ei demtio'n union yr un fath â ni, ond ni ildiodd o gwbl. Felly gadewch i ni glosio at orsedd Duw yn hyderus. Mae Duw mor hael! Bydd yn trugarhau wrthon ni ac yn rhoi popeth sydd ei angen i ni pan mae angen help arnon ni. (Hebreaid 4.14-16)
>
> Os ydy'r Arglwydd ddim yn adeiladu'r tŷ, mae'r adeiladwyr yn gweithio'n galed i ddim pwrpas. (Salm 127.1)
>
> Credwch chi fi, bydd fy Nhad yn rhoi i chi beth bynnag ofynnwch i mi am awdurdod i'w wneud. Dych chi ddim wedi gofyn am awdurdod i wneud dim hyd yn hyn. Gofynnwch a byddwch yn derbyn. Byddwch chi'n wirioneddol hapus! (Ioan 16.23-24)

Wedi mewnoli'r negeseuon clir drwy Air Duw, gweddïodd Isaías am gymorth yr Arglwydd. Erbyn hyn, gwyddai'n union bod Seion angen person addas i gychwyn cenhadu gyda'r ieuenctid. Bu'n benodol wrth lunio manyleb a meini prawf:

- person ifanc cerddorol
- offerynnwr hwyliog a chyfoes
- siaradwr Cymraeg, Saesneg a Sbaeneg
- Cristion oedd yn caru a dilyn yr Arglwydd
- arweinydd a'r gallu i sefydlu a datblygu clwb ieuenctid
- Pregethwr allai arwain addoliad cyfoes

Doedd Isaías ddim yn siŵr bod y math o berson yn bodoli mewn gwirionedd ond roedd yn fodlon ymddiried yn yr Arglwydd i gyflawni'r amhosib.

Ar ôl ychydig ddyddiau o weddïo, cysylltodd Mike Winter gyda mi. Roedd ganddo'r holl gymwysterau yr erfyniais i Dduw amdanynt. Mae'r peth yn anhygoel – ac yn gwbl anghredadwy! Mae Duw yn fy rhyfeddu fel hyn dro ar ôl tro. Mae ei ras yn ddifesur ac yn hyfryd!

Derbyniodd Isaias lythyr gan ŵr ifanc o'r enw Mike Winter ac roedd ei gynnwys yn syfrdanol:

Magwraeth

Ces i fy ngeni yn Esquel, Chubut, Yr Ariannin, ar y 9fed o Fehefin, 1998 – yr ieuengaf o bedwar brawd.

Pan o'n i'n flwydd a hanner oed, symudon ni i Lundain oherwydd gwaith fy nhad – Pediatrydd. Daethon ni nôl i'r Ariannin am flwyddyn (2002-2003) ac wedyn nôl i Brydain eto, y tro yma i Fangor, Cymru. Buon ni'n byw yno am saith mlynedd, tan ddiwedd 2009 pan symudon ni yn ôl i Esquel.

Ym mlwyddyn pedwar yn yr ysgol, es i i Maesincla, Caernarfon am dymor, i'r Uned Iaith i ddysgu Cymraeg. Ar ôl dychwelyd i'r Ariannin dwi'n astudio gradd i fod yn athro cerddoriaeth. Ar hyn o bryd dw i yn y bumed flwyddyn o'r cwrs (allan o saith). Er bod gen i ddwy flynedd ar ôl er mwyn gorffen, dw i'n gallu gadael a pharhau pryd bynnag dw i eisiau o fewn y deng mlynedd nesaf.

Astudiaethau cerddorol

Mae fy nheulu yn gerddorol iawn. Roedd 'na o hyd offerynnau gwahanol yn fy nhŷ – piano, gitâr, ffidil, ffliwt a drymiau. Mae fy nhad yn dod o deulu Efengylaidd, o waed Saesneg ac Eidaleg, ac felly roedden nhw'n chwarae nifer o offerynnau drwy glust, a chanu mewn harmonïau drwy'r amser.

Dyna oedd yr awyrgylch yn fy nhŷ pan o'n i'n blentyn a gyda fy mam a'm brawd hynaf gwnes i ddysgu tipyn o biano a gitâr, a phan o'n i ym mlwyddyn 3, dechreuais ddosbarthiadau ffidil yn yr ysgol. Gwnes i ddal ati gyda'r ffidil, a chael dosbarthiadau yn ogystal â bod yn aelod o Gerddorfa Cyngor Gwynedd, a phan o'n i'n paratoi ar gyfer gradd 4, daethon ni nôl i'r Ariannin.

Yn y wlad hon, does ddim cyfundrefn graddau fel yng Nghymru, ond gwnes i barhau gyda dosbarthiadau preifat ffidil, a chwarae mewn grŵp siambr. Yn 16 oed, ces i fy mhrofiad cyntaf o roi dosbarthiadau ffidil i rai dysgwyr preifat, a hefyd mewn gweithdy cerdd i blant ysgol.

Yn ystod fy mlwyddyn olaf yn yr ysgol, gwnes i ddechrau chwarae'r fiola hefyd, sydd erbyn hyn yn brif offeryn i fi. Ar hyn o bryd, dw i'n astudio ar gyfer gradd ym Mhrifysgol IUPA (General Roca, talaith Rio Negro), i fod yn athro cerddoriaeth, ond yn arbenigo yn y fiola. Ers y llynedd, dw i'n rhan o Gerddorfa Symffonig y dalaith, a hynny fel swydd. Dw i'n hapus iawn o fod yno achos dw i'n ennill llawer o brofiad ac yn derbyn cyflog am y peth dw i'n caru ei wneud.

Fy ffydd

Ces i fy magu mewn teulu Efengylaidd. Dw i wedi mynd i'r eglwys ar ddydd Sul drwy gydol fy mywyd, ac ers yn ddeng mlwydd oed dw i wedi chwarae'r ffidil yn yr addoliad yn achlysurol.

Tra oedden ni ym Mangor, ro'n ni'n rhan o Hope Church (Salt & Light), ac ar ôl dod nôl i Esquel gwnaethon ni ymuno â Chapel Efengylaidd y Brethren. Pan o'n i tua un ar ddeng mlwydd oed, dechreuais i ddeall mewn ffordd fwy personol beth oedd dilyn Iesu, a ches i sawl profiad o'i bresenoldeb a'i gariad wnaeth farcio fy mywyd. Ers hynny, dw i wedi rhoi blaenoriaeth i chwilio amdano.

Ers i mi symud i General Roca, ble dw i'n byw ar hyn o bryd, dw i wedi ymuno ag eglwys hyfryd o'r enw "Cymuned Gristnogol". Gwnes i ddysgu llawer a thyfu yn fy ffydd yn ystod yr amser o fyw ar fy mhen fy hun, yn bell wrth fy nheulu. Yn 2018 fe ddechreuais weithio gyda'r ieuenctid (rhwng deuddeg a deunaw mlwydd oed). Buodd hynny'n sialens, ond yn hyfryd ac yn fraint gallu bod mor agos atyn nhw. Dw i 'di dysgu llawer wrth weithio yno hefyd.

Galwad i Gymru

Fel dwedais i, pan o'n i'n byw yng Nghymru, ces i gyfle i ddysgu'r iaith Gymraeg yn fwy na fy mrodyr, gan i mi fynd i Uned Iaith ym Maesincla am dymor. Ond, ar ôl hynny, ches i ddim llawer o gyfle i ymarfer a chadw'r iaith.

Ar ôl dod nôl i Esquel, gwnaeth fy mam fynnu i mi ailddechrau astudio Cymraeg yn Ysgol Gymraeg Yr Andes a mwynheais i wella fy sgiliau iaith. Yn 2015 ces i gyfle i fod yn rhan o Brosiect Mimosa, drama mewn cydweithrediadrhwng Theatr Clwyd a'r Urdd, felly es i i Gymru eto am gyfnod o fis. Roedd yn brofiad anhygoel bod yng Nghymru unwaith eto, a rhannu bron i fis gyda'r criw ieuenctid, a siarad Cymraeg trwy'r amser. Yn ystod yr adeg hynny yng Nghymru, gwnes i brynu fy Meibl Cymraeg cyntaf mewn siop ail-law (Fersiwn BCN, 2004).

Beibl Cymraeg

Dechreuais i ystyried y ffaith o'n i'n gallu deall a siarad yr iaith Gymraeg, a dechrau meddwl roedd rhaid bod rheswm am hynny, yn hytrach na dim ond gwybod sut i siarad iaith fach bert.

Ffydd bersonol

Felly, mewn ffydd, wrth ddeall roedd rhaid bod pwrpas gan Dduw am hyn, dechreuais i ddarllen y Beibl Cymraeg. Ar y cychwyn, roedd rhaid i mi chwilio un ym mhob tri gair ro'n i'n eu darllen yn y geiriadur, oherwydd do'n i ddim yn nabod yr "iaith Feiblaidd". Ond dipyn wrth dipyn roedd e'n haws i ddarllen. Yn 2018 aeth fy nhad i Gymru, felly gofynnais iddo am gopi o fersiwn BNET, ac felly roedd hynny lot haws i ddarllen. Ond beth bynnag, do'n i ddim yn ei ddarllen gymaint, achos doedd gen i ddim rheswm clir neu arweiniad i wneud o, heblaw'r teimlad o'n i'n sôn amdano.

Ymprydio

Eleni, ar ôl i'r cyfnod clo ddechrau yma yn yr Ariannin, gwnes i deimlo'r angen i ymprydio am gyfnod o amser. Yn ystod y cyfnod hwn, gwnes i benderfynu deffro am bedwar o'r gloch y bore bob dydd, ac o'n i'n teimlo roedd rhaid i fi ddarllen yn Gymraeg! Felly dyna beth wnes i, es i drwy'r salmau a'r diarhebion gyda BNET, yn ystod yr ymprydio hwnnw. Roedd o'n anhygoel sut oedd y geiriau, yn y fersiwn hwn – ac o achos yr ymdrech o ddarllen mewn iaith wahanol – yn gwneud cymaint o synnwyr, fel petawn i'n eu darllen nhw am y tro cyntaf yn fy mywyd!
Bob diwrnod, tra o'n i'n darllen, o'n i'n gweddïo i Dduw i fy mharatoi ar gyfer beth oedd o wedi cynllunio i fi. Ro'n i'n deall roedd o'n mynd i fy nefnyddio i rywle gyda'r iaith Gymraeg, ond dim syniad pryd, neu ble.

Adnabod Isaias

Un diwrnod, pan o'n i'n darllen yn y bore a gweddïo, gwnes i gofio yn sydyn am Eseia Grandis. Dw i'n ei nabod o ers o'n i'n blentyn. Ffrind i fy nheulu ydy o, a gwnes i ei nabod fel arweinydd ieuenctid yn eglwys "Ríos de Vida" yn Nhrefelin. Ro'n i'n gwybod roedd o'n gwasanaethu yng Nghymru ers rhai blynyddoedd, ond do'n i byth wedi meddwl am gysylltu â fo.

Cysylltu

Yn sydyn, y diwrnod hwnnw, gwnes i gofio amdano a meddwl y dylwn i sgwennu ato. Felly anfonais neges ato, yn gofyn sut oedd pethau ac os oedd siawns cael cyfarfod bach mewn fideo. Ro'n i eisiau gofyn tipyn bach am sut oedd EYC, beth oedd o'n wneud yn union, a rhannu ychydig o fy nheimlad i baratoi gyda'r iaith Gymraeg.

Ymateb

Dyma fo'n ateb yn syth, a gwnaethon ni gwrdd ryw ddiwrnod ar ôl hyn. Ar y ffôn, cyn i mi ddweud dim byd am pam ro'n i eisiau siarad, gwnaeth o ddechrau sôn ei fod o angen rhywun ifanc i'w helpu, rhywun oedd yn gallu siarad Cymraeg a Saesneg, ac oedd yn gallu chwarae offerynnau. Dywedodd wrthyf sut oedd o'n gweddïo dros hyn, a'r diwrnod wnaeth o dderbyn fy neges, roedd o wedi bod yn gweddïo yn gryf iawn am y peth.

Tra o'n i'n gwrando, ro'n i'n gwenu wrth ddeall roedd Duw wedi bod yn paratoi popeth er mwyn i ni gael siarad ar yr adeg honno. O hynny ymlaen, gwnaeth bopeth ddechrau digwydd yn gyflym iawn, a rhai wythnosau wedyn ro'n i'n sôn yn barod am y posibilrwydd o adael fy ngradd cerdd am rai blynyddoedd, a mynd eleni i Gymru.

Dylanwad Cenhadon Cymreig

Ar ôl penderfynu ro'n i'n fodlon mynd eleni, gwnes i siarad â fy ngweinidog, ac roedd o wrth ei fodd yn clywed hyn. Wedyn, gwnaeth o siarad â gweinidog arall, Llywydd enwad ein heglwys ni, sef Osvaldo Cepeda, ac roedd o mor hapus oherwydd cafodd o ei achub, a'i ddisgyblu, a'i wthio i waith yr eglwys gan genhadon Cymraeg. Roedd o mor hapus, gwnaeth o, gyda'i eglwys, gynnig talu am fy nhocyn hedfan!

Ewyllys Duw

Mae fy rhieni yn hapus iawn hefyd, ac yn fy nghynorthwyo i. Mae'r ffordd wnaeth bopeth ddigwydd, y ffordd wnaeth bopeth lifo hyd at nawr, yn cadarnhau i fi mai ewyllys Duw ydy hyn. Dw i'n hollol sicr am hynny, a dyna pam dw i ddim yn ofni nac yn poeni am ddim. Ar hyn o bryd dw i'n dysgu i ddisgwyl yn dawel, aros am arweiniad Duw i roi'r cam nesaf, ac ymddiried ynddo Fe. Felly dw i'n gyffrous iawn i weld beth sy'n dod!

Amser i'r eglwys gamu ymlaen:

Mae datblygiad y fenter wedi bod yn syfrdanol. Rydym nawr yn y maes cenhadol mewn ffydd i rannu'r Efengyl gydag ieuenctid Llanelli er clod i'w Enw Sanctaidd.

Apwyntio Swyddog Ieuenctid penodol

Trwy ras cyrhaeddodd Mike Seion Llanelli ar ddechrau 2021 i helpu gyda'r plant a'r bobl ifanc. Mae'n gweithredu fel pregethwr gwadd i dair eglwys fy ngofalaeth pan fo'r angen. Bydd hefyd yn cefnogi ein dosbarthiadau Beiblaidd drwy arwain yr addoliad gyda'i gitâr.

Clwb plant

Aethom ati i gychwyn Clwb Plant wythnosol sy'n cynnwys fy meibion Llewelyn a Joseff a'u cyfnither. Mike sy'n arwain a fy ngwraig, Eluned sy'n cynorthwyo. Estynnir croeso cynnes i unrhyw blentyn ymuno gyda ni.

Gweithgareddau amrywiol

Cyfarfod Sbaeneg ar bnawn Sadwrn

Fe fydd oddeutu 5 ohonom yn astudio'r Beibl trwy gyfrwng y Sbaeneg.

Estynnir croeso i unrhyw un sy'n siarad neu'n dysgu Sbaeneg i ymuno â ni.

Seiat agored ar nos Fercher am 6.30

Byddwn yn rhannu'r Gair, ei drafod, cyd-weddïo a chyd-addoli.

Croesawir aelodau o gapeli eraill a'r rhai o ardal Llanelli a'r bro sy'n dymuno chwilio am ewyllys Duw.

Atebodd Iesu, "Cred di fi, mae'r amser yn dod pan fydd pobl ddim yn addoli'r Tad yma ar y mynydd hwn nac yn Jerwsalem chwaith. Ond mae'r amser yn dod, ac mae yma'n barod, pan fydd Ysbryd Duw yn galluogi pobl i addoli Duw fel y mae mewn gwirionedd. Pobl sy'n ei addoli fel hyn sydd gan Dduw eisiau. Ysbryd ydy Duw, ac Ysbryd Duw sy'n galluogi pobl i addoli Duw fel y mae mewn gwirionedd." (Ioan 4.21, 23-24).

Mae Isiais yn dyfynu'r awdur Jim Cymbala* pan ddywed: *The times are urgent, God is on the move, now is the moment to ask God to ignite his fire in your soul.*

* * *

Taro sylw: Mae'r Gair yn cynnig arweiniad pan fo'n nod yn glir a'n ffydd yn gryf. Mewn sefyllfa debyg, ceir nifer yn tystio pŵer gweddi pan fo'i ffydd bersonol yn solet. 'Gwyn eu byd y rhai a gredodd heb iddynt weld' (Ioan 20.29; BCN)

Ysbrydoliaeth
Iesu Grist, Mab Duw

Sbardun
Cymbala Jim (2014) *Fresh Wind, Fresh Fire*

Cyswllt
grand_isa@yahoo.com.ar
adulam.salem.seion@gmail.com
GL Adulam Salem Seion

2.7 Yr Eglwys yng Nghymru

2.7.1 Paul Booth

Cyfarwyddwr cerdd
Eglwys Gadeiriol Llanelwy

Ganed Paul yn 1970. Graddiodd mewn cerdd ym mhrifysgol Lerpwl gan hefyd ennill gradd. Bu'n aelod allweddol o gôr Eglwys Gadeirol Gatholig y ddinas. Mae gan Paul brofiad sylweddol a thrawiadol fel cyfarwyddwr cerdd mewn tair eglwys gadeiriol yng Ngogledd Cymru un sy'n yn perthyn i'r Eglwys Gatholig Rufeinig a dwy i'r Eglwys yng Nghymru.

Yn ystod 2000-2014 pan yn Gyfarwyddwr Cerdd Esgobaeth yn Santes Fair, Wrecsam, darparodd Paul amrywiaeth eang o gerddoriaeth ar gyfer dathliadau eglwysig gydol y flwyddyn ac mewn lleoliadau eraill o amgylch yr Esgobaeth. Gwelir ei frwdfrydedd yn glir yn ei neges ar wefan sy'n amlinellu gwaith y côr.

> Mae'r cantorion yn dod o wahanol blwyfi'r Esgobaeth ac mae'r aelodaeth yn agored i'r rhai sydd â chariad at gerddoriaeth a chanu'r litwrgi. Croeso cynnes iawn, a llawer o ddiolch am ymweld â thudalennau cerdd ein gwefan. Gobeithiwn fod y cynnwys o help ac yn cynnig gwybodaeth ddefnyddiol. Yn y cynnwys gwelir tudalen o gyfansoddiadau newydd sy'n cynnwys sgoriau o leoliadau'r Offeren, Y Salmau a chaneuon eraill i chi eu lawr lwytho a'u defnyddio yn eich dathliadau. Bydd y casgliad hwn o'r cyfansoddiadau yn datblygu'n bellach, felly cofiwch ail-ymweld yn aml i ddarganfod beth sy'n newydd. Mae gwybodaeth am Gôr yr Esgobaeth ac adran ar hyfforddiant a ffurfio cerddorion plwyf hefyd ar ein gwefan, ynghyd â dyddiadau'r cyrsiau hyfforddi, yr ymarferion a materion eraill o ddiddordeb i'r rhai sydd â chariad at gerddoriaeth yn y litwrgi.

Yn 2014, symudodd Paul i Eglwys Gadeiriol Bangor (Eglwys Deiniol Sant) lle arhosodd fel Cyfarwyddwr

> Bydd y grant yn darparu cronfa gyflogedig i ysgolheigion corawl. Maent yn ymuno o'r colegau lleol a Phrifysgol Bangor – myfyrwyr sy'n canu gyda'r côr am daliad bychan fel cydnabyddiaeth o'u gwasanaeth. Bydd

y grant hefyd yn cefnogi datblygiad a thwf y côr i'r dyfodol

Derbyniwyd y grant datblygu sylweddol gan *Friends of Cathedral Music* yn gymeradwyaeth wych i'n holl waith caled diweddar. Bydd hwn yn ein galluogi i ganolbwyntio ar ddatblygiad cerddorol ac ysbrydol parhaus y grŵp anhygoel yma o bobl ifanc.

Mae hyn yn cychwyn cyfnod cyffrous iawn yn hanes Eglwys Gadeiriol Bangor a bydd y grant yn sicrhau bod ein corau'n aros yn agos at galon ein haddoliadau i Dduw.

Gwireddwyd y cynllun

Dros y blynyddoedd diwethaf mae llawer o eglwysi wedi gweld dirywiad yn nifer y bobl ifanc sy'n ymuno â chorau, ac nid oedd Eglwys Gadeiriol Bangor yn eithriad. Fodd bynnag, mae'r datblygiadau diweddar yma sef cyflwyno côr merched, recriwtio parhaus i gôr y bechgyn a chysylltiadau newydd gyda Phrifysgol Bangor wedi cynyddu niferoedd y côr. Erbyn hyn mae'n cynnwys canran uchel o ysgolheigion corawl. Bydd y niferoedd hyn yn ehangu ein repertoires.

Ychwanegodd Parchg Canon David Fisher, yr offeiriad oedd yn gyfrifol am addoli a cherddoriaeth yn Eglwys Gadeiriol Bangor ar y pryd.

Bangor yw'r sefydliad eglwys gadeiriol hynaf yn y Deyrnas Unedig ac o'r herwydd mae gennym draddodiad hynod o ddarpariaeth gorawl. Ffurfiodd yr Eglwys Gadeiriol hon gôr benywaidd eleni am y tro cyntaf yn ei hanes o dros 1,437 mlynedd.

Mae'r côr newydd yn cynnwys pedair ar ddeg o ferched o oedran saith i ddwy ar bymtheng mlwydd oed. Dyma'r cantorion benywaidd cyntaf i arwain gwasanaethau yn Eglwys Gadeiriol Bangor ers iddo gael ei sefydlu yn y chweched ganrif. Yn draddodiadol, corau gwrywaidd fu gan mae bron pob eglwys gadeiriol. Fodd bynnag, mae'r sefydliadau hyn bellach yn deffro at y ffaith y gall merched ganu yn ogystal â bechgyn. Rydym wrth ein bodd gyda'r gwelliant parhaus hwn yn ein darpariaeth gerddorol.

Ychwanegodd yr Archddiacon Sue Roberts:

Fy nghenhadaeth bersonol oedd annog merched i ymuno i mewn i fywyd addoli'r eglwys gadeiriol. Mae yna broblem i recriwtio bechgyn i gôr y gadeirlan. Credaf nad yw'n ymddangos yn ddigon cŵl i fechgyn fod yn rhan o draddodiad corawl ar hyn o bryd. Gellir nodi hyn fel dechreuad newydd i'n traddodiad corawl yma. Mae'n ddatblygiad naturiol fydd yn sicrhau bod bechgyn a merched yn cyrraedd safonau uchel am flynyddoedd lawer. Bu corau dynion a bechgyn yn canu yn yr eglwys gadeiriol a chapeli Prydain, am dros fil o flynyddoedd.

Corau Prydain

> Mae mwy na saith deg o gorau yn dal i ganu mawl yn rheolaidd ym Mhrydain – a gall y rhif gynyddu gyda chyflwyno'r merched. Bu cryn dipyn o bwysau ond mae pethau'n symud gyda'r amseroedd, fodd bynnag, gallai gymryd ychydig flynyddoedd cyn i'r grŵp gystadlu a chôr y dynion. Mae'r côr hwn yn ei fabandod. Cymerith flwyddyn neu ddwy i sefydlu repertoire ac i sicrhau ein bod yn gwybod beth rydym yn ei wneud. Ond rwy'n credu y byddant yn y dyfodol yn hollol wych a chystal ag unrhyw gôr yn y wlad.

Yn 2018, cyhoeddodd Eglwys Gadeiriol Llanelwy (Eglwys Asaph a Chyndeyrn) y lleiaf ym Mhrydain, bod rhaid lleihau'r tîm cerdd mewn ymgais i gydbwyso'r gyllideb. Canlyniad hyn oedd 'bellach ni ellid cynnal' y ddwy swydd rhan-amser o'i adran gerddoriaeth. Diswyddwyd y ddau gan ddiolch iddynt am eu 'safonau uchel.

Mae'r eglwys gadeiriol yn ennyn incwm o amrywiaeth o ffynonellau, gan gynnwys rhoddion a grantiau gan gyrff fel Bwrdd Cyllid Esgobaeth Llanelwy. Yn 2019 ar ôl gadawiad y tîm cerdd penodwyd Paul yn Gyfarwyddwr Cerdd yn Eglwys Gadeiriol Llanelwy. Dadansoddodd y sefyllfa fel hyn:

> Mae Côr Eglwys Gadeiriol Llanelwy yn dyddio'n ôl i ddiwedd y drydedd ganrif ar ddeg ac mae heddiw yn parhau i chwarae rôl sylweddol ym mywyd litwrgaidd a cherddorol yr Eglwys Gadeiriol a'r Esgobaeth. Mae'r côr yn cynnig ysgoloriaeth i fechgyn rhwng saith a thair ar ddeg mlwydd oed a merched rhwng wyth ag un ar bymtheg sy'n caru cerddoriaeth.
>
> Er nad yw hyfforddiant cerddorol blaenorol yn hanfodol, mae'r côr yn ceisio annog y rhai sy'n dangos ymrwymiad i gerddoriaeth a rhoi o'u gorau.
>
> Mae'r côr yn canu'n rheolaidd yn yr Eglwys Gadeiriol ac wedi ymddangos ar deledu cenedlaethol, mewn darllediadau byw a darllediadau recordio gan gynnwys dwy raglen deledu'r *BBC Songs of Praise* a recordiwyd yn yr eglwys gadeiriol.

Pwysleisia Paul:

> Rydym bob amser yn falch o glywed gan rieni unrhyw fachgen neu ferch

sydd â diddordeb mewn ymuno â chôr y gadeirlan. Mae clercod lleyg yr eglwys yn darparu rhannau alto, tenor a bas ar gyfer corau'r bechgyn a'r merched. Maent yn ymarfer yn wythnosol. Mae gan yr holl gorau ymrwymiadau amrywiol ar y Sul.

Pan gyfarfûm â Paul, amlinellodd ei gynllunio trawiadol ar gyfer cynyddu aelodaeth y côr y gadeirlan drwy ddefnyddio grant mewnol. Gall weithredu'r cynllun cyffrous yn dilyn cais grant llwyddiannus. Bu Paul yn archwilo'n ddyfal i sicrhau manteision i'r cantorion, y rhieni, ac i'r eglwys gadeiriol. Fe ddadansoddodd y manteision fel hyn:

Win: win

Manteision i'r cantorion

Arian poced, ymddangosiadau teledu a thripiau rhyngwladol

Manteision i'r rhieni

Blwyddyn o wersi canu wythnosol a hyfforddiant offeryn cerdd am ddim

Manteision i'r eglwys

Côr safonol a chynllun olyniaeth dros gyfnod o flynyddoedd

Manteison i'r arweinydd

Cantorion brwdfrydig o safon ac iddynt y gallu i ddarllen cerddoriaeth

Amlinellodd Paul hefyd y manteision hir dymor i'r ieuenctid gan gynnwys ymdeimlad o berthyn, balchder a datblygiad cymdeithasol ac ysbrydol.

Anfonodd Paul focseidiau o daflenni gwybodaeth allan i bob ysgol gynradd ac uwchradd o fewn chwe milltir i'r gadeirlan yn hysbysebu'r prosiect. Dyma'r wybodaeth oedd ar y daflen ac sydd ar wefan y gadeirlan i gyhoeddi'r fenter:

Does your child love to sing? If so why not sing@stasaphcathedral.wales<mailtosing@stasaphcathedral.wales>

Could your son or daughter become a cathedral chorister and be part of a continuing musical tradition spanning over 800 years?

We are now recruiting girls and boys to our highly

acclaimed cathedral choir you can be part of our living history
Why not join us at our Open Evening in the Cathedral on W
to meet and see our choristers in action and talk with some of our choir parents about the benefits of a chorister place at the Cathedral.

Open up a whole new world of opportunity for your child in a safe and nurturing educational environment.
First-class, professional music education
Generous scholarships to cover instrumental lessons and exam fees
Weekly one-to-one professional vocal tuition
Opportunity to sing some of the world's most beautiful music in glorious settings
Foreign tours – Finland 2022
Pocket money and choir trips
Radio and TV appearances
Life-long friends

Gorfu i Paul rewi'r prosiect dros dro yn ystod cyfnodau'r clo Covid-19 fel bu hanes nifer o brosiectau eraill.

* * *

Taro sylw: Rhaid wrth fanteision i ddenu ymroddiad gennym i fenter eithriadol. Mae pawb yn meddwl '*What's in it for me?*' Ond cawsom ein dysgu i beidio â meddwl na dweud hynny!

Ysbrydoliaeth
Cantorion o bob oed yn ymdrechu hyd eu heithaf i gyrraedd eu potensial a'r safon uchaf posib.

Sbardun
Sacred Choral Music [Vienna Boys' Choir; Peter Marschik] [Capriccio: C7317].George Frideric Handel, et al. | 2019

Cyswllt
directorofmusic@stasaphcathedral.wales
sing@stasaphcathedral.wales

2.8 Achos â statws elusennol

2.8.1 Eleri Mai Thomas

Swyddog Ieuenctid a chymunedol
Capel Annibynnol y Tabernacl,
Efail Isaf

Ganed Eleri Mai yn 1976 Llangynin, Sanclêr. Graddiodd mewn cyfathrebu ac enillodd ddiploma mewn gwaith ieuenctid a chymunedol. Mae ganddi brofiad helaeth ym maes ieuenctid ar raddfa sirol ac fel rheolwr gwaith ieuenctid Urdd Gobaith Cymru. Mae Eleri Mai yn briod gyda James, sy'n athro mewn ysgol gynradd leol ac mae ganddynt ddwy ferch, Nel a Nansi.

Penodwyd Eleri Mai yn Swyddog Ieuenctid a chymunedol gan Fwrdd Cyfarwyddwyr Capel Tabernacl ym mis Hydref 2021.

> O ran ei chymwysterau, ei phrofiad o weithio gydag ieuenctid, y gwerthoedd Cristnogol mae'n eu harddel, a'i phersonoliaeth hawddgar a bywiog, mae Eleri Mai'n gweddu'n berffaith i ofynion y swydd.

Cyflwynodd Eleri ei hun i aelodau'r Tabernacl yng nghylchlythyr wythnosol yr eglwys fel hyn:

> Fe apeliodd y swydd hon ataf gan ei bod yn gyfle hynod o gyffrous a ffres ac yn her i gael arwain gwaith yr eglwys yn y meysydd rwy'n gyfarwydd â nhw.
>
> Rwy'n ymwybodol o'r gwaith diflino a chanmoladwy sydd eisoes yn cael ei wneud yn y gymuned leol hon.
>
> Fe fydd hwnnw'n sylfaen gadarn i ddatblygu ystod eang o weithgareddau a chyfleoedd pellach. Rwy'n teimlo'n hynod freintiedig o gael y cyfle i ymgymryd â'r gwaith hwn. Edrychaf ymlaen yn fawr at gydweithio gyda phawb, o'r babi newydd-anedig i aelodau hynaf y gymuned.

Eglurodd ysgrifennydd Bwrdd y Cyfarwyddwyr y sefyllfa arweiniodd at y penderfyniad i benodi Swyddog Ieuenctid a Chymunedol i gapel Tabernacl drwy gymorth ariannol 'Rhaglen Arloesi a Buddsoddi' UAC.

Yr Ysgol Sul

Am hanner can mlynedd oddi ar adfywio'r Tabernacl ar ddechrau'r 1970au, bu gweithio gyda phlant a phobl ifanc yn elfen allweddol o fywyd yr eglwys. Cafodd sawl cenhedlaeth o blant yr Ysgol Sul y cyfle i elwa o wersi a gweithgareddau allgyrsiol a gyflwynwyd gan do ar ôl to o athrawon profiadol a bywiog.

Teulu Twm

Yn yr un modd, derbyniodd cenedlaethau o aelodau Teulu Twm (y clwb ieuenctid) brofiadau cyfoethog a gwerthfawr dan ofal cyfres o arweinyddion dawnus ac ysbrydoledig. Ond, yn 2019, wynebai'r Tabernacl broblem fawr wrth geisio unigolion addas i arwain y Twmiaid i lenwi'r bwlch pan fynegodd y ddau arweinydd eu bwriad i 'ymddeol' am yr eildro. Cyn i'w blwyddyn o rybudd ddod i ben, fodd bynnag, newidiodd y sefyllfa'n llwyr yn sgìl Covid-19 a bu'n rhaid gohirio'r mater am ddeunaw mis pellach.

Rhaglen Arloesi a Buddsoddi

Yn y cyfamser – ar ddiwedd 2020, yn anterth y pandemig – estynnodd Undeb yr Annibynwyr Cymraeg wahoddiad i eglwysi'r enwad i lunio cais am nawdd ariannol dan eu Rhaglen Arloesi a Buddsoddi. Byddai'r rhaglen hon yn eu galluogi i 'fuddsoddi yn eu dyfodol drwy fentro mewn ffyrdd newydd ac arloesol o hyrwyddo a chyhoeddi'r Efengyl, ac estyn allan i wasanaethu eu cymunedau a'u hardaloedd'. Cytunodd Bwrdd Cyfarwyddwyr y Tabernacl i dderbyn yr her â breichiau agored. Felly, yn ystod misoedd Ionawr, Chwefror a Mawrth 2021, cynhaliwyd cyfres o gyfarfodydd rhithiol adeiladol iawn ymhlith gwahanol garfanau o'r eglwys, a lluniwyd dadansoddiadau *SWOT* oedd yn crisialu dyheadau a methiannau'r eglwys.

Swyddog Ieuenctid a chymunedol

Daethpwyd i'r casgliad ein bod yn awyddus i ymgymryd â nifer o brosiectau, ond y gallem ofalu am y rhan fwyaf ohonynt o fewn adnoddau'r eglwys. Datblygodd consensws mai'r her fwyaf roeddem yn ei hwynebu fel eglwys oedd bywiogi'r ddarpariaeth ar gyfer yr ieuenctid, a'u cymell i fod yn rhan fwy amlwg o'r gweithgareddau cymunedol a dyngarol sy'n rhan mor ganolog o waith yr eglwys. Cytunwyd hefyd mai'r ffordd orau o wireddu hyn fyddai penodi Swyddog Datblygu rhan amser i greu asbri newydd ymhlith y bobl ifanc ac i ddenu rhagor o aelodau i'r clwb ieuenctid (Y Twmiaid); ar yr un pryd. Penderfynwyd y gellid lledaenu'r neges ymhlith ysgolion Cymraeg yr ardal am y gymdeithas egnïol sydd i'w chael yn y Tabernacl ynghyd a chroeso cynnes i aelodau newydd.

Bu'r cais am nawdd i banel Rhaglen Arloesi a Buddsoddi'r Undeb yn llwyddiannus, ac ar ddiwedd Awst 2021 penodwyd Eleri Mai Thomas yn Swyddog Ieuenctid a Chymunedol.

Wedi cwta bedwar mis yn y swydd, roedd Eleri Mai gyda'i brwdfrydedd heintus, ei mentergarwch a'i dyfeisgarwch yn amlwg wedi creu argraff ddofn ar bawb o bob oed, yn arbennig ar ieuenctid yr eglwys a'r rhieni ifanc. Ac meddai'r ysgrifennydd:

> Mae ei hegni diddiwedd wrth lunio rhaglen o weithgareddau amrywiol a chyffrous wedi codi ysbryd pawb, ar waetha'r pandemig sy'n parhau i fod yn gysgod uwch ein pennau.

Gweithgareddau

Ail ddechreuwyd cyfarfodydd y Twmiaid wedi bwlch o ddeunaw mis

> Hwn yw'r clwb ieuenctid i ddisgyblion uwchradd a gynhelir ar nosweithiau Sul. ar gyfer y plant hŷn wedi bwlch o ddeunaw mis.

Crëwyd detholiad cryno o'r hyn a gyflawnwyd rhwng Hydref 2021 a diwedd Ionawr 2022

- Noson gyrri a chwis i godi arian i brynu dillad gwely i hostel 'Pobl'
- Gweithdai creu llusernau Nadoligaidd ar gyfer gorymdaith drwy'r pentref
- Stondin danteithion i ffair Nadolig pentref Efail Isaf
- Calendr Adfent rhithiol ar GL i godi gwên
- Gwasanaeth Nadolig
- Her Ionawr Iachus taith saith cilomedr naill ai ar droed neu ar feic i wella ffitrwydd ar ddechau blwyddyn newydd ac i godi arian i'r elusen leol *2 Wish*
- Gweithdai animeiddio
- Arddangosfa bymtheg o galonnau ar hyd a lled Efail Isaf rhwng Dydd Santes Dwynwen a Dydd Sant Ffolant yn cynnwys dyfyniadau gan bentrefwyr yn mynegi pam eu bod yn caru byw yn yr ardal i ddathlu'r pentref ac i godi gwên.

Sefydlwyd clwb 'Babi Twm'

> Clwb i rieni ifanc (neu fam-gu / nain / gwarchodwr) a'r plant lleiaf, sy'n cwrdd ar foreau Llun bob pythefnos ers dechrau Tachwedd 2021.

Sefydlwyd clwb 'Twmiaid Bach'

Clwb newydd i blant Blynyddoedd pump a chwech sy'n cwrdd ar bnawniau Sul.

Mae aelodaeth y Gweithgor Arloesi a Buddsoddi, a sefydlwyd ar benodiad Eleri Mai, yn cynnwys cynrychiolaeth o fysg

- rhieni'r bobl ifanc sy'n aelodau o'r Twmiaid
- pobl fu'n arwain y Twmiaid yn y gorffennol
- pobl sydd â phrofiad o weithio gyda phobl ifanc.

Athroniaeth Eleri Mai:

Bum yn ffodus iawn i ddechrau ar y swydd yma yn y Tabernacl oherwydd roedd yma draddodiad hynod o lwyddiannus. Fy nghyfrifoldeb pleserus i oedd adeiladu ar y gwaith gwych hwnnw.

Llais i'r ieuenctid

Credaf yn gryf mewn gwahodd yr ieuenctid i fynegi barn a rhannu syniadau er mwyn treialu syniadau i weld beth sy'n tycio. Mae hi mor bwysig fod ieuenctid yn cael cyfle i gyfranogi i gread ystod eang o weithgareddau a phrofiadau maen nhw wir eisiau ymwneud â nhw.

Bum yn ffodus iawn i weithio mewn cymunedau tebyg yn y gorffennol, felly dysgais drwy brofiad ar draws y blynydde' ynglŷn â beth sydd a beth nad sy'n gweithio. Rhaid cofio bod pob cymuned â gofynion gwahanol.

Mae angen arbrofi a chydnabod os yw rhywbeth ddim yn gweithio, ond mae angen mentro weithiau yn y lle cyntaf.

Dwi' yn hapus yng nghanol bobl ifanc, yn hoffi rhoi a chynnig profiadau newydd iddynt ac yn hoffi eu gweld yn datblygu o flaen fy llygaid.

Credaf fy mod yn naturiol yn gweld y da mewn pob person arall, ac yn ceisio gweithio gyda'r mymryn o'r da hynny er mwyn iddynt ffynnu.

Pŵer hysbysebu

Caiff yr holl weithgareddau sylw o ansawdd uchel yn lleol drwy daflen wythnosol yr eglwys ac yn genedlaethol drwy hysbysebion ac adroddiadau trawiadol rheolaidd ar y Gweplyfr.

* * *

Taro sylw: Mae llwyddiant yn cynhyrchu egni sy'n denu eraill i efelychu'r '*blueprint*'. *Nothing suceeds like success*.

Ysbrydoliaeth

Derbyn sialens a thalen wag a gwthio'r ffiniau i weld beth sy'n bosibl.

Athroniaeth yr Urdd sef darparu profiadau amrywiol, hwyliog ac anturus i bobl ifanc eu mwynhau mewn awyrgylch gadarnhaol a chymdeithasol.

Sbardun

Anni Llŷn, 2022, *Llythyr i Syr Ifan ab Owen Edwards* (Cwmni Mewn Cymeriad)

Cyfeirnod

www.tabernacl.org/tafod-y-tab
Sianel *YouTube* Tabernacl Efail Isaf

Cyswllt

elerimaithomas@hotmail.com
www.tabernacl.org

2.9 Ysgolion Ffydd

Mae Llywodraeth Cymru yn gyfrifol am y gefnogaeth statudol ac ariannol i addysg sydd iddo ddimensiwn crefyddol a dyma'r sefyllfa gyfredol yng Nghymru:

Yr Eglwys yng Nghymru

Mae yna gant saith deg a dwy o ysgolion cynradd ac uwchradd yn perthyn iddi sy'n sicrhau eu bod yn dilyn elfennau o'r catecism eglwysig. Nid yw'n orfodol i fod yn aelod o'r eglwys i weithio yn yr ysgolion hyn.

Yr Eglwys Gatholig Rufeinig yng Nghymru

Mae yna 89 o ysgolion Catholig yng Nghymru sy'n dilyn y cwricwlwm ffydd hwn. Mae'n rhaid i'r pennaeth, y dirprwy a phennaeth yr adran addysg grefyddol fod yn aelod cyflawn o'r eglwys Gatholig. Er nad yw hyn yn hanfodol i athro, ar hyn o bryd, mae dros hanner ohonynt yn Gatholigion.

Ysgol Uwchradd San Joseph Wrecsam

Mae'r ysgol hon unigryw yng Nghymru gan am ei bod yn perthyn i'r Eglwys yng Nghymru ac i'r Eglwys Gatholig.

Ysgolion ffydd y sector annibynnol

Ysgol Annibynnol Rydal Penrhos yw'r unig ysgol Fethodistaidd yng Nghymru ac mae'n perthyn i'r *Methodist Independent Schools Trust* (MIST).

Ysgolion ffydd annibynnol arall i Gristnogaeth

Nid oes ysgol wladol o ffydd arall i Gristnogaeth yn bodoli yng Nghymru ond ceir dwy ysgol Fwslimaidd yng Nghaerdydd yn y sector annibynnol.

Fel rhan o'm pererindod, ymwelais â thair ysgol uwchradd wahanol ei naws: dwy yng Nghymru ac un yn Lloegr. Cefais y pleser yn y tair o dreulio amser gyda'u penaethiaid, caplaniaid, llywodraethwyr, athrawon, penaethiaid adrannau a disgyblion. Cefais fwynhad o fod yn eu cwmni yn ceisio mesur i ba raddau roedd gwerthoedd Cristnogol yn treiddio i'w hiaith, agwedd ac ymddygiad. Hoffais awyrgylch y tair ysgol a bod i Dduw broffil uchel yno. Yn y trafod, roedd yn amlwg fod y tair ysgol yn gwireddu Erthygl 14 Confensiwn Cenhedloedd Unedig. Roedd gan y disgyblion ryddid i feddwl a chredu beth fynnon nhw er eu bod yn mynychu ysgolion ffydd benodol. Roedd fy nhrafodaethau oll drwy gyfrwng y Saesneg felly cyflwynaf yr adran hon yn yr iaith fain.

2.9.1 *St Joseph's Catholic and Anglican High School*

Christopher Wilkinson
Headteacher

This unique joint secondary school was established as such in 2006, the first and up to now, the only shared church school in Wales. The two bishops – of the Catholic Diocese in Wrexham and of the Anglican Church in Wales Diocese of St Asaph – share responsibility for the spiritual well-being of the school. The two sets of Eucharists are used alternately in school services. The school serves the young people, families and communities of Wrexham and beyond. It is a school for pupils of all abilities and aspires to standards of excellence at all levels. The present headteacher was appointed in 2017 and he describes the school thus:

> *We have five year groups of 137 pupils. A large part of our mission is to ensure our pupils achieve their full potential in everything they do, and for each individual to aspire towards personal excellence.*
>
> *With Christ at the centre, our faith and prayer underpins everything that we do, as a place of learning and as a worshipping community. Gospel values permeate the school, and all of the above is borne out by the overwhelmingly positive comments made by all who visit the school.*

Chaplaincy

> *The staff and pupils have access to three chaplains on-site. There is one-full time Church in Wales chaplain and two part-time Catholic lay chaplains.They help create and lead liturgies, assemblies, chapel services, staff prayer, and prayer during health days and staff inset days.*
>
> *Most importantly, chaplains support the spiritual well-being of pupils and staff who are encouraged to contact them if they are struggling with any concerns. They are at hand to listen, and pray with them. The chaplaincy team offers services and activities during the first part of lunchtime.*

Chapel

> *Every day at break time the chapel is open for pupils to visit with a chaplain, to pray, or de-stress. The headteacher said: All pupils and staff are very welcome to participate in the activities and services offered in the chapel. The chapel is available during lunchtimes for pupils to light a candle in prayer.*

Staff prayers

On Friday mornings the chaplains lead morning prayers for staff emphasising a Christian value: love, justice, peace or a specific theme, such as Lent', and 'Easter'. Each receives a small gift relating to the theme as a reminder of the main message. These have included sweets, bookmarks, candles, prayer stones, etc.

When the theme was 'almsgiving', staff gave donations to an organisation aiding refugees from Ukraine. They raised £200 for the United Nations High Commissioner for Refugees (UNHCR).

CYMFed / Flame

CYMFed is about getting together, sharing good practice and building good relationships. It is a network of mutual support between youth leaders and priests. Flame Congress is a joint production of CYMEvents, the events branch of the Catholic Youth Ministry Federation, and the Catholic Bishops' Conference of England and Wales.

CYMFed describes Flame festivals as: 'the largest gathering of young people in England and Wales when almost 10,000 young people come together to interact and celebrate their faith together'. Its varied programme of music, speeches and worship is impressive and appealing and themes differ annually.

The school has taken part enthusiastically in the CYMFed/Flame youth festival in the past and intends to participate again as soon as Covid-19 restrictions allow. This is scheduled for March 2023, at OVO Centrre, Wembley. Father Dermott Donnell is the chair of CYMFed and the director of Youth Services in Hexham and Newcastle diocese. He is the brother of the popular Declan Donnelly of Ant and Dec fame.

The headteacher said:

The challenge for CYMFed is to help young people discover Christ in their lives and discover their calling and vocation to go out as disciples in the world. They are very well run impressive festivals with a message which will remain with young people throughout their lives.

CYMFed Faith in Action Award

The school also participates in the CYMFed Faith in Action Award which was launched in 2016. Young people aged 10-18 (Year 6 to Year 13) undertake the award through their school, parishm or community. Its aim is to encourage young people to serve their wider community translating faith into action with an emphasis on personal reflection.

There are four levels of award: Pin, Bronze, Silver and Gold. Young people accrue credits of service. The emphasis is on group reflection points and personal reflection, through journaling. At the end of the scheme, they submit a final piece of work for moderation before being awarded their Faith in Action Award.

Pope Francis said

Thank God, many young people in parishes, schools and movements often go out to spend time with the elderly and infirm, or to visit poor neighbourhoods, or to meet people's needs through 'nights of charity'. Very often, they come to realise that there they receive much more than what they give.

We grow in wisdom and maturity when we take time to touch the suffering of others. The poor have a hidden wisdom and, with a few simple words, they can help us discover the unexpected.

Contact

stjosephs.wales/contact
01978 360311
mailbox@st-joseph.wrexham.sch.uk.

2.9.2 St Peter's Roman Catholic High School, Manchester

Stephen Gabriel

Headteacher

When I invited myself to St Peter's High School, Manchester, the headteacher asked me, what was in it for him! I liked his attitude and his upfrontness and humour right away – but actually the issue was more, what was in it for me. When I left the school, I knew I had been somewhere very special.and had been sent there for a reason. It was meant to be. I had been looking for strong evidence that somewhere over the rainbow children (like me) can join Cardinal Basil Hume in saying,

"The most profound truth of my faith is that Someone loves me completely and totally in spite of my weaknesses and failures: that keeps me going."

without it being considered as as indoctrination.

The gold nugget – there it was!

The head said, 'I caved in because you were so insistent, I knew you would not give up!' I am so glad that I did not.

Stephen Gabriel is married to Hannah from Tregarth, Gwynedd with whom he has two children. Dafydd and Bethan Whittal used to live next door to his mother in law! Small world – and now Stephen features in the same book as Dafydd's beautiful hymn. (Rhan 3)

Stephen said:

> *As Headteacher, it is a privilege to lead a school catering for such a thriving learning community where staff, governors, pupils and their parents/carers work together towards a common goal: achieving excellence in everything that we do. We all shine together. We pride ourselves on our challenging curriculum, and our pupils appreciate the culture of high aspiration.*

No wonder Ofsted's main area for development in their recent inspection was "to act as a beacon of excellent practice for other diocesan Catholic schools seeking to develop radical, inclusive,diverse practice." Obviously, St Peter's is firmly established as one of Manchester's most successful high schools catering for pupils Year 7 to Year 11, aged 11-16.

OFSTED *outlined the key strengths of the school thus:*

- *The Catholic life, inclusivity and diversity at St Peter's is inspirational.*
- *The exceptional leadership of the headteacher,the defined skills of leaders and the dedication of governors have created a shared vision and mission for the school leading to outstanding outcomes.*

All aspects of the Catholic life were deemed excellent which including Religious Education, worship, the provision for the Catholic life of the school and the extent to which pupils contribute to it and benefit from it, the quality of provison and how well leaders and govenors promote, monitor and evaluate

The head of Religious Education (RE) the newly married Danyella Williams (who almost married in Denbigh during lockdown) was born in Birmingham to British born parents of Caribbean descent. She attended Catholic schools until she was16 then went to a Grammar Sixth Form. She said:

> *Unknowingly at the time, Catholic education had shaped my views, thoughts and understanding of education generally and I wanted to be able to provide*

> *young people who look like me a safe place to develop and discuss their views and ideas.*

As the head of RE in a Catholic Secondary school, I ensure that pupils receive 10% curriculum time which allows ample time for pupils to grow in knowledge, understanding and evaluation, skills necessary for life beyond school.

Danyelle explained that the Catholic Curriculum is a set curriculum based on the Bishops Directory of England and Wales, which all Catholic schools follow. All Catholic schools are expected to provide 10% dedicated curriculum time to RE while sixth forms are expected to provide 5% curriculum time to RE.

The schools ensures that the curriculum reflects its multifaith community where possible. All pupils are entered for GCSE Religious Studies, regardless of their prior attainment as they fundamentally believes that the knowledge and skills gained in RE are vital for later life.

A variety of topics are taught to include: Covenant, Old Testament Prophets, the life of Jesus, ethics, justice and reconciliation, world faiths and much more. Considering that all pupils sit the GCSE the outcomes are remarkable.

Many of our pupils choose to go onto the two local Catholic Sixth Form Colleges and continue their Religious Studies.

> *RE provides a wonderful opportunity for pupils to consider and formulate their own values; at school we have four main values we promote which underpin all our work. Love, Diversity, Achievement and Responsibility. These values encompass all our work and allow us to promote compassion, equality and high standards for all in our community.*
>
> *These values also allow us to focus on modern issues which are prevalent in the world today while allowing pupils to see how their faith can guide them through the journey of life.*

Link between RE and pastoral care

> *As Head of RE, I work extensively with the Deputy Head in charge of Pastoral to produce an assembly rota which seeks to inform pupils about relevant topics such as young careers: International Women's Day, Black History Month, LGBT History Month and World Religion Day as well as provide opportunities for collective worship in the form of Lenten or Advent services. Following these, I evaluate the effectiveness of these and try to make improvements based on feedback.*

Chapel

> *There is a religious education centre and chapel within the school where the school community can spend time in quiet reflection and where mass is celebrated regularly.*
>
> *Each class within the school have access to the daily mass via Zoom which means that the same message is shared with every pupil everyday.*
>
> *The school chapel is used for Holy Mass three times a week, RE class Masses and lessons, Masses for members of our community who are sick or deceased, Liturgies and Para-Liturgies, pupil retreat days, primary links days and celebrations of the Sacraments (including Baptisms, Reconciliation, Confirmations, first Holy Communions and Nuptial Blessings). The chapel is also used for community events, private worship and counselling of staff and pupils.*

It was a pleasure to attend the morning service in the school's beautiful modern chapel led by Father Joel in full regalia supported by Key Stages 3 and 4 Tutor Group. This was Zoomed to every class in the school. The discussion that followed with them, Danyella and a group of eight pupils was most revealing and enjoyable.

Chaplaincy Team

> *The Chapel is home to our Chaplaincy Team, which includes school Chaplain Father Joel Yeboah CSSp and Lay Chaplain Mrs White.The Chaplaincy Gift Team is made up of pupils from Key Stages 3 and 4. They are trained to support the Chaplaincy Team and the school by leading Morning Prayer and reading and serving at Mass in the school Chapel.*

They are actively involvement in other services throughout the year, including the Christmas Nativity Drama and the Easter Para-Liturgy, which are presented to the whole school and in:

- *supporting pupils during their Baptism, First Holy Communion or Confirmation and being present for these occasions.*
- *representing St Peter's at various events outside school.*
- *encouraging peers in difficulty to come to Chaplaincy for spiritual accompaniment.*
- *visiting peers who are sick.*
- *involvement in the annual Macmillan Coffee Morning.*
- *acting as St Peter's Fairtrade steering group, including running a Fairtrade Tuck Shop.*

During our discussion, the students said how much they valued the onsite chapel in St Peters for worship and quiet reflection. I subsequently found out that a group of school leavers having transferred to the local sixth form college are working with the leadership to raise funds to ensure a similar provison within the college.

School values

We are St Peter's and we all **SHINE** *together*
We move forward together, every **FAITH** *is welcome*
Encouraging pupils to **FLOURISH**, *to have a voice,*
And to take their place in society
If you love **SPORT** *you shouldn'r think twice*

The school prayer

The school prayer was developed by the pupils of the school in conjuntion with the head, staff and priests. This expresses a sense of belonging which permeates every aspect of school life. It is recited at the start of every day by every class throughout the school.

Our school prayer
Lord Jesus, when you called your apostles you said to them, 'Follow me'
Stay with us, Lord, on our journey.
Be with us as we care for everyone with love and respect.
Help us to achieve our goals through resilience and determination.
With your love, let us celebrtae and draw stregnrh from our diversity.
Guide us to be responsible for all in our school community.
We make this prayer through Christ our Lord, Amen

St Peter, pray for us
In the name of the Father, and of the Son and of the Holy Spirit.Amen

Non Catholic students are given the choice of taking part or on reflectiing on the school values

Personal faith

Danyella reiterated the school's emphasis on personal faith and how the learning and religious practice of the school prepares students for life and the

world of work. She outlined some activities to promote personal faith
During Covid-19

> *Services and reflections were live-streamed to all pupils*

Weekly reflections

> *I also create weekly reflections based on the previous Sunday's gospel where we ask pupils of all faiths and non to reflect upon how we can use the Gospel message in our own lives.*
>
> *Pupils of different faiths have mentioned how wonderful it feels to be included in our whole school reflection.*
>
> *I also organise a Friday reflection where a faculty is responsible for providing a short reflection for the end of the week. These are incredibly powerful and have often led to tears!*

Danyella recalled a recent reflection focused on a year 7 pupil with cerebral palsy – inspired by Sir Tom – raised £80,000 during COVID for funerals by walking which showed a remarkable level of care.
Danyella shares her personal reflection thus:

> *I feel honoured and privileged to work with such wonderful young people each day, especially as education provides them with the tools to change their lives in the most wonderful ways.*
>
> *My faith inspires me to spend time with the pupils I feel need the very best educators, pupils in inner city schools who are often looked down upon in society.*
>
> *I am humbled each day by the fact that pupils can see someone who represents them and is from a similar background in a position with influence and who puts their needs at the centre of all decision making.*

My visit to St Peters Roman Catholic High School is one that I will treasure. Here I found that pupils of various ethnicity and religions could discuss their peronal faith openly in terms of values and their effect on their lives, attitude and behaviour. I was sufficnetly moved to voice my thoughts thus:

> *Dear Stephen, staff, priests and pupils*
> *Thank you kindly for your welcome and for your time today.*
> *The impact of your sincere care and leadership is imprinted on your pupils' hearts and souls.*
>
> *On entry they each adopt a* ***lifelong flame that grows stronger and brighter every day*** *in your safe, inspirational and spiritual environment. It is*

inextinguishable – pupils know they matter to you, they are respected, loved and valued. They expressed this fluently to me by comparing themselves as they were with what they become.

Never fear an external overhaul again – because the imprint and impact of the input is **glowing**. *You're making a difference which is far reaching like the ripple of a pebble in a pond.*

School leaver's message:

When we left, we were READY to take on the World

Contact

0161 248 1550
office@stpetershigh.com
Twitter: @stpetersuk
www.facebook.com/stpetersrchighschool/
www.youtube.com/c/StPetersRCHighSchool

2.9.3 Rydal Penrhos Independent School, Colwyn Bay

Revd Dr Rob Beamish

Chaplain

Rydal Penrhos School in Colwyn Bay is an Independent day school and a member of MIST with a clear Methodist foundation. The school is committed to ensuring every pupil has an environment in which they can thrive. It is the only Methodist school in the independent sector or otherwise in Wales. It is located on a multitude of sites around Colwyn Bay and in the neighbourhood of Rhos-on-Sea.

I spent the morning in the company of Revd Dr Rob Beamish while he led the service in the school's impressive chapel, St John's Methodist Chapel, Colwyn Bay. This was followed by a tour of the school to meet the executive principal, John Waszek, various staff and pupils.

Before his appointment as chaplain in September 2021, Rob was familiar with the school from many different angles: his connection was close as a parent and as a teacher and he appeared at various assemblies and services as a guest speaker in recent years.

He was educated at St John's College Southsea before being awarded an MA in Theology and Philosophy and he has a PhD in Theology from King's College, London and is also a qualified teacher. He supported the school's virtual chapel during Covid-19. He is also a keen participant in outdoor pursuits, especially within mountain leadership and skiing."

Rob explained that the school's committment to Methodist values served as an opportunity for all pupils to explore faith and spirituality, particularly within the Methodist Christian tradition. Prayer and worship play a central role in the life of the school and a fundamental part of creating the school's environment is achieved by:

- *chaplaincy*
- *access to a 500 seat chapel owned by the school*
- *prayer and worship play a central role in the life of the school*
- *weekly chapel services*
- *assemblies for all ages*
- *special services to mark the Christian seasons*
- *terms are labeled according to the Christian year: Advent, Lent, Trinity*
- *fund raising projects advocating Christian values such as mercy and justice for all*

Revd Dr Beamish took over as the new Chaplain of Rydal Penrhos in September 2021. He has been an Accredited Minister for nearly 20 years. He continues to serve as a minister in Colwyn Bay sharing these responsibilities with his commitments to Rydal Penrhos School. His core responsibilities include regular preaching, delivering training, mentoring individuals both in the church and local leaders and also relating to other churches and groups, As well as his ministerial responsibilities, Dr Beamish has played a prominent role in the life of the wider community by:

- *chairing the local Cytûn group*
- *establishing a town centre chaplaincy project*
- *supporting projects for the marginalised*
- *developing a local prayer room and*
- *establishing a local Saturday Theology school.*

He interprets his role as ensuring God has a meaningful profile in the daily life of the school. He appreciates being able to get to know pupils well by being part of the school's pastoral care team. He values the buzz and activity of the modern and forward thinking school and offers opportunities for students to name God in the midst of their busy day to day lives by providing boxes for prayer requests and optional communion services to promote Christian values.

The impact of the school's values on students when they leave is evident in the commitment of the alumni to provide fully funded places for those who normally would not be able to access the education offered by the school. This is a testament that the core values of the Methodist foundation is woven throughout the fabric of the school.

The students' pride in the school and their sense of belonging to the 'family' struck me. It was therefore not suprising to know that former pupils return to get married in the school's chapel. Sadly on the afternoon of my visit the school was preparing for the funeral of former student. The family had requested that the funeral service was held in the school chapel. The school chaplain led the funeral service and the wake was organised and provided by the school.

It was a pleasure to attend Rydal Penrhos morning service at the school's church and to experience first-hand the atmosphere within the school: a courteous bustle of activity, a wide and exciting curriculum, superb resources.

I left with an added appreciation of independent schools and gratitude for my own experience in Howells School Denbigh and the dedication and interest of the then headteacher, Miss Mollie K Stone, in each student's well-being and future development.

"Education is what remains
after one has forgotten what one has learned in school."
Albert Einstein

Contact

4401492530381
prep@rydalpenrhos.com
senior@rydalpenrhos.com

Pleser oedd ymweld â'r tair ysgol uchod. Teimlais y sylfaen o 'sicrwydd bendigaid' yn y dair. Er mai ysgolion ffydd oeddent, roedd eu disgyblion yn aml ffydd ac roedd dewis iddynt o ran mynychu gwasanaethau penodol. Pwyslais yn y tair ysgol oedd gwerthoedd Cristnogol sy'n gyffredin ar draws y crefyddau ynghyd ag amser i adfyfyrio ar effaith y rheini ar eu hymddygiad a'u bywyd bob dydd.

Tri phrofiad pleserus i mi ac yn agoriad llygad. Er nad oeddwn yn arolygu, cefais y croeso cynhesaf a thrafodaethau o ddyfnder.

Gwelais dystiolaeth gadarn fod y disgyblion yn cael eu cyflwyno i hanfodion y ffydd Gristnogol gyda chyfleoedd i ddewis mewn modd ystyrlon gyda "rhyddid meddwl, cred a chrefydd"(Erthygl 14 o dan Gonfensiwn y Cenhedloedd Unedig ar Hawliau Plentyn).

RHAN 3

Cenhadu cyfoes – cyfathrebu technolegol, rhithwir a digidol
'Arglwydd, cyfarwydda'n hymchwil a goleua'r deall hwn'

Maddau inni yr arbrofion
sy'n ymyrryd â dy fyd;
mynnwn ddifa yr holl wyrthiau,
ceisiwn chwalu pob rhyw hud:
er in dreiddio draw i'r gofod,
er in dyllu yn y nen,
para 'rydym ni heb ddeall
am y wyrth tu hwnt i'r llen.

Arglwydd, cyfarwydda'n hymchwil
a goleua'r deall hwn,
gad in dreiddio i'r hanfodion
ac amgyffred cread crwn:
boed i'n meddwl fedru canfod
gallu mwy na gallu dyn,
a phob arbrawf yn datgelu
gronyn bach yn fwy o'r llun.

Dafydd Whittall (1947-2010)
Caneuon Ffydd, rhif 101

"Digital social media and Church not only go hand in hand, but new technologies can help us reclaim traditions from the past in updated ways for today."

Donna Freitas

3.1 Teledu

3.1.1 Alwyn Humphreys

Uwch gyflwynydd
Dechrau Canu
Dechrau Canol

Ganed Alwyn ym Modffordd, Sir Fôn, yn 1944 a'i fagu ar fferm Penybryn. Cafodd yrfa ddisglair fel arweinydd cerddorol a chyflwynydd radio a theledu, ac erbyn hyn mae'n byw ym Mae Caerdydd, yn gweithio ar brosiectau corawl a rhaglenni radio a theledu amrywiol. Bu Alwyn yn brif gyflwynydd Dechrau Canu Dechrau Canol am gyfnod o ddeuddeng mlynedd. Ar yr un pryd roedd yn Gyfarwyddwr Cerdd y gyfres, yn gyfrifol am greu cyfeiliannau cerddorfaol, yr unawdau, arwain y perfformiadau hynny yn ogystal â'r canu cynulleidfaol yn achlysurol.

Cefndir y rhaglen

Pan ddarlledwyd y rhaglen gyntaf o'r gyfres 'Dechrau Canu Dechrau Canmol' ym mis Ionawr 1961, prin fod yna unrhyw amheuaeth yng Nghymru na fyddai canu cynulleidfaol mewn rhaglen deledu ar nos Sul yn dod yn boblogaidd. Mater arall oedd dwyn perswâd ar benaethiaid Adran Grefydd y BBC yn Llundain i fabwysiadu'r syniad fel cyfres yn Saesneg. Serch hynny, ar ôl cryn erfyn fe ddaeth '*Songs of Praise*' i fod, gyda'r ddwy raglen, dros chwe deg mlynedd yn ddiweddarach, yn hawlio'r teitl cyfresi crefyddol hynaf yn y byd.

Dros y blynyddoedd bu'r canu mawl yn fodd i selogion capeli ac eglwysi – yn ogystal â dieithriaid – ymuno mewn gweithgarwch sydd mor agos i'r galon nes codi ton enfawr o hiraeth. Wedi'r cyfan ymylol iawn ydi'r math traddodiadol o ganu emynau bellach, ac y mae'r elfen honno yn prysur ddiflannu o'r rhaglenni teledu. I rai mae hyn yn drasiedi, ond, o ddifri, dewch i ni roi *sentiment* o'r neilltu ac edrych yn rhesymegol ar y sefyllfa.

Mae'r gyfres yn gallu ystyried testunau bywyd go iawn, a delio gyda phroblemau sy'n wynebu pobol gyffredin o ddydd i ddydd. Mae canolbwyntio ar ffydd ynghanol pob math o bryderon ac ofnau yn rhoi sbectrwm gwahanol ac ehangach ar fywyd, ac yn help i oresgyn y sefyllfa. Mae'n hen ddywediad bod rhannu problem yn ei haneru, ac felly mae'n dilyn bod gweld a chlywed straeon go iawn ar ein sgrîn yn fodd i'n helpu i sylweddoli nad ydym ar ben ein hunain, a bod atebion ar gael.

Cau capeli

Mae'n naturiol bod tristwch cyffredinol drwy Gymru am y ffaith bod capeli ac eglwysi yn cau, a hynny ar raddfa echrydus. Ond mae rhai o'r adeiladau hyn yn cael eu haddasu fel canolfannau cymdeithasol i gefnogi'r gymuned leol. Mantais fawr teledu ydi'r gallu i ddangos hyn yn weledol, gan hyrwyddo'r Achosion ac efallai ysbrydoli eraill i greu rhywbeth tebyg.

Rhaglen anenwadol

O fod yn anenwadol mae'r rhaglen yn gallu egluro ac addysgu, yn y gobaith o greu cenedl fwy goddefgar a chwilfrydig. Yn yr oes sydd ohoni mae dangos cyfartaledd a chydweithrediad yn hynod bwysig, yn ogystal â chodi'n calonnau i'n helpu i addasu ein gwerthoedd i fywyd heddiw. Trwy gyfrwng llun a lliw mae'r camera yn gallu dod â'r byd i'n cartrefi – yn ei brydferthwch a'i broblemau – ac fe ddylem fod yn falch ac amddiffyn y trysor yma yn ein meddiant.

Mae'n traddodiad cerddorol ni fel cenedl yn un sy'n cael ei ganmol a'i glodfori o amgylch y byd, gyda'n hunawdwyr a'n corau yn ymddangos ar y llwyfannau enwocaf yn y deyrnas. Eto i gyd, 'does neb yn teimlo'n rhy bwysig i droedio llwyfan y rhaglen a pherfformio caneuon a chytganau crefyddol ysbrydoledig.

Ymateb i sialens Covid-19:

Yn ystod cyfnod cythryblus a gofidus Covid-19, yn hytrach na chilio o'r neilltu, bu'r rhaglen yn ddigon dewr i ehangu ei maes trwy gynnwys pregethu o gapel gwag ar fore Sul, a hynny heb roi tor ar y rhaglenni nosweithiol arferol. Os bu galw erioed am ystyried cynulleidfa mewn argyfwng, dyma brawf hollol bendant o hynny, a mawr yw ein gwerthfawrogiad o fenter a dychymyg y cwmni cynhyrchu. Prin fod unrhyw gyfnod arall yn ystod 60 mlynedd o ddarlledu lle bu'r angen am noddfa a chysur mor ddifrifol.

* * *

Taro sylw: Un rheswm am ragolygon gobeithiol y rhaglen hon yw parodrwydd y tîm cynhyrchu i newid cyfeiriad yn gyfan gwbl ar amrantiad i sicrhau gwasanaeth didor (a pherthnasol) i'r gwylwyr gartref. "Dim ond megis dechrau mae'r canu a'r canmol."

Ysbrydoliaeth

Arwain yr emyn hwn o eiddo Harri Siôn (1773) yng Nghymanfa Ganu'r Wladfa *Caneuon Ffydd*, Rhif 718
Emyn-dôn David Christmas Williams, 'Clawdd Madog'

> Os gwelir fi, bechadur
> ryw ddydd ar ben fy nhaith,
> rhyfeddol fydd y canu,
> a newydd fydd yr iaith,
> yn seinio buddugoliaeth
> am iachawdwriaeth lawn
> heb ofni colli'r frwydr
> na bore na phrynhawn.

Cyhoeddiadau Alwyn Humphreys

Yr Hunangofiant, 2008
Cythrel Canu, 2006

Sbardun

James, E. Wyn, 1987, *Dechrau Canu: Rhai Emynau Mawr a'u Cefndir*

Cyswllt

aled.John@rondomedia.co.uk
+44 (0) 29 2022 3456

3.2 Ar-lein

3.2.1 Eifion Wynne

Gweinyddwr lleyg
Capel Rhos Newydd

Ganed Eifion yng Nghroesoswallt, Sir Amwythig ym 1955 yn fab i weinidog EBC. Hyfforddodd fel athro yn Y Coleg Normal, Bangor. Cafodd yrfa amrywiol fel athro, arweinydd ardal Urdd Gobaith Cymru ac fel pennaeth mewn dwy ysgol gynradd yn Sir Conwy. Bu'n flaenor ym Mynydd Seion, EBC, Abergele ac yn y Tabernacl pan ddychwelyd i Ruthun. Yn 1977, priododd Teresa cawsant ddau o blant, Dafydd a Geraint ac erbyn hyn mae ganddynt bedwar o wyrion.

Cefndir a magwraeth

Mae'r grefydd Gristnogol wedi bod yn rhan fawr o'm bywyd ers y dechrau. Nid wyf yn aelod o unrhyw enwad crefyddol gan fy mod o'r farn bod enwadaeth ymneilltuol yn amherthnasol a diystyr i fwyafrif addolwyr heddiw. Byddaf yn mynychu ambell oedfa yn achlysurol EBC Y Tabernacl, Rhuthun

Sefydlu capel ar-lein

Sefydlais noddfa Gristnogol ar-lein Capel Rhos Newydd ar Sul y Pasg ym mis Ebrill 2021 ar ffurf tudalen a grŵp GL. Mae'r enw'n tarddu o gyn-addoldy Presbyteraidd Capel Y Rhos, Rhuthun a gaeodd yn 1891 pan symudodd yr achos i addoldy newydd Y Tabernacl yn y dref.

Nod a phwrpas

Noddfa Gristnogol sy'n credu bod y Beibl yn agored i ddehongliadau yw Capel Rhos Newydd. Ei bwrpas yw hybu gwerthoedd Cristnogol. Mae'n noddfa ar-lein yn bennaf ond gall gyfarfod wyneb yn wyneb gydag unigolion neu grŵp bach o dan gyfyngiadau Covid-19.

Nid wyf yn weinidog ordeiniedig gyda chymhwyster diwinyddol. Treuliais y rhan helaethaf o'm gyrfa fel athro addysg gynradd felly darpariaeth gan leygwr yw Capel Rhos Newydd. Mae aelodau a dilynwyr y noddfa yn ymestyn dros gylch eang. Hyd yma, mae yma 48 o aelodau.

Mae cynnwys y noddfa yn amrywiol ar ffurf capsiynau byrion neu recordiadau fideo. Weithiau ceir pytiau defosiynol yn cynnwys darlleniadau, gweddïau a negeseuon neu sylwadau personol. Byddaf hefyd yn lawr lwytho caneuon neu ddarnau cerddorol hamddenol a pherthnasol. Rhennir nifer o gapsiynau trwy ganiatâd caredig grŵp GL Cristnogaeth 21. Byddaf yn creu a recordio deunydd ar gyfer Capel Rhos Newydd gartref.

Enghreifftiau o'r cynnwys

Myfyrdodau personol y gwefeistr

Esblygu

Mae'n bnawn Sadwrn ac rwyf mewn caffi yn archfarchnad Tesco ym Mrychdyn ger Caer. Mae hogyn ifanc mewn crys 'T' du ac arno'r geiriau '*OUR NEW LOOK TESCO CAFE IS NOW OPEN*' wrthi'n ddyfal yn sychu'r byrddau o'm cwmpas.

Y tro diwethaf i mi eistedd wrth fwrdd i gael paned yn yr archfarchnad yma roedd y caffi yn yr union leoliad, ond prin y medrwn weld y gacen ar fy mhlât o'm blaen gan mor dywyll oedd y gornel! Rhaid bod Tesco'n ymwybodol o'r gwendid hwnnw oherwydd maen nhw wedi ymestyn y caffi a chynyddu ei faint oddeutu pum gwaith drosodd. Ac maent wedi cyfnewid bylbiau golau o fylbiau halogen i fylbiau LED. Heddiw, bron y medraf weld y siwgr yn fy nghoffi!!

Gwelaf siopau a thai bwyta'n newid gwedd eu hadeiladau yn weddol gyson. Tybed beth barodd i Tesco ymestyn y caffi? – Beth bynnag oedd cymhellion y cwmni mae wedi talu ar ei ganfed!

Nid 'busnes' yw eglwys wrth gwrs, ond dywed arbenigwyr yn y byd hwnnw bod hi'n bwysig i fusnesau esblygu a pheidio aros yn eu hunfan. Tybed a fyddai llai o eglwysi'n cau yng Nghymru heddiw petai'r eglwysi wedi esblygu a newid? (Gwell i minnau ailadrodd beth ddywed Radio Cymru wrth iddynt enwi busnesau – "Mae archfarchnadoedd eraill i'w cael hefyd"

Gair o'i galon

Er fy mod yn alltud nid wyf wedi cefnu ar y grefydd Gristnogol. Er pan gefais fy nerbyn yn aelod cyflawn o EBC gan fy niweddar dad dros hanner can mlynedd yn ôl, fel pawb arall rwyf wedi sylwi ar y dirywiad enbyd yn y gyfundrefn Gristnogol enwadol y cefais fy magu ynddi. O dan y fath amgylchiadau siom a rhwystredigaeth fawr i mi oedd gweld methiant yr enwadau i ffurfio un enwad yng nghynllun uno Y Ffordd Ymlaen ar ôl troad y ganrif hon. Rwy'n methu'n lân â gwneud unrhyw synnwyr na all enwadau cyfundrefnol sy'n profi'r un anawsterau ddod ynghyd fel un enwad ymneilltuol.

Rwyf hefyd yn ei chael hi'n anodd gwneud synnwyr o faterion ffydd. Serch hynny, gallaf uniaethu'n rhwydd â gwerthoedd Cristnogol a gweithredoedd Cristnogol ymarferol.

Erthyglau gan eraill fel yr uwch gwnselydd, Wynford Ellis Owen

Cymryd ein hunain ormod o ddifrf

Ydych chi'n cymryd eich hun ormod o ddifri heddiw? Os ydach chi, beth am ysgafnhau'r baich? Beth am gael diwrnod ysgafn a mwynhau eich hun a chwerthin ar ben eich hun? Bydd eich diwrnod yn mynd rhagddo'n llawer iawn gwell o ganlyniad, a'ch agwedd chi'n gyffredinol yn llawer iawn ysgafnach.

Cyfeiriadau at faterion amserol

Ar dudalen a grŵp GL y noddfa Gristnogol rwyf wedi cynnwys sylwadau amserol yn ymwneud â Chynhadledd newid hinsawdd Cop 26 a gynhaliwyd yng Nglasgow ym mis Tachwedd 2021. Yn achlysurol bum yn rhannu dolenni'n ymwneud â meysydd fel iechyd meddwl a negeseuon sy'n calonogi ac ysbrydoli.

Cynllunio ar gyfer y dyfodol

Fe fydd Capel Rhos Newydd yn parhau'n noddfa anenwadol ar-lein yn unig ar hyn o bryd. Mae'r posibilrwydd o ddod yn noddfa neu eglwys ddeuol sy'n cyfarfod wyneb yn wyneb yn benderfyniad at y dyfodol.

* * *

Taro sylw: Erbyn hyn, does dim rhaid mynychu addoldy i dderbyn neges Gristnogol. Bu ambell i gapel, fel Y Priordy, Caerfyrddin, hefyd yn creu gwasanaeth ar-lein i bontio â chynulleidfaoedd pell ac agos. Mae'r byd yn mynd yn llai bob dydd!

Ysbrydoliaeth
Salm 23, Yr Arglwydd yw fy Mugail

Sbardun
Nefydd, Elfed ap.2021, *Gwerth y funud dawel*

Cyswllt
d.e.wynne@btinternet.com
@Capel Rhos Newydd

3.2.2 Parchg John Gwilym Jones

Aelod o'r pwyllgor
Cristnogaeth 21

Ganed John Gwilym yn 1937, yn frawd bach i T. James Jones (1934) ac ymhellach ymlaen yn frawd mawr i Aled Gwyn (1940). Fe'i magwyd ar fferm Parc Nest, Castellnewydd Emlyn. Mae'r tri ohonynt yn Weinidogion, yn feirdd, ac yn enwogion o'r siort orau. Mae eu calonnau'n enfawr, eu hwyl a'u hiwmor yn fyrlymus, a'u traed ar y ddaear. Mae John yn aelod o bwyllgor golygyddol Cristnogaeth 21 (C21).

Sefydlwyd C21 yn 2007 gan griw bychan o weinidogion a lleygwyr oedd yn awyddus i weld dehongli hanfodion Cristnogaeth radical ar gyfer yr oes bresennol. Credent fod y Gymru Gymraeg wedi dioddef yn ystod y blynyddoedd diweddar o ddiffyg trafodaeth eang ar natur Cristnogaeth yn ein dyddiau ni.

Mae C21 yn elusen sy'n cynnig llwyfan i ddehongliadau radical, rhyddfrydol a blaengar o'r ffydd Gristnogol a thrwy hynny rydym yn hwyluso trafodaeth gyhoeddus a myfyrdod personol ar agweddau o Gristnogaeth heddiw.

Athroniaeth

> Mae C21 yn fudiad sy'n dathlu amrywiaeth y ddynoliaeth ac sy'n hyrwyddo ymagwedd gynhwysol at faterion a ffydd. Nid yw C21 yn cymeradwyo unrhyw ymgais i wahaniaethu yn erbyn pobl ar sail nodweddion sy'n rhan o'u hunaniaeth. Yng nghyswllt ein rhywioldeb amrywiol anogwn ymagwedd oddefgar ac rydym yn croesawu unrhyw ymgais i wella dealltwriaeth unigolion a grwpiau o amrywiaeth o ddynoliaeth. At hynny gresynwn at unrhyw ymgais i ddefnyddio'r Ysgrythurau i gondemnio ac allgau unigolion ar sail eu rhywioldeb neu unrhyw nodwedd arall o'u hunaniaeth.

Datganiad o bwrpas

> Rydym yn byw mewn cyfnod o newidiadau syfrdanol sy'n hawlio trafodaeth o'r ffydd Gristnogol mewn ffordd sy'n cydnabod y newidiadau hynny.

- Credwn fod lle i drafod y ffydd heb ddisgwyl unffurfiaeth.
- Ymdrech yw Cristnogaeth 21 i gynnal fforwm i roi llais i ystod eang o safbwyntiau diwinyddol Cristnogol er mwyn miniogi a chyfoethogi meddylfryd Cristnogol Gymraeg.
- Ein bwriad yw cyflwyno'n gyson erthyglau amrywiol ar destunau y tybiwn ni eu bod yn greiddiol i ddilynwyr yr Iesu yn yr 21ain ganrif.

Estynnir gwahoddiad i unrhyw un i ymateb i'r wefan yn gwrtais ac yn onest

Medd John Gwilym

Mae cyfnod y Pandemig hwn wedi codi nifer o ystyriaethau athronyddol a chymdeithasol. Un o'r pynciau llosg yw brechu. Does dim amheuaeth na fu'n effeithiol mewn llu o achosion, a'i fod wedi achub miliynau o fywydau. Eto fe godwyd rhai lleisiau yn ei erbyn. Cyhoeddwyd negeseuon ar y cyfryngau torfol yn codi amheuon ac yn rhybuddio yn erbyn derbyn y syniadau gwyddonol confensiynol, gan argyhoeddi niferoedd i wrthod derbyn eu brechu. Nid wyf yn gymwys mewn unrhyw fodd i ymuno yn y ddadl honno, er fy mod yn gresynu at y drwg a wnaed gan yr "anghydffurfwyr". Eto y mae'r ddadl wedi dihuno ynof fi hen atgofion am densiynau rhwng uniongrededd ac Anghydffurfiaeth.

Tro ar fyd

Petaech yn Gristion yn y canrifoedd cynnar byddai'n talu ichi ddweud eich bod yn credu'r pethau iawn, oherwydd o dan ambell lywodraeth fe allech gael eich lladd am anghytuno â'r gred gyffredin. Y mae yna rai sy'n dal i weld gwerth mewn cael pawb o fewn i eglwys fod yr un fath, ac yn bendant yn ei gredoau. Ond bellach mewn llawer bro yng Nghymru cawn Annibynwyr a Methodistiaid a Bedyddwyr yn cydaddoli, a'r amrywiaeth hwnnw'n cyfoethogi'r addolwyr i gyd.

Gwyddoniaeth ac anghydffurfiaeth

Yn rhyfedd iawn, yn ystod cyfnodau'r amrywiaeth o gredoau y bu'r eglwys ar ei mwyaf bywiog. Yn union fel petai'r meddyliau gwahanol yn gyrru gwaed newydd drwy ei gwythiennau. Mae yna waith gan yr Athro Freeman Dyson ar anghydffurfwyr mewn gwyddoniaeth. Wn i ddim a oes yna berthynas deuluol rhwng Freeman a'r dyfeisiwr glanhawr carpedi, ond yn sicr mae'r ddau wedi dangos dyfeisgarwch sydd wedi bod yn effeithiol iawn mewn gwahanol feysydd. Teitl un darn gan Freeman Dyson yw "*The Need for Heretics*" lle sonia fel y mae gwyddoniaeth yn hoffi uniongrededd.

"Mae'r gwleidyddion a'r cyhoedd yn disgwyl i wyddoniaeth ddod ag atebion i'w problemau. Bydd arbenigwyr gwyddonol yn cael eu talu a'u hannog i gynnig atebion. Does gan y cyhoedd mawr o amynedd at wyddonydd sy'n dweud, 'mae'n ddrwg gen i, ond dwy i ddim yn gwybod.' Mae'n well gan bobol wrando ar wyddonydd sy'n rhoi atebion hyderus i gwestiynau ac yn rhoi rhagolygon pendant beth fydd yn digwydd yn y dyfodol. Felly bydd y gwyddonwyr cyhoeddus a'r mwyaf poblogaidd yn proffwydo'r dyfodol gyda hyder llwyr, ac yn fuan iawn yn dod i gredu eu proffwydoliaethau eu hunain. Mae eu proffwydoliaethau'n troi'n ddogmâu na fyddan nhw eu hunain yn eu hamau. Fe hudir y cyhoedd wedyn i gredu fod y dogmâu gwyddonol ffasiynol yn wir, ac fe ddigwydd o dro i dro eu bod nhw'n hollol anghywir. Dyna paham mae'n rhaid wrth yr hereticiaid sy'n amau'r dogmâu."

Thomas Gold, seryddwr

Thomas Gold y seryddwr a oedd yn heretic gwyddonol arbennig o dreiddgar. Cyhoeddodd hwnnw waith ym 1948 y gwnaeth y gwyddonwyr ei ddilorni a'i wrthod. Bu'n rhaid disgwyl deugain mlynedd cyn iddyn nhw gydnabod mai Gold oedd yn iawn. Yna wedyn roedd damcaniaeth gan Gold am ffurfiant nwy naturiol. Fe anwybyddwyd y ddamcaniaeth honno hefyd yn llwyr. Ymhen blynyddoedd fe ddarganfuwyd gwyddonwyr yn Washington ei fod yn llygad ei le. Ac o barch iddo fe anfonon nhw e-bost ato i gydnabod mai fe oedd yn iawn, ac fe gawson nhw ateb yn ôl yn dweud fod Thomas Gold wedi marw ers tri diwrnod.

Pendantrwydd

Roedd Freeman Dyson yn sôn am bendantrwydd mewn gwyddoniaeth. Dyna'n union fel y mae hi ym myd crefydd. Ymhlith ein henwadau ni bellach, bydd yr adain "efengylaidd" yn honni mai nhw sy'n ymddangos yn fywiog, a hynny yn rhannol am eu bod yn pregethu dogma bendant. Rwy'n cofio rhai'n dweud flynyddoedd yn ôl fod Marcsiaeth yn llwyddo i danio'r miliynau am fod ganddi neges bendant ffwndamentalaidd. A ble'r aeth y neges honno erbyn hyn?

Ffwndamentaliaeth

Prif nodwedd ffwndamentalwyr yw eu hargyhoeddiad mai ganddyn nhw y mae'r gwirionedd i gyd, gan fynnu i bawb arall dderbyn hynny. Y mae ffwndamentaliaeth yn aml yn seiliedig ar ryw draddodiadau oesol eu hawdurdod, a'r rheini wedi eu datguddio mewn ysgrythur fel y Corân neu'r Beibl. Os cyhoeddodd "Moses" yn llyfrau'r ddeddf mai eiddo'r Iddewon yw Canan, mae hawl ddwyfol gennyf, meddai'r Iddew, i daflu pawb arall allan oddi yno. Yn ei gyfrol, Ar yr Iddewon a'u Celwyddau (1543) dywedodd Luther y dylid llosgi ysgolion a synagogau yr Iddewon, y dylid eu troi yn gaethweision, ac meddai, "yr ydym ar fai nad ydym yn eu lladd." Dyna'r math o arweiniad gan un a gredai yn sola scriptura, yr ysgrythur fel yr unig awdurdod. Gwyddom fel y gorfododd y Macabeaid, dan Aristobulus a'i frawd, eu Hiddewiaeth hwy ar yr Idwmeaid. Brenhiniaeth Sbaen wedyn yn defnyddio'r Chwilys creulon gan roi dewis tröedigaeth neu farwolaeth. Arweinwyr Iran a Saudi Arabia yn sefydlu rheolaeth deddf Siaria ar bawb, gan ladd y rhai a fentrai gefnu ar grefydd Islam.

Eithafiaeth

Fe ddaeth hi'n unfed awr ar ddeg bellach. Rhaid i rywun ddangos y ffordd allan o'r eithafiaeth erchyll gyfoes. Eithafiaeth lle mae Cristnogion yn labelu hoywon yn bechaduriaid, yn ystyried gwragedd yn israddol yn hierarchaeth yr eglwys, ac yn credu fod hawl i wisgo croesau yn bwysicach na gweini tosturi i gleifion. Petaem ni Gristnogion yn ystyried am eiliad beth fyddai ymateb Iesu'r Galilead ac Iesu'r trugaredd a'r cariad a'r maddeuant i'r sefyllfaoedd hyn, mae'n siŵr y byddem yn callio. Yr unig ffordd welaf i yw i Gristnogion ymwrthod â'u ffwndamentaliaeth, gan roi grym yn safbwynt cymodlon a goleuedig rhai o arweinwyr cymedrol Islam.

Hanesyn dadlennol

Un o'r hanesion mwyaf dadlennol yn y Testament Newydd i John Gwilym yw'r fan lle mae Iesu'n siarad â'r wraig o Samaria. Yno mae'n cydnabod fod pendantrwydd yr Iddewon o blaid eu teml, a phendantrwydd y Samariaid o blaid eu mynydd cysegredig, ar gyfeiliorn yn llwyr. "Dyfod y mae yr awr, ac yn awr y mae, pan addolo gwir addolwyr y Tad mewn ysbryd a gwirionedd."

Fel y dywed Karen Armstrong, "*Nobody can have the last word*". Oherwydd y mae'r ysbryd yn chwythu lle y mynno, ac mae'r gwirionedd o hyd y tu hwnt i eiriau.

Yng Nghymru heddiw bydd rhai yn dweud, "Peidiwch â gwrando ar yr amheuon, pendantrwydd uniongred amdani." Heretic Iddewig oedd Iesu.

* * *

Taro sylw: Yn y dyddiau sydd ohoni croesawnwn fudiad cyfoes sy'n cynnig platfform i "hyrwyddo ymagwedd gynhwysol at faterion o ffydd" ac sy'n "croesawu unrhyw ymgais i wella dealltwriaeth unigolion a grwpiau o amrywiaeth o ddynoliaeth."

Ysbrydoliaeth
Cyfrolau toreithiog Karen Armstrong
Cyhoeddiadau John Gwilym
Jones, John Gwilym a Jones, Tudur Dylan, 2021, *Am yn Ail*
Jones, John Gwilym, 2003, *Ail Sylw*

Sbardun
Armstrong, Karen J., 2005, *The Spiritual Staircase: A Memoir*

Cyswllt
jgwilym@sky

3.3 Cyswllt dydd i ddydd

3.3.1 Rhodri-Gwynn Jones

Ysgrifennydd
Capel Bethlehem, Gwaelod-y-garth

Ganed Rhodri-Gwynn yn 1951 ym Mhen-y-groes, Dyffryn Nantlle. Hyfforddi fel Peiriannydd Sifil ym Mhrifysgol Cymru Caerdydd. Yn blentyn bu'n aelod eiddgar o Gapel Saron, Pen-y-groes. Bu'n aelod o Gapel Annibynwyr Bethlehem ers 1979 ac yn ddiacon ers 1983 ac ysgrifennydd ers 2011. Mae Rhodri-Gwynn yn briod ag Ann ac mae ganddynt un plentyn, Marged Haf.

Capel Bethlehem, Gwaelod-y-garth

Yn ôl bob tebyg, aed ati i adeiladu capel yng Ngwaelod-y-garth yn 1832 yn sgîl Diwygiad nerthol 1829/30. Bryd hynny daeth nifer fechan o fynychwyr capeli Taihirion a'r Groeswen, at ei gilydd i sefydlu'r Capel Bethlehem gwreiddiol. Bu'r capel yn rhannu gweinidogaeth David Jones am gyfnod byr. Yn 1872, adeiladwyd y Bethlehem presennol. Bu'r capel hwnnw'n swatio'n urddasol yng nghanol y pentref o fewn Ardal Gadwraeth yng nghysgod Mynydd y Garth ar gyrion y brifddinas ers hynny.

Y stori dechnolegol

Tybed, fyddai ymateb y criw bach gwreiddiol hwnnw – prin ddwsin ohonynt – i'r 'Diwygiad' gwahanol hwnnw ddaeth i'n rhan yn enw Covid-19. Y pla hwnnw a'n gorfodwyd ni addolwyr presennol Bethlehem i newid dau gan mlynedd o'r traddodiad addoli o Sul i Sul. A dyna'n union ddaeth i'n rhan ni ac i ran addolwyr pob llan arall dros Gymru benbaladr a thu hwnt.

Roedd gan cant tri deg a phump o aelodau a'r thri deg o blant a phobl ifanc ddewis, naill a'i gorwedd i lawr a gwneud dim neu ymaflyd iddi â'r sialens newydd. Dewiswyd ymateb i'r sialens, gweddïo a symud ymlaen yn hyderus. Fe'i datblygodd ar draws y blynyddoedd dan weinidogaeth gadarn nifer o weinidogion llawn a rhan amser. Bellach, ers 2017, buom yn ymfalchïo yn arweinyddiaeth Delwyn Sïon. 'Roedd y teulu yn aelodau ffyddlon yn y capel ers blynyddoedd maith, ac yntau Delwyn eisoes yn Ddiacon. Nid oes raid ymhelaethu am ei ddoniau cerddorol, mae'r rheini yn hysbys i Gymru benbaladr. Mae ei adnabyddiaeth a'i ddefnydd o gerddoriaeth o bob math yn fodd o fywiogi oedfaon. Mae ei glasur, "Un seren" yn ffefryn, ac yn ddi-feth bu'n disgleirio'n ein ffurfafen yn ystod tymor y Nadolig.

Profiad chwithig iawn oedd gorfod cau drysau'r capel yn ystod y cyfnod clo cyntaf ym Mawrth 2020. Er bod y rhelyw ohonom yn ffyddiog mai cyfnod byr fyddai hwn, bu'n sbardun i ni ystyried dulliau newydd o gadw mewn cyswllt â'n haelodau. Roeddem oll yn ymwybodol iawn o bwysigrwydd cadw mewn cyswllt rheolaidd a'n gilydd.

Bwletin Bethlehem

- Paratowyd Bwletin Bethlehem ar ffurf cylchlythyr a'i rannu pedair gwaith y flwyddyn, gan greu cofnod defnyddiol o hanes y capel ar draws y cyfnod. Roedd hwn yn sicrhau perthynas fyw, barhaol a'r aelodaeth.
- Cyn diwedd Mawrth 2020, o fewn pythefnos i'r cyfnod clo, ganwyd wythnosolyn Gair bach Bethlehem ddosberthid drwy gyfrwng e-bost i gadw pawb yn y lŵp.
- Erbyn mis Ebrill 2020, cynhwyswyd tudalen o ddefosiwn yn y cylchgrawn a baratowyd gan aelod unigol gwahanol ar gyfer bob Rhifyn.

Zoom

- Bu'r Ysgol Sul yn cyfarfod yn rhithiol ar *Zoom*
- Mabwysiadodd y diaconiaid *Zoom* i gynnal eu cyfarfodydd
- GL
- Sefydlwyd Grŵp GL y diaconiaid
- *YouTube*
- O fis Mai ymlaen paratowyd oedfaon byr i'w darlledu ar *YouTube*
- Dychwelwyd i gynnal oedfaon yn y capel o ganol mis Medi 2020 ymlaen, a hynny dan drefn rheoliadau cyfyng Llywodraeth Cymru ar gyfer mannau addoli.

Recordio oedfaon

- Sicrhawyd bod recordiadau o'r oedfaon a gynhaliwyd yn y capel yn cael eu rhannu a'r aelodaeth o Sul i Sul, er mai oedfa wedi ei recordio ymlaen llaw oedd yr Oedfa Ddiolchgarwch 2020 dan arweiniad yr Ysgol Sul.
- Daeth yr ail gyfnod clo i rym cyn Nadolig 2020, ac unwaith eto bu'n rhaid hepgor cwrdd yn y capel, yn ein hachos ni, tan fis Gorffennaf 2021.
- Manteisiwyd ar y cyfnod clo i wneud peth gwaith cynnal a chadw o fewn y capel, a bu'r ymateb yn galonogol ryfeddol pan ddaeth pawb at ei gilydd wedi'r misoedd hesb, a gweld seddi llawr y capel ar eu newydd wedd yn ysgafn eu lliw.
- Er nad oedd tymor Adfent 2020 yn fwrlwm o ddigwyddiadau yn y capel, fe lwyddwyd trwy ddyfeisgarwch y plant a'r oedolion i gyflwyno ysbryd y Nadolig i'n cartrefi. Cyfunwyd cyfraniadau gan y plant a'u gweu yn un cyfanwaith o stori'r Geni, a'i ddarlledu ar *YouTube*.
- Dilynwyd yr un patrwm ag oedfa fore'r Nadolig, gan wahodd rhai oedd â chyswllt â'r capel, ond mwyach wedi ymgartrefu ymhob cornel o Gymru, a thu hwnt, gan gynnwys Llundain a'r Unol Daleithiau, i recordio carol, darlleniad a gweddi ar gyfer eu darlledu "ar ein sianel deledu!"
- Yr un modd gyda'r Plygain blynyddol yn Ionawr 2021, gan y tro yma gyfuno ffilm a sain o wahanol archifau, yn lleol a chenedlaethol, er creu oedfa ar *YouTube*.

Dychwelyd i symud ymlaen

O fis Gorffennaf 2021 ymlaen, bu'r patrwm yn gyson, sef cynnal oedfaon yn y capel, eu recordio, a'u rhannu wedyn ar safle *YouTube* y capel.'Roedd yn brofiad braf wedi'r hanner tymor yr Hydref i glywed sŵn y plant yn dychwelyd ar y Sul, ysywaeth nid i'r capel fel o'r blaen, ond i'r Festri, er y cawsom wledd gyda'u cyflwyniad Nadolig llawn asbri yn y capel y Sul cyn y Nadolig. Credwn y byddwn yn araf bach yn closio at asio'r cyfan yn un gwead tyn pan ddaw'r gwanwyn! Brysied y dydd yn wir!

Llwyddiannau hyd yma

- symud yn gyflym i sicrhau cyswllt â'n haelodaeth
- cynhyrchu "Gair Bach Bethlehem", cylchgrawn 18 wythnos sydd bellach yn fisol

- darparu deunydd myfyrdod i aelodau deimlo'n rhan o ddefosiwn y Sul neu ddiwrnod o'u dewis
- parhau gyda'r Ysgol Sul i baratoi oedfaon ar achlysuron arbennig yn ôl y galw
- ymgyfarwyddo â chyfoeth deunyddiau Cymraeg y we i oedfa e.e. emynau *Caneuon Ffydd*
- cynnal arlwy'r Nadolig, er yn rhithiol i alw ar gyn-aelodau o bob cwr o'r byd i gyfrannu.
- creu archif llun a sain i lunio oedfaon e.e. Y Plygain
- recordio oedfaon Sul yn y capel a'u dosbarthu o fewn diwrnod i bob aelod

Y ffordd ymlaen nid da lle gellir gwell

- creu tîm o wirfoddolwyr i recordio oedfaon y Sul yn hytrach na dibynnu ar un person
- trefnu cyswllt â'r we yn y capel
- darlledu gwasanaethau yn fyw bob Sul
- prynu adnoddau gwell i arddangos emynau, gweddïau a darlleniadau o'r pulpud
- gwella sain y darllediad i asio sain y camera, system sain y capel a'r organ
- sicrhau bod yr aelodaeth gyfan yn cael mynediad i'n cyfryngau darlledu

Bu datblygiad technolegol Capel Bethlehem, Gwaelod y Garth, yn rhyfeddol yn ystod cyfnodau clo Covid-19 ac mae'u cynllun penodol nhw ar gyfer y dyfodol yn llawn mor ysbrydoledig. Mae'n batrwm defnyddiol hawdd ei ddilyn.

* * *

Taro sylw: Bu'r datblygiadau technolegol yn ystod y cyfnodau clo yn sydyn a syfrdanol. Lle buom – cyn Cofid-19 – yn betrusgar ynglŷn â defnyddio dulliau cyfoes mewn addoldy ysbrydol, rydym yn prysur gymryd mantais o'r cyfleoedd digidol i gyfoethogi ein haddoliad a'n cenhadu.

Ysbrydoliaeth

Mawredd Duw yn Nyffryn Nantlle, bro fy mebyd, o gyneddfau fy enaid. Mae'r cyfan o'r hyn ydwyf yn ddyledus i fôr a mynydd, i aelwyd, ysgol a chapel, ac yn anad dim, i deulu a ffrindiau.

Sbardun

Dafis, Cynog 2021, *Pantycelyn a'n picil ni heddiw*

Cyswllt

www.bethlehem.cymru
rhodrigj@btinternet.com
GL@gwebethlehem

3.3.2 Marc Jon Williams

Cyswllt dydd i ddydd

Undeb Bedyddwyr Cymru: Capel Tabernacl, Caerdydd: Ysgrifennydd

Ganed Marc Jon yn 1974 ym Mae Colwyn. Hyfforddodd fel athro cynradd yng Nghaerdydd. Yn blentyn bu'n aelod eiddgar o Gapel Bedyddwyr y Tabernacl, Bae Colwyn. Bu'n aelod o Gapel Bedyddwyr Tabernacl Caerdydd ers 2003 ac yn ddiacon ers 2004. Mae Marc yn athro yn Ysgol Mynydd Bychan, Caerdydd. Mae'n briod â Rhian Elin ac mae ganddynt ddau o blant, Osian Llŷr a Liwsi Nel.

Tabernacl, Caerdydd

Sefydlwyd yr eglwys hon n 1813 pan ddaeth nifer o bobl ynghyd yn nhafarn y 'Star and Garter' nepell o'r castell ynghanol y ddinas. Bellach, y Tabernacl yw'r unig eglwys Fedyddiedig Gymraeg yn y ddinas, gan i'r eglwysi eraill droi i ddefnyddio'r Saesneg yn eu haddoliad. Y Gymraeg fu unig iaith addoliad yr eglwys hon, er bod croeso cynnes i bawb sydd am ddysgu'r iaith.

Bu'r eglwys yn ffodus o gael gweinidogion yn ddi-dor ar hyd y blynyddoedd, a'r gweinidog a ymddeolodd yn ddiweddar, sef Parchg Denzil John oedd degfed gweinidog yr eglwys.

Er mai Eglwys Fedyddiedig yw hon, mae iddi gynrychiolaeth o sawl traddodiad ac fel y ceir eglwysi eraill yng Nghaerdydd a'r cylch, mae'r aelodau'n dod yma o bob rhan o Gaerdydd hefyd. Erbyn hyn, mae i'r eglwys cant pum deg a phump o oedolion ar y llyfrau a dau ddeg dau ar gyfer yr Ysgol Sul.

Dywedodd Marc Jon

> Pan gyhoeddodd Llywodraeth Cymru na fyddai cynulleidfaoedd yn cael mynychu oedfaon er mwyn rhwystro lledaeniad o'r feirws Covid-19, penderfynodd rhai o ddiaconiaid ifanc eglwys y Tabernacl, Caerdydd

bo' rhaid sicrhau darpariaeth o ryw fath yn ystod y cyfnod clo.

Gwerthfawrogwyd ymdrechion Dechrau Canu, Dechrau Canmol i gyflwyno oedfaon amrywiol ar S4C ar fore Sul, ond roedd awydd ymysg yr aelodaeth am ddarpariaeth '*home-grown*'. Buom yn ffodus gyda'n haelodau ifanc, ac roedd ganddynt awgrymiadau i'n cynorthwyo.

Arweinyddion oedfaon 'band-un-dyn' ar GL

Ar y cychwyn cyntaf, trefnwyd rota anffurfiol o aelodau nad oedd ganddynt unrhyw ofidion meddygol a fyddai'n fodlon dod lawr i'r capel i arwain oedfa. Byddai'r oedfaon hynny yn cael eu ffrydio'n fyw dros ein tudalen GL, a'r unig rai oedd yn cael bod yn yr adeilad oedd y pregethwr, organydd a'r technegydd. Roedd angen i bregethwr y Sul fod yn barod, nid yn unig i ddarllen, gweddïo a phregethu, ond hefyd i ganu'r emynau fel unawd! Tipyn o "Sioni-pob-swydd"!

Trosglwyddo i sianel *YouTube*

Gan nad oedd gan bob aelod fynediad at GL, trefnwyd i'r oedfaon hynny gael eu trosglwyddo i sianel *YouTube* wedi'r oedfa er mwyn i gynulleidfa ehangach ei werthfawrogi. Tystia'r data digidol fod niferoedd wedi gwylio, cymaint yn fwy felly na fyddai wedi ymgasglu ar fore Sul mewn oedfa.

Ffilmio oedfaon amrywiol

Er mwyn ehangu ymhellach, penderfynwyd sicrhau cynnwys aelodau nad oedd am fentro lawr i'r tŷ cwrdd i arwain y moddion. Gan fod nifer o'n ffonau symudol bellach yn cynnwys y gallu i recordio llun a sain, gofynnwyd i nifer o'n haelodau i ffilmio eu hunain un ai yn darllen neu yn cyflwyno gweddi. Cytunodd un o'n haelodau sy'n gweithio ym myd y cyfryngau i weu'r cyflwyniadau amrywiol at ei gilydd i greu oedfaon amrywiol oedd yn denu canran uchel o'r aelodaeth i gyfrannu llais i'n darpariaeth.

Oedfaon *Zoom*

Y drydedd wedd a arbrofwyd, oedd cynnal oedfaon dros *Zoom*. Sicrhaodd ysgrifennydd ein pulpud grwpiau o tri aelod/cyfaill yr achos i arwain oedfaon dros y cyfrwng yma. Un o fendithion y gyfres yma o oedfaon oedd gweld aelodau nad oedd efallai yn nabod ei gilydd yn cyd-weithio, ac o ganlyniad yn cryfhau'r berthynas a'r cwlwm cariad sydd mor nodweddiadol o'r Tabernacl.

Rhaid nodi nad yr oedfaon yn unig gafodd eu cyflwyno drwy dechnoleg. Manteisiwyd ar y cyfryngau newydd yma i sicrhau:

- dosbarthiadau Beiblaidd yr ifanc
- cyrddau gweddi
- Ysgol Sul y plant lleiaf,
- boreau coffi,
- cyfarfodydd diaconiaid
- a hyd yn oed ambell noson gymdeithasol!

* * *

Taro sylw: Er y camau technolegol breision ymlaen yn ystod Covid-19, hanfod eglwys yw ei chymdeithas gynnes a'r gallu i ymgynnull wyneb yn wyneb. Efallai bydd yr aelodau'n fwy gwerthfawrogol o'r tŷ cwrdd i'r dyfodol gan wneud mwy o ymdrech i sicrhau ein presenoldeb yn '...ei byrth Ef'.

Ysbrydoliaeth

Bydded eich cariad yn ddiragrith. Casewch ddrygioni. Glynwch wrth ddaioni. Bydded wresog yn eich serch tuag at eich gilydd. Rhowch y blaeni'ch gilydd mewn parch. Yn ddiorffwys eich ymroddiad, yn frwd eich ysbryd, gwasanaethwch yr Arglwydd. (Rhufeiniaid 12.9-11)

Sbardun

Davies, Desmond, 1999, *Gardd Duw*

Cyswllt

https//www.tabernacl.cymru
marc_j_williams@yahoo.co.uk
@gwetabernacl

RHAN 4

Arweiniad goleuedig – bwrlwm byw

'Drwy bob gwybodaeth newydd gwna ni'n fwy doeth i fyw'

Gyfrannwr pob bendithion
ac awdur deall dyn,
gwna ni yn wir ddisgyblion
i'th annwyl Fab dy hun;
drwy bob gwybodaeth newydd
gwna ni'n fwy doeth i fyw,
a gwisg ni oll ag awydd
gwas'naethu dynol-ryw.

Rho inni ysbryd gweddi,
rho inni wefus bur,
rho gymorth mewn caledi
i lynu wrth y gwir;
yng nghynnydd pob gwybodaeth,
glanha, cryfha ein ffydd;
ymhob rhyw brofedigaeth
dysg inni rodio'n rhydd.

Elfed (1860-1953)
Caneuon Ffydd, rhif 720

Your vision of God depends on where you are in your spiritual development.

Ken Wilber

4.1 Eglwys Bresbyteraidd Cymru

4.1.1 Parchg Aled Lewis Evans

Gweinidog
Capel y Groes Ebeneser, Wrecsam
a St John's Caer
Bardd, darlledydd ac awdur

Ganed Aled ym Machynlleth yn 1961, a'i blentyndod cynnar yn Llandudno a'r Abermo cyn symud i Wrecsam, lle y mynychodd Ysgol Morgan Llwyd. Bu'n gyflwynydd ar radio lleol yn darlledu'r rhaglenni yn y Gymraeg a'r Saesneg. Aeth ymlaen i fod yn athro yn Ysgol Morgan Llwyd. Astudiodd radd mewn diwinyddiaeth ac mae'n awdur cyfrolau o farddoniaeth, rhyddiaith a llyfrau defosiynol.

Cefndir a magwraeth

Roedd fy nhad, Lewis yn dod o Ardudwy, a fy Mam, Iola yn dod o Gorwen. Cefndir amaethyddol oedd i'r ddau deulu. Roedd teulu fy Mam, Atkinson yn gerddorol iawn, a theulu fy nhad yn llenyddol, a fy nhaid John Evans (Siôn Ifan) wedi ennill Cadair yr Eisteddfod Genedlaethol ar ddau achlysur yn 1952 a 1954.

Bues yn athro Ysgol Sul ar ieuenctid yng Nghapel y Groes Wrecsam yn yr wythdegau. Pryderi Llwyd Jones oedd yn weinidog arna i yn y blynyddoedd ffurfiannol, ac roedd ei bwyslais ar bethau cyfoes, a defnyddia'i lenyddiaeth a'n cynnwys ni ynddynt. Fy hoffter i yw Llenyddiaeth a'r elfen greadigol, a byddaf yn hoffi cynnwys darnau mewn gwasanaethau a chyfathrebu efo pobl mewn modd cyfoes a pherthnasol.

Y weinidogaeth

Daeth y cais i mi ystyried bod yn weinidog ar Gapel y Groes ac Ebeneser yn Wrecsam a Chapel St John Street Caer yn hollol annisgwyl i mi. Fe deimlais falchder yn fy nghalon bod fy mhobl fy hun yn meddwl y gallwn i gyfrannu rhywbeth, felly, meddyliais y buaswn yn rhoi cynnig arni am gyfnod. Credaf fod yr ugain mlynedd o grwydro o gwmpas pob math o gapeli wedi fy mharatoi ar gyfer natur wahanol yr eglwysi yn yr Ofalaeth hon hefyd. Roedd y Groes a oedd fu'n goleuo'r nen y nos y tu allan i Gapel y Groes yn dal i'm denu.

Mae hyd at ddau gant o aelodau rhwng dwy eglwys Wrecsam, a deg aelod bellach yng Nghaer a rhai Gwrandawyr nad ydynt yn ymaelodi yn nodwedd yng Nghaer. Mae Eglwys Saesneg hefyd yn llogi'r adeilad ar gyfer eu gwasanaethau yng Nghaer – a hynny yn gwneud gwell defnydd o'r capel yn fy meddwl i.

Gweinidogaethu

Bu Capel y Groes Wrecsam yn gapel perthnasol a byw i mi ers roeddwn yn f'arddegau. Addoldy mewn gwisg unfed ganrif ar hugain sydd yma, arloesol ei bensaernïaeth pan agorwyd o. Arferai fod ar gyrion y dref pan agorodd, ac roeddwn i'n arfer meddwl fod hynny'n biti. Colli cyfle safleoedd eraill canol dref i fod ar agor bob dydd. Ond bellach gyda lledaeniad archfarchnadoedd ar bob tu a datblygiad Dôl Eryrod, mae Capel y Groes ac Ebeneser bellach yn y canol.

EBC sy'n cyflogi Aled fel gweinidog Capel y Groes a chapel St John's Caer tra bod
UAC yn cyfrannu am Gapel Annibynwyr Ebeneser.

Mae'n addoldy sy'n cael ei ddefnyddio'n ddyddiol (ar adegau arferol) gan fudiadau'r dref, ac mae cymdeithasau a chyfarfodydd bob dydd o'r wythnos. Rwy'n gwerthfawrogi'r blynyddoedd o gael fy meithrin yma i fod yn gadeirydd ar Seiat a Chymdeithas Lên. Dyna freintiedig y bues, heb sôn am arweiniad ysbrydol ein gweinidogion.

Yn bersonol does dim ots gen i faint yw'r nifer dwi'n ei bregethu iddynt – dim ond bod y rhai sy'n dod ynghyd yn cael budd a chysur a her gan yr hyn a glywant gennyf. Dydw i ddim yn hoffi cyflwyno unrhyw beth nad yw'n deilwng, ac mae swmp paratoi'r ddau wasanaeth yn Wrecsam ar adegau yn heriol. Rhaid i'r cymhelliant ddod o'r lle iawn i mi, a'r cymhelliant i mi ydy bod eisiau rhywbeth teilwng o Dduw beth bynnag y nifer yn y gynulleidfa. Hyd yn oed i griw bach mae cyfarfod yn llesiant ysbrydol a meddyliol i'r rhai a ddaw, yn enwedig yn y cyfnod a gafwyd. Efallai mai dyma'r unig gyfathrebu a wnânt yr wythnos honno neu'r diwrnod hwnnw ag eraill.

Rhan o gerdd Aled "Llinynnau" yn cydnabod awyrgylch arbennig y capel:

Tinc newydd mewn hen drawiadau,
gorfoledd canu bwrlwm o emynau
Y llawnder a'r egni.

Ac yn hyn oll, Cariad Crist
yn llifo i lawr coridorau
fel baneri'n chwifio,
yn lapio amdanoch.

Yr ofalaeth

Yn Wrecsam mae mwy o groestoriad oedran yn y gynulleidfa – mae modd i rieni ifanc fedru gwrando ar wasanaeth y bore, gan fod yr Ysgol Sul yn cyd-redeg efo ail ran y Gwasanaeth. Mae'n bwysig cael rhychwant o bob oed â photensial ar gyfer y dyfodol. Rydym yn hynod o ffodus i gael Siwan fel gweithiwr ieuenctid i ni (Gweler 2.3.1), ac mae'r plant hyn yn integreiddio i sawl gwasanaeth yn ystod y flwyddyn. Rwy'n ymhyfrydu bob tro mae hyn yn digwydd, a'r cyd-weithio sydd rhwng tîm yr Ysgol Sul, a hefyd plant a phobl ifanc y clybiau. Mae nifer o rieni ifanc yn gefnogol iawn i'r clybiau, ac yn ystod y cyfnod clo cynhaliwyd sawl cyfarfod yn yr awyr agored.

Rhannu cyfrifoldeb

Mae gofal gan y Blaenoriaid a Swyddogion am aelodau eu hardaloedd. Rwyf innau'n ymweld â'r henoed gymaint ag y medraf. Mae bugeilio yn bwysig, ond gorfu i'r patrwm newid yn ystod y cyfnodau clo. Mae agweddau syml fel llythyru, gyrru cerdyn personol, a sgwrs ffôn i mi yn cyrraedd y nod ac yn rhoi boddhad i'r sawl sy'n derbyn. Y pethau syml hyn ar un wedd sy'n aml yn cyrraedd y galon ac yn aros yn y cof, ynghyd â phresenoldeb ar adegau tyngedfennol. Rydym yn awyddus i gael mwy o flaenoriaid iau atom yn y dyfodol agos. Mae pawb yn allweddol fel tîm. Mae ein gofalwr yn allweddol ar gyfer pethau bob dydd y Capel. Yn arbennig felly efo'r holl gyfarfodydd lleol a gynhelir yn yr adeilad mae ef yn adnabod y dref a'i phobl. Yn bersonol dw i wedi gwerthfawrogi cael ymgynghori â fy mrawd yng nghyfraith y Parch R. W Jones (Bob) os ydw i mewn cyfyng gyngor. Mae clywed am brofiad rhywun arall yn aml yn goleuo sefyllfa gyfredol.

'Shalôm' cylchgrawn misol yr eglwys

Shalôm yw'r cyswllt pwysicaf sydd gan y Capel, ac mae edrych ymlaen ato. Mae Marian Lloyd Jones ac Alun Jenkins yn cyd-weithio ar hwn, a mewnbwn rheolaidd gan gyfranwyr, a gen innau. Mae fel llatai i'n haelodau bob tro y daw, ac mae'n arf cenhadol parod i'w roi yn llaw pobl. Gall pobl gael gweld y fersiwn electronig a'i dderbyn ar e-bost, ond y fersiwn print yw'r ffefryn gan aelodau.

Ymgysylltu â'r gymuned

Mae'r gymuned leol yn llogi ystafell neu'n cynnal cyngherddau, ac i mi mae'r cysylltiad hwn yn Wrecsam yn allweddol, ac yn rhywbeth dw i wedi ei weld ar hyd y blynyddoedd. Enghreifftiau yw Ceiswyr Lloches a'r Groes Goch, Cymdeithas y Byddar, Merched y Wawr, Dosbarth i Ddysgwyr Cymraeg. Hyd yn oed yn y cyfnod diweddar mae rhywbeth bron bob dydd yn y Capel ei hun rhwng y mudiadau hyn a chyfarfodydd y capel sydd wedi ail-ddechrau. Mae'r Gorlan Fach lle y daw mamau a thadau efo'u plant ifanc wedi ail-gydio yn ddiweddar. Hefyd mae'r gweithgareddau Eglwysi ar y Cyd wedi parhau – cafwyd Llwybr Nadolig i gerdded o amgylch y wahanol eglwysi, a dysgu am stori'r Nadolig yn syniad arbennig i'n clymu ni i gyd ynghyd ar adeg anodd.

Patrwm cyfathrebu newydd

Mae Seiat gennym ers amser, ond yn ystod y gwahanol gyfnodau clo, fe gynhaliwyd y cyfarfod yn llai aml, ac ar brynhawn yn hytrach nag ar nosweithiau tywyll y gaeaf, ac mae'r ymateb wedi bod yn ffafriol. Rwyf yn cyfeirio at y cyfarfod bellach fel Grŵp Trafod, gan fod angen trafod newidiadau, a'r cyfnod ansicr cyfredol drwy lens Cristnogol. Mae pobl yn cael cyfle i rannu eu profiadau a'u hargraffiadau hwy rŵan. Mewn llawer ffordd mae grŵp ychydig yn llai yn well cyfle i bawb yno fedru cyfrannu. Mae aelodau yn cynnal Clwb Crefftau ar brynhawn Iau, ac yn ogystal â'r creu a'r gweu, yn allweddol mae pobl wedi cael cwmni ei gilydd a sgwrs, a thipyn o normalrwydd. Gobeithiaf y bydd y cyfleoedd hyn yn parhau, a'n bod ni'n dal i gynnig darpariaeth sy'n cynorthwyo ein haelodau, ac yn apelio at y bobl ar y cyrion i ddod i'r canol atom.

Addasiadau ôl Covid-19

Dwi'n credu bod disgwyliadau pobl sy'n dod i gyfarfodydd wedi newid, a'u bod yn llawer mwy diolchgar rŵan o'r ddarpariaeth. Mae hyd yn oed cynnal llai o gyfarfodydd yn gallu bod yn llwyddiannus, gan yn ddi-os cyn Covid-19 roedd disgwyliadau mor uchel, a bywyd mor chwim. Mae pawb wedi sylweddoli fod ganddynt flaenoriaethau eraill bellach. Serch hynny, mae dal rhychwant o ddarpariaeth a blas yn dal i fod ar y pethau sy'n cael eu cynnal – fel noson Blygain yng Nghymdeithas y Capel cyn y Nadolig efo Sioned Webb ac Arfon Gwilym. Nid oes raid i bopeth ddychwelyd fel y bu, dim ond bod yr hyn a ddarperir yn berthnasol, ac yn llai o straen i bawb hefyd.

Roedd y Clwb Cinio wythnosol cyn y cyfnod clo yn llwyddiannus oherwydd gwaith diflino'r Trefnydd a'r timau o wirfoddolwyr o wythnos i wythnos. Wrth gwrs fe ddaeth i ben efo rhwystrau Covid-19. Ond mae fersiwn arall ohono wedi esblygu yn y cyfnod clo sy'n fwy cynaliadwy – sef ein bod yn mynd yn grŵp i fwytai gwahanol i gael pryd yn achlysurol. Mae modd i ni ganolbwyntio wedyn ar y gymdeithas a'r gofal am ein gilydd dros fwyd yn y lleoliad arall. Mae'r cyfnod diwethaf wedi ein dysgu nad ydy bod yn Eglwys o anghenraid yn gorfod bod o fewn yr adeilad

Hwb dechnolegol i fugeilio a chenhadu

Y gwahaniaeth mwyaf syfrdanol ydy datblygiad aelodaeth Grŵp GL 'Ebeneser a Chapel y Groes'. Mae gennym oddeutu pedwar cant o aelodau erbyn hyn. Dydy hwn ddim yn 'berthyn' traddodiadol i eglwys, ond mae wedi bod yn un o lwyddiannau mawr cyfnod anodd tu hwnt. Hwn ynghyd â darllediadau ar *Zoom*, a chyfarfodydd ar y cyfrwng newydd hefyd. Bu hyn yn llygedyn o obaith mewn cyfnod dyrys, a buan iawn y sefydlodd ei hun fel norm i gerdded ymlaen i'r dyfodol yn ei gwmni. Mae cysylltiad o'r fath yn gwneud yr eglwys yn fwy cynhwysol a chroesawgar ar sawl platfform, ac yno pan mae'r person yn dymuno gwneud y cyswllt.

Ar y grŵp GL yn ddyddiol ceir postiadau newydd ac ymatebion, lle gynt y ceid newyddion o Sul i Sul yn unig. Mae'n cadw cyswllt ag aelodau o ddydd i ddydd, ac yn rhoi gwell syniad i bobl o'r hyn sy'n mynd rhagddo. Ond yr hyn sy'n galondid mawr i mi yw ymatebion aelodau i'r postiadau – mae teimlad yn syth o wal o gefnogaeth Gristnogol sydd yno i godi ac ysbrydoli pobl yn eu cyfyngder, ac i orfoleddu yn eu llwyddiant. Mae'n hwb ar bob achlysur.

Mae tua dau gant o bobl yn gwylio ein darlledieiad o'n Gwasanaeth Boreol ar y Sul yn rheolaidd, ac mae'n arf cenhadu cryf a hollol gyfoes ac amserol gan y gellir ei weld ar ôl y darllediad byw. Mae pobl mewn oed wedi ymuno efo GL ddim ond i weld y gwasanaethau, mae rhai iau mewn teuluoedd wedi mynd i gyd-wylio a rhannu eu sgrin hwy ambell dro, ac mae cymuned yr eglwys yn ehangu ac yn parhau. Fydd pawb a wêl y darllediadau ddim yn aelodau, ond mae angen i ni hefyd gynnig y ddarpariaeth i bawb a fyn wylio a gwrando. Mae pobl sydd ar ymylon y capel yn cael eu rhwydo i mewn a hynny mewn ffyrdd arbennig. Bu'r darlledu wnes i dros y blynyddoedd ar wahanol gyfrynga yn gaffaeliad i mi ar yr adegau hyn. Yn ddiarwybod, roedd fy mlas ar fyd y cyfryngau yn troi'n fraint aruchel o gyhoeddi gobaith yr Efengyl.

Swyddogaeth bugail mewn profedigaeth

Fe ddaeth y pandemig ychydig fisoedd wedi i mi ddechrau fy nghyfnod yn fy ngweinidogaeth. Teimlaf ein bod ninnau weinidogion wedi bod ar y Rheng Flaen yn ystod y cyfnod hwn yn enwedig wrth ddygymod â cholli cynifer o bobl. Nid i Covid-19 yn unig ond i brofedigaethau llem oedd yn cyd-daro yn ystod y cyfnod anodd hwn.

Cerdd Aled sy'n crynhoi ei agwedd, ei gred a'i gymeriad:

Cadw'r syniad ohonot ti'n fyw
Mae 'na oerni yn y môr heddiw,
a dreiddia y tu hwnt i'n gofalon
at y mêr.

Ond dw i wedi cadw atat Ti,
at y syniad cynnes annwyl hwn
yn fy nghalon i,
wedi cadw ato
drwy'r rhuthr o ddadbarselu dy holl gyfrinach.
Wedi dy feithrin
a chyd-fyw drwy'r gaeafau.
Gan obeithio eto eleni
y caiff cynhesrwydd parsel dy ras
ymagor ynof
fel petalau fflur ceirios
yn ddiniwed groesawu'r Gwanwyn.

* * *

Taro sylw:
Mae'n bosib nad ydym yn amgyffred effaith trawma fel Covid-19 ar nifer o unigolion. Mae canran uchel o'r hen oed wedi colli hyder ac yn rhy bryderus i ddychwelyd i'r oedfa i ganol pobl. Mae cyfathrebu a nhw drwy dechnoleg o fudd a chynhaliaeth iddynt.

Ysbrydoliaeth
Barddoniaeth a barddoni

Cyhoeddiadau Aled Lewis Evans
Rhwng Dau Lanw Medi, 1994
Bro Maelor, Cyfres Bröydd Cymru, 1996
Mendio Gondola, 1997
Troeon: Llyfr Erchwyn Gwely, Myfyrdod ar Gyfer Bob Dydd o'r Flwyddyn, 1998
Llanw'n Trol, 2001
Y *Caffi*, 2002
Aur yn y Gwallt: Straeon Byrion, 2004
Dim Angen Creu Teledu Yma, 2006
Adlais: Deunydd Defosiynol ar Gyfer y Flwyddyn Eglwysig, 2007
Amheus o Angylion, 2011
Llinynnau, 2016

Sbardun
Hume, Basil, 1999, *The Mystery of Incarnation*

Cyswllt
GL 'Ebeneser a Chapel y Groes' a "Capel Cymraeg Caer"

4.2 Undeb Bedyddwyr Cymru

4.2.1 Parchg Dr Rhys Llwyd

Gweinidog
Capel Caersalem, Caernarfon

Ganed Rhys yn 1985 ym Mangor. Astudiodd wleidyddiaeth ac athroniaeth wleidyddol. Cyflawnodd PhD ym maes diwinyddiaeth gyhoeddus ac yna hyfforddodd am y weinidogaeth. Fe'i sefydlwyd a'i hordeiniwyd yng Nghaernarfon yn 2011. Mae Rhys yn briod â Menna Machreth ac mae ganddyn nhw ddau o blant, Cadog Rhys a Nedw Machreth. Maent wedi ymgartrefu yng Nghaernarfon.

Cefndir a magwraeth

Ces i fy magu ar aelwyd Gristnogol genedlaetholgar. Roedd mynd i'r capel ar y Sul a chodi posteri Plaid Cymru yn ddwy ddefod cwbl naturiol na wnes i byth gwestiynu pan oeddwn i'n blentyn. Mae gen i lond trol o atgofion plentyndod hapus o fynd i weithgareddau'r capel a hefyd o fynd o gwmpas Comins Coch (Aberystwyth) gyda fy nhad adeg lecsiwn yn dosbarthu taflenni'r Blaid. I'n teulu ni roedd ein Cristnogaeth a'n Cymreictod yn ddeubeth oedd yn eistedd yn naturiol o gyfforddus gyda'i gilydd.

Ond serch fy magwraeth Gymraeg a Christnogol a fy mhedegri Protestannaidd sylweddolais erbyn i mi fod yn fy arddegau fod y ffydd a etifeddais yn ffydd yr oedd angen i mi ei gredu a'i berchnogi drosof fi fy hun. Ac felly dros gyfnod fy arddegau ces fy argyhoeddi nad chwedl oedd Cristnogaeth ond gwirionedd i'w gredu a'i fyw.

Sefydlu ffydd bersonol

Erbyn diwedd fy nghyfnod yn y Brifysgol roeddwn wedi fy nadrithio rhyw ychydig gyda Christnogaeth, yn arbennig y Gristnogaeth geidwadol efengylaidd yr oeddwn, ar y cyfan, wedi fy amgylchynu â hi. Roeddwn yn ymddiddori mewn gwleidyddiaeth a hefyd wedi dechrau cael fy nylanwadu gan Gristnogaeth garismataidd – ac er bod fy rhieni yn gefnogol – rhyw amheuaeth roeddwn yn ei deimlo gan lawer o Gristnogion ar y pryd. Nid oeddwn yn profi argyfwng ffydd, ond roeddwn yn profi argyfwng eglwysig – er nad oeddwn wedi diflasu ar Iesu, roeddwn wedi diflasu gyda'r mynegiant eglwysig roeddwn wedi bod yn rhan ohono.

Dylanwadau

Ond daeth tro ar fyd tua 2006 trwy fy nghyfeillgarwch gyda John Derek Rees, sydd bellach yn weinidog yn ardal Abertawe. Yn wahanol i fi, magwyd John Derek yn fwy yn y traddodiad carismataidd ac roedd ganddo sêl hefyd dros genhadu. A pan ddaeth i ganol bywyd yr Undeb Cristnogol yn y Brifysgol yn Aberystwyth fe ddaeth fel chwa o awyr iach. Uchafbwynt y cyfnod yma oedd rhedeg y Cwrs Alffa a gweld rhai o'n cyfeillion yn dod i sicrwydd ffydd gan gynnwys fy ngwraig erbyn hyn, Menna Machreth, a hefyd un o fy nghyfeillion pennaf Adrian Morgan sydd bellach yn Ficer yng Ngorseinon. Yn y cyfnod yma taniwyd fy ffydd o'r newydd a dechreuais gredu eto bod modd adfywio eglwysi Cymru.

Galwad

Bu nifer ohonom yn sgwrsio a gweddïo am gyflwr ysbrydol Cymru, ac fel sy'n aml yn digwydd. Dangosodd Duw i nifer ohonom y gallem fod yn rhan o ateb ein gweddi ein hunain wrth fwrw ati i waith y Deyrnas a dyna i fi, a nifer ohonom, oedd dechrau'r alwad a'r daith tuag at y weinidogaeth.

Swydd bresennol a'i gyfrifoldebau

Ers degawd bellach rwy'n weinidog yn ardal Caernarfon. Fy mhrif eglwys yw Caersalem, Caernarfon ond rwyf hefyd yn weinidog ar ddwy eglwys lai yn Nyffryn Nantlle; Calfaria Pen-y-groes ac Ebeneser Llanllyfni. Wrth dderbyn yr alwad ar y dechrau mentrais fod mor hy â gofyn a chawn ryddid i ganolbwyntio fy ymdrechion, i ddechrau o leiaf, ar Gaernarfon er y byddwn yn bugeilio'n ffyddlon yr aelodau yn Nyffryn Nantlle. Y rheswm tu ôl i hwn oedd oherwydd mod i'n credu mai un o wendidau'r weinidogaeth Gymraeg yn gyffredinol oedd bod gweinidogion yn rhannu eu hunain yn rhy denau dros nifer o eglwysi dros ardal eang ac felly yn methu gosod gwreiddiau dwfn a chael dylanwad o werth o'r unlle. Mae fy nghalon yn torri yn arbennig dros Weinidogion yr EBC sy'n gorfod bugeilio dwsin o eglwysi dros hanner sir! Er mwyn meithrin gweinidogaeth genhadol ei naws ac nid dim ond yn fugeiliol roedd rhaid medru ffocysu'r gwaith mewn un lle.

Datblygiadau dros y deng mlynedd

Ar y cyfan mae pethau wedi datblygu dros y ddeng mlynedd fel ag yr oeddwn wedi disgwyl. Mae'r gwaith yng Nghaernarfon wedi dwyn peth ffrwyth, mae nifer yr addolwyr cyson wedi codi o ryw 25 i 60, rydym wedi cael y fraint o Fedyddio nifer o bobl ac rydym wedi llwyddo i ddatblygu nifer o weinidogaethau amrywiol a datblygu arweinwyr newydd. Fodd bynnag, dirywiad sy'n parhau yn y ddwy eglwys lle nad wyf wedi cael amser a chyfle i ddatblygu.

Er bod y gwaith yng Nghaersalem wedi mynd yn dda a dwyn peth ffrwyth, rydym yn parhau i fod yn eglwys gymharol fechan gydag aelodaeth o tua 60 a thua hanner yr aelodaeth yn gwasanaethu mewn rhyw ffordd. Hyd yn oed mewn eglwys gymharol fychan mae cadw'r undod wedi bod yn heriol gan fod gennym dair ffrwd wedi dod ynghyd yn yr eglwys – yr aelodau traddodiadol, efengylwyr, ac yna Cristnogion carismataidd o gefndir mwy Pentecostalaidd. Rwy'n grediniol fod y tair ffrwd yn dod â rhywbeth gwerthfawr a bod gan bob ffrwd rhywbeth i'w gynnig. Wn i ddim am lawer o eglwysi Cymraeg sydd â chynrychiolaeth o'r tair ffrwd yna yn yr aelodaeth – mae'n siŵr mae dyma un o'r pethau sy'n gwneud Caersalem yn unigryw fel eglwys.

Er mod i'n parhau i fod eisiau arwain eglwys sy'n genhadol ei naws rwyf wedi cyrraedd man ar ôl deg mlynedd wrthi o fod eisiau gwneud hyn mewn ffordd gynaliadwy sy'n arwain at ffydd ddofn. Yn anffodus mae llawer o eglwysi cyfoes sy'n gweld twf yn or-ddibynol ar arian (i dalu gweithwyr yn lle meithrin disgyblion) neu ar weithio eu harweinwyr a'u haelodau mor galed nes eu bod yn profi 'burn out'. Rydw i wedi profi ychydig o hynny, ond bellach rwy'n barod i arwain eglwys mewn ffordd fwy aeddfed. Dwi eisiau ffydd ac ysbrydolrwydd sydd am bara oes, ac nid ffydd sydd am losgi'n llachar heddiw a llosgi allan erbyn fory.

I'r dyfodol

Er mai'r genhadaeth ac agweddau newydd a blaengar y weinidogaeth a'm denodd i'r swydd i gychwyn mae'n rhaid cydnabod fy mod erbyn hyn yn gweld gwerth elfennau mwy traddodiadol a bugeiliol y weinidogaeth Gristnogol. Rwy'n gweld hi'n fraint arbennig bugeilio teuluoedd drwy amseroedd anodd. Bu arwain angladdau yn fraint anhygoel gan ddal llaw pobl ar adegau lle mae'r ffin rhwng y byd fel y mae a'r byd sydd eto i ddod yn denau iawn.

Rwyf hefyd, yn ystod y cyfnod clo, wedi meithrin gwerthfawrogiad newydd o'r sacramentau a phŵer y ddefod o gofio a chyd-gymuno gyda'n gilydd. Efallai mod i wedi dod i werthfawrogi'r peth yn y cyfnod clo gan ein bod wedi gorfod mynd cyhyd hebddo – *'absence makes the heart grow fonder!'*

Rhaid cyffesu mae rhywbeth oedd yn cael ei sticio ar ddiwedd oedfa heb ormod o feddwl oedd y Cymun i mi am flynyddoedd. A hefyd fe wnes i etifeddu diwinyddiaeth o gwmpas y sacrament oedd yn eithrio ac nid yn gwahodd pobl. Ond bellach rwy'n ei weld yn ganolog i'n haddoliad a'n gwahoddiad i dderbyn Crist ac, yn anghyffredin i eglwys Fedyddiedig, wedi dechrau cael yr aelodau i adrodd Credo'r Apostolion cyn cymryd y Cymun a hefyd yn cyflwyno'r litwrgi canlynol cyn i ni i gyd fynd at y bwrdd

Gwahoddiad i Fwrdd yr Arglwydd
Dyma fwrdd Duw, nid yr Eglwys.
Mae wedi ei baratoi ar gyfer y rhai sy'n caru Duw
A'r rhai sydd eisiau caru Duw yn fwy.

Felly, dewch
chi sy'n gadarn eich ffydd, a chi sy'n amau weithiau,
chi sydd yma'n aml, a chi sy'n newydd,
chi sydd wedi ceisio dilyn a chi sydd wedi methu.
Dewch, nid am fy mod i yn eich gwahodd,
ond oherwydd mae Duw sy'n gwneud,
ac ewyllys Duw yw y bydd pawb sydd yn ei geisio
yn ei gyfarfod yma heddiw.

Ystyriaethau ymarferol: Cyllid

Dan ein trefn eglwysig ni mae pob eglwys yn annibynnol, ac mae pob eglwys yn gyfrifol am gynnal y gweinidog yn ariannol. Ond mae ein henwad, Undeb y Bedyddwyr, yn darparu grantiau sy'n sicrhau fod pob gweinidog yn derbyn cyflog sylfaenol i fyw – rhyw fath o system 'top-up' i sicrhau fod dim un gweinidog yn llwgu!

Wrth i mi ddechrau ar y gwaith yma nid oedd yr eglwysi'n medru darparu cyflog llawn felly derbyniais waith rhan amser fel dylunydd graffeg gyda Chyhoeddiadau'r Gair ac fe dderbyniodd Caersalem grant gan UBC. Ond wrth i'r eglwys dyfu mae sefyllfa ariannol yr eglwys wedi cryfhau hefyd. Er y gallai'r eglwys fy nghynnal llawn amser bellach rwy'n parhau i weithio i Gyhoeddiadau'r Gair ac mae hynny'n rhyddhau'r eglwys i fuddsoddi'r incwm ychwanegol i gynnal Gweithiwr Teulu rhan amser a hefyd cynnal rhaglen interniaeth lle rydym yn cynnal a hyfforddi arweinwyr newydd am flwyddyn ar y tro. Felly mae gennym dri o staff rhan amser yn hytrach nac un gweinidog llawn amser ac rwy'n meddwl fod hynny yn fodel y dylai eglwysi eraill ei ddilyn gan mai prin iawn yw'r gweinidogion sydd wir yn llwyddo i fod yn '*Jack of all trades*', mae'n well cael Jim a Jên i helpu Jack!

Etifeddiaeth

Yn drist iawn mae rhywun yn clywed sawl stori am weinidogion yn colli'r ffordd, yn colli ffydd neu'n syrthio i ryw sgandal ac felly yn gadael y weinidogaeth yn fuan. Yn syml iawn, fy ngobaith a fy ngweddi i yw y byddaf yn cael ffydd a gras i redeg yr yrfa i'r diwedd. Ac nid wyf o'r rheidrwydd yn credu y bydd hynny yn y weinidogaeth gyflogedig, bydd rhaid bod yn agored i bob galwad gan gynnwys galwad i drwsio pebyll i gynnal fy hun os bydd rhaid.

Mae cysondeb yn bwysicach i fi bellach nag impact fy ngweinidogaeth. Hoffwn gael fy adnabod fel gweinidog ffyddlon dros gyfnod hir ac nid rhywun wnaeth rhywbeth nodedig am gyfnod yn unig.

* * *

Taro sylw: Meithrin ffydd bersonol a saif – deued dilyw, deued tân – i'w drosglwyddo i'r genhedlaeth nesaf i'w gredu yn graig fewnol iddynt. Ffydd a ddaw o brofiad yn hytrach nag o ddogma a gwybodaeth.

Ysbrydoliaeth
Y sacrament

Sbardun
Zahnd, Brian, 2017, *Sinners in the Hands of a Loving God: The Scandalous Truth of the Very Good News*

Cyswllt
caersalem.com
GL com/caersalem
Rhysllwyd.com
@rhysllwyd

4.2.2 Parchg Rob Nicholls

Gweinidog
Eglwys Gymraeg Canol Llundain, Oxford Circus

Ganed Rob yn 1968 ym Mhenclawdd, Bro Gŵyr. Derbyniodd radd mewn cerddoriaeth a gradd meistr am ei ymchwil ar hanes cerddoriaeth grefyddol yng Nghymru. Bu'n bennaeth cerdd, arolygydd ysgolion, golygydd cynnwys diwylliannol S4C, yn unawdydd organ a chyfeilydd. Mae'n arweinydd Cymanfaoedd Canu yng Nghymru ac yn fyd-eang. Sefydlodd Côr Meibion Taf. Bu hefyd yn Gyfarwyddwr Tŷ Cerdd yng Nghanolfan Mileniwm Cymru, Caerdydd. Ers 2015 mae'n weinidog ar Eglwys Gymraeg Canol Llundain, Oxford Circus.

Cefndir a magwraeth

Cefais fy magu ar aelwyd lle'r oedd y capel yn ganolbwynt i'n bywydau ym Mhenclawdd. Roedd teulu'n 'nhad ymhlith sylfaenwyr yr achos Methodistaidd yn y pentref, a theulu mam yn Fedyddwyr selog yn Abertawe.

Wrth feddwl am ddyddiau plentyndod a'm magwraeth grefyddol ac ysbrydol, daw enw Raymond Williams, *Old Colliery*, i'r cof yn syth. Bu'n athro Ysgol Sul arnaf yn Y Tabernacl, Penclawdd, ac yn ddylanwad amlwg yn ystod y blynyddoedd cynnar wrth i mi gael fy nhrwytho yn yr ysgrythurau yn ei ddosbarth Ysgol Sul. Cofiaf hyd heddiw'r Salmau a'r penodau cyfan a ddysgom ar gyfer y "Cwrdd Cwarter" a'r "Gymanfa", ynghyd â'r trafodaethau treiddgar ar bynciau diwinyddol ac athronyddol. Sawl "Raymond" arall tybed, sydd wedi bod wrthi'n ddygn ar hyd y blynyddoedd yn ein hanes fel Cenedl Gristnogol y Cymry? Daw geiriau o Lyfr y Diarhebion i'm meddwl yn aml "Hyfforddа blentyn ym mhen y ffordd, a phan heneiddia nid ymedy â hi." Adnod y byddai Raymond ei hun yn ei dyfynnu'n aml mewn sgwrs a phregeth.

Ac yna, rhaid sôn am y Parchg M. J. Williams, Abertawe. Bu M. J. yn sicr, yn un o'r dylanwadau pennaf arnaf yn ystod f'arddegau gyda'i bregethu gafaelgar a chofiadwy. Roedd wedi fy nghymell ar sawl achlysur i fynd i'r weinidogaeth, ond gwrthod a wnes ar y pryd. "Gweinidog fyddi di ryw ddydd" oedd ei eiriau wrthyf yn aml. Diolch amdano a'i ymddiriedaeth ynof, a hynny mewn cyfnod mor allweddol a thyngedfennol yn fy mywyd.

Fel un a aeth i'r weinidogaeth yn hwyr, dilynodd Rob gwrs hyfforddi dan nawdd Coleg Y Bedyddwyr ym Mangor. Mae'n cymharu heddiw gyda ddoe.

Arweinwyr doeth

Rwy'n ddyledus i'r pedwar a fu'n bennaf gyfrifol am fy hyfforddi sef y diweddar Ddr Hugh Matthews ac Euros Wyn Jones, a'r Athro Densil Morgan a'r Parchg Ieuan Elfryn Jones. Diolch iddynt am eu harweiniad doeth wrth baratoi ar gyfer y weinidogaeth, a gwerthfawrogaf eu parodrwydd i rannu mor hael o'u profiad a'u gwybodaeth o'r ysgrythurau, yn ogystal ag ac am y weinidogaeth gyhoeddus.

Yn y dyddiau sydd ohoni, mae bod yn weinidog ar un eglwys unigol yn eithriad, ac ystyriaf y peth yn fraint arbennig. Mae'n golygu bod yr holl weithgareddau ymarferol wedi'u canoli mewn un lleoliad, a modd i ganolbwyntio ar hynny heb orfod petruso am nifer o ganolfannau ac adeiladau eraill. Rhaid i mi gydnabod cefnogaeth barhaus y gynulleidfa yn Eglwys Gymraeg Canol Llundain. 'Rwyf wedi derbyn croeso gwresog a chefnogaeth hael o'r cychwyn cyntaf, ac mae eu ffyddlondeb a'u teyrngarwch yn destun llawenydd ac ysbrydiaeth i mi yn bersonol.

Gweinidogaethu mewn dinas fawr

Un o'r pethau mwyaf heriol yw natur "wasgaredig" aelodaeth yr eglwys, a hynny dros ardal eang dinas Llundain a'r siroedd cyfagos. Er bod rhai yn byw yn gymharol agos i'r canol o hyd gydag ambell un yn gallu cerdded i'r capel, mae'r rhan fwyaf yn byw cryn bellter i ffwrdd.

Wrth reswm, mae ymweld ag aelodau yn her yn ymarferol, ond hefyd cyfyd y cwestiwn sylfaenol, "beth, ble a phwy yw cymuned leol yr Eglwys"? Gyda hynny mewn golwg, 'rydym wedi meithrin a datblygu partneriaeth agos iawn gydag elusen St. Mungo's ar gyfer y digartref yn Llundain – llawer ohonynt yn cysgu ar risiau'r capel yn gyson. Yn ogystal â hyn, buom yn cynnal nosweithiau o brydau bwyd poeth i'r digartref dan nawdd elusen CLRSC (*Central London Rough Sleepers Committee*).

Effaith Covid-19

Yn sgil y pandemig COVID-19, fel llawer o eglwysi, 'rydym wedi addasu ac arbrofi yn ôl yr angen. Buom yn ffodus iawn i barhau i addoli trwy'r pandemig bellach 'rydym yn darparu oedfaon ar-lein ac yn darlledu ein hoedfaon ar GL a sianel *YouTube* y capel. Bwriadwn ehangu ein darpariaeth yn y cyfeiriad hwn i'r dyfodol.

Troi at yr ysgrythurau am eglurhad

Myfyriaf yn aml dros eiriau Paul i'r Hebreaid yn y bennod fawr honno sy'n sôn am ffydd – "Yn awr, y mae ffydd yn warant o bethau a gobeithir amdanynt, ac yn sicrwydd o bethau na ellir eu gweld."

Galwad

Byddaf yn arswydo weithiau, wrth fentro defnyddio'r gair "galw" am y weinidogaeth – ydyn ni'n hollol sicr am beth ni'n sôn amdano wrth gyfeirio at gael ein galw? Ond rhaid ymddiried yn ei arweiniad a dylanwad yr Ysbryd Glân ar ein bywydau.

Yn ddelfrydol, mae'r cyfan oll yn cael ei grynhoi o fewn terfynau'r swydd. Er yn amhosib fod yn "bopeth i bawb", credaf ei fod yn bwysig i gyflawni'r dyletswyddau o addysgu, bugeilio, cenhadu a phregethu'r Gair. Gan gofio bob amser, yn enwedig o fewn y traddodiad anghydffurfiol Cymreig, bod rhaid rhoi pwyslais ar weinidogaeth yr holl saint, a bod pob un ohonom yn "weinidogion" yn yr ystyr hynny, boed yn ordeiniedig neu beidio.

* * *

Taro sylw: Ail Lythyr at y Corinthiaid, pan ysgrifennodd Paul, "oherwydd yn ôl ffydd yr ydym yn rhodio, nid yn ôl golwg." Dros amser y mae'r pethau a welir, ond y mae'r pethau na welir yn dragwyddol. 2 Corinthiaid 4.18. Mae ffydd yr unigolyn yn rhywbeth personol, ond nghyd-destun gweinidog, mae'n rhaid i'w ffydd fod yn fynegiant cyhoeddus o'u hargyhoeddiad Cristnogol. Yn gyfuniad o gyfiawnhad trwy ffydd a gweithredoedd.

Ysbrydoliaeth

Emyn Thomas John Pritchard (1853-1918), *Caneuon Ffydd*, Rhif 92

> Tad tragwyddoldeb, plygaf ger dy fron,
> Ceisiaf dy fendith ddechrau'r flwyddyn hon...
> Beth fydd fy rhan ar hyd ei misoedd maith?
> Nis gwn fy Nuw; ni fynnwn wybod chwaith.

Cyhoeddiad Rob Nicholls

Hoff Emynau Cymru, 2022

Sbardun

Lloyd-Jones, D. Martyn, 1971, *Preaching and Preachers*

Cyswllt

www.eglwysgymraegllundain.org
@eglwysgymraegllundain

4.3 Yr Eglwys yng Nghymru

4.3.1 Parchg Ganon Nia Wyn Morris

Offeiriad
Eglwys yr Holl Saint,
Y Drenewydd, Powys

Ganed Nia Wyn yn 1964 yng Ngharmel, Dyffryn Nantlle. Graddiodd mewn diwinyddiaeth. Cafodd brofiadau gwaith gwerthfawr mewn meysydd meddygol addysgol a chymdeithasol cyn hyfforddi ar gyfer gyrfa glerigol. Bu'n ddiacon yn Eglwys Gadeiriol Llanelwy ac yn offeiriad yn Eglwys San Thomas, Y Rhyl. Yn awr, mae hi'n ganon yn Eglwys Holl Saint Y Drenewydd. Mae Nia yn briod ag Wyn, brodor o gyffiniau'r Bala.

Cefndir a magwraeth

> Cefais blentyndod hapus yn ardal ddiwylliedig Dyffryn Nantlle. Gwerthfawrogaf fwyfwy ddylanwad personoliaethau gwahanol fy rheini ar fy ngwaith bob dydd. Personoliaeth werinol dawel oedd fy nhad – gwrandäwr da. Magwyd Mam yn 'Sgubor Goch, ardal ddifreintiedig iawn o Gaernarfon. Bydd yn dweud ei dweud yn agored heb flewyn ar ei thafod a bydd wrth ei bodd yng nghwmni pobl.

Pan gyfarfûm â Nia, gwelwn ddylanwad ei mam yn syth – y croeso cynnes, y 'dweud 'i dweud' a'r agosatrwydd naturiol. Oherwydd fy mhrofiadau personol, teimlais ryw dristwch o'i chwmpas er bod iddi bersonoliaeth allanol bywiog a ffraeth. Buan iawn euthum i rannu creithiau tor priodas y naill a'r llall. Y ddwy ohonom wedi cael profiad o'r boen, y camddealltwriaeth a'r gwenwyn sy'n chwyrlio o gwmpas bryd hynny. Tydi beirniadaeth eraill yn eu hanwybodaeth yn helpu dim. Roeddem ill dwy yn llyfu'n briwiau yn agos at ddagrau. Daeth geiriau fy nhad i'm cof unwaith eto.

Mae pawb yn mynd trwy brofiadau duon hyll. Ond maen nhw'n dy gryfhau yn y diwedd ac yn dy uniaethu â phoen eraill.

Gwrandäwr empathetig

Roedd hyn yn sicr o fod yn wir yn sefyllfa Nia. Mae'n wrandäwr empathetig tosturiol ac mae ganddi galon fawr, rhinwedd hanfodol i fugail gofalus.

Galw am ganran uwch o ferched

Ordeiniwyd Nia yn offeiriad yn ystod cyfnod Dr Barry Morgan fel Archesgob Cymru. Ef oruchwyliodd y cysegriad cyntaf o esgob benywaidd yn y dalaith. Fe'i hadnabuwyd am ei gynhwysedd a'i radicaliaeth mewn meysydd eraill gan gynnwys priodas o'r un rhyw a'i barodrwydd i wneud datganiadau ar faterion gwleidyddol, gan gynnwys datganoli, mewnfudo, a rhoddi organau.

Ar ei ymddeoliad yn 2017, ef oedd uwch archesgob y Cymun Anglicanaidd oherwydd hyd ei wasanaeth. Galwodd yn gyson am gynrychiolaeth uwch o ferched yng ngweinidogaeth yr Eglwys yng Nghymru. Ac meddai:

> Yn sicr ni all fod yn iawn mewn eglwys lle mae'r rhan fwyaf o'r addolwyr yn ferched, mai dim ond traean o aelodaeth y corff llywodraethu hwn sy'n ferched.

Ymatebiad Nia:

> Os yr ordeinir merched yn ddiaconiaid, a gallant hefyd fod yn offeiriaid, does dim esgus felly pan na all merched, sydd â'r gallu i wneud y swydd, beidio â chael eu hordeinio yn esgobion.
>
> Mynychais Fore Coffi yn Eglwys Crist Y Bala yn ddiweddar. Yno fe'm syfrdanwyd gan brydferthwch yr adeilad hynafol o'r tu allan a'i cheinder cyfoes gwefreiddiol oddi mewn. Yn amlwg roedd i'r prosiect o atgyweirio'i eglwys arweinydd a gweledigaeth hudol i drawsnewid adeilad yn y fath fodd chwaethus! Deallais mai'r Parchg Nia Wyn Morris arweiniodd y fenter.

Cychwynnodd Nia yn ei swydd yn offeiriad y plwyf ym mis Hydref 2004 a hithau'n ddeugain mlwydd oed a gorfu iddi gychwyn ar gau eglwysi yn ei hail fis. Fel unrhyw newid, nid oedd yn hawdd oherwydd:

- sydynrwydd y newidiadau oherwydd maint dyledion yr eglwysi yn y dalaith

- emosiynau cryfion wrth orfod cau pum eglwys weledig – er cyn lleied oedd yn eu mynychu, roedd iddynt arwyddocâd hanesyddol i deuluoedd yr ardal
- delwedd Seisnig EYC mewn ardal draddodiadol Gymreig gapelog.
- cymysgedd o edmygedd, gwerthfawrogiad a chenfigen oherwydd proffil uchel Eglwys Crist.

Etifeddiaeth o ansawdd:
Gadawodd Nia Wyn gryn etifeddiaeth ar ei hol i fywyd Cymreig a chrefyddol yr ardal gan gynnwys

- Eglwys Crist fel adeilad aml bwrpas hardd a chyfoes i'r gymuned
- Eglwys Beuno Sant yn ganolfan dan nawdd Cymdeithas y Beibl i nodi a dathlu arwyddocâd Esgob William Morgan, Parchg Thomas Charles a Mary Jones. Yma ceir arddangosfeydd addysgol, adnoddau dysgu technolegol, prosiect Agor y Llyfr, drama a chân i bob oed a chaffi i ymwelwyr.

Ymadawiad Nia â'r Bala ym mis Ionawr, 2014

Teithiodd pobl o bob man i Eglwys Crist, fore Sul Ionawr 19eg. Hwn oedd Gwasanaeth olaf y Rheithor ym Mhlwyf Y Bala, sydd yn Neoniaeth Penllyn ac Edeirnion. Achlysur trist i bob pwrpas ond hefyd yn ddathliad degawd o wasanaeth clodwiw, arweiniad blaengar a mentrus a gofal tyner a chariadus. Cafwyd Eglwys lawn i ddathlu'r Cymun Bendigaid olaf. Dewisodd y Rheithor ei hoff emynau ac fe gafwyd cyfeiliant offerynnol iddynt. Dilynwyd trefn Gwasanaeth Cymun arferol ac fe gafwyd pregeth bwrpasol iawn ganddi. Fe soniodd am y gwyddau gwyllt a sut a phaham maent yn hedfan yn eu ffurf unigryw. Prif neges y bregeth oedd i ni fod yn barod fel aelodau i gynnal a nerthu ein gilydd cydweithio gan ysgwyddo cyfrifoldebau a rhannu'r gwaith; annog ein gilydd; bod yn gymdeithas glos a bydd y cydweithio yn haws a llwyddiannus.

Cyflwynwyd llyfr lluniau i Nia oedd yn cwmpasu degawd yn Eglwys Crist o ran gweithgareddau, gwasanaethau a digwyddiadau'r Eglwys a'r ardal. Diolchodd i bawb am bob cydweithrediad a gafodd ac am yr Eglwys hardd o ran adeilad a chynulleidfa. Dymunodd yn dda iddynt a'u hannog i fod yn weithredol a ffyddiog y byddai Rheithor newydd yn cyrraedd yn fuan. A chyn gadael yr ardal yn gyfan gwbl, priododd Wyn, un o frodyr diwylliedig tref y Bala.

Buan iawn y sylweddolais er ei llwyddiant amlwg, na fu bywyd Nia fel offeiriad yn fêl i gyd rhwng tor priodas, torri cwys newydd fel merch a chau eglwysi gwledig i greu canolfan aml bwrpas. Esboniodd Nia ei phrofiad fel offeiriad yn Y Bala a'r Drenewydd fel hyn:

Ardaloedd gwledig

> Dwi wedi bod yn gweithio mewn lleoliad gwledig am yr un mlynedd ar bymtheg diwethaf = Y Bala am ddeng mlynedd a bellach y Drenewydd am chwe blynedd. Dwi wedi bod ynghlwm â chau eglwysi, adrefnu eglwysi a thrafferthion ariannol (gyda dyled o £30,000 pan gyrhaeddais Y Bala).
>
> Ar hyn o bryd, 'rwy'n Arweinydd Ardal Genhadaeth Wledig, lle mae fy ngweinidogaeth yn cynnwys eglwys drefol, yn ogystal â rhai gwledig. Dwi wedi profi'r gorfoledd a rhwystredigaeth. Dwi hefyd yn ymboeni am ddyfodol ein heglwysi gwledig ac yn sylweddoli fod angen gweithredu dull realistig a gonest os ydyn ni o ddifri ynglŷn â lledaenu Teyrnas Duw.
>
> Mae angen i eglwysi gwledig sydd â photensial fod yn ganolfannau ymarferol o gefnogaeth ac ymgysylltu yn ein cymunedau, ac nid rhai sy'n cyfarfod ar y Sul yn unig. Siaradaf o brofiad a chyda rhywfaint o ddoethineb, gobeithio!

Cynllunio unwaith eto!

Mae'r cynlluniau cyffrous ymhell ar y blaen i drawsnewid Eglwys Holl Saint Y Drenewydd ac meddai Nia:

> Rydym yn gwneud rhai atgyweiriadau angenrheidiol ac yn addurno gofod yr eglwys bresennol heb fawr o newid – mae'n ofod hardd ar gyfer priodas, bedydd, angladd, gwasanaethau, cynadleddau a chyngherddau.
>
> Bydd y mynediad yn cael ei wella ar gyfer pobl anabl, a bydd toiledau newydd, cegin a swyddfa newydd addas i'r diben yna hefyd. Yn o gystal bydd estyniad newydd sbon yn rhoi lle ychwanegol i ni – ystafell fawr a fydd ar gael i bawb yn y gymuned. Cost gyffredinol y gwaith hwn fydd oddeutu £700,000 ac rydym eisoes wedi sicrhau traean o'r arian.
>
> Cefnogir ni yn ein hymdrechion gan Esgobaeth Llanelwy ac rydym yn hyderus y byddwn yn cyflawni ein nod ac yn cyrraedd y targed. Rydym

yn hynod ddiolchgar i'r rhai yn ein cymuned sy'n gweithio'n ddiwyd ar y Gronfa Apêl.

Wynebwn gryn dipyn o waith a bydd cyfnod anodd o'n blaenau tra bydd y gwaith yn cael ei gwblhau, ond bydd y canlyniad yn werth yr aberth a'r llafur caled.

Rydym wedi'n bendithio o gael cynulleidfa ffyniannus o bob oed a dymunwn rannu ein cyfleusterau a'n gwasanaethau gyda phawb yn ein cymuned.

Mae Nia'n gwerthfawrogi cefnogaeth y gymuned leol i'r fenter hon. Diolchodd yn arbennig i'r Eglwys Fethodistaidd am gael benthyg eu capel ar gyfer eu gwasanaeth. Diolchodd hefyd i'r Ysgol Uwchradd am gael defnyddio rhan o'r adeilad fel swyddfa.

* * *

Taro sylw: Er cyn lleied sy'n mynychu'r eglwysi sydd ar fin cau mae iddynt arwyddocâd hanesyddol i deuluoedd yr ardal. Felly mae emosiynau'n rhedeg yn gryf. Trwy ganolbwyntio ar y weledigaeth a chydag arweiniad cadarn mae'n bosib symud ymlaen er budd y cenedlaethau i ddod yn ogystal â dyfodol ehangach Cristnogaeth yn yr ardal.

Ysbrydoliaeth

Mawredd byd Duw ym mwynder Maldwyn:

Dringo'r bryn uwchben y dref ben bore drwy bob tywydd

Encilio am ennyd o dawelwch i deimlo presenoldeb Duw trwy weddi a myfyrdod.

Sbardun

Nouwon, Henri, 1997, *Adam: God's Beloved*

Cyswllt

niawynn1000@yahoo.com

4.4 Undeb Annibynwyr Cymru

4.4.1 Parchg Ddr Alun Tudur

Gweinidog
Capel ddi-adeilad Ebeneser
Caerdydd

Ganed Alun Tudur yn 1962 ym Mangor yn bumed plentyn i R. Tudur Jones a Gwenllïan. Derbyniodd ei addysg yn Ysgol Uwchradd Friars cyn astudio diwinyddiaeth yng Ngholeg Bala-Bangor ac enillodd radd B. D. a Ph.D. Ym mis Medi 1986, ordeiniwyd ef yn weinidog i Iesu Grist ar eglwys Annibynnol Ebeneser, Wrecsam. Mae Alun yn briod â Vikki ac yn dad i Gwilym a Lowri.

Cefndir a magwraeth

Cefais fagwraeth lawen a difyr ym Mangor ac yr oedd y plentyndod hwnnw mewn cyd-destun pur anarferol. Fi oedd y cyw melyn olaf mewn teulu mawr oedd yn byw yng Ngholeg Bala-Bangor. Coleg Annibynnol oedd hwn i hyfforddi yn bennaf ymgeiswyr i'r weinidogaeth a'r prifathro oedd fy nhad y Parchg Ddr R. Tudur Jones. Ym Mangor yn y chwedegau a'r saithdegau yr oedd yno fwrlwm mawr yn Gristnogol ac yn wleidyddol. Roedd sefyll dros yr iaith a'n hunaniaeth, protestio, tynnu arwyddion, achosion llys, carcharu, heddlu, a hynny yn gymysg ag astudiaethau Beiblaidd, cwrdd gweddi ac addoli yn rhan greiddiol o fwyd pob dydd. Ac o'r graig hon ym naddwyd. Roeddem fel teulu yn mynychu eglwys Pendref, Bangor. Yno, yn yr Ysgol Sul, gyda'r athrawon ymroddedig, ac o dan arweiniad y gweinidog y cefais ddysgu am Iesu a sylfeini'r ffydd Gristnogol. Yn ogystal â hynny roedd dylanwad yr aelwyd, teulu a myfyrwyr Coleg Bala-Bangor yn drwm iawn arnaf.

Ffydd

Ni allaf nodi'r awr na'r dydd pryd y deuthum i ffydd yn yr Arglwydd Iesu. Tros y blynyddoedd y mae'r argyhoeddiad wedi dwysáu ac aeddfedu wrth gael cyd-gerdded taith bywyd gyda'r Arglwydd byw. Tra oeddwn yn y chweched dosbarth yr oedd tri pheth ar fy meddwl wrth ystyried y dyfodol. Chwarae rygbi i Gymru, bod yn hanesydd a rhannu'r newyddion da am Iesu gydag eraill. Gwireddwyd dau o'r tri ac mae dyddiau chwarae rygbi dros Gymru wedi hen fynd.

Dyddiau coleg

Ym 1980 fe gychwynnais ar radd mewn diwinyddiaeth yn gyfan gwbl trwy gyfrwng y Gymraeg. Golygai hyn y buom wrth draed rhai o ysgolheigion blaenaf ein cenedl, sef Dr R. Tudur Jones, Dr Stanley John, Dr O. E. Evans, Dr Gareth Lloyd Jones, Dr Gwilym H. Jones – ac eraill – a chawsom elwa'n fawr o'u hysgolheictod. Yn y cyfnod hwn doedd dim prinder ymgeiswyr am y weinidogaeth a olygai fod cymdeithas glòs yn yr hostel. Daeth nifer o gyd-fyfyrwyr yn gyfeillion agos i mi, ac yr wyf yn dal i drysori eu cyfeillgarwch.

Wedi ennill gradd B. D., cefais y fraint o wneud PhD, a hynny mewn maes arbenigol o dan hyfforddiant fy nhad. Mwynheais y cyfnod o ymchwilio yn fawr. Wrth gwrs, bryd hynny nid oedd cyfrifiadur na gŵgl a'i dylwyth felly byddem yn gwneud popeth trwy ein pen a'n pastwn ein hunain. Golygai hyn oriau o bori mewn cardiau mynegai, cylchgronau a llyfrau a thrwy hynny ddarllen yn eang o amgylch y pwnc a'r cyfnod dan sylw. Yna byddem yn dewis a dethol pwyntiau a thueddiadau perthnasol i'r testun.

Dau Ebeneser

Wedi i mi briodi Vikki ym mis Medi 1986 aethom ill dau i Wrecsam a threulio naw mlynedd hapus yn eglwys. Yna, yng nghwmni pobl Iesu Grist y bwriais fy mhrentisiaeth gan ddysgu sut i weinidogaethu ymhlith pobl go iawn. Roeddent yn bobl arbennig, yn amyneddgar, meddylgar a pharod eu cyngor gyda gweinidog ifanc cwbl ddibrofiad.

Yn 1995 daeth galwad gan eglwys Ebeneser, Caerdydd, lle bûm yn gweinidogaethu hyd yn awr. Unwaith eto profais gyfeillgarwch, haelioni, cefnogaeth ac amynedd mawr gan y gynulleidfa trwy'r saith mlynedd ar hugain yr wyf wedi bod yma. Rydym wedi chwerthin ac wylo gyda'n gilydd, wedi gweld llwyddiant ac aflwyddiant a thrwy'r cwbl wedi cael ein huno â'n gilydd gan gariad Duw. Yn ystod y blynyddoedd hynny rydym sylweddoli nifer o bethau pwysig a hoffwn gyfeirio yma at 3 ohonynt.

Mae Alun yn nodi tri phwynt sydd arwyddocaol i hybu datblygiad:

1. Defnydd gorau o adnoddau adeilad neu gennad

Y mae hon yn egwyddor bwysig i'w deall yng Nghymru heddiw, gwlad sydd wedi ei britho gan filoedd o adeiladau Cristnogol. Rhaid sylweddoli nad ein capeli sy'n bwysig ond y gymdeithas o bobl sy'n cyfarfod ynddynt yn enw Iesu. O ganlyniad mae'r gynulleidfa lawer gwaith mwy gwerthfawr na'r adeilad. A'n blaenoriaeth yw adeiladu, annog, ysbrydoli, meithrin a hyfforddi'r bobl ac nid gwario ein cyfalaf ar adeiladau. Llawer gwell fyddai gwario trigain mil o bunnoedd i gyflogi person am ddwy flynedd i ddatblygu gwaith cenhadol, neu waith plant neu i weinidogaethu trwy bregethu a chynnal cwrdd gweddi nac ar adnewyddu adeilad sy'n dadfeilio oherwydd *dry rot*.

Ffordd wahanol o weithredu

Rhaid hefyd cofio yn fynych dros gyfnod y mae'r eglwys leol yn bodoli. Er bod yna ymlyniad emosiynol yn gallu bod wrth adeilad Cristnogol, ni ddylem ddigalonni pan font yn cau ond diolch am y bendithion a gafwyd trwy gyfrwng yr eglwys oedd yn addoli yno.

Ebeneser '*on the move*'

Tros ddeng mlynedd yn ôl fe benderfynodd eglwys Ebeneser, Caerdydd, werthu ei hadeilad yng nghanol y ddinas a mynd ar daith. Camu i'r anwybod mewn ffydd, heb wybod yn union beth fyddai'r pen draw. Fel Pedr yn camu allan o'r cwch ar y môr yn ôl galwad yr Iesu. Yn ystod y ddegawd ddiwethaf rydym wedi cynnal ein gweithgareddau mewn amrywiol adeiladau ac erbyn hyn wedi sefydlogi mewn 3 lleoliad. Dau le yn yr Eglwys Newydd ac un yn Grangetown.

2. Gweithredu'n genhadol i feithrin disgyblion newydd

Rhoddodd hwn gyfle inni ailasesu ein bywyd fel eglwys ac ystyried o ddifrif ein cenhadaeth ymhlith Cymry Caerdydd. Yn y ddegawd nesaf mae'n rhaid i ni ac eglwysi eraill weithredu yn llawer mwy cenhadol gan ymestyn allan i'n cymunedau gyda'r Efengyl. Oni bai inni wneud hynny'n effeithiol ac yn enillgar bydd cyflwr ysbrydol ein cenedl yn dadfeilio fwyfwy.

Fe ddywedodd Iesu wrth y disgyblion yn ddi-flewyn ar dafod fod mynd allan i geisio ennill pobl yn ei enw yn rhan hanfodol o'n gwaith.

Esgeuluso'r comisiwn o feithrin disgyblion newydd

Buom yn esgeulus iawn fel eglwysi. Aethom yn ddiog gan gredu y gallem fyw ar ein bloneg. Ond bellach sylweddolwn mai breuddwyd gwrach oedd hynny. Bellach rhaid meddwl yn greadigol sut y gallwn fod yn ufudd i eiriau'r Iesu gan fod yn gyfryngau i wneud disgyblion newydd.

3. Meithrin disgyblion newydd er mwyn trosglwyddo'r fantell

Rhaid i ni sylweddoli'r angenrheidrwydd i feithrin Cristnogion ifanc. Yn gyffredinol buom yn araf yn gwneud hyn a bu'n gamgymeriad mawr. Hoffwn gyfeirio at dri cham arwyddocaol:

Hyfforddiant:

Yr angen i hyfforddi Cristnogion ifanc yn y ffydd. Rhaid dysgu pobl ifanc i astudio'r Beibl yn gyson ac i weddïo'n bersonol ac yn gyhoeddus. Trwy astudio'r Beibl deuwn i adnabod yr Arglwydd yn well a chanfyddwn ewyllys Duw a thrwy weddïo rydym yn meithrin perthynas gydag Ef.

Adnabod

Mae angen annog Cristnogion ifanc i adnabod eu doniau ac i gymryd at gyfrifoldebau. Ar ben hyn rhaid i Gristnogion hŷn geisio sylwi ar ddoniau – naturiol ac ysbrydol – yr ychydig o ieuenctid ac oedolion ifanc sy'n ein plith gan eu hannog i'w datblygu er mwyn gwaith y Deyrnas.

Cynnig cyfle

Golyga hyn ein bod yn rhoi cyfleoedd i'n plant a'n hieuenctid i gymryd at gyfrifoldebau yng ngwaith yr eglwys a hefyd i arwain addoliad a gweithgareddau.

Rhybudd: Byddwn amyneddgar

Fodd bynnag, oherwydd eu diffyg profiad dechreuol, yn naturiol fe fydd pethau weithiau'n mynd yn flêr. Ond wrth baratoi ein hieuenctid yn drylwyr a'u cefnogi i ddatblygu sgiliau a hyder, byddwn yn creu arweinwyr i'r genhedlaeth nesaf.

Does dim gorfodaeth!

Os mai eich nod yw cadw eich eglwys fel y bu, peidiwch â rhoi cyfle i bobl ifanc ond mae i bob dewis ei ganlyniad.

Ein hetifeddiaeth: adenydd neu blwm

Fel Cristnogion Cymraeg mae gennym etifeddiaeth gyfoethog. Gwaetha'r modd os nad ydym yn wyliadwrus gall yr etifeddiaeth hon droi'n draddodiad haearnaidd, anhyblyg sy'n atal newid ac yn mygu unrhyw fynegiant newydd o ffydd a bywyd.

Heddiw mae'n rhaid inni ddysgu didoli rhwng y pethau sy'n werth eu cadw a'r pethau hynny sy'n niweidiol i fywyd eglwysig iach.

Golyga hynny osod o'r neilltu elfennau o'n diwylliant Cristnogol sy'n ddim mwy na defodaeth wag a diystyr.

Cyfrwng yw diwylliant i gyflwyno'r newyddion da am Iesu Grist. Mae diwylliant yn newid ond nid yw'r newyddion da yn newid. Golyga hynny fod yn rhaid i Gristnogion gyflwyno'r newyddion da am iachawdwriaeth trwy Iesu mewn ffordd sy'n berthnasol ac yn ddealladwy i'r diwylliant cyfoes.

I gloi

Cefais y fraint aruthrol o fod yn weinidog i Iesu mewn cyfnod o ddirywiad yn hanes yr eglwysi yng Nghymru. Mae'n gyfnod heriol ac anodd gan fod cyn lleied o lwyddiant gweladwy a nemor ddim twf. Eto, rwy'n cofio nad ein gwaith ni yw gwaith y deyrnas ond gwaith Duw. Nid yw llwyddiant na thwf yn y pen draw yn dibynnu arnaf fi, dibynna ar yr Arglwydd a gwaith ei Ysbryd. Ac ni fydd ef byth yn gadael ei hun yn ddi-dyst. Hwnt ac yma ar hyd a lled ein gwlad y mae yna unigolion a chynulleidfaoedd sy'n driw i'r Gwaredwr ac yn cadw fflam y ffydd i losgi yn danbaid. Diolch amdanynt.

Ar ben hynny fe'n gelwir i blannu hadau'r gair yng nghalonnau a meddyliau pobl. Fe fydd yr hadau hynny'n egino a dwyn ffrwyth yn nes ymlaen ym mywydau pobl ac fe ddaw cynhaeaf. Yn nameg yr heuwr yn Luc 8 fe heuir yr hadau mewn 4 math o dir. Dim ond ar y tir da y tyfodd yr hadau gan ddwyn ffrwyth. Ni fydd llawer o'r hadau yr ydym yn eu hau yn dwyn ffrwyth, ond y mae addewid yn y ddameg y bydd rhai bob amser yn egino a ffrwytho. Fe ddaw siom a gorfoledd, y chwerw a'r melys.

* * *

Taro sylw: Yng nghyd-destun cwymp Anghydffurfiaeth draddodiadol yng Nhymru, mae rhai yn dehongli hyn fel cyfle gan mai'r gynulleidfa (y gymdeithas) sy'n werthfawr yn hytrach na'r adeilad. Felly'r flaenoriaeth ydy annog, ysbrydoli, meithrin a hyfforddi bobl i feddwl 'allan o'r bocs'. Cynigir amrywiaeth o opsiynau fel cyflogi person i ddatblygu gwaith cenhadol neu waith plant a theuluoedd neu'r gymuned. Hynny yw, buddsoddi'r cyllid mewn pobl yn hytrach nag adeilad sy'n dadfeilio oherwydd *dry rot*.

Ofer yw cyflwyno Iesu Grist yn 2022 trwy gyfrwng diwylliant 1922.

Ysbrydoliaeth

Mathew 24 a 25; Ioan 11.1-44; 1Corinthiaid 15.

Cyfeirnod

Donnelly, Edward, 2001, *Tough Topics 2, Sam Storms, Christian Focus. Heaven and Hell*
https://banneroftruth.org/us

Cyswllt

aluntudur@btinternet.com

4.5 Gofalaeth aml-enwad

4.5.1 Parchg Carwyn Siddall

Gweinidog
Bro Llanuwchllyn a'r cyffiniau

Ganed Carwyn yn 1989 ar fferm Bryn Howydd yn Niwbwrch, Ynys Môn, yn fab i Phillip a Beryl Siddall ac yn frawd i Geraint. Mynychodd Brifysgol Bangor i gwblhau cwrs gradd cydanrhydedd mewn Cymraeg a Diwinyddiaeth. Fe'i hordeiniwyd yn 2011. Mae Carwyn yn briod â Nerys ac mae ganddynt ferch o'r enw Miriam. Bellach maent wedi ymgartrefu ym mhentref Llanuwchllyn.

Cefndir a magwraeth

Roedd fy magwraeth yn un hapus iawn, llawn cyfleoedd, ar aelwyd Gristnogol. Roedd gwreiddiau'r ffydd ar ochr fy mam yng Nghapel Saron, Bodedern, a ninnau fel teulu'n mynychu'r capel am ein bod yn ymweld â Nain bob Sul. Dyma gapel na fu'n gryf o ran aelodaeth erioed, ac yn ychwanegol i hynny, na fu â gweinidog er 1901. Roedd iddi gymdeithas glòs wedi ei hadeiladu ar gariad Duw yng Nghrist. Dyma eglwys fu'n byw ar gyfarfodydd gweddi ac Ysgol Sul. Yn ystod fy mhlentyndod, cynhaliwyd Cyfarfod Gweddi yn y bore, Ysgol Sul yn y prynhawn, a Chyfarfod Gweddi ar yn ail â phregeth ar nos Sul.

Mae'r ofalaeth yn cynnwys eglwysi o dri enwad ymneilltuol gwahanol, sef yr Annibynwyr, Presbyteriaid a'r Bedyddwyr. Mae'n ymestyn o Lanuwchllyn a Chynllwyd i Rosygwaliau a'r Bala.

Gofalaeth wledig ydy hi gyda nifer fawr o'r aelodau yn amaethwyr. Yn sicr, mae'n ardal gyfoethog iawn o ran diwylliant a'r iaith Gymraeg, gyda'r gymuned yn un glòs iawn o ran natur.

Un fantais o weinidogaethu mewn ardal wledig fel hon yw bod pawb yn adnabod ei gilydd a chysylltiadau teuluol rhwng trigolion y fro yn amlwg iawn.

Galwad i'r weinidogaeth

Ers yn ifanc, teimlais awydd dwfn i fynd ymlaen i'r weinidogaeth. Maes o law, wedi dilyn hyfforddiant, treuliais flwyddyn fel 'Gweinidog o dan hyfforddiant' yng ngofalaeth Bro Llanuwchllyn a'r Cylch. Roedd hwn yn gyfle i ddod i adnabod, o ddysgu, ac arbrofi. Yn ystod y cyfnod hwn roeddwn hefyd wrthi'n cwblhau gradd meistr mewn diwinyddiaeth. Bu i'r ddau beth gyfoethogi'r llall. Pan ddaeth y flwyddyn i ben, cam naturiol oedd derbyn galwad Gofalaeth Bro Llanuwchllyn a'r Cylch. Cefais fy ordeinio a'm sefydlu mewn oedfa yn yr Hen Gapel ddiwedd Medi 2011. Un ar ddeg mlynedd yn ddiweddarach, rwyf yma o hyd.

Swyddogaethau amrywiol gweinidog:

Rôl weithredol fel **athro**

Pan gaiff gweinidog ei ordeinio, bydd yn addunedu, ymysg pethau eraill, "i bregethu a dysgu gair Duw". Bydd hyn yn arwain yn naturiol, felly, i weinidog ymgymryd â'r gwaith o addysgu a datblygu'i gynulleidfa drwy:

- bregethu ar y Sul
- cyfrannu mewn dosbarthiadau Ysgol Sul
- arwain y Seiat
- hyrwyddo astudiaethau

Diben yr hyfforddi hwn yw adeiladu a chyfoethogi'r aelodau yn y ffydd. Credaf, i allu gwneud hynny, fod yn rhaid i'r gweinidog dreulio amser yn darllen, ymchwilio a pharatoi, a hynny er adeiladaeth bersonol. Fe fydd hyn, maes o law, yn fodd i gyfoethogi'r weinidogaeth a gynigir i eraill. Arweinia hyn at bwynt pwysig iawn yn fy marn i, sef nad yw unrhyw un yn cyrraedd y pwynt lle nad oes mwy i'w ddysgu, a bod ein profiad o Dduw yn gyflawn. Mae ein ffydd mewn Arglwydd byw, sy'n creu pob diwrnod yn newydd, sy'n ein bendithio'n hael, ac sydd, trwy Grist, yn dyheu inni ddod i berthynas lawn ag Ef. Oherwydd hynny, gall ein profiad o Dduw fod yn amrywiol o ddydd i ddydd, er enghraifft weithiau, fe'i ceisiwn yn Arglwydd pob cysur a nerth, a thro arall yn Arglwydd llawn gras a thrugaredd. Ar achlysuron eraill, gwahoddwn Ef i'n sancteiddio ni â'i bresenoldeb mewn dathliad, tra ar amrantiad, gallwn ganfod ein hunain yn ei geisio i sychu'n dagrau a'n cofleidio yn ei gariad. Oherwydd hyn, mae yna rywbeth newydd i'w ddysgu am Dduw bob amser, a'n perthynas unigryw, bersonol ni ag Ef.

Cyd-gerdded

Braint gweinidog yw cael cyd-gerdded gydag aelodau ac eraill o'r gymuned wrth iddynt, drostynt eu hunain, ddatblygu mewn adnabyddiaeth o Dduw, gan eu hyfforddi sut i droedio llwybrau gweddi ac yn y blaen. Ar yr un pryd, caiff y gweinidog hefyd y cyfle a'r fraint i ddysgu mwy am Dduw. Mae hyn yn digwydd drwy'r bobl y mae'n gweinidogaethu yn eu plith drwy wrando ar eu profiadau, gwrando ar eu tystiolaeth, a bod yng nghwmni cyd-gristnogion wrth iddynt fynegi eu hadnabyddiaeth nhw o Dduw.

Yr Ysgol Sul

Bob bore Sul, cynhelir dwy Ysgol Sul yn yr ofalaeth hon, ac yn y ddwy, ceir dosbarth oedolion. Braint bob amser yw gwrando ar feddyliau a thystiolaeth y bobl hynny, o'r ieuengaf i'r hynaf, a chanfod portread o Dduw ar waith yn eu bywydau. Heb os, bydd eu hysgol brofiad nhw o'r Arglwydd ar waith yn eu bywydau yn hyfforddiant amhrisiadwy i mi fel gweinidog.

Cyfleoedd hyfforddi:

Oedfaon y Sul

Mae'r hyfforddiant hwn yn agored i unrhyw un drwy'r oedfa ar y Sul. O'r pulpud, dylid saernïo'r oedfa a'r bregeth i gynnwys, ymhlith sawl peth arall, elfennau o ddyrchafu enw'r Arglwydd, o fugeilio'r rhai sy'n gwrando, a'u hadeiladu mewn ffydd. Yr her wrth gwrs yw cynnig rhywbeth i bawb – rhywbeth clir a dealladwy i'r rhai sy'n cychwyn ar daith ffydd ac sydd hefyd yn bwydo ac yn adeiladu'r cadarnaf yn y ffydd.

Grwpiau trafod penodol

Dosbarth Derbyn

Yn achos nifer o'r ieuenctid fu'n mynychu'r dosbarthiadau yn yr ofalaeth hon, fe'u magwyd yn yr Ysgol Sul ac ar aelwydydd Cristnogol. Felly, i gychwyn, byddwn yn gofyn iddynt, mewn grwpiau, i rannu popeth a wyddent yn barod – storïau, hanesion, syniadau ayb, gan eu gosod mewn trefn. Yn naturiol, darniog a phytiog iawn oedd y wybodaeth ar brydiau, fel jig-so ar hanner ei wneud. Ond yna, byddwn yn bachu ar yr hyn a wyddent yn barod, ac adeiladu arno. Fy ngobaith, drwy hyn, yw eu sicrhau fod yr hyn a wyddent eisoes yn bwysig ac yn berthnasol, ond drwy ymhelaethu ar hynny, ychwanegu at y darlun. Er enghraifft, cofiaf un yn cyfeirio at hanes Iesu'n iachau'r dyn dall. Cychwynnais drwy ganmol gan fod y naratif i gyd ganddo wrth iddo rannu'r hanes â phawb arall. Yna, darllenwyd yr hanes gyda'n gilydd o'r Beibl, gan oedi ar eiriau a chymalau allweddol, a'r symbolau a geir.

Yr hyn dysgwyd am y gobaith ddaw o Grist a'r goleuni sy'n trechu'r tywyllwch yng Nghrist ac yna, pontio'r themâu â hanesion eraill yn y Beibl, a llenyddiaeth amrywiol fel emyn W. Rhys Nicolas (1914-1996) "Tydi a wnaeth y wyrth, O Grist Fab Duw" (*Caneuon Ffydd*, Rhif 791). Dyma fyddai'r patrwm gyda sawl hanes, a'r hanesion, o'u casglu ynghyd, yn cwmpasu'n fras, stori fawr Duw.

Yn naturiol, treuliwyd rhai wythnosau gyda rhai hanesion a phynciau, fel y Pasg, dyfodiad yr Ysbryd Glân, gweddi, gras, yr eglwys, gweinidogaeth yr holl saint ayb. Byddaf bob amser yn annog cwestiynau a thrafodaeth agored ar yr amod eu bod yn barod i ddod ar daith i ganfod yr atebion. Bydd unrhyw syniadau yn cael eu rhannu mewn awyrgylch ystyrlon, gyda pharch a chariad yn cael ei ddangos tuag at ein gilydd beth bynnag ein barn a'n safbwyntiau. Yna, i gloi, ceir cyfnod o weddi. Braint a bendith enfawr yw gweld y bobl ifanc hyn yn tyfu a datblygu mewn ffydd.

Cymerodd y dosbarth derbyn diwethaf flwyddyn gron oherwydd cymaint eu hawydd i ddysgu, i holi ac i adeiladu mewn ffydd. Gwelwyd ffrwyth y cyfan wrth iddynt ymgymryd â'r gwaith o arwain oedfa eu hunain, gan baratoi'r gweddïau a'r myfyrdodau eu hunain.

Dal i ddysgu: taith ffydd – ffydd byw

Os yw ein ffydd yn fyw, yna rhaid derbyn fod ein profiad, ein dealltwriaeth a'n gwybodaeth yn gallu tyfu neu amrywio o ddydd i ddydd, ac ni fydd yn aros yn yr un fan. Gwêl rhai'r syniad yma yn fygythiad gan y gall olygu y gallai eich ffydd wanhau yn wyneb profiad penodol. Ond ar y llaw arall, pe byddai'n aros yn yr un fan, yna onid yw'n cael ei gyfyngu i beidio â thyfu hefyd? Wrth ofyn y cwestiynau mewn oedfa dderbyn, byddaf bob amser yn ychwanegu brawddeg ar y cychwyn yn nodi mai ar daith ffydd yr ydym bob un. Taith yw hon fydd yn ein tywys i adnabod a charu'r Arglwydd fwyfwy, o gyflawni ei waith yn ôl ein gallu, ac o gyd-weithio gyda'n cyd-aelodau eglwysig i hyrwyddo'r ffydd a'r dystiolaeth.

Astudiaethau Beiblaidd

Gyda grwpiau oedolion, fel yr Ysgol Sul oedolion neu astudiaethau dros y Grawys, daw cyfle i ddilyn patrwm pendant, fel astudio llyfr o'r Beibl ar ei hyd, neu gyfres o themâu. Daw pobl o wahanol gefndiroedd i ddosbarthiadau o'r math, yn amaethwyr, athrawon, ac yn y blaen, ond daw pawb yno gyda'r un bwriad ac awch, sef i dyfu a datblygu mewn ysbryd a meddwl. Daw hyn â chyfle i bobl deimlo'n hyderus i drafod ac i rannu profiadau ffydd. Bu hyn, dros y blynyddoedd, yn garreg gamu i nifer i arwain oedfaon a chyfrannu i gyfarfodydd gweddi, neu hyd yn oed i ymgymryd â dosbarth Ysgol Sul, a defnyddio eu doniau, eu gwybodaeth a'u hawydd i rannu i addysgu eraill.

Rôl weithredol fel **bugail**

Cymal arall yn y gwasanaeth ordeinio yw bod gweinidog i "fugeilio praidd Duw". Heb os, dyma un o freintiau mawr y weinidogaeth gen i, ac ni chredaf fod modd gweinidogaethu, a diddymu'r elfen fugeiliol ohoni. Credaf yn argyhoeddedig fod gweinidogaeth o unrhyw fath i gynnwys bugeiliaeth. Gofal a chariad yw gwraidd bugeilio, ac mae mynegi hynny yn rhan annatod o weinidogaeth, yn cynnwys wrth gwrs gweinidogaeth yr holl saint.

Dulliau amrywiol o fugeilio

Byddaf yn treulio llawer o fy amser yn bugeilio. Gellir gwneud hynny o'r pulpud wrth ymateb i ddigwyddiad neu brofiad, ac estyn gobaith a chysur. Ond hefyd, bydd yn digwydd mewn sgyrsiau ffôn neu ymweliadau; o ddewis, gen i, drwy ymweliadau. Gellir dweud yn y cyfarchiad wrth y drws sut mae rhywun, ac er i'r ymweliadau ar un llaw ymddangos yn ddim mwy na phaned a sgwrs, ymhlyg yn y sgwrs, bydd rhannu yn digwydd. Ceir cyfle i rannu gwirioneddau'r ffydd wrth ymateb i'r hyn a rennir. Braint y gweinidog yw gwrando, ac yna ymateb os bydd angen. Weithiau, daw cyfle i gynnig gair o weddi neu ddyfynnu adnod, a thro arall, bydd eiliadau o dawelwch yn cynnig bendith ynddo'i hun wrth i'r weddi dawel gael cyfle i amlygu. Ni fydd yr un ymweliad yr un fath, a dylid ymateb i'r sefyllfaoedd yn yr un modd.

Dro arall, gan amlaf ar achlysur o bwys, daw cyfle i ymweld â theuluoedd tu allan i gylch yr eglwys, efallai i drefnu bedydd, priodas neu angladd. Mewn amgylchiadau o'r math, credaf fod eu dymuniad i alw'r gweinidog yn dystiolaeth ynddo'i hun, a braint y gweinidog yw cyfarfod â'r bobl hynny yn yr union fan lle maen nhw. Unwaith eto, wrth i sgwrs ddatblygu, daw cyfle i rannu ffydd yn bwyllog a sensitif, ac o 'mhrofiad i, daw olion eu ffydd hwythau i'r wyneb. Weithiau, gwelir olion amheuaeth ar y ffydd honno, neu boen a chraith, a'r hyn sydd ei angen yw eu tywys i ddodi eli gras a chariad yr efengyl ar y briwiau hynny.

Wrth dreulio amser gyda theuluoedd ac unigolion ar y cerrig milltir hyn, byddaf weithiau yn canfod fy hun yn gwenu, dathlu a chwerthin hefo nhw. Dro arall, byddaf yn teimlo lwmp yn fy ngwddw, ac yn dal y dagrau yn ôl. Ac onid dyna a wnaeth Iesu? Oni ddathlodd yn y briodas, ac oni wylodd gyda'r rhai mewn galar? A dyna'n braint ninnau; rhannu, drwy'r wên a'r dagrau, gariad Duw.

Rôl weithredol fel **cenhadwr / efengylwr**

Comisiwn Iesu wedi'r atgyfodiad yw rhannu'r newyddion da "a ddaeth i'r holl fyd". Ystyr y gair 'Efengyl' yw newyddion da, a'r newyddion da sydd ym meddiant y Cristion yw bod Duw, yn ei ras a'i gariad, wedi dewis agosáu at ddynoliaeth drwy anfon ei unig anedig fab i'r byd. Drwy fywyd, gwaith a gweinidogaeth Iesu ar y ddaear, datguddiwyd cymeriad a natur Duw.

Fodd bynnag, o'r cychwyn, methodd dynoliaeth â byw yn unol â ffordd Duw. Ond, drwy ei aberth ar y groes, gwnaeth Iesu iawn am fethiannau pob un, gan dalu'r pris ar ein rhan, ac adfer ein perthynas â Duw. Roedd, ac mae, gwahoddiad Iesu yn agored i unrhyw un ddod at y groes a chanfod y bedd gwag. Drwy hynny, adnabod drostynt eu hunain y gobaith bywiol sydd i bawb – gobaith fod Duw, drwy Iesu, yn ein derbyn fel ag yr ydym, yn maddau inni, ac yn ein cofleidio a'n tywys i fywyd tragwyddol. Dyna'r newyddion anhygoel sy'n ein meddiant fel Cristnogion.

Yn naturiol, mae efengylu a chenhadu yn annatod o weinidogaeth, boed honno'n weinidogaeth ordeiniedig neu beidio. Yn wir, mae'n un o freintiau pob un sy'n arddel ac yn dilyn Iesu fel Gwaredwr. Ond yr her fawr a ddaw i'n hwynebu yw ystyried sut mae cyflawni'r gwaith hyn.

Mynd ati i genhadu

Gellir cyflawni'r gwaith hwn mewn sawl ffordd, er enghraifft drwy ymgyrchoedd efengylu, neu ralïau a gwyliau Cristnogol torfol. Yna, drwy ymdrochi yng ngwirioneddau'r Efengyl, a bod yng nghwmni Cristnogion, daw eraill i dderbyn y ffydd. Yn aml, cyfeirir at y math yma o efengylu, ac unigolion yn dod i ffydd yn y fan a'r lle, yn brofiad ffordd Damascus gan uniaethu'r profiad â phrofiad Saul / Paul.

Tawel

Ar y llaw arall, gall yr efengylu fod yn dawelach ei naws, gan gymryd amser. Dyma'r profiad a gyfeirir ato fel profiad ffordd Emaus. Yn yr hanes hwnnw, teithiodd dau gryn bellter yng nghwmni Iesu heb ei adnabod, ond drwy'r sgwrsio, tyfodd y profiad o gyd-deithio yn adnabyddiaeth lawn o Iesu fel yr Arglwydd byw.

Personol

I nifer fawr o bobl, dyma eu profiad ffydd, ac yn eu plith, fi fy hun. Drwy fagwraeth ar aelwyd Gristnogol, fy magu a'm meithrin mewn Cyfarfodydd Gweddi ac Ysgol Sul, a bod yng nghwmni Cristnogion eraill, daeth y 'gwybod' maes o law yn 'adnabyddiaeth'. Dyna'r efengylu mwyaf cyffredin hefyd yn fy ngweinidogaeth oherwydd yn yr ofalaeth hon, bydd nifer fawr o'r rhai a ddaw yn aelodau wedi eu magu yn sŵn yr Efengyl.

Digidol

Wedi dweud hynny, ni ellir diystyru chwaith fod nifer yn ein cymunedau sydd heb glywed yr Efengyl. Fel gofalaeth, mae gennym nifer o adnoddau digidol ar gael i bobl ddod i gyswllt â'r Efengyl ar eu haelwydydd. Rhannwn wybodaeth am ddigwyddiadau a llenyddiaeth Gristnogol i bob cartref yn nalgylch yr ofalaeth pob chwarter.

Ymwneud â'r ysgolion

Byddwn yn ymweld â'r ysgol yn gyson, a chynnal rhai oedfaon a gweithgareddau awyr agored yng nghanol y pentref. Hefyd, rydym yn cydweithio'n aml iawn ar draws yr enwadau a'r traddodiadau Cristnogol lleol i rannu'r ffydd. Er enghraifft, gwneir hyn drwy brosiect Agor y Llyfr dan nawdd Gymdeithas y Beibl, drwy orymdaith y Pasg yn nhref y Bala, a thrwy rannu llenyddiaeth Gristnogol adeg y Pasg a'r Nadolig.

Ffydd ymarferol

Gall ffydd ymarferol, a rhannu'r ffydd drwy weithredoedd o gariad fod yn dystiolaeth bwerus iawn wrth i bobl holi beth yw ein cymhelliad, a hynny'n naturiol agor y drws i drafodaeth bellach. Enghreifftiau ohonom yn gwneud hyn yw drwy gefnogi'r Banc Bwyd, Cymorth Cristnogol ac elusennau amrywiol, a hybu Masnach Deg.

Heb os, mae'r dulliau effeithiol o Efengylu a chenhadu yn amrywio o le i le, o berson i berson. Weithiau, bydd yn llwyddo, a thro arall, o'r hyn a welwn, ni fydd yn effeithiol.

Dameg yr Heuwr

Yr hyn sy'n aros yn fy meddwl yw Dameg yr Heuwr. Mae tair elfen yn y ddameg, sef yr heuwr, yr hadau a'r pridd. Ni nodir pwy yw'r heuwr. Os mai ni yw'r heuwyr, beth yw ein hadau? I mi, gellir edrych ar y Beibl fel ein pecyn hadau, ac ynddo mae amrywiaeth o arweiniad, cysur, gras, maddeuant, gobaith, cariad. I mi, dameg ddyrchafol yw hon yn canmol yr heuwr am ei waith. Nid barnu ansawdd y tir mo'i waith, ond hau hadau, a dyna a wnaeth. Onid dyna ein braint ninnau – nid barnu i bwy a lle mae'r Efengyl, ond ei hau ymhlith pawb?

* * *

Taro sylw: Ar drothwy cyfnod newydd ceir dehongliad ffres o swyddogaethau o'r ganrif ddiwethaf. Daw gair newydd i'n clyw i gynnig delwedd newydd, sef *Discipleship*. Gan gyflwyno'r syniad cyffrous bod un ohonom yn genhadon ac yn ddisgyblion gyda chyfrifoldeb. Pwy tybed fydd yn rhedeg a'r syniadaeth hwn yng nghefn gwlad Cymru?

Ysbrydoliaeth
Emyn John Roberts, (1910-84), *Caneuon Ffydd*, Rhif 259

Cofiwn am gomisiwn Iesu
cyn ei fyned at y Tad
"Ewch, pregethwch yr Efengyl,
gwnewch ddisgyblion ymhob gwlad."
Deil yr Iesu eto i alw
yn ein dyddiau ninnau nawr;
ef sy'n codi ac yn anfon
gweithwyr i'w gynhaeaf mawr.

Sbardun
Gooder, Paula, 2020, *The Parables*

Cyswllt
carwynsiddall@yahoo.co.uk

4.5.2 Parchg Trefor Lewis

Gweinidog
Bro Nant Conwy

Ganed Trefor yn 1943 yn fab i William Glyn ac Elizabeth Lewis, Minffordd, Dothan, Tŷ Croes, Sir Fôn. Bu'n gweithio mewn swyddfa cyfreithiwr ac yn Was Sifil am un mlynedd ar bymtheg cyn astudio diwinyddiaeth.. Yn 1978 fe'i hordeiniwyd a'i sefydlu yn weinidog Gofalaeth Disgwylfa a Chefn-y-waen, Deiniolen, yn Henaduriaeth Arfon. Mae Trefor a'i wraig Miriam wedi ymgartrefu ym Mae Colwyn ac mae ganddynt ddau fab a dau ŵyr.

Cefndir a magwraeth

Yr ail fab oeddwn i, ond bu'r cyntaf, Owen Glyn farw pan oedd ond ychydig fisoedd oed, cyn i mi gael fy ngeni. Hanai fy rhieni o deuluoedd amaethyddol. Mentrodd fy nhad i rentu tyddyn rhyw 20 acer yn ardal Llain-goch, Caergybi ar rent o £20 y flwyddyn. Roedd ffordd drol yn arwain at y tŷ yn croesi 5 cae ac nid oedd yno drydan na dŵr rhedeg. Cofiaf fy nhad gyda, chymorth dyn â ffôn, yn darganfod llecyn ar gyfer creu ffynnon, ein prif ffynhonnell ddŵr.

Bu fy mam farw yn wyth ar hugain mlwydd oed a minnau'n dair oed. Treuliais y pedair blynedd nesaf yn nhŷ Nain, Felin Ddrudwy a byddwn yn mynd i Ysgol Sul yng nghapel Dothan.

Pan ail briododd fy nhad, byddwn yn mynd gyda'r ddau i'r capel deirgwaith, cerdded wrth gwrs, oedfa fore, Ysgol Sul y pnawn ac oedfa'r hwyr, fy nhad yn flaenor a'm llysfam yn athrawes Ysgol Sul. Roedd ein bywyd fel teulu yn troi o gwmpas y capel.

Nid oedd mynd i'r capel deirgwaith yn broblem i mi, roedd yn rhan naturiol o dyfu i fyny; wrth gwrs yn y dyddiau hynny nid oedd pwysau o'r tu allan fel ag sydd heddiw.

Ar derfyn oedfa'r hwyr byddem ni'r plant yn dweud adnod; un newydd bob Sul. Roedd y Maes Cof o dan drefniant Pwyllgor Ysgolion Sul, Henaduriaeth Môn, yn golygu fy mod yn dysgu adnod neu emyn newydd bob wythnos. Un flwyddyn y dasg oedd dysgu emynau Ann Griffiths, dau ddeg un ohonynt os cofiaf yn iawn. Ni allaf gofio i mi erioed amau bodolaeth Duw a'r Drindod. Un ffynhonnell gwybodaeth Feiblaidd oedd Y Rhodd Mam – rwyf yn cofio llawer o'r cwestiynau hyd heddiw.

Yn raddol dysgodd Trefor am Dduw'r Drindod ac mae'n disgrifio sut y daeth i'w 'hadnabod mor dda. Duw yn Un ac yn Dri, yn Dad, yn Fab ac Ysbryd Glân, yn dri pherson gyda'u priodweddau gwahanol:

- Duw yn creu
- Iesu'n achub
- a'r Ysbryd Glân sy'n arwain pobl Dduw?

Ffydd syml oedd gen i'r adeg hynny, ac o hyd mae'n debyg. Mae'na berygl i ni geisio dadansoddi popeth ynghylch Duw yn ôl ein dealltwriaeth ddynol, gan gredu fod angen i ni fedru rhesymoli popeth; o wneud hynny awn i gors.

Gwahoddiad i ystyried ymgeisio am y weinidogaeth: Gwrthod

Pan yn fy arddegau gofynnodd ein gweinidog, i mi, tybed a oeddwn yn ystyried mynd i'r weinidogaeth. Er bod y capel a'm ffydd syml yn rhan bwysig o'm bywyd ateb negyddol a gafodd.

Gadewais yr ysgol yn un ar bymtheng mlwydd oed gyda llond llaw o byncaiu lefel O, a mynd i weithio yn swyddfa twrne yn y dref. Pan oeddwn yn ddeunaw mlwydd oed gadewais gartref a mynd i weithio ym Manceinion, yn un o swyddfeydd y Llywodraeth, Gweinyddiaeth Pensiwn ac Yswiriant Cenedlaethol. Parhaodd y capel yn rhan amlwg iawn o'n bywyd ni fel teulu, etholwyd fi'n flaenor pan oeddwn yn naw ar hugain mlwydd oed. Roedd ail hanner y chwe degau a'r saith degau yn gyfnod da o ran gweithgaredd ymhlith trefnwyd digwyddiadau amrywiol ac ambell i benwythnos yng Ngholeg Y Bala.

Effaith Coleg y Bala: Yr Alwad

Cofiaf fynd i'w Bala yn nechrau'r saith deg Dyna pryd y dechreuodd yr alwad i'r weinidogaeth lawn amser. Ond roeddwn yn briod gyda dau o blant ifanc, ac mewn swydd dda a morgais. Ni roddwyd pwysau arnaf gan neb ond wedi penderfynu troi tuag at y weinidogaeth cefais bob cefnogaeth bwysicaf i mi oedd eiddo fy ngwraig – dywedodd wrthyf 'Os wyt ti am fynd i'r weinidogaeth fe ddof i hefo ti'.

Cwrs academaidd un ar bymtheng mlynedd wedi gadael yr ysgol

Roedd dychwelyd i fyd addysg ar ôl cyfnod o un ar bymtheng mlynedd yn brofiad arbennig, ac yn baratoad ar gyfer y weinidogaeth. Bu'n werthfawr o ran rhoi cefndir rhai o lyfrau'r Hen Destament a thestun y Testament Newydd, hanes yr Eglwys Gristnogol, Ddiwinyddiaeth yr ugeinfed ganrif a'r diwygiadau Protestannaidd ac Efengylaidd y deunawfed ganrif. Roedd dysgu am Howell Harris, William Williams, Pantycelyn a Daniel Rowland, yn agor fy llygaid a'm meddwl.

Paratoad ymarferol: Annigonol

Cwrs academaidd oedd y B. D. ond nid oedd yn baratoad ymarferol ar gyfer mynd i ofalaeth. Serch hynny cefais eisoes brofiad gwerthfawr o pymtheng mlynedd yn delio â phobl o bob oed mewn gwahanol sefyllfaoedd; pobl sâl, ddi-waith, oedrannus, mewn profedigaeth ac ati. Go brin y sylweddolwn ar y pryd fod y pymtheng mlynedd hyn yn fy mharatoi ar gyfer gwaith arall.

Ordeiniad a'r ofalaeth gyntaf

Fe'm hordeiniwyd yn Weinidog a derbyniais alwad i fugeilio gofalaeth o ddwy eglwys Bresbyteraidd yn Neiniolen gydag ychydig dros dau gant o aelodau, yn cynnwys nifer o blant ac ieuenctid. Fi a Ficer Eglwys Llandinorwig oedd yr unig weinidogion yn byw yn y pentref, a buan iawn y gwelid ni'n dau yn cynorthwyo'n gilydd yn enwedig mewn angladdau. Roedd Parchg Aled Edwards o gefndir Presbyteraidd ac yn hapus i gydweithio a thyfodd y berthynas eciwmenaidd, er ei fod yn gorfod cydymffurfio â rheolau'r Eglwys yng Nghymru.

Gofalaeth aml-enwad ar gais yr aelodau

Ymhen rhyw dair blynedd daeth diaconiaid Ebeneser, eglwys yr Annibynwyr, ataf yn holi a fyddwn yn ystyried bod yn weinidog arnynt – roeddwn eisoes wedi gwasanaethu mewn sawl angladd a phriodas. Yn 1983 ymunodd Ebeneser â'm gofalaeth. Rhaid yw cofio nad cyngor neu orchymyn o'r tua allan roddodd fodolaeth i'r trefniant newydd hwn. Dyma awydd y bobl i fod o dan ofal gweinidog, waeth pa enwad ydoedd, hynny yw, tyfu o'r gwraidd.

Addoli dan yr unto: Dyn o flaen ei amser?

Edrychais ar hyn fel arwydd o sut y dylid symud ymlaen fel eglwysi, sef Gofalaethau Bro a hynny dan arweiniad yr Ysbryd Glân. Ni chafodd fy awgrym o symud tuag at dair eglwys yn cyd-addoli o dan yr unto fawr o groeso. Nid oedd gweithgareddau gyda phlant ac ieuenctid ar wahân ac yr oedd y Gymdeithas yn undebol hefyd, ond nid yr addoliad. Cofiwch roedd llawer yn cydnabod y synnwyr o ddod at ei gilydd, y rhan fwyaf ohonynt o blith y to hŷn; dyma'r siom fwyaf i mi yn fy ngofalaeth gyntaf, y genhedlaeth yr oeddwn i'n perthyn iddi am aros fel yr oedden nhw.

Yn 1984 ychwanegwyd eglwysi Capel Coch, Llanberis, a Nant Peris at fy ngofalaeth. Derbyniais wahoddiad i fugeilio Gofalaeth Colwyn yn 1988; dri mis ar ôl symud i'r glannau, dychwelais i fy hen ofalaeth i sefydlu fy olynydd yno, Parchg John Pritchard. Dyma weinidog gyda'r Annibynwyr yn gofalu am y Presbyteriaid. Roedd hyn yn cadarnhau mai dyma oedd y ffordd ymlaen ac edrychwn ymlaen at glywed ardaloedd eraill drwy Gymru'n symud i'r un cyfeiriad, sef Gofalaethau Bro.

Sefydlu Eglwys Gymraeg Unedig ym Mae Colwyn: (Dyn o flaen ei amser)

Treuliais bron i ddeuddeg mlynedd hapus iawn yng Ngholwyn er cefais i ac eraill ein siomi pan fethwyd â chael cytundeb ynglŷn â sefydlu un eglwys Gymraeg Unedig ym Mae Colwyn, hynny ar ôl rhyw ddwy flynedd o drafodaethau buddiol iawn. Y Prif reswm dros y methiant? Wel, ym mha adeilad wrth gwrs.

Gofalaeth Porthaethwy

Derbyniais alwad i fugeilio Gofalaeth Porthaethwy, a fyddai yn fy meddwl i ar y pryd, fy symudiad olaf cyn ymddeol. Sefydlwyd fi yno ar ddechrau'r eilflwydd newydd.

O Fôn i Drefeca: Hitio wal

Ymhen rhyw dair blynedd hysbysebwyd swydd Warden Coleg Trefeca. Roedd dwy wedd i'r swydd sef warden y ganolfan a hyfforddiant lleygwyr. Yr ail wedd i'r swydd a'm denodd yno, oherwydd roeddwn yn gweld rhan o'r ateb i argyfwng y weinidogaeth oddi fewn i'r eglwysi.

Prin iawn fu'r ymgeiswyr am y weinidogaeth ers blynyddoedd. Roedd llawer mwy yn cyrraedd oed ymddeol neu, am wahanol resymau yn gadael y weinidogaeth; canlyniad hyn oedd cydio gofalaethau â'i gilydd gan osod beichiau trymion iawn ar ein gweinidogion.

Disgyblyddiaeth: Dyn o flaen ei amser

Ond, onid oedd gennym bobl gyda'r doniau ar gyfer bugeilio ac arwain yr eglwysi yn ein cynulleidfaoedd? Dynion a merched eisoes mewn swyddi oedd yn golygu gweithio gyda phobl o bob oed, plant ac ieuenctid, gwael eu hiechyd, y galarus a'r di-waith, hynny yw'r bobl yr oedd gweinidog yn ymwneud â hwynt. Oni fyddai'n gwneud synnwyr eu dwyn hwy i mewn i fod yn rhan o dîm bugeilio'r eglwys, gyda'r gweinidog os oedd un? Byddai angen hyfforddiant wrth gwrs ond mae hwnnw'n cael ei drefnu gan Adran Hyfforddiant.

Y cam cyntaf oedd rhannu fy ngweledigaeth ag eglwysi EBC, gan fynychu henaduriaethau yn gyntaf. Ond buan iawn y sylweddolais y byddai hyn yn dalcen caled. Rhyfeddwn at yr amharodrwydd i ystyried camau o'r fath. Roedd pobl fel Nelson yn gofyn, 'Argyfwng, Pa Argyfwng!?'

Gofal eglwys yng Nghwm Gwendraeth

Oherwydd nad oeddwn yn cael cefnogaeth ymddiswyddais ar ôl 15 mis a dychwelyd i ofal eglwysi, a threulio chwe blynedd yng Nghwm Gwendraeth cyn ymddeol a dychwelyd i Golwyn i fwynhau seibiant ar ôl bron i ddeugain mlynedd fel gweinidog.

O ymddeoliad i ofalu'n fugeiliol am eglwysi heb weinidog

Seibiant? O Na!

Ymhen rhyw ddwy flynedd roedd yr Eglwys Fethodistaidd yn chwilio am gymorth gweinidogion o enwadau eraill i gynorthwyo gyda gofal bugeiliol i eglwysi heb weinidog. Cytunais i ofalu am 4 eglwys, Bethel Prestatyn, Galltmelyd, Gwaenysgor a Gronant. Roedd Bethel yn eglwys fywiog gyda nifer dda o blant. Yr oedd Bethel hefyd yn eglwys genhadol yn yr ystyr pan oedd sôn am deulu neu unigolion yn symud i'r ardal roedd rhywun yn siŵr o gysylltu â hwynt a'u gwahodd i ymuno. Canlyniad hyn oedd i'r Ysgol Sul ddod i ben pan gefais i anhwylder

Llywydd y Gymanfa Gyffredinol, EBC a thaith i'r India

Er fy mod yn gofidio rhoi'r gorau i'r gwaith yn niwedd 2013 ar ôl rhyw ddwy flynedd. Yn 2012 cefais fy ethol yn Llywydd y Gymanfa Gyffredinol, EBC (o 2013 i 2014). Cefais gyfle fel y Darpar Lywydd i gynrychioli'r enwad yn nathliadau cysegru adeilad newydd Coleg Diwinyddol yn Shillong, Talaith Meghalya, yng Ngogledd Ddwyrain yr India. Sefydlwyd y Coleg Diwinyddol cyntaf yn Cherrapunji yn 1862 gan un o'r cenhadon. Penderfynodd senedd y Coleg mai'r ffordd orau i ddathlu'r pen-blwydd yn 125 oedd adeiladu Coleg newydd. Ar y pryd roedd 150 o fyfyrwyr.

Roedd yr ymweliad yn brofiad nas anghofir. Cafodd Miriam a minnau groeso tywysogaidd. Yr oeddem yn cynrychioli EBC neu i bobl Bryniau Casia a Jainta y Fam Eglwys, ac ni allant ddiolch digon am ddyfodiad Efengyl Iesu Grist gan genhadon o Gymru yn 1840au.

Siom, cywilydd a thristwch yn India

Trefnwyd i ni ymweld â'r ysgol a sefydlwyd gan Miss Gwen Evans, ac yr oedd gweld ei llun yng nghyntedd yr ysgol a gwrando ar y plant, ar gais yr athro, yn cydadrodd Ioan 3.1-6 yn brofiad cynhyrfus iawn.

Mae'n rhaid dweud fod cymharu sefyllfa'r eglwysi yn Shillong â Chymru fy ngadael yn drist iawn; mor wahanol yr oedd. Ond un peth a'n digalonnodd fwyaf oedd cwestiwn gan griw o bobl ifanc. Cawsom wahoddiad i swper, ac ymysg y cwmni roedd nifer o ferched a bechgyn ifanc. Gofynnodd un ohonynt am berthynas pobl ifanc Cymru â'r Eglwys. Sut oedd ateb cwestiwn o'r fath, yn onest? Onid dyma un o siomedigaethau mwyaf 40 mlynedd yn y weinidogaeth? Teimlwn gywilydd o orfod ateb yn onest fod pobl ifanc yn amlwg iawn yn eu habsenoldeb o addoliad ein capeli, gydag eithriadau prin wrth gwrs. Sylwais fodd bynnag mor Orllewinol eu gwisg ac arferion yr oedd y bobl ifanc, hwythau fel ieuenctid Cymru â'u trwynau yn eu ffonau clyfar ac y mae peth pryder ymhlith yr arweinyddion; ofnir a fydd y dylanwadau estronol hyn yn arwain yr ifanc ar gyfeiliorn.

Gweinidogaethu'n wirfoddol ddi-dâl

Gofalaeth Bro Colwyn

Yn 2009 mabwysiadodd EBC categori newydd o weinidogaeth, Gweinidogaeth Wirfoddol Ddi-dâl. Y bwriad oedd rhoi cyfle i weinidogion wedi iddynt ymddeol o'r weinidogaeth lawn amser i barhau i wasanaethu'r eglwysi. Cefais gyfle i wasanaethu Gofalaeth Colwyn am gyfnod pan oedd yr eglwysi heb weinidog. Symudodd Parchg Helen Wyn Jones i Golwyn o Ofalaeth gyfagos gan adael 10 eglwys heb fugail ond cytunodd tri ohonom wedi ymddeol i fugeilio'r eglwysi hynny tra bo angen. Y mae'r tri, Y Parchedigion Eric Greene, Richard Glyn Jones a minnau, yn parhau, ond y mae'r sefyllfa wedi symud ymlaen.

Gweinidogaeth newydd Bro Nant Conwy

Yn dilyn dwy neu dair blynedd o drafod ffurfiwyd Gofalaeth Bro Nant Conwy, yn cynnwys deg cynulleidfa Bresbyteraidd a thair gynulleidfaol Annibynnol yn ymestyn o Ysbyty Ifan i Rowen. Ym mis Medi 2021 ordeiniwyd a sefydlwyd Parchg Owain Idwal Davies yn weinidog ar yr ofalaeth. Am ddwy flynedd bydd Owain yn ymestyn allan i'r gymuned ac yn gwneud cysylltiadau â mudiadau fel Clwb Rygbi Nant Conwy. Bydd y tri gweinidog a enwir uchod yn ei gynorthwyo am gyfnod gyda gwaith bugeilio'r eglwysi. Gweledigaeth Pwyllgor yr Ofalaeth yw ffurfio tîm o unigolion gydag arbenigedd mewn gwahanol feysydd, e.e. ymweld, gwaith plant ac ieuenctid, o dan arweiniad y gweinidog. Yr union beth yr oeddwn yn dyheu am ei weld ers blynyddoedd.

Rwy'n falch iawn o weld y trefniant oherwydd credaf fod angen y math yma o fentro, gweinidogaeth newydd a gwahanol. Cyngor Eglwysi'r Dwyrain Canol oedd yn gyfrifol am yr Wythnos Weddi am Undeb Cristnogol. Dyma a ddyweder, "Mae'r presenoldeb Cristnogol ond yn gwneud synnwyr os yw am wasanaethu cenhadaeth." Onid dyma sydd wedi bod ar goll yng Nghymru, yr ymrwymiad i genhadu, i ymestyn allan yn enw Iesu Grist?

Wedi blynyddoedd o edwino a chrebachu, awyr iach yw canfod bwriad yn Nyffryn Conwy i fynd allan i'r priffyrdd a'r caeau i gyrchu'r defaid nad ŷnt yn y gorlan.

Beth yw sail fy ngobaith i'r dyfodol? Fe'm magwyd ac yr wyf yn byw heddiw o fewn golwg i'r môr. Dwywaith bob dydd aiff y llanw allan, cyn dychwelyd i olchi tywod a chreigiau'r arfordir. Ar hyd y canrifoedd bu'n drai a llanw yn hanes Eglwys Iesu Grist. Mae'n drai ers degawdau yn hanes Cymru a Gorllewin Ewrop, ond credaf fel y mae trai a llanw yn y môr, fe ddaw'r llanw ysbrydol eto i chwalu holl gestyll Satan, a gwneud Cymru eto yn eiddo i Iesu Grist.

* * *

Taro sylw: Oherwydd hanes yr Anghydffurfwyr, bu 'undod' a 'thraddodiad' yn greiddiol yn eu hagweddau a'u cyfarwydd. Fodd bynnag, daeth tro ar fyd yn enwedig drwy Covid-19 ac fel canlyniad rydym ni a'r byd wedi newid. Dyma ni ar y trothwy: *God is on the move.* Gan fod Duw yn Hollalluog – Ef sy'n cynllunio. Ni fodau dynol sy'n gwegian gyda'r wybodaeth newydd.

Ysbrydoliaeth

Emyn Thomas Jones (1736-1820), *Caneuon Ffydd*, Rhif 547

> Mi wn fod fy Mhrynwr yn fyw,
> a'm prynodd â thaliad mor ddrud;
> fe saif ar y ddaear, gwir yw,
> yn niwedd holl oesoedd y byd.
> er ised, er gwaeled fy ngwedd,
> teyrnasu mae 'Mhrynwr a'm Brawd;
> ac er fy malurio'n y bedd
> cai'i weled ef allan o'm cnawd.

Sbardun

Lloyd-Jones, Martyn, 2012, *Great Doctrines of the Bible: God the Father, God the Son; God the Holy Spirit: the Church and the last things*

Cyswllt

treforlewis1943@gmail.com

4.6 Capeli aml-enwad

4.6.1 Parchg Casi Mackensie Jones
Gweinidog

Dr Gareth Ffowc Roberts
Ysgrifennydd

Capel Emaus, Bangor

Magwyd Casi yng Ngheredigion a graddiodd mewn athroniaeth a diwinyddiaeth. Bu'n weithiwr ieuenctid Cristnogol ac yn swyddog adnoddau gydag Undeb yr Annibynwyr. Cafodd ei hordeinio'n weinidog yn 1992. Ers 2018, hi yw gweinidog Eglwys aml-enwad Emaus. (UAC/UBC). Mae hi'n briod â Lloyd sy'n ficer ac mae ganddynt ddau fab, Dafydd a Tomos.

Ganed Gareth Ffowc Roberts yn Nhreffynnon. Bu'n gweithio ym maes addysg fel ymgynghorydd mathemateg a darlithydd. Symudodd y teulu i Fangor yn 1983 a chartrefu yn eglwys Pendref. Bu Gareth yn ysgrifennydd Pendref o 2010 ac ef yw ysgrifennydd presennol Eglwys aml-enwad Emaus.

Cefndir

Mae enw'r eglwys – Eglwys aml-enwad Emaus – yn dweud y cyfan. Mae'r gwreiddiau yn rhannol gyda'r Bedyddwyr yn Eglwys Penbel ac yn rhannol gyda'r Annibynwyr yn Eglwys Pendref, y ddau gapel yng nghanol dinas Bangor, a'r ddwy gynulleidfa yn dod at ei gilydd ar eu ffordd i ffurfio Emaus.

Ni ddigwyddodd hynny dros nos, wrth gwrs. I'r gwrthwyneb, dros gyfnod o flynyddoedd y daeth y ddwy gynulleidfa i adnabod ei gilydd yn well, gan gynnal cyfarfodydd undebol rheolaidd yn y naill adeilad a'r llall a chynnal Cymdeithas Ddiwylliannol ar y cyd a oedd yn cyfarfod yn festrïoedd y naill a'r llall.

Datblygiad naturiol

Datblygodd y berthynas o gam i gam a hynny gyda chymorth gweinidogion y ddwy eglwys. Roedd cyflwr yr adeiladau yn ffactor, yn arbennig cyflwr Pendref, adeilad llawer hŷn na Phenuel. A oedd modd cyfiawnhau gwariant uchel ar ddau adeilad ar wahân? Roedd edwiniad enwadaeth yn ddylanwad hefyd ac aelodau'r ddwy fam eglwys yn gweld fod ganddynt lawer mwy yn gyffredin nag oedd yn eu cadw ar wahân.

Ymchwilio ac ymgynghori

Ystyriwyd nifer o fodelau cydweithio yn yr ardal cyn symud at uno Penuel a Phendref. Cafwyd llawer o gyrddau eglwys yn y naill eglwys a'r llall i drafod opsiynau a chasglwyd tystiolaeth a barn aelodau unigol. Un o'r dulliau mwyaf effeithiol i wneud hynny oedd trwy wahodd aelodau i nodi (yn ddienw) eu pryderon yn ogystal â'u dyheadau a'u gobeithion ar *post-its* melyn, a'u gludo ar arwydd-fwrdd cyfleus i bawb eu darllen.

Roedd hi'n bwysig bod unrhyw amheuon yn cael eu gwyntyllu'n agored fel bod modd eu lliniaru neu eu hateb yn llawn. Fel y gellir disgwyl, mae'n siŵr, roedd rhai o'r 'Annibynwyr' yn awyddus i wybod a fyddai gweinidog o Fedyddiwr yn gwrthod bedyddio babanod. Wrth ofyn y cwestiwn yn agored cafwyd ymateb gwbl gadarnhaol na fyddai hynny'n broblem o gwbl. Rhyddfrydiaeth a orfu, gan barchu'r naill draddodiad a'r llall.

Criw newydd – dechrau newydd

Wrth gytuno ar uno, penderfynodd y gynulleidfa gyfun i fedyddio'r uniad yn Eglwys Gyd-enwadol Emaus yn 2016, ac unwyd y ddwy eglwys yn ffurfiol yn 2017 dan yr enw newydd. Sefydlwyd y Parchg Casi M. Jones yn weinidog ar Emaus yn 2018. Erbyn hyn mae gan Emaus tua cant chwedeg o aelodau, rhai ohonynt wedi'u magu yn nhraddodiad yr Annibynwyr, rhai wedi'u magu yn nhraddodiad y Bedyddwyr a rhai wedi'u magu mewn traddodiadau eraill. Mae'n anodd, os nad yn amhosibl, gwahaniaethu rhyngom.

Tâl aelodaeth

Mae Emaus yn perthyn i Undeb yr Annibynwyr ac i UBC ac yn cyfrannu'n ariannol i'r ddau undeb, nid ar sail cyfri pennau ond, yn syml, trwy ystyried bod union hanner yr aelodau yn gysylltiedig â'r naill undeb a'r llall. Nid yw'r syniad o dâl aelodaeth yn codi – mae'r aelodau'n cyfrannu fel y gwelent orau, boed i gynnal y weinidogaeth neu i gyfrannu at yr amrywiol achosion a gefnogir gan yr eglwys. Ar ddechrau 2020 roedd 168 o aelodau ar lyfrau'r eglwys ond mae dylanwad yr eglwys yn ehangach na hynny, a'i drysau'n agored, gan gynnwys dros y we, i gyrraedd cynulleidfa ehangach.

Hwyluswyd y datblygiadau gan mai enwadau cynulleidfaol ydy'r Annibynwyr a'r Bedyddwyr fel ei gilydd. Mae penderfyniadau'n cael eu gwneud gan yr eglwysi unigol yn hytrach nag yn daleithiol nac yn ganolog. Felly hefyd yn achos Eglwys aml-enwad Emaus a chafwyd pob cefnogaeth gan yr undebau wrth i'r broses uno fynd rhagddi.

Bywyd a gwaith

Fel rhan o'r broses uno, roedd angen i ni greu disgrifiad o'n bywyd a'n gwaith fel eglwys ar gyfer y Comisiwn Elusennau i gydfyd gyda'r manylion ariannol.

Addoli, Cyfathrebu a Chymdeithasu

Mae'r Eglwys yn cynnig darpariaeth eang o gyfleoedd i addoli, yn bennaf ar y Sul, gan gynnwys oedfaon yn y capel, oedfaon dros *Zoom* (sy'n ddatblygiad mewn ymateb uniongyrchol i Covid-19). Byddwn hefyd yn rhannu deunydd addoli i rai nad ydynt yn gallu bod yn bresennol yn y capel nac yn gallu cael mynediad cyfrifiadurol. Mae aelodau a chyfeillion yr eglwys yn gallu dewis derbyn cylchlythyrau wythnosol am weithgareddau'r eglwys a'r rhaglen addoli.

Mae cyfathrebu'n effeithiol gyda'n haelodau a'n cyfeillion yn greiddiol i waith yr eglwys, boed trwy ymweliadau neu trwy godi ffôn neu trwy rannu deunydd darllen, y cyfan dan arweiniad gweinidog yr eglwys gyda chymorth rhwydwaith o gynorthwywyr. Yn ogystal â hyn, dosberthir cylchgrawn misol – Y Negesydd –yn ddigidol ac yn gopïau caled i'r sawl sy'n dymuno hynny. Yn ystod y pandemig, tyfodd y cylchgrawn yn fforwm i'n haelodau roi cipolwg ar eu bywydau ar gyfnod o ynysu gan gynnwys lluniau o erddi toreithiog. Soniodd llawer am edrych ymlaen yn eiddgar bob mis at dderbyn y Cylchgrawn, fel dolen gyswllt bwysig mewn cyfnod o fethu gweld ei gilydd wyneb yn wyneb. Cynhelir cyfarfodydd 'paned a sgwrs' misol dros *Zoom* fel dilyniant i'r cyfarfodydd yn festri'r eglwys, yn gyfle i aelodau a chyfeillion gynnal ei gilydd yn ogystal â thrafod materion y dydd.

Plant ac ieuenctid

Mae Ysgol Sul y plant a'r bobl ifanc, gyda chefnogaeth rhieni a theuluoedd yn ogystal â gwirfoddolwyr o blith yr aelodau, yn rhoi cyfleoedd i elwa ar weithgareddau amrywiol a chynhyrfus. Yn ystod y pandemig buom yn arbrofi – cyfarfod ar *Zoom* weithiau, dro arall mewn gazebo yng ngardd y Capel a chynhaliwyd gweithdy drama ar *Zoom* i griw yn eu harddegau i ymchwilio thema hiliaeth. Mae traddodiad hir iawn o gynnal Clwb Cristnogol aml enwad ar gyfer pobl ifanc yn eu harddegau ym Mangor ac ar hyn o bryd rydym yn trafod y posibiliadau o gydweithio pellach gyda Berea Newydd (EBC) i'r dyfodol.

Myfyrwyr

Er i Bendref a Phenuel fod â thraddodiad hir o gysylltu gyda myfyrwyr y Brifysgol (a'r Coleg Normal gynt) dros y blynyddoedd, ni fu ymdrechion cenhadol i'r cyfeiriad yma yn ffrwythlon iawn yn y blynyddoedd diwethaf. Fodd bynnag, gwyddom fod gwaith Cristnogol cyson yn cael ei gynnal ymhlith myfyrwyr gan Undeb Gristnogol Bangor a bod tîm o gaplaniaid yn cynnwys rhai o enwadau Cristnogol ar gael at ofynion bugeiliol y myfyrwyr. Wrth gwrs, dydy hyn ddim yn rheswm i ni laesu dwylo i'r cyfeiriad yma.

Oedolion

Roedd gan eglwysi Pendref a Phenuel draddodiad hir o gynnal dosbarth Ysgol Sul ar gyfer oedolion. Mae'n gryfach nag erioed yn Emaus. Mae yna gyfle wythnosol i fyfyrio, i drafod, i werthfawrogi barn a gweledigaeth eraill, y cyfan yn cyfoethogi'r profiad o ddod ynghyd. Mae'r dosbarth oedolion wedi cyfarfod ar *Zoom* ond bellach yn dechrau cyfarfod yn y Capel. Dyma fforwm wythnosol gwerthfawr i astudio'r Beibl a dyfnhau dealltwriaeth o'n ffydd. Byddwn hefyd yn cynnal cyfresi byr o astudiaethau Beiblaidd i gydfyd gyda'r Adfent a'r Grawys gan weithiau wahodd siaradwyr gwadd i'n harwain.

Gofal Bugeiliol

Mae gofal bugeiliol yn digwydd mewn gwahanol ffyrdd y dyddiau hyn. Er bod ymweliadau gan y gweinidog i gartrefi unigol yn digwydd, dim ond un agwedd ar y gwaith yw hynny. Mae rhai yn teimlo'n fwy cartrefol yn sgwrsio ar y ffôn gyda'r gweinidog neu mewn e-bost. Mae gwaith bugeilio'r aelodau o'i gilydd yr un mor werthfawr.

Gweddi

Ar hyn o bryd, nid ydym yn cynnal cwrdd gweddi fel y cyfryw ond mae gweddi dros y cleifion, dros faterion byd-eang a gweddi i feithrin ein bywydau ysbrydol personol wedi ei wau i mewn i'n hoedfaon a'n gweithgareddau eraill. Dros y ddwy flynedd ddiwethaf rydym hefyd wedi medru rhannu deunyddiau gweddi sydd wedi eu paratoi gan y ddwy

Undeb a mudiadau fel y *British World Mission* (*BMS*) a Chymorth Cristnogol gyda'n haelodau. Rydym wedi elwa o bob math o adnoddau eraill hefyd drwy wefan Cyngor Ysgolion Sul wedi eu paratoi gan gyfranwyr o bob enwad.

Gwaith cenhadol ac ymateb i anghenion cymdeithas a byd

Bugeiliaid y Stryd:

Mae Emaus yn gweithredu fel canolfan i fudiad Bugeiliaid y Stryd Bangor, trefniant a ohiriwyd yn anorfod yn ystod cyfnod clo Covid-19. Byddai tîm yn mynd allan i'r strydoedd ar y nosweithiau prysuraf o'r wythnos ac yno i wrando a chefnogi (a chynnig ambell i bâr o flip flops pan oedd angen!)

Cartrefi gofal:

Cyn cyfnod y pandemig roeddem fel eglwys yn mwynhau'r cyfle i ymweld â Phlas Hedd, cartref gofal lleol dan adain y Cyngor, i arwain gwasanaethau byr ac i sgwrsio gyda'r trigolion. Y gobaith yw y bydd y yn ailddechrau'n fuan.

Ysgolion a phrosiect Agor y Llyfr:

Bu nifer ohonom yn aelodau o dimau Agor y Llyfr ym Mangor a Sir Fôn. Tros gyfnod y pandemig buom yn arbrofi gyda recordio'n cyflwyniadau i'w darlledu yn yr ysgolion.

Banc Bwyd:

Dros y blynyddoedd diwethaf rydym wedi rhoi cefnogaeth i'r lloches leol ar gyfer y digartref ac wedi cefnogi gwaith Banc Bwyd Bangor yn gyson drwy roddion o arian a nwyddau ac mae nifer o'r aelodau ymhlith y gwirfoddolwyr sy'n gweini yno o wythnos i wythnos.

Ffoaduriaid:

Mae dau gynllun sef "Pobl i Bobl" a "Croeso Menai" yn gyfrifol am groesawu a chefnogi teuluoedd o ffoaduriaid sy'n ymgartrefu yng Ngwynedd a Môn. Byddwn yn derbyn ceisiadau cyson am ddodrefn a nwyddau'r cartref ac yn cyfrannu'n ariannol at y gronfa cefnogi ffoaduriaid Cytûn Bangor sy'n noddi'r ddau gynllun yma.

Mae'r Eglwys hefyd wedi medru cefnogi ymgyrchoedd codi arian y naill Undeb a'r llall dros y blynyddoedd diwethaf – casglwyd tuag at y *BMS* a chefnogwyd codi arian i Fadagascar.

Masnach Deg: Mae nifer o aelodau Emaus yn cynnal bore goffi a siop

Masnach Deg misol aml-enwad (neu efallai anenwadol) yn Emaus, gan barhau traddodiad hir o hybu a chefnogi Masnach Deg yn yr ardal hon. Mae ymgyrchoedd codi arian a lobïo Cymorth Cristnogol yn rhan o wead naturiol y calendr blynyddol a hynny mewn cysylltiad gydag eglwysi eraill y ddinas dan arweiniad Cytûn Bangor. Cawsom y cyfle hefyd yn ddiweddar i fod yn rhan o nifer o orymdeithiau ym Mangor i fynegi'n pryder am newid hinsawdd ar y cyd gyda rhychwant eang o fudiadau.

'Y Normal Newydd'

Wrth ddod allan o gyfnod y pandemig ac wrth iddynt gamu ymlaen yn y broses o greu un eglwys lle bu dwy, cred Casi a Gareth y byddai'n fuddiol iddynt ddod at ei gilydd eto. Y bwriad y tro hyn fyddai creu rhyw fath o gynllun pum mlynedd ar gyfer yr eglwys yn amlinellu lle yn benodol maen nhw'n gweld galwad Duw yn eu harwain.

Wrth i ni geisio datblygu ein haddoliad a'n cenhadaeth mae nifer o gwestiynau'n codi. Ydyn ni am ddechrau darlledu ein hoedfaon ar y We yn hytrach na chynnig cyswllt *Zoom* i'r ffyddloniaid fel y gwnawn ni nawr? A fyddem yn ennill cynulleidfa newydd sbon fel y gwnaeth sawl eglwys? A fyddem hefyd o bosib yn colli peth o'r naws a'r cysur o fod ymhlith pobl dda ni'n nabod a'r rhai sy'n ein nabod ni? Ai'r ateb fyddai mwy nag un oedfa ar y Sul wedi eu hanelu at gynulleidfaoedd gwahanol tybed?

Wedi cyfnod o beidio dod i'r adeilad, mae gennym bryderon y bydd rhai o'n haelodau hŷn yn ei chael hi'n anodd mentro i'r oedfaon unwaith eto. Wrth i weithgareddau yn y gymuned ddechrau ailagor, gwyddom y bydd ein gweithgaredd i blant, pobl ifanc a theuluoedd yn gorfod cystadlu unwaith eto am amser a sylw'r to iau. Mae 'na her enfawr o'n blaen i wybod beth yw'r ffordd orau i'w gwahodd i gymryd perchnogaeth o'r eglwys. Parhawn yn ein cariad, ein consyrn a'n cefnogaeth ffyddlon i bawb o bob oed beth bynnag a ddaw.

Yn olaf ac yn bwysicaf, ymddiriedwn heddiw a fory'r eglwys i'r Duw creadigol sydd gennym ac i Grist ei saer a'i hadeiladydd hi. Nid ein prysurdeb fel eglwys sy'n cyfrif na'n methiannau ni ond ein gwerthfawrogiad o gymaint yw cariad Duw tuag atom, gymaint mae wedi ei roi i ni yn yr Arglwydd Iesu Grist a chymaint o fraint yw dathlu hynny a rhannu hynny yn yr eglwys ac yn y byd.

* * *

Taro sylw: Rhaid wrth adnabyddiaeth eglwysi o anghenion eu cymdeithas – tu fewn a thu allan. Mae cefnogaeth eglwysi i'r difreintiedig yn amrywio. Yn aml mae anghenion ein hardaoledd gwledig yr un mor dybryd – er yn wahanol – i'n dinasoedd.

Ysbrydoliaeth

"Llawenhau yn yr Arglwydd yw eich nerth." Nehemeia 8.10b

Sbardun

Nouwen, Henri, J.M., 2014, *The Wounded Healer*
Nouwen, Henri, J.M., 2011, *The Spirituality of Care Giving*

Cyswllt

gweinidog.emaus.bangor@gmail.com
01286 660666

4.6.2 Richard Trevor Jones a Bethan Rhys

Pwyllgor Rheoli
Eglwys Unedig Seion, Glynceiriog

Lleolir Dyffryn Ceiriog yng ngogledd-ddwyrain Cymru yn agos iawn at Glawdd Offa. Cychwynnodd y symudiad i ddod â'r capeli a'r enwadau at ei gilydd yn ôl ym mis Ebrill, 1997 pan sefydlwyd Pwyllgor Bro. Felly roedd gweinidogaeth bro wedi hen sefydlu yn yr ardal yn cynnwys y dyffryn, eglwys aml enwad Llangollen a Chapel Weston Rhyn. Bu cyd-weithio hapus am flynyddoedd gan gynnal gwasanaethau undebol yn rheoliad.

Plannu'r hedyn

Plannwyd yr hedyn ar gyfer uno yn 2017. Er bod yr eglwysi yn llwyddo i gynnal eu hunain ac yn parhau i addoli yn rheolaidd dechreuwyd ystyried y dyfodol. Holwyd a oedd yr amser wedi dod i gael un gynulleidfa Gymraeg anghydffurfiol yn Nyffryn Ceiriog? A'i doeth fyddai cymryd y cam cyn i amgylchiadau orfodi newid? Prif ysgogydd y symudiad oedd Sydney Davies o Soar, Glyn Ceiriog a bu i hithau ac Eirwen Jones o Seion, Glyn Ceiriog rannu eu gweledigaeth o ddod â phawb ynghyd mewn un adeilad a sefydlu Eglwys Unedig. Trafodwyd y mater ymysg yr aelodau a phenderfynodd aelodau Soar, ac Ainon Dolywern y byddent yn cau eu hadeiladau a chytunodd Seion y byddent hwythau yn barod i ymuno yn y fenter newydd gan gyd-addoli yn Seion sef yr adeilad mwyaf. Cafwyd pleidlais ymysg y darpar aelodau a dewiswyd yr enw "Eglwys Unedig Seion Glyn Ceiriog".

Sefydlu pwyllgor rheoli a llunio cytundeb a threfn

Sefydlwyd Pwyllgor Rheoli gyda nifer cyfartal o'r ddau enwad. Roedd nifer o faterion ymarferol i'w trafod. Er enghraifft lluniwyd Cytundeb ffurfiol rhwng y ddau enwad parthed y defnydd o'r adeilad, materion ariannol ayb. Mae'r aelodau yn parhau i gyfrannu'n ariannol i'w henwad eu hunain oherwydd y gyfundrefn Genedlaethol. Mae swm penodol yr aelod yn cael ei dalu mewn i gyfrif canolog ar gyfer costau fel talu pregethwyr, biliau trydan a dŵr, Yswiriant, talu glanhawraig ayb. Cyfrifoldeb y Bedyddwyr ydi'r adeilad ei hun ond mae'r Presbyteriaid yn gallu rhoi cais i mewn am gyfraniadau ariannol er mwyn gwella'r adeilad, ee ymestyn y Maes Parcio a chael giatiau newydd. Penderfynwyd argraffu cerdyn Suliau i bob aelod gyda threfn y Suliau am y flwyddyn a lluniwyd rota gyda blaenoriaid, diaconiaid ac aelodau yn rhannu'r gwaith llenwi Suliau gwag, casglu, chwarae'r organ ayb.

Dyrannu cyfrifoldebau: rhannu baich: Tîm swyddogion a'u swyddogaethau

Vaughan Salisbury: Cadeirydd
Ganed Vaughan ym Mhrestatyn 1952. Yn 2016 cefnogodd y cynllun i uno'r Presbyteriaid a'r Bedyddwyr i gyd-weithio mewn ffydd a gobaith i hybu'r dystiolaeth Gristnogol i'r dyfodol.

Richard T Jones: Ysgrifennydd (P) a threfnydd gwasanaethau
Ganed Richard yn 1946. Bu ef a'i wraig Eleanor yn byw yng Nglyn Ceiriog ers 1978 pan ddaeth yn brifathro cyntaf Ysgol Cynddelw. Eglwyswr ydoedd am mai ficer oedd ei dad. Mae'r Suliadur' yn llawn o weinidogion, gwahoddedigion, aelodau'r capel a'r Ysgol Sul sy'n fodlon cynnal gwasanaethau.

Bethan Mair Jones Ysgrifennydd (B) arweinydd y plant a'r ieuenctid, organydd,
Ganed Bethan yn 1968 yng Nghroesoswallt. Treuliodd dros 20 mlynedd fel athrawes gynradd. Yn 2011 dychwelodd gyda Richard ei gŵr ac Owain eu mab i fyw ym Mhontfadog. Yn 2016 sefydlodd Ysgol Sul Undebol. Mae'r ddau hefyd yn gyfrifol am yr ochor dechnolegol. Yn sgil hyn, derbyniodd y capel grant gan Henaduriaeth y Gogledd Ddwyrain i brynu gliniadur a seinydd. Y bwriad yw hyfforddi ac annog aelodau eraill i wella eu sgiliau technoleg er mwyn datblygu'r dimensiwn yma a denu cynulleidfa newydd.

Graham Edwards: Trysorydd (B) a chyd-gordiwr y gwaith cynnal a chadw, y maes parcio a mynwent y Bedyddwyr.
Ganed Graham yn 1958 a'i fagu ym Mhontfadog. Bu'n byw yng Nglyn Ceiriog ers priodi ac yn mynychu'r oedfa yn Seion ers i'w blant pan fynychu'r Ysgol Sul. Fe'i bedyddiwyd yn y capel oddeutu deuddeg mlynedd yn ôl. Caiff fendith fawr fynychu eglwys unedig Seion.

Beti Jones Trysorydd (P)
Ganed Beti yng Nghei Connah yn 1951 i rieni oedd yn Gymry Gymraeg. Hyfforddodd fel athrawes fabanod a symudodd i Lyn Ceiriog pan benodwyd ei gŵr yn brifathro ysgol leol. Bu'n drysorydd ac ysgrifennwyd yr Gofalaeth Bro Ceiriog a Llangollen yn ei thro. Croesawodd y cyfle i ffurfio eglwys unedig gyda'r Bedyddwyr.

Falmai Parry Cynllunydd ac argraffwr
Ganed Falmai yn 1946 yng Nglyn Ceiriog. Mynychodd Seion ers yn blentyn ac fe'i bedyddiwyd yno'n denaw mlwydd oed. Bu'n gweithio i gyngor Wrecsam cyn dychwelyd adre i ddysgu bod yn gigydd a rhedeg busnes ei thad. Hi sy'n gyfrifol am gynllunio ac argraffu rhaglenni, tocynnau a phosteri i Seion ac i'r gymuned leol.

Arwyn Jones: Ymgynghorydd
Ganed Arwyn yn 1941 ar fferm yn Llanfechain Sir Drefaldwyn. Yn 1950 symudodd gyda'r teulu i Weston Rhun, Sir Amwythig ac roeddent yn aelodau ffyddlon yn y capel. Fe'i hordeiniwyd yn flaenor yn 1972. Yn 2019, pan gaewyd y capel ymunodd hefo'r gynulleidfa yng Nglyn Ceiriog.

Jean Davies: Trysorydd y gronfa weinidogaeth ac organydd
Ganed Jean yn 1950 Ynys Môn. Symudodd i fyw i Lyn Ceiriog yn 1972 ar ôl priodi ei diweddar ŵr Peter a fagwyd yn y Glyn. Mae hi'n credu fod yr uno yn llwyddiant a bod yn yr eglwys awyrgylch hyfryd. Mae' cadarnhau bod yr aelodau yn awyddus iawn i sicrhau fod y fenter yn gweithio ac felly'n barod i ddatrys unrhyw broblem sy'n codi.

Carys M Jones Cysylltiadau Rhyngwladol
Magwyd Carys yn Lerpwl lle mynychodd Gapel Bedyddwyr Cymraeg Edge Lane. Mae'n deall Cymraeg ond yn ddihyder wrth ei siarad. Daeth yn aelod yn Seion pan gaeodd Nantyr. Cafodd brofiad bythgofiadwy fel cyn-lywydd a chyn-ysgrifennydd Senana Cymru o ymweld â Brasil.

Rowena Lewis Trefnydd gwirfoddolwyr i'r Ganolfan Gristnogol
Mynychodd Rowena Ysgol Gefnir Fach, Cymdu ac yn chwech oed symudodd i Dregeiriog. Gadawodd yr ysgol yn bymtheg oed i gychwyn gweithio. Mynychodd Gapel Gwynfa Methodist, Tregeiriog a'r Band of

Hope ar nos Lun. Bydd yn cadw golwg gofalus ar nifer o bobl anghenus y Dyffryn gan gynnwys dosbarthu cinio i rai sy'n gaeth i'w cartrefi.

Y Ganolfan Gristnogol, Glynceiriog

Agorwyd y ganolfan yn 1976. Bydd yn agored ar ddydd Llun, Mawrth ac Iau o 10.30 tan 3.00 a bore Sadwrn o 10.30 tan 12 o'r gloch ac yn cynnig paned a sgwrs a phryd ysgafn. Cyn y cyfnod clo byddai'r ganolfan yn trefnu cinio i bobol hŷn y Dyffryn. Byddai cyfle ar ddiwedd y pryd i sgwrsio a rhannu myfyrdod. Rowena sy'n gyfrifol am drefnu gwirfoddolwyr i'r Ganolfan sy'n aelodau yn yr eglwys a'r capeli lleol.

Cyd addoli

Ar ddechrau 2018 daeth pawb ynghyd i gyd-addoli yn Seion a chafwyd gwasanaeth arbennig ar Ebrill 8fed dan arweiniad Parchg Robert Parry i ddathlu sefydlu'r eglwys unedig newydd. Yn ddiweddarach yn y flwyddyn pleidleisiodd aelodau Weston Rhyn i ddod â'r achos i ben ac i ymuno â'r Eglwys Unedig.

Bugeilio

Yn 2019 gofynnwyd am wirfoddolwyr i ymwneud â gwaith bugeiliol. Daeth criw bach ynghyd a threfnwyd rota er mwyn ymweld ag aelodau nad oedd bellach yn medru dod i'r gwasanaethau, un a'i yn eu cartrefi neu mewn cartrefi gofal. Oherwydd cyfyngiadau Covid-19, bu'n rhaid gohirio hyn am y tro. Mae'r gwasanaethau wedi ail ddechrau ar y gwaith pwysig yma maes o law.

Grwpiau

Bu Richard G Jones Pontfadog yn arwain cyfres o sesiynau astudiaeth Feiblaidd am gyfnod yn 2018 a 2019 – eto oherwydd cyfyngiadau Covid-19 bu rhaid oedi efo'r digwyddiad yma ond gobeithio y gellir denu aelodau eto i'r cyfarfodydd yma.

Y pandemig a thechnoleg

Ym mis Mawrth 2020 bu'n rhaid cau drws y capel ac ymateb i'r sefyllfa annisgwyl o beidio â gallu cyd-addoli. Yn ystod y misoedd clo llwyddwyd i wneud llawer o waith ar yr adeilad a'r maes parcio. Yr un pryd, sylweddolwyd bod rhaid manteisio ar gyfleoedd technoleg i gadw cysylltiad efo'r gymdeithas ehangach. Sefydlwyd tudalen GL ar gyfer y capel a rhannwyd myfyrdod gan Richard G Jones bob Sul yn y cyfnod clo.

Rhannwyd copi papur i'r aelodau oedd ddim yn defnyddio cyfrifiadur. Rhennir fideos *YouTube*, cerddi Gair o Gysur ar y dudalen yn ogystal â chyhoeddi beth sy'n digwydd o Sul i Sul. Sefydlwyd grŵp *WhatsApp* a threfnwyd Cyfarfodydd *Zoom* lle y bu gwahanol aelodau'n rhannu myfyrdod.

Pan ddaeth y cyfle i ddychwelyd i'r capel daliwyd ati gyda manteision technoleg unwaith eto – bellach mae yna sgrin yn y sêt fawr. Llawr lwythir emynau a datganiadau o emynau a darnau addas i'w chwarae o'r We – profiad sydd yn cael ei werthfawrogi ac sydd yn cyfoethogi'r addoli. Dangosir *PowerPoint* cyn y gwasanaethau yn croesawu pawb ac yn rhannu lluniau, emynau a chyhoeddiadau.

Yr Ysgol Sul

Nôl yn 2016, sefydlodd Bethan a'i gŵr, Ysgol Sul. Daeth criw bach ffyddlon at ei gilydd gan gyfarfod yn fisol. Roedd rhieni nifer o'r plant wedi mynychu'r Ysgol Sul pan oeddem yn blant ond hefyd denwyd teuluoedd newydd. Cyflwynwyd Gwasanaeth Diolchgarwch a Nadolig yn flynyddol.

Tyfodd yr Ysgol Sul yn raddol gan gyrraedd tua deunaw o aelodau. Ac yna daeth y pandemig. Rhaid oedd ymateb ac fe fu'r Ysgol Sul yn cyfarfod drwy alwad GL gan rannu stori a syniadau crefft.

Gobeithio y daw cyfle i gyfarfod wyneb yn wyneb yn y dyfodol ond cynhelir Gwasanaethau Teuluol o dro i dro gan ddatblygu'r defnydd o dechnoleg a manteisio ar yr holl adnoddau ardderchog sydd i'w gael ar-lein. Yn ddiweddar fe ddathlwyd Sul Hinsawdd gan gyflwyno ffilmiau a chaneuon ar ffurf *PowerPoint* i drosglwyddo'r neges gyda'r plant, pobol ifanc a rhieni yn cyfrannu. Bob tro mae gwasanaeth arbennig fel hyn byddwn yn dewis elusen ac yn cyfrannu'r casgliad i'r gronfa yma.

Mae'r tîm wedi gwreiddio ac wrth edrych yn ôl yn rhyfeddu at lwyddiannau priodas y ddau enwad â'i gilydd. Cawsant fis mêl byr oherwydd dyfodiad Covid-19. Er hynny buont yn hynod ddiwyd yn ystod y cyfnodau clo yn paentio'r capel tu fewn a thu allan. Maent hefyd wedi datblygu'r maes parcio. Buont yn brysur yn gwella eu sgiliau technolegol ar fyr rybudd i'w galluogi i gadw mewn cyswllt yn ystod y cyfnodau clo. Mae'r Pwyllgor Rheoli wedi llunio targedau penodol ar gyfer y dyfodol ac wrthi'n eu gweithredu.

* * *

Taro sylw: Ceir yma grynhodeb o boen a mantais uno capeli ac enwadau: "Heb os, mae cau tri chapel lleol wedi tristau'r ffyddloniaid. Maent wedi colli traddodiad teuluol a hanes eu ffydd yn y fro. Wedi dweud hynny, teimlaf ein bod yn gryfach o lawer fel Cristnogion wrth gael cyd-addoli. Mewn undod mae nerth ac mae hi wedi bod yn bleser gweld cynulleidfa niferus yn mynychu Eglwys Seion unwaith eto. I arall eirio un o ddyfyniadau enwocaf Gandi rhyw fymryn 'Does gan Dduw dim enwadau' "

Ysbrydoliaeth

"Fy mhlant, gadewch inni garu, nid ar air nac ar dafod, ond mewn gweithred a gwirionedd." (1 Ioan 3.18. "Byddwch yn gadarn a diysgog, yn helaeth bob amser yng ngwaith yr Arglwydd, gan eich bod yn gwybod nad yw eich llafur yn yr Arglwydd yn ofer." (1 Corinthiaid 15.5)

Sbardun

Nouwen, Henri, J.M.,1989, *In the Name of Jesus, Reflections on Christian Leadership*

Cyswllt

GL Eglwys Unedig Seion Glyn Ceiriog

4.7 Achosion â Statws Elusennol

4.7.1 Gwilym Huws

Ysgrifennydd Bwrdd Cyfarwyddwyr
Capel y Tabernacl Efail Isaf

Erbyn heddiw, mae'r Tabernacl yn eglwys ddi-weinidog a dyma ei stori. Mewn gwirionedd, rhaid troi'r cloc yn ôl mor bell â 1953 i ddod o hyd i'r gweinidog cyflogedig olaf i wasanaethu'r eglwys. Am ddegawd a mwy bu cwymp sylweddol yn nifer yr aelodau heb arweiniad gweinidog, a gwelwyd dirywiad yr iaith Gymraeg yn yr ardal ymhlith y genhedlaeth iau. Erbyn 1970 roedd Rhif yr aelodau wedi cwympo i 40, y mwyafrif ohonynt yn bensiynwyr, a Saesneg oedd iaith yr Ysgol Sul. Does ryfedd felly bod y rhagolygon am ddyfodol y capel yn ddigalon. Sut, felly, mae esbonio bod dros 170 ar lyfrau'r eglwys erbyn hyn, dros 70 yn mynychu'r Ysgol Sul, a bod gan yr eglwys glwb ieuenctid llewyrchus, tra bod cynifer o gapeli Cymraeg eu hiaith wedi cau eu drysau am y tro olaf?

Trobwynt arwyddocaol 1: Etifeddiaeth Parchg Eirian Rees

Y prif ysgogydd dros y trawsnewidiad hwn oedd Parchg Eirian Rees, a symudodd gyda'i deulu ifanc i'r pentref yn 1970 wedi iddo dderbyn swydd athro yng Nghaerdydd. Cyn fawr o dro fe'i gwahoddwyd i fod yn ddiacon, yna i gynnal ambell oedfa, cyn ei sefydlu'n weinidog anrhydeddus ar y Tabernacl yn 1973.

Yn y cyfamser, roedd newidiadau eraill pellgyrhaeddol ar droed; gweddnewidiwyd demograffeg yr ardal gyda'r twf mewn ysgolion cyfrwng Gymraeg a dyfodiad nifer o deuluoedd ifanc Cymraeg brwdfrydig i Efail Isaf a'r pentrefi cyfagos. Erbyn diwedd y 1970au roedd Efail Isaf wedi dod yn ganolfan ddiwylliannol Gymraeg i'r ardal gyfan, gyda'r Tabernacl yn rhan annatod o'r berw hwnnw wrth i sawl côr a pharti fanteisio ar adnoddau'r capel i gynnal eu hymarferion a'u cyngherddau. Yn wahanol iawn i brofiad llawer iawn o gapeli Cymraeg ledled Cymry yn ystod y 1970au, yr wythdegau a'r naw degau, cyfnod o dwf oedd hwn yn hanes y Tabernacl.

Trobwynt arwyddocaol 2: Sefydlu cwmni elusen gofrestredig

Daeth trobwynt pwysig arall yn 2007 pan benderfynwyd cofrestru'r eglwys fel cwmni ac elusen gofrestredig, a sefydlu Bwrdd o Gyfarwyddwyr/Ymddiriedolwyr fel pwyllgor rheoli, gan hepgor y drefn o ethol diaconiaid. Roedd hwn yn gam mentrus iawn wrth dorri tir newydd ymhlith capeli Cymraeg.

Manteision

Un o'r manteision oedd galluogi'r eglwys i gyflwyno ceisiadau llwyddiannus am gymorth ariannol i ailadeiladu'r festri, gan ei throi'n adnodd cymunedol amlbwrpas nid yn unig i'r Tabernacl ond hefyd i'r gymuned ehangach. Gan fod y cyfansoddiad newydd yn datgan bod yn rhaid i draean y cyfarwyddwyr ymddiswyddo ar ddiwedd tymor o dair blynedd, mae dros 60 o'r aelodau wedi gwasanaethu ar y Bwrdd ers ei sefydlu a llwyddwyd i ddenu nifer o aelodau iau'r eglwys i wasanaethu arno.

Dyrannu cyfrifoldebau: Pwyllgorau

Ond efallai mai'r sgil effaith fwyaf arwyddocaol ar ôl sefydlu'r strwythur cyfansoddiadol gwahanol oedd ysgogi bwrlwm newydd wrth i ragor o aelodau dderbyn mai cyfrifoldeb ar y cyd yw'r gyfrinach i gyflawni gwaith yr eglwys. Er mai'r Bwrdd sy'n goruchwylio'r gwaith, fe'i cefnogir gan nifer o weithgorau a phwyllgorau sy'n gweithredu gweledigaeth a gofynion ymarferol yr eglwys mewn meysydd penodol.

Y Gweithgor Gweinidogaethau

Hwn sy'n gyfrifol am natur a phatrwm yr oedfaon. Hwn sydd yn llenwi'r Suliau, a threfnu bod aelodau'n barod i weinyddu'r cymun, bedyddiadau, priodasau ac angladdau.

Pwyllgor y Meddiannau

Hwn sydd yng ngofal materion yn ymwneud â chynnal a chadw'r adeiladau a'r tiroedd.

Pwyllgor yr Ysgol Sul

Hwn sydd yn trefnu rota a gweithgareddau eraill yr Ysgol Sul.

Y Gweithgor Cyfiawnder Cymdeithasol

Sy'n gyfrifol am yrru'r gwaith dyngarol ac elusennol

Cadeirydd: John Llywelyn Thomas

Ganed John yn 1946 ym Mhwll-y-glaw.

Graddiodd mewn gweinyddiaeth gymdeithasol ac astudiaethau cymdeithasol a sefydlodd yrfa genedlaethol yn y maes.

Bu'r gweithgor hwn gyfrifol am waith yr eglwys yn y maes hwn ers degawdau, ond dros y ddwy flynedd diwethaf mae'r galw wedi codi i lefel nad oedd neb erioed wedi ei ragweld. Cafodd 'Storm Dennis' effaith drychinebus ar ardal y Rhondda ar ddau achlysur, ac yn dynn ar ei sodlau daeth y pandemig Covid-19 gan greu anhrefn llwyr, yn enwedig ymhlith trigolion difreintiedig y gymuned. Trwy ymdrechion diflino'r gweithgor, llwyddodd yr eglwys i godi swm o £20,000 dros ddwy flynedd; defnyddiwyd yr arian yn bennaf i'w rannu rhwng achosion dyngarol lleol fel Banc Bwyd Taf Elái, a'r trigolion hynny a ddioddefodd ddifrod mawr o ganlyniad i'r llifogydd. Nid anghofiwyd chwaith am ein cyfrifoldeb rhyngwladol

Bwrdd y Cyfarwyddwyr / Yr Ymddiriedolwyr

Cadeirydd: Edwyn Evans

Ganed Edwyn yn 1954 yn Ninas Mawddwy a'i fagu yn Nolgellau.

Graddiodd mewn cemeg a chymhwysodd fel athro. Sefydlodd yrfa sirol fel gweithiwr cymdeithasol a swyddog prawf.

Ysgrifennydd: Gwilym Huws

Ganed Gwilym yn 1944 yn Yr Wyddgrug.

Graddiodd yn y Gymraeg gan ennill Diploma mewn Llyfrgellyddiaeth. Sefydlodd yrfa mewn astudiaethau gwybodaeth a llyfrgellyddiaeth.

Swyddog Ieuenctid a chymunedol: Eleri Mai Thomas (Wele 2.8.1)

Gweinidogaeth gydweithredol di-weinidog a chynllun olyniaeth

O holl gymwynasau niferus Parchg Eirian Rees i'r achos yn y Tabernacl dros yr hanner can mlynedd diwethaf, roedd un yn syfrdanol. Yr un fwyaf arwyddocaol a phellgyrhaeddol oedd gosod sylfeini i sicrhau olyniaeth gadarn at y dyfodol. Digwyddodd hyn cyn iddo ymddeol o fod yn weinidog anrhydeddus.

Gosod trefn oedfaon hunan cynhaliol yn ei lle

Roedd y Parchg Eirian yn ddigon hirben i sylweddoli bod dyddiau cyflogi gweinidog ar gapel wedi eu Rhifo. Sylweddolodd hefyd y byddai llai a llai o bregethwyr ar gael i ymweld â gwahanol gapeli i 'lenwi'r Sul'. Felly, yn gynnar yn y mileniwm newydd, cyflwynodd bapur heriol – "I'r dyfodol" – yn annog yr eglwys i fabwysiadu trefn amgen o gynnal y weinidogaeth trwy fanteisio ar ymrwymiad rhai o aelodau'r gynulleidfa i gynnal oedfaon yn achlysurol.

Ymateb yr aelodau

a) Derbyniwyd her ei neges gan y gynulleidfa, a chynigiodd pedwar o'r aelodau ofalu am dri Sul yr un y flwyddyn, gydag Eirian ei hun yng ngofal yr oedfa gymun bob mis, ac un oedfa deuluol gyda chymorth yr Ysgol Sul

b) Llwyddwyd hefyd i ddenu aelodau eraill i fod ar rota o'r rhai fyddai'n 'llywyddu' y rhannau agoriadol cyn trosglwyddo gweddill yr oedfa i'r sawl oedd yn traddodi'r bregeth neu'n cyflwyno myfyrdod. Fel y crybwyllodd Emlyn Davies, un o'r pedwar aelod i dderbyn yr her o ofalu am dri Sul y flwyddyn, 'Yn sgil y datblygiadau arwyddocaol hyn, diflannodd yr hen arferiad o fynychu oedfa mewn meddylfryd goddefol, lle byddai cynulleidfa gyfan yn eistedd yn ôl er mwyn gwrando ar un person yn arwain y defosiwn.' Yn lle hynny, cafwyd lleisiau gwahanol o Sul i Sul ac amrywiaeth o strwythurau i'r addoliad, gan gynnwys sesiynau rhyngweithiol.

c) Gwelwyd hefyd yr angen i feithrin aelodau fyddai'n fodlon derbyn yr awenau i weinyddu bedydd, priodas ac angladd yn ôl y galw, ac unwaith yn rhagor fe lwyddwyd i gael unigolion i dderbyn y cyfrifoldeb o gyflawni'r gwaith.

Llwyddiant 1: Oedfa rhithiol di-dor

Cam wrth gam, fe esblygodd y drefn newydd nes bod tua 70% o'r oedfaon mewn blwyddyn yn gyfan gwbl yn nwylo'r aelodau Tabernacl. Gwelwyd cryfder y trefniant hwn ar ei orau dros y deunaw mis pan fu'r capel ar gau oherwydd cyfyngiadau Covid-19. Yn y cyfnod hwn llwyddwyd i recordio oedfa rithiol bob Sul yn ddi-dor, yn bennaf drwy fanteisio ar barodrwydd rhyw 40 o'r aelodau i gyfrannu iddynt.

Llwyddiant 2: Aelodau'n paratoi oedfaon (Mab y Mans i'r adwy)

Bellach, wrth ddychwelyd unwaith yn rhagor i addoli yn y capel, cyflwynwyd rhai newidiadau i strwythur yr oedfaon, Mab Parchg Eirian Rees sef Geraint Rees – un arall o'r pedwar gwreiddiol i dderbyn yr her – yn cynnig cyngor a chefnogaeth i'r aelodau hynny sy'n barod i baratoi a chyflwyno oedfa.

Llwyddiant 3: Gwaith elusennol a dyngarol

Yn draddodiadol, mae'r Tabernacl wedi bod yn eithriadol o weithgar ers blynyddoedd lawer, gan estyn llaw i'r difreintiedig trwy gefnogi gwahanol elusennau o fewn yr ardal leol ac ym mhedwar ban byd. Bob blwyddyn, dewisir pedair neu pum elusen i dderbyn cyfran o'r casgliad elusennol misol, a'r eglwys hefyd sy'n gyfrifol am drefnu'r casgliad blynyddol ym mhentref Efail Isaf yn ystod Wythnos Cymorth Gristnogol. Mae aelodau'r eglwys hefyd wedi ymateb yn hael i ymgyrchoedd niferus DEC i gefnogi pobl ar draws y byd sy'n dioddef yn sgîl argyfwng neu drychineb. Ers degawdau, mae'r eglwys wedi bod yn cefnogi pobl ifanc wrth iddynt adael gofal, ac yn rhan o rota eglwysig i fwydo'r digartref yng Nghaerdydd. Ers blynyddoedd lawer bu'r Tabernacl yn casglu nwyddau i'r Banc Bwyd lleol, gyda gwirfoddolwyr hefyd yn helpu'r Banc Bwyd i gasglu nwyddau y tu allan i archfarchnad fawr leol adeg y Nadolig.

Llwyddiant 4: Storfa adnoddau i'r anghenus

Ond nid codi arian oedd pen draw ymdrechion dyngarol y gweithgor. Er enghraifft, yn ystod y deunaw mis y bu'r adeilad ar gau o ganlyniad i gyfyngiadau Covid-19, trawsnewidiwyd y capel i fod yn warws dros dro i storio casgliad helaeth o ddillad, dodrefn a chelfi cegin. Roedd hyn o ganlyniad i ymgyrch y gweithgor i dderbyn nwyddau gan aelodau'r Tabernacl a thrigolion Efail Isaf a'u dosbarthu ymhlith y rhai oedd mewn gwir angen. O ganlyniad i'r ymgyrch lwyddiannus hon, dangoswyd fod gwaith yr eglwys yn medru parhau'n ddi-dor er bod drysau'r capel ar gau i gynnal oedfa. Petaech yn digwydd taro i mewn i'r Tabernacl fory nesaf, fyddai neb yn gweld bai arnoch am droi'n syth ar eich sodlau gan feddwl eich bod wedi camu i mewn i siop ail-law ar ddamwain. O'ch blaen yn y cyntedd fe welech set deledu, padell ffrio, tegell, tostiwr, dodrefnyn pren solat a llond bocs o lestri te. A phetaech wedi cael dros y sioc gychwynnol a mentro i fyny'r grisiau i'r galeri, fe welech fod saith neu wyth o'r corau'n gorlifo o ddillad, sgidiau, dillad gwely a phob math o nwyddau i'r cartref yn aros i gael eu cludo i gwrdd â'r galw.

Llwyddiant 5: Cyd-weithio i bwrpas

Mae prysurdeb y Gweithgor yn deillio o'r cydweithio agos sydd wedi datblygu rhwng y Tabernacl ac elusennau a sefydliadau lleol trwy gysylltiadau parhaus John Ll. Thomas â nhw, a mawr yw diolch yr eglwys iddo am roi cymaint o gyfleoedd i ni wneud gwahaniaeth i'r rhai mewn angen. Yn ogystal â'r Gwasanaethau

Cymdeithasol, Grŵp Pobl, a Chymorth i Ferched Cymru, rydym erbyn hyn hefyd yn trefnu casgliadau penodol i Garmel, Blaenllechau sy'n darparu dillad o ansawdd i gwrdd â'r argyfwng dillad mewn mannau yn ne Cymru. Cryfder y Gweithgor yw bod y tîm yn gweithio'n hynod gydwybodol a diflino drwy'r flwyddyn, ac yn derbyn cefnogaeth hael yr aelodau a chyfeillion y Tabernacl gyda phob un o'r ymgyrchoedd maent yn eu lansio.

Mae'r holl negeseuon o ddiolch a dderbyniwyd, yn enwedig yn y ddwy flynedd diwethaf, oddi wrth elusennau, asiantaethau dyngarol a'r Gwasanaethau Cymdeithasol yn tystio i'w gwerthfawrogiad o'r hyn a wneir yn enw'r eglwys. Cafwyd cydnabyddiaeth bellach o'r cyfraniad hwn yn 2021 pan gyflwynwyd tystysgrif o gydnabyddiaeth gan Jason Edwards, Uchel Siryf Canol Morgannwg, i John Llewellyn Thomas ac i'r Tabernacl am eu hymroddiad i'r gymuned leol yn ystod y pandemig.

Llwyddiant 4: Yr Ardd Gymunedol: rhannu baich

Mae tua hanner erw o dir i'r gogledd-ddwyrain o fynwent y capel yn rhan o eiddo'r Tabernacl; hyd yn ddiweddar roedd y safle'n anniben iawn – y rhan helaethaf yn llawn drain a mieri, ynghyd â thomen anferth o bridd a adawyd yno pan ailadeiladwyd y festri. Yn ystod Hydref 2018, dechreuodd criw bach o aelodau'r eglwys, oedd ar eu pensiwn, gwrdd bob bore Iau i gymhennu ychydig ar y blerwch yn y fynwent trwy docio llwyni a choediach, a gosod llwybrau troed newydd fyddai'n ddiogel i'r teuluoedd oedd yn ymweld â'r fynwent. Ond wrth iddynt sgwrsio dros baned, eginodd yr awydd i fynd i'r afael â gwaredu'r gordyfiant ar dir y capel, yr ochr draw i glawdd y fynwent. Bob yn dipyn fe dyfodd y seiadau niferus ar foreau Iau yn weledigaeth uchelgeisiol iawn i hyrwyddo bioamrywiaeth yn yr ardal trwy blannu blodau gwyllt a gosod blychau adar. Erbyn gwanwyn 2020 roedd un o'r ardaloedd hyn yn wledd i'r llygad pan flagurodd y blodau gwyllt, a blannwyd yn ystod y gaeaf, am y tro cyntaf. Yr unig siom oedd bod yn rhaid i fwyafrif aelodau eglwys fwynhau'r wledd yn rhithiol gan fod Covid-19 bellach wedi cyfyngu ar eu gallu i fynd draw i Efail Isaf.

Er i ddrysau'r Tabernacl fod ar gau am ddeunaw mis rhwng canol Mawrth 2020 a dechrau Medi 2021, bwriodd y criw ymlaen â'r gwaith ar y tir; camp arwrol yn wir oedd clirio'r holl ffrwcs – gordyfiant blynyddoedd maith – hyd at y ffin bellaf un. Gan nad oedd modd gwaredu rhai boncyffion trymach a mwy ystyfnig na'i gilydd drwy nerth braich yn unig, huriwyd jac codi baw bach i roi hwb i'r ymdrech. Rhoddodd hyn gyfle i Edwyn Evans, un o'r criw bore Iau a Chadeirydd y Bwrdd, ddangos ei fedrusrwydd peirianyddol rhyfeddol wrth drafod y cloddiwr mor ddeheuig gan arbed amser ac egni'r gwirfoddolwyr.

Llwyddiant 6: Cefnogi lles ac iechyd meddwl yn yr ardd

Erbyn hyn roedd y criw yn sylweddoli bod gan yr eglwys adnodd awyr agored gwerthfawr iawn fyddai'n llesol i iechyd meddwl aelodau'r Tabernacl a'r gymuned leol. Gwelwyd fod yma botensial i osod meinciau a chreu gardd gymunedol lle gallai ymwelwyr fwynhau'r llonyddwch a gwerthfawrogi'r blodau yn y gwanwyn. Crybwyllwyd y weledigaeth ymhlith rhai o bentrefwyr Efail Isaf mewn cyfarfod rhithiol, a chofleidiwyd y syniad ganddynt; o fewn ychydig wythnosau, cynyddodd nifer y gwirfoddolwyr a sefydlwyd sesiwn ychwanegol bob bore Sadwrn. Gyda'r gwaith yn mynd rhagddo mor dda, awgrymwyd fod y Tabernacl yn cyflwyno cais am nawdd gan un o ymgyrchoedd Cadw Cymru'n Daclus fel y gellid datblygu'r safle ymhellach. Cyn diwedd 2021 cyrhaeddodd sawl llwyth lorri o offer a chelfi garddio, gan gynnwys eitemau fel tŷ gwydr, sied a mainc, ynghyd ag amrywiaeth fawr o blanhigion, yn enwedig llysiau a choed ffrwythau.

Mae'r prysurdeb yn yr ardd wedi parhau dros fisoedd y gaeaf. Erbyn gwanwyn 2022 fe ddaw cyfle – os bydd y pandemig yn caniatáu – i ragor o aelodau'r Tabernacl a thrigolion pentref Efail Isaf dreulio amser yn ymlacio a mwynhau'r golygfeydd wrth eistedd ar y meinciau newydd esmwyth sydd wedi eu darparu ar eu cyfer.

Llwyddiant 7: Manteisio ar y Rhaglen arloesi a buddsoddi

Am hanner can mlynedd oddi ar adfywio'r Tabernacl ar ddechrau'r 1970au, bu gweithio gyda phlant a phobl ifanc yn elfen allweddol o fywyd yr eglwys. Cafodd sawl cenhedlaeth o blant yr Ysgol Sul y cyfle i elwa o wersi a gweithgareddau allgyrsiol a gyflwynwyd gan do ar ôl to o athrawon profiadol a bywiog; yn yr un modd, derbyniodd cenedlaethau o aelodau Teulu Twm (y clwb ieuenctid) brofiadau cyfoethog a gwerthfawr iawn dan ofal cyfres o arweinyddion dawnus ac ysbrydoledig. Ond, yn 2019, wynebai'r Tabernacl broblem fawr wrth geisio dod o hyd i unigolyn neu unigolion addas i arwain y Twmiaid i lenwi'r bwlch pan fynegodd Heulyn a Catrin Rees eu bwriad i 'ymddeol' am yr eildro fel arweinyddion. Cyn i'r flwyddyn o rybudd ddod i ben, fodd bynnag, newidiodd y sefyllfa'n llwyr yn sgîl Covid-19 a bu'n rhaid gohirio'r mater am ddeunaw mis arall.

Yn y cyfamser – ar ddiwedd 2020, yn anterth y pandemig – estynnodd UAC wahoddiad i eglwysi'r enwad i lunio cais am nawdd ariannol dan eu rhaglen Arloesi a Buddsoddi. Byddai'r rhaglen hon yn eu galluogi i 'fuddsoddi yn eu dyfodol drwy fentro mewn ffyrdd newydd ac arloesol o hyrwyddo a chyhoeddi'r Efengyl, ac estyn allan i wasanaethu eu cymunedau a'u hardaloedd'. Cytunodd Bwrdd Cyfarwyddwyr y Tabernacl i dderbyn yr her â breichiau agored. Felly, yn ystod misoedd Ionawr, Chwefror a Mawrth 2021, cynhaliwyd cyfres o gyfarfodydd rhithiol adeiladol iawn ymhlith gwahanol garfanau o'r eglwys, a lluniwyd dadansoddiaoedd yn crisialu dyheadau a methiannau'r eglwys.

Daethpwyd i'r casgliad ein bod yn awyddus i ymgymryd â nifer o brosiectau, ond y gallem ofalu am y rhan fwyaf ohonynt o fewn adnoddau'r eglwys. Datblygodd consensws mai'r her fwyaf roeddem yn ei hwynebu fel eglwys oedd bywiogi'r ddarpariaeth ar gyfer yr ieuenctid, a'u cymell i fod yn rhan fwy amlwg o'r gweithgareddau cymunedol a dyngarol sy'n rhan mor ganolog o waith yr eglwys. Cytunwyd hefyd mai'r ffordd orau o wireddu hyn fyddai penodi Swyddog Datblygu rhan amser i greu asbri newydd ymhlith y bobl ifanc, ac i ddenu rhagor o aelodau i'r clwb ieuenctid (Y Twmiaid); ar yr un pryd, gellid lledaenu'r neges ymhlith ysgolion Cymraeg yr ardal am y gymdeithas egnïol sydd i'w chael yn y Tabernacl. (Ond stori gyffrous arall yw honno a welir yn 2.7.1)

Gair o gyngor

Mae'r tîm yn rhybuddio nad gweinidogaeth gydweithredol yw'r ateb gorau i bob eglwys ddi-weinidog, a rhaid cofio hynny wrth ystyried dilyn yr un llwybr. Ond, yn ffodus iawn, yn Efail Isaf mae canran uchel o'r aelodau, yn athrawon ysgol, darlithwyr coleg, darlledwyr ar y radio a'r teledu, cyfreithwyr a meddygon, wedi cael digon o brofiad o sefyll o flaen cynulleidfa. Lle ceir mwy na llond llaw o aelodau sy'n fodlon rhannu'r dyletswyddau, mae'r trefniant hwn yn medru cyfoethogi eglwys.

* * *

Taro sylw: Mae gweld yn bell a gweithredu cyn storm yn sgil arweinyddiaeth siarp. Gyda gweledigaeth, cynllun, tîm ac agwedd gall unrhyw beth ddigwydd – gan gynnwys ffyniant llewyrchus.

Ysbrydoliaeth

"Os yw brawd neu chwaer yn garpiog ac yn brin o fara beunyddiol, ac un ohonoch yn dweud wrthynt, 'Ewch, a phob bendith ichwi; cadwch yn gynnes a mynnwch ddigon o fwyd', ond heb roi dim iddynt ar gyfer rheidiau'r corff, pa les ydyw? Felly hefyd y mae ffydd ar ei phen ei hun, os nad oes ganddi weithredoedd, yn farw." Iago 2.15-17

"Oherwydd bûm yn newynog a rhoesoch fwyd imi, bûm yn sychedig a rhoesoch ddiod imi, bûm yn ddieithr a chymerasoch fi i'ch cartref; bûm yn noeth a rhoesoch ddillad amdanaf, bûm yn glaf ac ymwelsoch â mi, bûm yng ngharchar a daethoch ataf rwy'n dweud wrthych, yn gymaint ag ichwi ei wneud i un o'r lleiaf o'r rhain, i mi y gwnaethoch." Mathew 25. 35–36, 40

Cyfeirnodau

James, Allan a Davies, Emlyn (glon.) *Gwres yr Efail*. Efail Isaf Capel y Tabernacl Cyf., 2010. 40 tud.

Davies, Emlyn (gol.) *Dathlu'r 150*.
http//www.tabernacl.org/wpcontent/uploads/2020/07/Fersiwn-Derfynol-Atodiad-Dathlur-150.pdf

Tafod y Tab Cylchgrawn Capel y Tabernacl http//www.tabernacl.org/tafod-y-tab.

Cyswllt

www.tabernacl.org
capelytabernacl@gmail.com
GLTabernacl Efail Isaf
Sianel *YouTube* Tabernacl Efail Isaf

4.7.2 Parchg Emyr James

Gweinidog
Eglwys Efengylaidd Gymraeg
Caerdydd

Ganed Emyr yn 1984 ym Mhen-y-bont ar Ogwr. Mae'n fab i Wyn a Christine ac yn frawd i Eleri ac Owain. Yn 2013 fe'i hordeiniwyd i'r weinidogaeth Gristnogol gan Eglwys Efengylaidd Gymraeg Caerdydd. Mae Emyr yn briod â Catrin ac mae ganddyn nhw dair o ferched: Ania, Elsi a Moli.

Y cyfnod cyn i Emyr ymgeisio am y weinidogaeth

Cefais fy magu mewn cartref Cristnogol, ac roeddwn yn mynd i'r capel, ac i glybiau plant a gwersylloedd Cristnogol ar hyd fy mhlentyndod ac yn ystod f'arddegau. Ond yn fuan iawn fe ffeindiais fy hun mewn sefyllfa od. Roeddwn i'n deall ac yn credu gwirioneddau sylfaenol y neges Gristnogol – gan wybod hefyd fy mod i eisiau ac angen dod yn Gristion – ond roedd yn well gen i adael hynny tan rywbryd yn hwyrach mewn bywyd, a mwynhau fy hun yn y cyfamser!

Roedd fy nghynllun i'w weld yn gweithio'n iawn; ond diolch i Dduw, roedd ganddo gynllun gwahanol ar fy nghyfer. Wedi gorffen yn yr ysgol cymerais flwyddyn allan cyn mynd i'r brifysgol er mwyn gweld ychydig o'r byd. Tra oeddwn yn Ariannin, fe ddigwyddodd rhywbeth rhyfedd. Wrth edrych yn ôl, rwy'n sylweddoli mai Duw oedd wedi newid rhywbeth ynof fi. Ffeindiais fy hun yn dymuno darllen y Beibl a gweddïo; pethau oedd wedi bod yn ddiflastod imi cyn hynny.

Duw yn galw

Ar ôl ychydig wythnosau o hyn, dechreuais weddïo gan ofyn i'r Arglwydd fod yn amyneddgar gyda fi, ac i roi sicrwydd ffydd i mi. I dorri stori hir yn fyr, fe wnes i edifarhau i Dduw am fy ystyfnigrwydd yn oedi cyhyd, gan roi fy ffydd yn yr Arglwydd Iesu fel fy Ngwaredwr, a rhoi fy mywyd iddo.

Doedd dim syniad gen i beth oedd gan yr Arglwydd mewn stôr am weddill fy mywyd, felly wedi dychwelyd adre fe es i'r Brifysgol yn

Aberystwyth fel roeddwn wedi bwriadu. Yn ystod y blynyddoedd nesaf, roedd yr Arglwydd yn gynyddol ddangos i mi mai gweinidogaeth lawn amser o ryw fath oedd ei fwriad ar fy nghyfer, a chafodd yr alwad honno ei chadarnhau gan fy eglwys, Eglwys Efengylaidd Gymraeg Caerdydd, er nad oeddwn yn glir beth fyddai union natur fy ngweinidogaeth.

Cefnogaeth yr eglwys i alwad Emyr

Cynigiodd yr eglwys fy nghefnogi i astudio mewn coleg diwinyddol, ac fe gytunais i hynny gan dybio na fyddai'r profiad yn wastraff, beth bynnag a ddigwyddai. Ond yn syth fe brofais dangnefedd fod yr Arglwydd wedi fy arwain i'r lle cywir.

Er syndod i mi, wedi dwy flynedd o hyfforddiant yn y coleg, daeth y cynnig imi barhau yng Nghaerdydd – yn gyntaf fel 'gweinidog dan hyfforddiant' dan adain y Parchg Gwynn Williams, ac yna wedi iddo ymddeol, fel cyd-weinidog â Trystan Hallam, a oedd cyn hynny'n weinidog cynorthwyol yn yr eglwys. Parhaodd y trefniant hapus hwnnw am sawl blwyddyn, nes i Trystan dderbyn galwad i fod yn weinidog ar eglwys yn Nhredegar.

Beth yw bod yn 'efengylaidd'?

Efallai ei bod hi'n werth nodi beth rydyn ni'n ei olygu wrth y gair 'efengylaidd' yn enw'r eglwys. Yn syml mae'n golygu ein bod ni'n dibynnu'n llwyr ar awdurdod y Beibl fel Gair ysbrydoledig Duw. Dyma'r newyddion pwysicaf yn y byd ac felly rydyn ni'n chwilio am bob cyfle posibl i ddweud wrth eraill amdano.

Pobl yw eglwys, sydd wedi eu huno yn yr Arglwydd Iesu Grist ac yn ymrwymo i'w gilydd. Fel eglwys, rydym yn 'annibynnol', heb fod yn perthyn i unrhyw enwad – er ein bod ar lefel anffurfiol yn rhwydweithio ag eglwysi eraill yng Nghaerdydd ac ar hyd a lled y wlad, ac mae llawer o'n haelodau hefyd yn gysylltiedig â gweithgarwch MEC a mudiadau efengylaidd eraill.

Eglurai Emyr fod yr aelodau'n cyfrannu'n wirfoddol yn ôl eu gallu o ran amser, cyfrifoldeb ac arian i gynnal gwaith a gweinidogaeth yr eglwys. Mae'n dyfynnu o gyfansoddiad yr eglwys sy'n nodi hynny:

'Mae aelodaeth o'r eglwys yn agored i'r sawl sydd am addoli'n gyson yn yr eglwys. Rhaid i ymgeiswyr broffesu edifeirwch gerbron Duw a ffydd yn yr Arglwydd Iesu Grist, a rhaid iddynt ddwyn tystiolaeth gredadwy trwy eu hymddygiad beunyddiol fod eu proffes yn waith dilys gras Duw.

Gall aelod ddisgwyl gofal bugeiliol arbennig gan yr henuriaid a chariad a chymorth arbennig oddi wrth yr aelodau.

Bydd gan aelod yr hawl i drafod materion yn ymwneud â bywyd yr eglwys gyda'r swyddogion, ynghyd â'r hawl i gyfrannu ac i bleidleisio mewn cyrddau eglwys.

Disgwylir i aelodau fyw mewn modd a fydd yn gogoneddu Duw ac a fydd yn unol â'u proffes. Disgwylir iddynt dderbyn disgyblaeth yr eglwys. Disgwylir iddynt hyrwyddo lles ysbrydol ac undod yr eglwys, gan geisio ei gwasanaethu ym mhob ffordd bosibl a chan gynnal yn weddigar ac yn gariadus yr holl aelodau.

Disgwylir iddynt, hyd y bo modd, fynychu holl gyfarfodydd yr eglwys a chyfrannu yn weddigar ac yn aberthol tuag at eu hanghenion ariannol.'

Aelodaeth

Mae 40-50 o aelodau yn yr eglwys ar hyn o bryd. Ceir trawstoriad gweddol gyfartal o ran oedran a sefyllfa bywyd gan gynnwys pobl sengl a theuluoedd, plant ysgol a phensiynwyr. Arweinir yr eglwys gan henuriaid. Fel un o'r henuriaid, mae i Emyr fraint arbennig o weinidogaethu'n llawn amser. Ef felly sy'n cymryd y cyfrifoldeb pennaf am addysgu a bugeilio yn yr eglwys.

Gweithgareddau

Mae'r eglwys yn cynnal pob math o weithgareddau – wyneb yn wyneb pan fydd yr amodau'n caniatáu – a hefyd yn rhithwir, ac yn gynyddol yn hybrid. Maent yn cynnwys:

- clybiau plant
- boreau coffi
- sesiynau trafod hanes y Ffydd a llenyddiaeth Gristnogol.

Achlysuron arbennig

Ar adegau gwahanol o'r flwyddyn ceir hefyd achlysuron arbennig ym mywyd yr eglwys. Mae'r rhain yn cynnwys mynd ar wyliau gyda'i gilydd adeg y Pasg a chynnal pob math o ddigwyddiadau ar adegau fel y Nadolig neu Ŵyl Dewi.

Uchafbwyntiau wythnos yw oedfaon y Sul a'r cyfarfodydd gweddi ar nos Fawrth. Yma byddant yn ymgynnull fel eglwys i wrando ar Air Duw ac ymateb mewn addoliad a gweddi. Yn ôl Emyr, y gobaith yw bod hyn yn eu harfogi i gyflawni eu galwad fel pobl yr Arglwydd.

Nod yr eglwys

Cyn esgyn i'r nefoedd, rhoddodd yr Arglwydd Iesu gomisiwn i'w apostolion ac i'w eglwys:

"Ewch, gan hynny, a gwnewch ddisgyblion o'r holl genhedloedd, gan eu bedyddio hwy yn enw'r Tad a'r Mab a'r Ysbryd Glân, a dysgu iddynt gadw'r holl orchmynion a roddais i chwi. Ac yn awr, yr wyf fi gyda chwi yn wastad hyd ddiwedd amser". (Mathew 28.19–20)

Mae'r geiriau hyn yn cyfleu ein gweledigaeth a'n rheswm dros fodoli fel eglwys. Mae croeso i unrhyw un fynychu ein hoedfaon a'n cyfarfodydd cyhoeddus. Ond mae mwy i ddilyn Iesu na hynny, ac felly i fod yn aelod eglwysig, mae gofyn am ymrwymiad uwch na mynychu cyfarfodydd yn unig.

Roedd yr Arglwydd Iesu Grist yn barod iawn i dreulio amser â phobl o bob lliw a llun, gan eu croesawu a chyd-fwyta â nhw. Ond er mwyn dod yn ddisgybl, roedd raid i rywbeth newid. Roedd raid iddyn nhw ymwadu â nhw eu hunain, codi eu croes a'i ddilyn Ef. Roedd angen iddyn nhw gael eu bedyddio, yn arwydd allanol o'r golchiad o bechod a ddaw trwy ffydd yn Iesu Grist ac o'r uniaethu â Christ a'r bywyd newydd sydd ynddo Fe. Ac roedd raid byw o hynny allan er ei fwyn Ef.

* * *

Taro sylw: Mae pwyslais ar Y Gair, undod, achubiaeth, ymwadu â'u hunain a byw er mwyn Crist.

Ysbrydoliaeth

Canys byw i mi yw Crist, a marw sydd elw. Philipiaid1. 21

Sbardun

Lloyd-Jones, D. Martyn, 1959-1960, *Studies in the Sermon on the Mount*

Cyswllt

www.cwmpawd.org
gwybodaeth@cwmpawd.org
@Cwmpawd Caerdydd

4.8 Arweinwyr amrywiol

4.8.1 Trystan Lewis

Ysgrifennydd
Capel Peniel, Deganwy
Cerddor; arweinydd, organydd.
Blaenor, dyn busnes,
Cynghorydd Sir

Ganed Trystan yn 1978 yn Neganwy yn fab i Trefor a Beryl Lewis, yn un o bedwar o blant. Graddiodd yn Y Gymraeg, Hanes Cymru a cherddoriaeth. Mae'n gerddor llawrydd, yn arwain corau, yn organydd, yn beirniadu cymanfaoedd canu ac yn unawdydd ac mae'n berchen ar Siop Gymraeg Lewis yn Llandudno. Mae'n briod â Llinos ac mae ganddynt bedwar o blant; Leusa, Rhyddid, Brython ac Ebrill. Mae'r teulu wedi ymgartrefu yn Llanfair Talhaearn. Mae Trystan yn gasglwr hen geir, tractorau a llyfrau. Mae'n arddwr brwd.

Cefndir a magwraeth

Crefydd! Dyma bwnc rydw i wedi 'i drafod nifer o weithiau ar hyd y blynyddoedd. Ar y cyfan cefais gryn flas o'i drafod o ffwndamentalwyr rhonc i anffyddwyr digyfaddawd. Lle felly rydw i'n sefyll? Cwestiwn da! "Ges i 'nghodi yn y capel..." chwedl Huw Chiswell, dad yn flaenor ac yn athro Ysgol Sul, a mam yn organydd yn ei harddegau a'u hugeiniau.

Bu'r pedwar ohonom, fi a'm mrawd a'm chwiorydd yn blant y festri, dramâu'r Dolig ac ambell i sgets mewn oedfa blant. Roedd yna dîm pêl droed gan yr Ysgol Sul, yn chwarae yn erbyn Capel Mawr, Dinbych, Llansannan a Phandy Tudur os cofiaf, ymhlith timau eraill, ac roedd gâs gen i'r pêl-droed!

Athro'r Ysgol Sul yn ysgogi trafodaethau

Yn 8 oed cefais fynd am wersi piano at Catherine Watkin a chefais, yn wahanol i'r rhelyw, chwarae amrywiaeth o ddarnau, o'r darnau clasurol i themâu teledu ac emyn donau. Roeddwn yn ddeg oed yn chwarae i'r gwasanaeth boreol yn Ysgol Morfa Rhianedd ac wedyn yn yr Ysgol Sul cyn dechrau chwarae yn y capel, felly dwi wedi chwarae neu ganu'r organ am dros dri deg mlynedd erbyn hyn. Dad oedd yr athro Ysgol Sul, fel y soniais, ac roedd yna giang o bobl ifanc yn eu harddegau, oedd a'u hamheuon a'u barn eu hunain. "Ffêritêl ydi crefydd" fydda un yn deud "does 'ne'm Duw" fydda un arall yn deud, wrth geisio cythruddo hen ddyn fy nhad, ond fydda hwnnw yn 'styrbio dim yw dim ond yn ysgogi trafodaeth ac yn annog ei ddosbarth i roi eu barn ac mi fydda 'ne drafodaeth "fywiog" yn sgîl hynny.

Arholiadau Maes Llafur Cof

Mi fydda ni'n sefyll arholiadau Maes Llafur Cof ac mi fyddem yn gallu adrodd yn rhibidirês, "Arglwydd, pwy a drig yn dy babell? Y nefoedd sydd yn datgan... pe llefarwn a thafodau... dyrchafaf fy llygaid...Arglwydd mor ardderchog yw dy enw..." ac mi fydda'r rheina wedyn yn gwneud fel adnodau am wythnosau ar fore Sul. Does 'ne ddim byd yn anghyffredin yn yr uchod i nifer helaeth o blant Cymru am a fu.

Cefais yn un ar bymtheg oed fynychu dosbarthiadau derbyn yng nghwmni ein gweinidog, Parchg E. R. Lloyd-Jones, B.A., B.D., M.Th... roedd y llythrennau'n dilyn bob tro, a dosbarthiadau sych odiaeth oedden nhw. 'Dim llawer o drafodaeth, dim ond "fel hyn y mae hi" a dyna ni. Ychydig iawn bellach sy'n mwynhau trafod Crefydd, yn gam neu'n gymwys, 'deni fel teulu yn hoff o drafod pethau, ac mae trafod agweddau ar grefydd imi yn beth iach. Mi wnawn ni drafod rhywioldeb a rhywedd hylifol, Toriaid a sosialaeth, darlith Tynged yr Iaith yn ogystal â chanu sol-ffa rownd y bwrdd, peth na chawsom ni rownd y bwrdd wrth imi dyfu fyny, nid sol-ffa na thrafod gender fluidity yn yr wythdegau!

Trin a thrafod gyda'r plant

D'wn i'm a fydd fy mhlant yn gweld gwerth mewn oedfa a chapel, 'dwi wedi deud wrthyn nhw taswn i'n mynd o dan dractor yfory, y baswn ni'n hoffi iddynt barhau i fynychu capel pan fyddan nhw'n hŷn. Petai nhw'n mynd dim ond i glywed barn a damcaniaeth er mwyn iddynt lywio eu barn eu hunain, yn ogystal â chael cysur a thawelwch meddwl sydd i'w gael mewn oedfa.

Pwy a ŵyr faint o ddylanwad fu'r trin a thrafod arnynt hwy, wedi'r cyfan, y trin a'r trafod hynny sydd yn ffurfio ein barn a'n rhagfarn onid e? Dyna fu fy hanes i, beth bynnag.

Gwn am sawl un lle mae'u rhieni nhw yn anffyddwyr rhonc ac felly'r plant yn anffyddwyr, yn awtomatig bron. Fy marn i ydi bod yn dda i'r plant gael magwraeth yn yr Ysgol Sul, a rhydd iddynt hwy benderfynu ym mhen blynyddoedd os ydi'n dda iddynt ymddiried a phwyso ar ffydd.

Y ddau ddylanwad fwyaf ar Trystan yn ei arddegau oedd dau gymeriad, tebyg ac eto'n annhebyg – dau organydd, dau ddi-briod, dau gapelwr selog, ond gyda dwy bersonoliaeth cwbl wahanol.

Y cyntaf Eyton Roberts fu'n byw tros y ffordd i ni yn Neganwy; dyn o Fagillt, pan oedd y pentref hwnnw â phedwar capel a chôr cymysg a meibion, ac roedd yr Eyton ifanc yn organydd yn ei arddegau yno cyn mynd i Brifysgol Bangor gan dderbyn gradd mewn Ffiseg. Bu'n warden yn Neuadd Gilbert Murray yng Nghaerlŷr ac yn ddarlithydd yn yr Adran Addysg yn y Brifysgol. Roedd yn organydd yng nghapel Clarendon Park hefyd yn bregethwr cynorthwyol.

Dros y blynyddoedd buom yn trafod llawer ar grefydd a pherthynas crefydd â gwyddoniaeth. Dadl Eyton oedd mai damcaniaeth oedd sawl agwedd ar wyddoniaeth ac mai damcaniaeth oedd sawl agwedd o grefydd.

Buom yn trafod gweithiau cerddorol a chefais fenthyg recordiau o weithiau'r Meistri, clywais am ei brofiadau yng Nghôr y Coleg o dan arweiniad E. T. Davies, am ei dripiau Glyndebourne a'r Festival Hall, am Malcolm Sargent a Thomas Beecham ac Adrian Boult a daeth i adnabod Herbert Bargett yn lled-dda, côr feistr yr Huddersfield Choral. Dysgais am Claret, Earl Grey, darllen y *Times*, MG's, antîcs, Samuel Johnson, Petts yr arlunydd, gwrando ar Radio 3, am bobl fel T. I. Ellis, cyfaill i Eyton Roberts, a gwrando ar sawl agwedd o'i farn ar Gristnogaeth.

Soniodd am ei frawd, Robert oedd ar ei wely angau yn dioddef o'r T.B. pan oedd Eyton yn chwech oed, ac fel Violetta ar ddiwedd yr opera La Traviata, pan oedd Robert ar fin marw, cododd i eistedd yn ei wely a chanu emyn dop ei lais... cyn marw – nodwedd o farwolaeth y Diciâu mae'n debyg. Ar ei garreg fedd ym Magillt mae'r geiriau "*He died singing His praises*" Gadawodd marwolaeth ei frawd argraff ddofn ar Eyton a dyna oedd sail ei gred ddiysgog yn Nuw. Dyn eangfrydig oedd Eyton, yn un o organyddion Capel Deganwy Avenue ac yn bregethwr cynorthwyol...os nad yn bregethwr braidd yn ddwfn ac astrus, ond fe lywiodd fy marn ar sawl agwedd.

Yr ail Hwn – Arthur Mostyn – fu'n organydd Capel Bethlehem am dros hanner can mlynedd, ac organydd St John's Bae Colwyn am 32 mlynedd. Dyn a ddysgodd genedlaethau o bobl ifanc i ganu'r organ a phiano, a hynny yn gwbl wirfoddol. Roedd ei dad yntau fel Eyton, yn flaenor, ac roedd ei dad, yn ddyn eitha' anaml, yn loncian cyn mynd i'w waith fel bwtsier mewn clôs gwyn a gwasgod wen, yn cadw bwjis a cholomenod...nad oedd at ddant sedd fawr Capel Bethlehem. Cafodd Arthur Mostyn ffrae am fynd i Barc Eirias ar ddydd Sul a dywedwyd wrtho gan un o aelodau Bethlehem mai plant y diafol oedd yn mynd i'r parc ar y Sul. Doedd dim chwibanu i fod, paratowyd y cinio ar nos Sadwrn ac roedd ei dad yn eillio ar nos Sadwrn.

Cosbedigaeth dragwyddol

Roedd y Sul yn golygu tair oedfa ac Ysgol Sul, a rhwng hynny eistedd yn y parlwr. Roedd ei fam yn dioddef yn bur ddrwg o iselder a byddai Arthur Mostyn yr un fath, ond rhywsut roedd cymdeithas capel, culni, syberwyd Piwritanaidd a chyfarfodydd bob nos heblaw nos Sadwrn, (gan atgoffa rhywun o gerdd W. J. Gruffydd, 'Gwladys Rhys') yn ychwanegu at ei bruddglwyf.

Roedd cosbedigaeth dragwyddol ar ei frêns, a thua diwedd ei oes, ni allai godi allan o'r pydew hwnnw. Roedd Arthur yn llwyr ymwrthodwr ac yn cynrychioli'r gwaethaf o Anghydffurfiaeth rhywsut, sef barnu a beirniadu a thwt-twtian pobol. Er rhaid imi bwysleisio, roedd ei gyfraniad yn enfawr o ran dysgu cenedlaethau o organyddion ac fel y dywedodd Derwyn Jones amdano mewn cyfres o englynion "mae yntau am gordiau'r gân a dirgel enaid organ....di-lef ond huawdl yw o yn addolwr a'i ddwylo...aeth ei ddisgyblion yntau hyd ymhell er mawr glod i'w ddoniau..."

Y pwynt yw bod ein blynyddoedd ffurfiannol ni'n ein llywio gweddill ein hoes ac yn llywio ein barn am nifer o bethau gan gynnwys ein ffydd. Bu'r blynyddoedd ffurfiannol i'r ddau yn allweddol i ffurfio eu personoliaethau ac yn allweddol i mi wrth ffurfio barn ar bethau ac ar fy ffydd, un yn fwy cadarnhaol na'r llall.

Rhoddodd Trystan sgwrs flynyddoedd yn ôl ar gais Parchg Tecwyn Ifan i grŵp trafod ar nos Sul yn Llangernyw. Y testun oedd ganddo oedd tri dylanwad negyddol a thri dylanwad positif y bu crefydd arno.

Rhannu tri dylanwad positif

Nai'm ymhelaethu ar y sgwrs honno yma, ond mae sawl agwedd bositif a negyddol wedi bod arna i wrth imi ffurfio barn ar grefydd ac wrth lywio fy ffydd innau. Wedi'r cyfan, pobl sydd wedi dylanwadu arna i, y ddau uchod a enwais, er enghraifft, ynghyd â dysgeidiaeth Gristnogol Ysgol Sul a phregeth ynghyd â darllen, ac rwyf wedi cael blas ar ddarllen llyfrau fel *Iesu'r Iddew a Chymru 2000*, Pryderi Llwyd Jones, *Honest to God*, John A. T. Robinson a llyfrau eraill.

I mi mae crefydd fel darllen, does dim rhaid ichi ddarllen, mae yna filoedd o bobl nad ydynt yn darllen 'run llyfr o un flwyddyn i'r llall a dydyn nhw ddim gwaeth na gwell yn aml na neb arall. Ond mae darllen yn agor meddwl dyn, yn rhoi cysur iddo, "We read to know we're not alone" meddai William Nicholson, a siawns bod hi'r un fath gyda ffydd.

"Diffygiaswn pe na chredaswn weled daioni yn nhir y rhai byw" ydi hi genna i, testun cododd Gwyn Erfyl un pnawn dydd Sul tra roeddwn yn un o organyddion capel Deganwy Avenue, Llandudno.

Mae sawl agwedd negyddol wedi bod ar hyd y blynyddoedd; cael fy nhwyllo gan Dystion Jehofa yng Nghomins Coch, gan imi fynd yno ar wahoddiad i weld llawysgrifau cerddorol, ac wedi cyrraedd, dywedwyd wrthyf fod Duw wedi fy anfon i yno i ymuno â'r Tystion. 'Dwi erioed wedi teimlo dan gymaint o fygythiad, o fod mewn cornel, ac addawais y byddwn yn gadael y tŷ doed a ddêl, teimlad sinistr iawn.

'Dwi wedi ar y naill law ymdrin fel cerddor tros y blynyddoedd hefo rhai capelwyr ac Eglwyswyr sy'n hen gythreuliaid, ac ar y llaw arall wedi gweld pobl mewn cymdeithas sydd heb arlliw o grefydd fase'n gwneud unrhyw beth ichi, pobol fase ar eich ochr hyd y diwedd mewn rhyfel.

Fodd bynnag, mae yna bobl o ffydd 'rydw i'n eu hadnabod lle mae yna ryw gadernid yn perthyn iddyn nhw, pobl dda heb fod yn sych dduwiol a rheiny mae dyn fel fi'n ceisio eu hefelychu, gan fethu yn bur aml.

Troed mewn dau wersyll

Ar y Sul mae gen i droed mewn dau wersyll, oedfa Anghydffurfiol ym Mheniel, Deganwy am 9.30 y bore lle dwi'n dipyn bach o flaenor ac ysgrifennydd yr eglwys. Wedyn am 11.00 y bore, byddaf yn oedfa Anglicanaidd naill ai yn Eglwys Sant Trillo, Llandrillo-yn-Rhos, neu yn y chwaer Eglwys, Sant Siôr.

Rwy'n mwynhau pethau gorau'r ddau draddodiad, canu pedwar llais y traddodiad Anghydffurfiol, a phregethwyr am a fu, sydd ysywaeth bron a diflannu. Dim y pregethwyr sydd yn deud y stori, neu yn adrodd y rhethreg yn un rhuban:

"buIesufarwarygroestroseinpechodauermwyninnietifeddubywydtragwyddol".

Ynghyd â'r ffwndamentalwyr, pobl sy'n credu'n llythrennol ym mhob gair o'r Beibl, hyd yn oed yn yr anghysondebau a'r gwrth-ddweud! Iddynt hwy, Cristnogaeth ydi llyncu un bilsen a dyna ni, voila! Credu'r cwbl.

Dwi'n ei chael hi'n anodd cysoni Duw dial, Duw yn lladd ei fab, Abraham am ladd ei fab, y brenin Dafydd yn gwneud y fath anfadwaith...mi ddeudodd dad yn yr Ysgol Sul un tro mai hanes un wlad oedd yr Hen Destament, yn union fel tase fo'n llyfr hanes am Gymru neu Ffrainc dyweder, a bod eisiau rhoi rhannau ohono fo yn y bin!

Imi, y pregethwyr hynny oedd yn agor ein meddyliau, gan roi eu barn nhw ar destun, y parchedigion Meirion Lloyd Davies, Trefor Jones, O. R. Parry, W. H. Pritchard, Harri Parri, Emlyn Richards, Gerallt Lloyd Evans, Iwan Llewelyn Jones, Eryl Wyn Davies a William Davies ac eraill a phregethwyr lleyg ardderchog hefyd, oedd yn rhoi rhywbeth i ni gnoi cil drosto.

Y traddodiad Eglwysig wedyn, canu'r salm a'r Offeren ac anthem, a'r litwrgi yn bwysig, yn fwy na phregethu yn unig... ond mae arna i ofn (fel mae geiriau cân Gwenant Pyrs yn ei ddweud) "mae'r sioe yn darfod". I'r rhan fwyaf o bobl sydd yn sbïo o'r tu allan i mewn ar bethau, pa syndod sydd? Oherwydd mae'r enwadau yn dal i gecru a chweryla am fân bethau – mân bethau gweinyddol yn unig erbyn hyn. Mae hi'n unfed awr ar ddeg ar Anghydffurfiaeth ac mae penaethiaid yr enwadau yn dal i dindroi yn eu cawl eu hunain.

Does gan y rhan helaeth o aelodau bellach ddim syniad am uchel Galfiniaeth neu Fedydd trwy drochiad neu Annibynwyr ac Undeb, mae hi'n argyfwng cred yn y byd go iawn allan yn fan'ne, ac aralleirio dywediad arall, mae Rhufain yn llosgi ac mae'r arweinwyr eglwysi yn trio rhwystro'r fflamau hefo can-dŵr galwyn.

Gweinidog sy'n bopeth i bawb

Cofiwch chi, mi fedra i gydymdeimlo yn fawr hefo gweinidogion yn yr oes sydd ohoni, mae'n rhaid bod yn bopeth i bawb, ond hefyd wynebu'r fath ddirywiad, dau neu dri rhwng y seti yn rhygnu cadw'r drws ar agor.

Bugeilio a thrin pobl

Dwi'n argyhoeddedig hefyd bod yna rai gweinidogion anghymwys, nid o ran cymwysterau nag o ran argyhoeddiad ffydd, ond o ran y gallu i ymdrin â phobl, o ran bugeilio. Siawns mai hwn yw un o agweddau pwysicaf y weinidogaeth yw bugeilio praidd, yn y dyddiau hyn pan mae:

- unigedd yn salwch sydd ar gynnydd, ac

- yng ngwyneb yr ynysu anodd a fu yn gymaint rhan o effaithiau Covid-19.

Byw yn y wlad

Mae rhywbeth arbennig am gefn gwlad, ond i bob pwrpas, mae crefydd wedi diflannu o'r tir yma. Mae capeli ac Eglwysi ar eu holaf chwyth ac mae termau fel Annibynwyr a Hen Gorff ac aelod ac Ysgol Sul yr un mor ddiarth ac y byddai Irad a Goglau a Cyperspace yr un mor ddiarth i fy nain, ond rhywsut mae yna lai o ragrith a chulni a'r un cyfeillgarwch a chymwnasgarwch... a hynny heb grefydd. Y cwestiwn ydi, a ydi'r unigolion hynny yn hapus eu byd hebddo, yn fodlon? "nid ofnaf 'run Duw, pa Dduw sy'n bod?" oedd geiriau'r brenin Belsasar trahaus ar ei orsedd.

Ôl Covid-19

Mae dyn yn synhwyro newid mawr ar droed rhywsut yn y dyddiau ôl Covid-19, costau byw yn cynyddu, y glud sy'n cynnal cymdeithas yn colli'i afael, corau a chymdeithasau yn edwino. I mi, mae 'na ragrithwyr llwyr mewn Llywodraeth yn San Steffan. Mae gan i deimlad ei bod hi'n fyd anodd a bywyd yn un ymdrech fawr yn aml yn ddiweddar, ond dyna fu bywyd ym mhob cenhedlaeth mewn gwirionedd. Mae'r actorion yn newid ac mae rhywfaint o newid yn y set, ond ar y cyfan, yr un ydi testun y ddrama. Gellid dweud mai'r un hefyd yr un ydi Duw trwy'r cyfan ac yn sylfaenol yr hyn mae o'n cynrychioli er gwaetha' y lliwio y gwna dyn ohono – "er anwadalwch dyn, yr un yw Ef o hyd. Y Graig ni syfl ym merw'r lli, nesáu at Dduw sydd dda i mi" Mae'n dda inni gael Bod Mawr, beth bynnag yw ein dehongliad ni ohono fo. Mi ofynnodd 'ne ohebydd un tro i hen ledi fach wrth iddi ddod o'r capel, "am be' oedd y bregeth?" "nefi, chofiai ddim" "am beth oedd y darlleniad?" "wchi be? dwi'm yn cofio" "beth am y weddi?" "dim syniad" "pa emynau oedden nhw?" "dim obadeia" "wel pam dachi'n mynd te?" "dwi'n teimlo'n well o fod wedi bod, ac yn cael cysur"

Yn yr oes gymharol ddi-dduw sydd ohoni, ble mae lle i gymdeithas mor unigolyddol? Dim syndod bod cymaint o anhapusrwydd ac ansicrwydd, os nad yw dyn yn cael cysur, a theimlo'n well o bwyso ar rywbeth mwy nag ef ei hun, ac o fynychu oedfa'n eitha' bodlon ar ei fyd. Ddim mewn ffordd hunanfoddhaol, smyg, ond yn fodlon, "bodlon ydwyf, i'w hwynebu gyda Thi" medde Elfyn yn ei emyn, yna mae hi'n dda inni wrth ffydd, yn dda inni wrth grefydd yn fy marn fach i.

* * *

Taro sylw: Byddwn yn cael gryn gysur o bwyso ar rywbeth mwy na ni ein hunain, sydd ddim yn gyfnewidiol fel mae amgylchiadau a dynion. Er ein holl ddehongliadau ohono "er anwadalwch dyn, yr un yw Ef o hyd. Y Graig ni syfl ym merw'r lli, nesáu at Dduw sydd dda i mi"

Ysbrydoliaeth

Fy nheulu, y wlad, gweithio ar hen geir a thractors, cerdded y cŵn, cerddoriaeth, cyfansoddwyr, arweinyddion a pherfformwyr (fu ac sydd) ac ambell wleidydd

'... yr oedd gan y bobl galon i weithio' Nehemeia 4.6

Emyn William Williams, *Caneuon Ffydd*, Rhif 687

Dal fi fy Nuw, dal fi i'r lan
'n enwedig dal fi lle 'rwy'n wan

Sbardun

Jones, Pryderi Llwyd, 2000, *Iesu'r Iddew a Chymru 2000*

Cyswllt

trystanlewis@aol.com

4.8.2 Marian Lloyd Jones

Ysgrifennydd
Llywydd Henaduriaeth y Gogledd Ddwyrain
Ysgrifennydd Capel y Groes

Ganed Marian yn 1961 ac fe'i magwyd yn Llansannan. Bu'r teulu'n aelodau o Gapel Coffa Henry Rees a mynychodd Marian Ysgol Gynradd Llansannan ac Ysgol Uwchradd Glan Clwyd. Bu'n weithgar gyda'r Ffermwyr Ieuanc yn lleol a chydag Aelwyd yr Urdd, Llansannan. Yn 1998 yn Eisteddfod Genedlaethol yr Urdd Bro Colwyn, fe'i dewiswyd yn Frenhines yr Urdd. Dilynodd gwrs ysgrifennu yn y Gymraeg a chwrs gradd. Yn 1993 priododd â Geraint ac mae ganddynt ddau o blant sydd bellach yn oedolion sef Siwan a Berwyn.

Dylanwadau

> Yn ystod fy arddegau cafodd fy ngweinidog Parchg Eric Jones ddylanwad arbennig arnaf. Hefyd yn yr un bûm yn mynd i Undeb Cristnogol Ysgol Glan Clwyd, Llanelwy. Jim (James Clarke) oedd un o'r arweinwyr a byddai'r Parchg Gwilym Ceiriog Evans, gweinidog capeli'r Groes a Henllan hefyd yn dod atom yn rheolaidd. Roeddent y ddau yn medru uniaethu efo pobl ifanc ac yn cyflwyno'r ffydd Gristnogol mewn ffordd berthnasol i ni ac yn ymarferol iawn. Bûm yn mynd i Astudiaeth Feiblaidd dan arweiniad Gwilym Ceiriog. Cafodd ddylanwad mawr arnaf yn fy arddegau. Yn ddiweddarach aeth Gwilym Ceiriog ymlaen i fod yn Warden Coleg Trefeca. Pan aeth Jim Clarke i arwain Coleg y Bala ac yn ddiweddarach fe'i hordeiniwyd yn weinidog.

Swydd gyntaf Marian oedd rhoi cymorth gweinyddol i Gyfarwyddwr y Cyngor ar Alcohol yn y Gogledd. Teimlodd alwad i weithio mewn gwaith Cristnogol ac fe'i hapwyntiwyd yn Swyddog Ieuenctid Cynorthwyol yng Ngholeg y Bala. Treuliodd bum mlynedd yno yn cynorthwyo James Clarke. Yn 1991, symudodd i weithio fel gweithiwr cenhadol gydag eglwysi EBC yr ardal a bu yn y swydd am bum mlynedd cyn canolbwyntio ar fagu ei theulu. Yn y cyfnod hwnnw cafodd Marian wahanol swyddi rhan amser yn bennaf gyda Chyngor Bwrdeistref Sirol Wrecsam. Ymddeolodd yn 2020 a hithau ar y pryd yn Ysgrifenyddes/Cynorthwyydd yn Llyfrgell Wrecsam. Ar hyd y blynyddoedd bu gweithio'n rhan amser yn ei galluogi i wirfoddoli yn yr Eglwys a'r gymuned.

Llywydd Henaduriaeth y Gogledd Ddwyrain

Bu 2020 yn flwyddyn brysur rhwng popeth oherwydd:

- fe'm henwebwyd yn Llywydd Henaduriaeth EBC y Gogledd Ddwyrain (grŵp o gynrychiolwyr eglwysi EBC Sir Fflint, Wrecsam, Manceinion a Lerpwl)
- roeddwn yn un o drefnwyr Eisteddfod Powys 2000, Rhosllannerchrugog ac
- agorodd fy merch Siwan siop Gymreig a minnau fel rhiant yn ei chynhorthwy.

Cyfnodau Clo Covid-19

Fe'n gorfodwyd i gau capeli ac osgoi cymysgu hefo pobl. Syrthiodd y cyfrifoldeb yn drwm arnaf fel ysgrifennydd y capel i gyfathrebu gyda'r aelodau ac fel llywydd yr Henaduriaeth i gyfathrebu gyda'r eglwysi. Yna pa ddaeth yn amser i ail agor gorfu imi gwblhau asesiadau risg a bod ar gael i roi cymorth a chyfarwyddyd i'r eglwysi. Drwy'r cyfnodau hyn cawsom gyfarwyddiadau o swyddfa ganolog EBC yng Nghaerdydd i'w trosglwyddo i bob eglwys dan ein gofal.

Daeth Covid-19 a'i gyfleoedd newydd ac un ohonynt oedd cyfathrebu drwy'r we. Datblygodd hwn yn gyflym i gynnwys cynnal gwasanaethau drwy *Zoom* a darlledu o'r capel ar grŵp GL y capel.

A hithau bron i ddwy flynedd ers Covid-19 mae rhai yn parhau i hunan ynysu am resymau meddygol, ac eraill oherwydd ansicrwydd. Fe fydd cyfathrebu drwy'r we yn arhosol ac yn fanteisiol. Mae niferoedd Grŵp GL yn codi hefyd. Er nad yw pob un yn aelod mewn eglwys cânt fendith o ymuno â ni. Dyma ddehongliad cyfoes ar genhadaeth ein heglwysi i'r dyfodol.

Trosglwyddwyd nifer cyfarfodydd a gweithgareddau wyneb yn wyneb i'r we. I'r perwyl hwn, prynodd yr Henaduriaeth gyfrif *Zoom*. Fe'i defnyddiwyd yn helaeth i gynnal cyfarfodydd, gwasanaethau a myfyrdodau amrywiol. Dyma ddehongliad cyfoes o weinidogaethu.

Gwerthfawrogwyd hynny yn enwedig gan rhai eglwysi sydd heb weinidog ac eraill fu ar gau am dros y ddwy flynedd.

Agwedd arall o'n gwaith a effeithiwyd gan y pandemig oedd y cyswllt gydag ysgolion. Ers sawl blwyddyn bellach bu gennym ni (a nifer o eglwysi eraill o Fôn i Fynwy) gwmni Agor y Llyfr. Cawsom gymorth arbennig gan Weithiwr Plant, Ieuenctid a Theuluoedd EBC ardal Sir y Fflint i ymgyfarwyddo a'r prosiect.

Prosiect 'Agor y Llyfr'

Prosiect yw Agor y Llyfr dan adain Cymdeithas y Beibl sy'n cynnig cynllun o gwmpas straeon y Beibl i ysgolion. Mae bob stori yn o tua 10 munud o hyd. Maent yn dilyn themâu gwahanol ac wedi'u dramateiddio. Gall y cyflwyniad fod yn rhan o wasanaethau ysgol neu amseroedd addoli mewn ysgolion. Gan amlaf, mae'r timau'n defnyddio props a gwisgoedd i gyflwyno'r straeon mewn modd bywiog. Mae hyn yn apelio fawr at y plant, mae'n boblogaidd gyda'r athrawon ac fe gawn ninnau'r cwmni drama fodd i fyw hefyd!

Mae'r rhaglen dair blynedd o straeon wedi ei baratoi gyda chymorth addysgwyr profiadol ac wedi ei seilio ar Feibl Newydd y Storïwr.* Mae pob stori wedi ei sgrapiet gyda chanllawiau i'r storïwyr eu dilyn. Fe'i lluniwyd ar gyfer plant oed ysgol gynradd: plant o bob cred a phlant heb gred.

Maent yn gallu gwylio a mwynhau'r straeon drostynt eu hunain.. Ei bwrpas yw adrodd stori. Nid ydym yn pregethu nag yn efengylu. Mae'r straeon yn cyflwyno storiâu am gymeriadau adnabyddus ac maent hefyd yn ymdrin â gwerthoedd fel: cariad, caredigrwydd, ffydd, gwroldeb, amynedd a dewrder.

Mae prosiect Agor y Llyfr yn helpu ysgolion i gyrraedd oblygiadau statudol i gynnal addoliad ar y cyd yn ddyddiol sydd yn "ei gyfanrwydd neu'n bennaf o dueddiad Cristnogol".

Mae ein tîm ni yn mynd i dair ysgol Gymraeg yn ardal Wrecsam. Cyn bo hir fe fydd ysgol Gymraeg newydd arall – Ysgol Llan-y-pwll – yn agor yn ardal Borras o'r dref. Elfen bwysig o'r ymweliadau gydag ysgolion ydi fod cyfle i blant helpu drwy wisgo fel cymeriadau o'r stori ac weithiau'n dweud brawddeg neu ddwy fel rhan o'r stori. Mae'n hwyl i ni fel tîm ac i'r plant. Byddwn bob amser yn cael croeso cynnes yn yr ysgolion a gwerthfawrogir ein hymweliadau gan yr athrawon. Wrth gwrs, daeth ymweliadau i ben gyda Covid-19 a bydd rhaid meddwl am ffyrdd eraill o gyflwyno'r straeon.

Dan gyfarwyddyd ein Gweithiwr Plant ac Ieuenctid, aethom ati i gyfarfod ar *Zoom* a recordio un stori ar y tro. Yna anfonwyd y fideo i bob Ysgol Gymraeg yn Siroedd Wrecsam a Fflint. Mae'r plant yn mwynhau'r straeon fel y clywais un diwrnod pan oeddwn yn cerdded y ci yn y parc! Roedd criw o fechgyn yn chwarae a dywedodd un, "Ydach chi'n dod 'n ôl i Ysgol Plas Coch efo Agor y Llyfr?" Atebais fy mod fel arfer yn dod ond oherwydd y pandemig ein bod yn anfon fideo o'r straeon. Ei ateb oedd "Ia, ac maen nhw dal yn dda!". Rhoddodd ymateb positif y bachgen hwnnw hwb a sbardun i'r tîm i barhau efo'r fideos.

* * *

Taro sylw: Mae cynlluniau ar waith i baratoi cwricwlwm newydd i ysgolion Cymru a bydd yn ofynnol i ysgolion fanteisio ar yr hyn sydd ar gael yn eu cynefin. Mae Cymdeithas y Beibl, yn cynhyrchu deunydd ac arweiniad er mwyn galluogi eglwysi lleol i fanteisio ar y cyfleoedd i ddyfnhau eu cysylltiadau â'u hysgolion lleol.

Mae brosiect Agor y Llyfr sy'n adlewyrchu pontio effeithiol rhwng ysgol ac eglwysi lleol yn mynd o nerth i nerth ar draws Cymru.

Ysbrydoliaeth

"Gofalwch am bobl Dduw fel mae bugeiliaid yn gofalu am eu praidd. Gwnewch hynny'n frwd, dim am eich bod chi'n cael eich gorfodi i wneud, ond am mai dyna mae Duw eisiau. Ddim er mwyn gwneud arian, ond am eich bod yn awyddus i wasanaethu. Peidiwch ei lordio hi dros y bobl sy'n eich gofal chi, ond eu harwain drwy fod yn esiampl dda iddyn nhw." (1 Pedr 5.2-3 BNET)

Sbardun

Wilkerson, David & Cameron, Dante, 2002, *Cross & the Switchblade: The Greatest Inspirational True Story of all Times*

Cyfeirnod

Sarah Morris, Trefnydd Prosiect Agor y Llyfr yng Nghymru
sarah.morris@ebcpcw

Cyswllt

geraint.w.jones@btinternet.com

4.8.3 Delyth Wyn Davies

Swyddog Dysgu a Datblygu

Ganed Delyth (Lloyd) yn 1961 ac fe'i magwyd yn Llandudno. Hyfforddodd fel athrawes a bu'n dysgu mewn ysgolion cynradd cyn ei phenodi'n Swyddog Gwaith Plant Cenedlaethol i EBC a'i lleoli yng Ngholeg y Bala. Bu hefyd yn Gyd-gysylltydd Cymru i Gymdeithas Genhadol y Bedyddwyr a bellach mae hi'n Swyddog Dysgu a Datblygu i'r Eglwys Fethodistaidd. Mae Delyth a'i gŵr Aled yn byw yn Chwilog ac mae ganddynt ddau o blant, Gruffydd a Llio.

Cefndir a magwraeth

Cefais fy magu ar aelwyd Gristnogol gyda'r teulu'n mynychu capel ac Ysgol Sul Bethania, Craig y Don, Llandudno. Gweinidog oedd fy nhaid ar ochr fy mam. Ei wasanaeth olaf oedd fy ngwasanaeth bedydd. Bu ffydd ac ysbrydolrwydd fy Nain yn ddylanwad mawr arnaf.

Grym yr Ysbryd Glân

Pan es i'r coleg, deuthum yn ffrindiau gyda rhai yr oedd eu ffydd yn treiddio i bob rhan o'u bywydau. Roedden nhw'n llawn diolchgarwch, llawenydd a chariad ac roeddwn innau'n dyheu am hynny. Wrth sgwrsio gyda nhw ac archwilio drosof fy hun, sylweddolais fod ganddynt berthynas real gydag Iesu, eu bod nhw'n ei adnabod fel ffrind. Arweiniodd hynny fi i fynd ar fy ngliniau ac ymbil arno i ddod i'm bywyd i. Teimlais rym yr Ysbryd Glân y noson honno a newidiodd y profiad gyfeiriad fy mywyd o hynny ymlaen.

Galwad i waith Cristnogol: ffydd ar waith

Dros y blynyddoedd a ddilynodd teimlais fy mod yn cael fy ngalw i waith Cristnogol o ryw fath er gwyddwn nad oeddwn wedi fy ngalw i'r weinidogaeth ordeiniedig. Ynghlwm wrth yr alwad i ddilyn Iesu y mae'r alwad i wasanaethu Duw ym mha faes bynnag y cawn ein hunain ynddynt, yn fy achos i, fel athrawes a thrwy amrywiol weinidogaethau o fewn yr Eglwys yn ogystal ag yn fy mywyd personol.

Trwy wasanaethu'r Eglwys mewn swyddi yn cyfuno addysg a chred mae fy adnabyddiaeth o Dduw wedi dyfnhau a chyfoethogi fy mywyd. Pan oeddwn yng Ngholeg y Bala gweithiais gyda channoedd o blant a phobl ifanc o bob rhan o Gymru a thu hwnt. Braint oedd bod yn rhan o dîm yn cyflwyno'r ffydd Gristnogol trwy ffyrdd amrywiol a hwyliog mewn awyrgylch diogel a chariadus.

Cefais fy nghyffwrdd dro ar ôl tro gan symlrwydd ffydd plant a'u hawydd naturiol i sgwrsio am Iesu ac i roi eu ffydd ar waith mewn ffyrdd ymarferol. Bu hefyd yn fraint dod i adnabod arweinwyr gwaith plant ar draws Cymru wrth ddarparu adnoddau a hyfforddiant a fyddai o gymorth iddynt yn ei gwaith. Deuthum i werthfawrogi'r holl bobl sydd wedi rhoi o'u hamser a'u hegni yn wirfoddol ar hyd y blynyddoedd i feithrin ffydd plant a phobl ifanc trwy gynnal Ysgol Sul a chlwb ieuenctid a mynd gyda nhw i wersylloedd. Dyna ydy gweinidogaeth werthfawr.

Natur y gwaith

A bellach trwy fy ngwaith i'r Eglwys Fethodistaidd datblygwyd dyfnder ac ehangder fy ffydd ymhellach trwy fod yn rhan o fywyd eglwys sydd mor eang ei natur â'i diwinyddiaeth. Mae'n enwad ble mae efengylu yn cael y flaenoriaeth.

Ceir hefyd bwyslais ar gyfiawnder cymdeithasol ac ar fod yn gynhwysol. Gwnaethpwyd penderfyniadau yn eu cynhadledd ddiweddaraf ar Gyfiawnder, Urddas a Chydsafiad ac ym maes priodas a pherthnasoedd gan gynnwys priodas un rhyw.

Dysgu a'r datblygu

Cefnogi capeli, cylchdeithiau, synodau a chyfundeb mewn gwahanol weinidogaethau. Mae'n cynnwys:

- hyfforddi ac arwain mewn meysydd fel adolygiadau a chynllunio cenhadol, galwad, arweinyddiaeth
- goruchwylio gweinidogion, pregethwyr lleol, grwpiau bychain
- cydweithio yn gadarnhaol mewn sefyllfaoedd o wrthdaro neu fwlio ac aflonyddu, rhagfarn anymwybodol
- diogelu, gwaith Cymraeg a dwyieithog a gwaith ecwmenaidd

The Big Sleepover

Trwy waith plant ieuenctid a theuluoedd yr Eglwys Fethodistaidd bum yn rhan o gynlluniau fel *The Big Sleepover* gyda chriw o bobl ifanc o wahanol rannau o Ogledd Cymru. Buont yn treulio penwythnos cyfan yng Nghapel Ebeneser Caernarfon – ches i fawr o gwsg bryd hynny!

Taith Gyfnewid

Braint oedd helpu gyda threfniadau *YWAG* ar gyfer Taith Gyfnewid i bobl ifanc o Gymru a Jamaica.

Ymhlith y siaradwyr Cymraeg a fu'n rhan o'r cynllun oedd fy mab Gruffydd sydd bellach yn aelod gweithgar yn ei eglwys.

3Generate

Bûm yn chwarae rhan yn *3Generate*, sef cynhadledd gydag amrywiol weithgareddau i dros fil o blant ac ieuenctid o'r Eglwys Fethodistaidd. Y nod yw eu galluogi i drafod materion sy'n bwysig iddyn nhw fel rhan o eglwys Iesu Grist a chyfleu hynny i weddill yr eglwys.

Mae'r gynhadledd yn seiliedig ar yr egwyddor fod cyfranogi i fywyd yr eglwys yn rhywbeth i bawb o bob oed mewn eglwys gynhwysol. Mae *3Generate* yn cael ei rhedeg gan dîm o bobl o bob oed, gan gynnwys plant ac ieuenctid.

Yr uchafbwynt i mi oedd pan drefnwyd i ferch ifanc 10 oed sy'n byw gyda thiwmor ac sy'n llysgennad i elusen ganser ddod i siarad gyda phlant oed cynradd am ei phrofiad. Roedd ei hagwedd gadarnhaol am ei salwch a'i ffydd yn rhyfeddol a'r gwrandawiad a gafodd yn syfrdanol.

Effaith y gwaith arni hi'n bersonol

Drwy'r holl gyfleoedd hyn, trwy'r gwahanol weinidogaethau hyn ac eraill fel Y Gorlan yn yr Eisteddfod a'r grŵp addoli Canu'n Llon, cefais fy nghyfoethogi am herio'n bersonol. Teimlaf fy mod yn tyfu a datblygu fel disgybl i Iesu Grist.

Discipleship a'i arwyddocâd

Bu'r gair 'disgybl' yn allweddol i mi ym mhob un o'm swyddi y soniais amdanynt sef '*discipleship*' (a'r ymadrodd '*to disciple*'). Bu'n destun trafod sawl gwaith gan fod y cysyniad yn graidd i fy ngwaith a'r gweinidogaethau y bûm ynghlwm â nhw. Rwy'n perthyn i'r '*Discipleship Working Group*' a gwn am eglwysi sy'n cynnal grwpiau 'discipleship', Hefyd bu'n achos rhwystredigaeth am nad oes yna un gair Cymraeg yn cyfleu ehanger y gair Saesneg. Mae'n fwy na 'disgyblaeth (Gristnogol)' a 'bod yn ddisgybl' a 'gwneud disgyblion' – mae'n cynnwys y rhain i gyd a mwy.

Mae'n golygu dysgu wrth fod gyda rhywun neu ddilyn rhywun, mae'n brofiad sy'n trawsffurfio bywyd cyfan, yn broses gydol oes.

Rhannu'r Gair

Er bod yr alwad i fod yn ddilynwr i Iesu yn un bersonol nid yw byth yn breifat. Mae bod yn ddisgybl i Iesu yn ymwneud â pherthynas – perthynas ag Iesu a pherthynas ag eraill, ac ar fod yn rhan o gymuned yr eglwys a'r gymuned ehangach.

Mae llawer o weinidogaethau'r Eglwys Gristnogol yn gyfrifol i'r eglwys gyfan ac i ni bob un, yn enwedig mewn meysydd fel:

- addoli
- dysgu a gofalu
- bugeilio
- cenhadu
- gwasanaethu

* * *

Taro sylw: Ein cyfrifoldeb ni fel disgyblion yw tyfu mewn ffydd ac adnabyddiaeth o Dduw, rhannu'r efengyl a meithrin disgyblion newydd, cynnal ein gilydd mewn gweddi, gofalu am ein gilydd mewn ffyrdd ymarferol ac estyn allan at ein cymunedau gan efelychu cariad Iesu.

Ysbrydoliaeth

"Gwyddom fod Duw, ym mhob peth, yn gweithio er daioni gyda'r rhai sy'n ei garu, y rhai sydd wedi eu galw yn ôl ei fwriad". (Rhufeiniaid 8.28)

Sbardun

Hayns, Clare, *Women of the Old Testament and the choices they made*

Cyswllt

daviesd@methodistchurch.org.uk

4.8.4 Carys Whelan

Cyn-lywydd
Yr Eglwys Gatholig Rufeinig yng Nghymru: Comisiwn Undod yr Archesgobaeth

Ganed Carys yn 1942 yn yn Nhonpentre, Rhondda. Graddiodd yn y Gymraeg a Cherddoriaeth a gweithio fel athrawes a thiwtor y Gymraeg. Mae bellach wedi ymddeol. Mae'n briod â Patrick ac yn byw ym Mro Morgannwg. Mae ganddynt bump o blant a saith o wyrion. Mae Carys yn cadeirio Comisiwn Undod yr Archesgobaeth a chafodd ei hanrhydeddu gan y Pab Benedict XVI yn 2000 am ei gwaith gyda Chytûn.

Cefndir a magwraeth

Deg oed oeddwn i, mewn côt a het fach newydd, yn y pulpud yn wynebu llond ein capel, Hebron Ton Pentre. Yma roedd UBC yn cynnal eu cyfarfod blynyddol. A fi gafodd fy newis i ddarllen Y Gwynfydau yn yr oedfa agoriadol.

Ddeng mlynedd ar hugain yn ddiweddarach, dyma fi eto o flaen tyrfa eang yn darllen y llith yn Offeren Caeau Pontcanna pan ddaeth John Paul II i Gymru. Roedd y nerfau'r un mor boenus yn y ddau ddigwyddiad. Roedd y ddau achlysur yn fraint fythgofiadwy hefyd.

Yn Hebron ces i fy magu, yno dysgais adnodau ar gyfer cwrdd y bore a salmau ac emynau'r plant yn yr Ysgol Sul; a'r emynau mawr ac anthemau clasurol yn yr Ysgol Gân ar gyfer pob Cymanfa Ganu. Yn ein teulu ni o dri o blant, roedd holl straeon y Beibl yn gyfarwydd â'r cariad at yr ysgrythur yn etifeddiaeth gadarn.

Am gyfnod, fy hoff adnod ar fore Sul oedd 'Eiddo'r Arglwydd y ddaear a'i chyflawnder, y byd ac a breswylia ynddo'. Mae hyn wedi atseinio drwy'r degawdau wrth inni fyw ym Mro Morgannwg a rhyfeddu at y planhigion a'r coed a byd natur o'n cwmpas. Byddaf yn syllu ar ehangder awyr y nos, a chlywaf eiriau'r salmydd 'Pan edrychaf ar y nefoedd, gwaith dy fysedd ... pa beth yw meidrolyn iti ei gofio, a'r teulu dynol, iti ofalu amdano?'

Daeth dyddiau coleg â chwilfrydedd i fynd gyda ffrindiau i ymweld ag eglwysi a chapeli eraill. Roeddwn yn astudio cerddoriaeth ac yn ffeindio darlithoedd hanes cerdd dipyn yn anniddorol – arna i oedd y bai, mae'n siŵr! Ond yn yr Eglwys Gatholig yn Aberystwyth, clywais gôr yn canu'r Blaengan. Dim ond clywed sôn amdani mewn darlith oeddwn cyn hynny. Roedd y traddodiad hwn yn hen iawn felly ond yn fyw o hyd.

Bu farw fy nhad ar ddechrau f'ail flwyddyn yn Aber, ond roedd rhaid dychwelyd i fywyd myfyriwr er gwaetha'r golled. Y gwaith gosod i'w astudio oedd Breuddwyd Gerontius, gwaith oedd yn hollol newydd i fi. Cydiodd y gerddoriaeth ynof yn syth, a'r geiriau'n adrodd stori'r enaid yn gadael y byd ac yn teithio i'r goleuni tragwyddol. Derbyniais gysur mawr o'r cadernid a'r tynerwch yn y gerddoriaeth a'r ddrama, y geiriau gan John Henry Newman a'r gerddoriaeth gan Edward Elgar – y ddau yn Gatholigion.

Addoli gwahanol

Daeth Carys i ddysgu mwy am yr Eglwys Gatholig Rufeinig yng Nghymru wrth fynychu'r Offeren a chael llawer ynddi i'w diddori. Roedd ffurf yr addoliad yn wahanol i'r hyn oedd yn gyfarwydd ond roedd ffydd yr addolwyr yn ddidwyll a'u cred yn yr un Duw yn amlwg.

Ces fy nerbyn i'r Eglwys chwe mis ar ôl i Patrick a fi briodi ac er bod hynny'n ofid braidd i'r teulu, buan y cawsom bob cefnogaeth wrth fagu'r plant. Er llawenydd mawr i ni, daethant i bob bedydd a chymun cyntaf a daeth Mam yn gyfforddus iawn yn addoli gyda ni yn yr Offeren Gymraeg.

Yr Offeren a dyddiau gŵyl

Mae Offeren y Sul a thymhorau'r flwyddyn Eglwysig wedi bod yn gefndir i'n bywyd fel teulu – hwyl y Nadolig a chyffro'r Pasg ond hefyd cyfnodau'r Adfent a'r Grawys, y dyddiau gŵyl ac ambell i ddiwrnod o ympryd. Mae'r litwrgi yn ein harwain drwy'r tymhorau gyda'i phatrwm o ddarlleniadau a salmau, a'r neges bob amser yw cariad Duw atom yn Iesu Grist. Mae'r Offeren yn ganolog i'n perthynas â Duw. Cawn dderbyn maddeuant a gwrando ar ei Air, a synhwyro ei bresenoldeb yn y Cymun Bendigaid dan rith bara a gwin.

Arwyddion a symbolau

Wrth fynd i mewn i'r eglwys byddwn yn gwneud arwydd y groes gyda'r dŵr sanctaidd yn ymyl y drws, sydd yn ein hatgoffa o'n bedydd. Mae llawer o symbolau yn ein haddoliad – dŵr y bedydd, olew i eneinio cleifion, lludw ar dalcen, arwydd y groes sy'n cyfleu eu hystyr ysbrydol. Braf iawn oedd cael ambell gyfnod o encil dros y blynyddoedd diwethaf, a roddodd gyfle i ni fwynhau seibiant gan ddilyn gweddi ddyddiol yr Eglwys.

Bydd ambell adnod yn dal yn y cof wrth adael yr eglwys – "Fy enaid bendithia'r Arglwydd, a'r cwbl sydd ynof ei enw sanctaidd ef." Yn Adfent yn ystod ail flwyddyn y pandemig, ein cri oedd, "Arbed ni, O Dduw, bydded llewyrch dy wyneb arnom a gwareder ni sy'n aros gyda fi o hyd."

Cyfleoedd i encilio

Fframwaith encil yw cylch gweddi'r eglwys ar amseroedd cyson. Hynny sy'n fframio ein dydd sef gweddi foreol, gweddi hwyrol a gweddi wrth noswylio ar batrwm rheolaidd o salmau, darnau o'r ysgrythur a gweddïau.

Mynychais encil Abaty Llantarnam, Cwmbrân. Cefais fy ysbrydoli gan yr awyrgylch o weddi a heddwch, cyfle i fyfyrio yn ogystal â mwynhau'r llonyddwch yn ogystal â mynychu'r Sagrafen a chrwydro'r gerddi hyfryd a mynd am dro ar hyd yr afon. Wrth neilltuo'r cyfnod hwn i weddi a myfyrdod rwy'n cael f'adfywio a'm hadnewyddu'n ysbrydol a chadarnhau fy ffydd.

Mae llawer o hwyl i'w gael hefyd tros baned a phryd o fwyd.Y gobaith yw dychwelyd adre'n well disgyblion i'r Iesu ac yn well Cristnogion i'n teuluoedd a'n cymunedau.

Cydweithio

Fel aelod o'r Comisiwn Undod ar ran yr Eglwys Gatholig Rufeinig yng Nghymru bu'n fraint i Carys gydweithio gydag aelodau eglwysi eraill. Gwerthfawrogodd y cyfle i bwysleisio'r hyn sy'n gyffredin yn y ffydd Gristnogol, a dod yn 'Un er lles y Byd'.

Moment o addoliad ysbrydol

Mae canu emynau gyda chynulleidfaoedd eraill yn wefr bob tro, er ein bod wedi canu llawer o'r emynau cyfarwydd yn yr Offeren hefyd drwy ganu rhai o emynau William Williams Pantycelyn ac Ann Griffiths cawn ysbrydolrwydd cwbl addas i'n haddoliad.

Ymweld â Zimbabwe

Bu Carys yn Llywydd Cytûn am gyfnod ac yn rhinwedd y swydd ymwelodd â Zimbabwe.

> Roedd canu gyda'r miloedd yng Nghymanfa Eglwysi'r Byd yn Harare, Zimbabwe yn 1998 yn brofiad bythgofiadwy. Dyna fywyd oedd yn y gerddoriaeth, yr hwyl yn y canu mawl, y dawnsio a'r llawenydd! Gartre wedyn, y cydaddoli a'r cyd-weddïo, y trafod a'r gwrando – dyna'r bererindod sydd yn rhan o'n gwaith eciwmenaidd ni yn yr eglwysi yng Nghymru dan nawdd Cytûn.

Eglurai Carys i emyn ei helpu ar wahanol adegau yn ei bywyd i greu 'moment o addoliad' yn ystod y dydd – yn yr ardd, yn y car neu yn y gegin. Bydd yr emyn donau wedyn yn atseinio yn ei chof. Un o'i ffefrynnau yw emyn Eifion Wyn (1867-1928), *Caneuon Ffydd*, Rhif 164, Emyn-dôn Sirioldeb gan Joseph Parry:

> Un fendith dyro im,
> ni cheisiaf ddim ond hynny,
> cael gras i'th garu di tra bwyf,
> cael mwy o ras i'th garu.

Cyfeiria Carys at ffydd ei brawd yn yr hosbis cyn ei farwolaeth. Yr emyn hon gan D. R. Griffith (1915-1990) fu'n gynhaliaeth iddo ef a'r teulu bryd hynny:

> O Grist, Ffisigwr mawr y byd, down atat â'n gofidiau i gyd.
> nid oes 'na haint na chlwy' na chur na chilia dan dy ddwylo pur.

Yn ystod wythnos olaf ei brawd roedd ei ffydd gadarn nid yn unig yn ei gynnal ef ei hun ond yn cynnal y teulu hefyd. Wrth iddo wynebu'r daith olaf byddai'r teulu yn adrodd y weddi fach hon yn gyson wrth erchwyn ei wely:

> Cadw ni, Arglwydd, tra byddom ar ddihun, gwarchod ni tra byddom ynghwsg, er mwyn i ni wylio gyda Christ a gorffwys mewn tangnefedd.

Ar adeg arall o ofid a salwch cafodd Carys gryn nerth o adrodd rhan o gân Sachareias, sy'n gorffen gyda'r geiriau cysurlon yma:

> Hyn yw trugaredd calon ein Duw, fe ddaw â'r wawrddydd oddi uchod i'n plith,

i lewyrchu ar y rhai sy'n eistedd yn nhywyllwch cysgod angau
a chyfeirio ein traed i ffordd tangnefedd.

Arwyddocâd gweddi

Mae'r gorchymyn mawr i garu Duw a charu'n cymydog yn fy nghyflyru i weddïo'n gyson dros y teulu a ffrindiau a'r gymuned ehangach. Yn wir mae Iesu yn ein gwahodd i wneud hynny. Cawn siarad â Duw unrhyw bryd gan weddïo dros bobl mewn angen, ymhell ac agos. Gallwn weddïo am heddwch a chyfiawnder i bobl y byd ac am gysur i'r sawl sydd mewn gofid neu'n galaru. Ac rydyn ni'n gweddïo dros y rhai sydd wedi marw – ar iddyn nhw gyrraedd y goleuni tragwyddol sydd wedi ei addo iddynt hwy ac i ninnau.

Trem yn ôl ar drothwy pen blwydd yn wyth deg mlwydd oed:

Erbyn hyn, mae'r ferch fach ddeg oed ar ar gyrraedd degawd newydd ac yn edrych yn ôl mewn mawl a diolch am fywyd llawn bendithion a'r gynhaliaeth a dderbyniodd o'i ffydd drwy'r llon a'r lleddf.

* * *

Taro sylw: Mae gweddi a geiriau emyn yn gallu cynnig ymdeimlad o gynhaliaeth, hedd a thangnefedd ar adegau anoddaf bywyd.

Ysbrydoliaeth

Yr Offeren

Encilio ym mhresenoldeb Duw mewn gweddi a myfyrdod.

Sbardun

O'Leary, Daniel J., 2007, *Already within Divining the hidden spring*

Cyswllt

carys@caerdelyn.com

RHAN 5

Rheoli grymusol – gweledigaeth eang, gynhwysol

'Dysg im weithio gwaith y nef...Dysg i'm siarad yn fwy nefol'

Arglwydd Iesu, dysg im gerdded
drwy y byd yn ôl dy droed;
'chollodd neb y ffordd i'r nefoedd
wrth dy ganlyn di erioed:
mae yn olau
ond cael gweld dy wyneb di.

Ar fy ngyrfa dysg im weithio
gwaith y nef, wrth olau ffydd,
nes im ddyfod yn gyfarwydd
â gorchwylion gwlad y dydd;
dysgu'r anthem
cyn cael telyn yn y côr.

Dysg im siarad yn fwy nefol,
fel preswylwyr pur y wlad;
dysg im feddwl, fel yr angel,
yn fwy annwyl am fy Nhad:
wedi'r dysgu,
ti gei'r mawl a'r enw byth.

Elfed (1860-1953)
Caneuon Ffydd, rhif 710

The purpose of all major religious traditions is not to construct big temples on the outside, but to create temples of goodness and compassion inside, in our hearts.

The Dalai Lama

5.1 Cytûn

5.1.1 Canon Aled Edwards OBE

Prif Weithredwr
Eglwysi Ynghyd yng Nghymru

Ganed Aled yn Nhrawsfynydd ac astudiodd yng Ngholeg Prifysgol Dewi Sant, Llanbedr Pont Steffan ac ennill gradd mewn diwinyddiaeth a hanes yn 1977. Wedi ei ordeinio yn 1979, bu'n gwasanaethu nifer o blwyfi yng ngogledd a de Cymru 1993-99.

Gwerthoedd personol a chyhoeddus
Ers 2001 cynhaliodd Aled ddiddordeb cryf personol a chyhoeddus mewn materion sy'n ymwneud â cheiswyr lloches a ffoaduriaid, materion yn ymwneud â chyfiawnder hiliol a chydraddoldeb ynghyd â hawliau dynol. Erbyn heddiw, ef yw Prif Weithredwr Cytûn. Ym Mehefin 2006 derbyniodd Aled OBE am ei waith elusennol yng Nghymru. Mae Aled yn briod â Marie ac mae ganddo 3 o blant. Ei ddiddordebau yw ei wleidyddiaeth, rygbi, pêl droed y Rhyfel Cartref America a'r rhaglen deledu *West Wing* am fywyd yn y Tŷ Gwyn.

Rhan o briod waith Cytûn sy'n elusen gofrestredig yw galluogi'r eglwysi i addoli â'i gilydd ac i dystiolaethu yng ngoleuni argyhoeddiadau ei gilydd. Y mae'r gwaith hwn yn mynd rhagddo mewn addoliad a gwasanaeth.

Yn ystod cyfnod Covid-19

> Trwy gydol 2021 dychwelodd Cytûn at y dyheadau allweddol a nodwyd yn Natganiad Swanwick yn 1987. Nid 'dieithriad' mwyach ond pererinion yn cyd-gerdded.

Fe wnaeth Cytûn ddyfnhau ei berthynas ag Eglwysi Ynghyd ym Mhrydain ac Iwerddon gan gynnig cefnogaeth sylweddol ynghylch materion cyfiawnder hiliol. Cynigiwyd ymchwil ar gysylltiadau hilyddol yng Nghymru, a chwaraeodd Cytûn ran arwyddocaol wrth baratoi ar gyfer Gwasanaeth i gofio am George Floyd a gynhaliwyd yn Brixton ym mis Mai. Cynhaliwyd rhannau o'r gwasanaeth yn Gymraeg. Adeiladwyd cysylltiadau cryf o amgylch Rhwydwaith Ffoaduriaid yr Eglwysi. Cefnogodd Cytûn Ddarlith Flynyddol David Goodbourn ym mis Mai, yn canolbwyntio ar *Untangling the Legacies of Slavery*.

Aelodau newydd

Mae wedi bod yn bleser croesawu eglwysi a chymdeithasau newydd yn aelodau o Cytûn. Mae cyfranogiad *Assemblies of God* wedi bod yn fendith, ac mae ymgysylltiad Cymdeithas Gristnogol Irac wedi amlygu materion o'r Dwyrain Canol sydd wedi llywio sgyrsiau Rhwydwaith Cyfiawnder Hilyddol Cytûn.

Mae partneriaid allanol wedi galluogi Cytûn i ystyried yn fanwl faterion fel dementia mewn cymunedau du, Asiaidd a lleiafrifoedd ethnig.

Brechu Covid-19

Roedd yn arbennig o galonogol ym mis Ebrill i dderbyn llythyr brwd gan Brif Weithredwr y Cynghrair Efengylaidd Cymru (CEC) yn nodi'r undod a fwynhawyd wrth i ni weithio ochr yn ochr â'n gilydd. Mae Cytûn wedi ymwneud yn benodol â'r *Redeemed Christian Church* ynghylch pryderon brechu Covid-19. Hefyd wedi hwyluso canolfannau brechu dros dro mewn eglwysi. Cyflawnwyd hyn wrth gydweithio'n effeithiol gyda Llywodraeth Cymru ac Iechyd Cyhoeddus Cymru. Gweddïwn y gall yr Ysbryd ein tywys a'n cryfhau mewn cenhadaeth a gwasanaeth i fyd Duw.

Adborth lleol

Mae eglwysi lleol wedi parhau i ddarparu adborth ar eu gweithgareddau. Mae Cytûn hefyd wedi parhau i ddarparu cefnogaeth ynghylch strwythurau a chyfansoddiadau eciwmenaidd lleol. Mae'r llif gwybodaeth hwn wedi galluogi

Cytûn i gynorthwyo Heddlu Gwent yn ei ymgysylltiad cymunedol ag eglwysi a grwpiau ffydd eraill. Dysgwyd llawer iawn hefyd o weithgaredd Meddygon Mwslimaidd Cymru yn darparu canolfannau brechu dros dro mewn mosgiau yn ardal Casnewydd.

Cefnogi asiantaethau eraill

Ceisiodd Cytûn gefnogi ei hasiantaethau a'i chyrff drwy ymgysylltu â'u gwaith lle bynnag y bo hynny'n bosibl. Mynychodd staff Bwyllgor Cymorth Cristnogol Cymru a pharhau i fod yn rhan o'i waith. Trafodwyd syniadau ar gyfer y dyfodol gyda Chymdeithas y Beibl a mudiad *Embrace the Middle East*. Proffidiodd Cytûn waith yr elusen *Through the Roof* yn ei ymdrechion i alluogi eglwysi gynnwys pobl anabl. Mae gwaith rhagorol Cyfiawnder Tai Cymru hefyd wedi'i broffilio.

Ceiswyr lloches

Cyflawnwyd llawer trwy Gaplaniaeth Rhyng-ffydd Penalun wrth wasanaethu ceiswyr lloches, ac mae Cytûn wedi parhau i gefnogi Caplaniaeth Cymdeithas Frenhinol Cymru ac wedi proffilio ei gwaith yn yr adroddiad Sgwrs Genedlaethol. Mae ymdrechion wedi parhau er mwyn sefydlu Caplaniaeth gydnabyddedig yn y Senedd ond ni fu unrhyw gynnydd pellach.

Hyfforddiant rhithiol

Unwaith eto cafodd Cwrs Croeso i Gymru Gytûn ei gynnal yn rhithiol. Ymunodd bron ugain o gyfranogwyr â'r hyfforddiant. Mae'r cwrs nid yn unig yn galluogi gweinidogion a gweithwyr eglwys sy'n newydd i Gymru i gael gwell dealltwriaeth o'r cyd-destun y maen nhw'n gweinidogaethu ynddo ond hefyd yn galluogi Cytûn i ddod i wybod am alwedigaethau newydd sy'n cael eu galluogi a'u dathlu.

Cyswllt â'r cyfryngau

Amlygwyd cyfranogiad Cytûn wrth sefydlu'r hyn a ddaeth yn Gyngor Rhyng-ffydd Cymru yn dilyn digwyddiadau 911 mewn rhaglen *All Things Considered* ar *BBC Radio Wales*. Archwiliodd S4C, sut mae cymunedau ffydd wedi gweithio gyda'i gilydd yng Nghymru yn ystod yr un cyfnod ar gyfer y rhaglen Dechrau Canu Dechrau Canmol. Yn y maes gwaith hwn ac eraill, mae Cytûn wedi ymgysylltu'n llawn â'r wasg a'r cyfryngau yng Nghymru a thu hwnt. Mae'r orsaf radio *Premier Christian Radio* wedi gofyn am gyfraniadau.

Yn ystod mis Medi, cymerodd aelodau'r Cyngor Rhyng-ffydd ran mewn digwyddiad i goffáu'r rhai a gollwyd oherwydd Covid-19, gyda chymuned Mormoniaid Cymru yn Rhiwbeina, a chefnogwyd myfyrdod ar ŵyl Sukkot. Mae Gethin Rhys hefyd wedi parhau i fod yn gyfrwng effeithiol rhwng y Cyngor Rhyng-ffydd a Chyngor Partneriaeth Trydydd Sector Llywodraeth Cymru.

Cyd wasanaethu

Trwy gydol 2021, fe barhaodd Cytûn i gynorthwyo gydag eraill i drefnu gwasanaethau a seremonïau cenedlaethol Coffau'r Holocost, Diwrnod Coffau Srebrenica, Sul y Cofio. *Concerns* gan adeiladu ar ymweliad y rhwydwaith â Chymru yn 2019.

Mae Cytûn yn bartner llawn yn ymgyrch Sul yr Hinsawdd, yn annog eglwysi o bob math a diben i gynnal oedfa argyfwng hinsawdd, ymrwymo i weithredu'n lleol a chodi llais gyda Llywodraeth.

Cynhadledd *COP26**

Bu Cytûn yn bresennol yn y gynhadledd honno, gydag eglwysi ledled Prydain ac Iwerddon, i sicrhau bod llais Cristnogol yn cael ei glywed yn galw am amddiffyn creadigaeth Duw a dyfodol dynoliaeth. Mae trydedd Ddarlith Goffa Gethin Abraham Williams, ar thema hynod ddiddorol, 'Diwedd y Byd? Apocalyptic Cristnogol ac ymatebion i newid hinsawdd', ar gael ar-lein.

**Conference of the Parties 26* yn dynodi dathlu mai hon yw'r chweched ar ugeinfed tro y cynhaliwyd y gynhadledd. Cynhadledd dan nawdd *United Nations Framework Convention on Climate Change* (*UNFCCC*)

Cynhadledd byd eang i drafod cyflwr yr hinsawdd a chytuno ar gynlluniau i ddiogelu'r blaned i'r dyfodol

Cyswllt â'r Senedd

Bu Cytûn mewn cysylltiad wythnosol os nad dyddiol gyda gweinidogion a swyddogion Llywodraeth Cymru trwy gydol pandemig Covid-19 ynghylch y goblygiadau i eglwysi. Rydym wedi cyfrannu cyngor arbenigol ac wedi cyfleu barn eglwysi unigol am eu sefyllfa. Trefnwyd sawl sesiwn holi ac ateb rhithwir gyda nifer sylweddol yn mynychu pob sesiwn. Mae Cytûn yn parhau i ddarparu adran arbennig ar ein gwefan sy'n crynhoi'r rheoliadau a'r cyngor diweddaraf ar Covid-19 a'i effaith ar weithgaredd eglwysi yng Nghymru.

Cwricwlwm Newydd

Mae Cytûn mewn cysylltiad cyson ag Adran Addysg Llywodraeth Cymru wrth i'r paratoadau ar gyfer cwricwlwm newydd i ysgolion yng Nghymru fynd yn eu blaen. Mae Cytûn yn rhan o grŵp a gynullwyd gan ein corff cysylltiadol, Cymdeithas y Beibl, sy'n cynhyrchu deunydd ac arweiniad er mwyn galluogi eglwysi lleol i fanteisio ar y cyfleoedd i ddyfnhau eu cysylltiadau â'u hysgolion lleol, gan fod y cwricwlwm newydd yn ei gwneud yn ofynnol i ysgolion ddechrau dysgu wrth eu traed gan fanteisio ar yr hyn sydd ar gael yn eu cynefin.

Gwasanaeth Iechyd

Cynrychiolodd Cytûn yr eglwysi ar weithgorau yn y Gwasanaeth Iechyd wrth iddynt wynebu'r cwestiynau moesol cymhleth a godwyd oherwydd y pandemig. Rydym yn aelod sylfaen o weithgor Cymru Garedig (*Compassionate Cymru*), sy'n ceisio hyrwyddo agwedd garedig a thosturiol tuag at bobl yn gyffredinol neu tuag at rai sy'n wynebu profedigaeth, a gwnaethom gyfrannu at ddrafft y strategaeth brofedigaeth. Rydym hefyd yn aelod parhaol o'r Grŵp Iechyd a Lles Ysbrydol yn GIG Cymru, SHaW (*Spiritual Health and Wellbeing Group*).

Ceiswyr lloches / ffoaduriaid

Enillodd Cytûn lawer iawn o wybodaeth a phrofiad trwy ei ymgysylltiad ymarferol â Chyfarfodydd Amlasiantaethol Penalun a hwyluswyd gan Bartneriaeth Ymfudo Strategol Cymru yn dilyn gosod ceiswyr lloches gan y Swyddfa Gartref yn y gwersyll ym mis Medi 2020.

Cytûn a'r Urdd

O fewn oriau i gwymp Kabul, galwyd ar Gytûn i gynorthwyo Urdd Gobaith Cymru i wthio'r achos y dylid cartrefu plant sy'n ffoaduriaid o Afghanistan a'u teuluoedd yng nghanolfannau'r Urdd. Tua thair wythnos yn ddiweddarach, cyhoeddodd yr Urdd ei fod yn paratoi i dderbyn teuluoedd ar ôl gweithio gyda Llywodraeth Cymru, y Swyddfa Gartref, awdurdodau lleol a Cytûn. Bellach gellir ystyried bod y model gofal a gynigir i blant ffoaduriaid gan yr Urdd, yn arfer gorau yn y DU a thu hwnt.

Cenedl Noddfa

Yn dilyn cais gan Gytûn yn y Fforwm Cymunedau Ffydd, datganodd Llywodraeth Cymru ei chefnogaeth ym mis Mawrth 2012 i Gymru ddod yn Genedl Noddfa. Mae cyflawni'r nod hwn wedi bod yn nod strategol i Gytûn.

Bellach mae'n arfer gan Lywodraeth Cymru i ddiffinio Cymru fel Cenedl Noddfa. Ym mis Medi, cyhoeddwyd y byddai tua dau gant tri deg o bobl o Afghanistan yn cael llety yng Nghymru. Roedd Cytûn yn falch o weld cymaint o aelodau yn mynychu cyfarfod cyntaf y Grŵp Trawsbleidiol ar Ffydd yn Senedd Cymru ym mis Tachwedd 2021.

* * *

Taro sylw: Gan fod y cwricwlwm newydd yn ei gwneud yn ofynnol i ysgolion ddysgu drwy fanteisio ar yr hyn sydd ar gael yn eu cynefin, mae Cytûn yn ymuno gyda Chymdeithas y Beibl i gynhyrchu deunydd i alluogi eglwysi i weithio mewn cysylltiad â'u hysgolion lleol.

Ysbrydoliaeth

A nawr, dyma ti'n gofyn i mi fynd i ddweud wrth Ahab, 'Mae Elias yn ôl. Bydd e'n fy lladd i! (1 Brenhinoedd 18.14)

Ei gyhoeddiadau

Transforming Power – A Christian Reflection on Welsh Devolution (2001)
Ystyried Gwahaniaethau a Gobeithion – Golwg ar Ddatganoli o Safbwynt Ffydd (2004).

Sbardun

Snyder, Timothy, 2017, *On Tyranny: Twenty lessons from the Twentieth Century*

Cyswllt

07751 446071
aled@cytun.cymru

5.2 Eglwys Bresbyteraidd Cymru

5.2.1 Parchg T. Evan Morgan

Llywydd Anrhydeddus 2021-2023
Gweinidog aml enwad: Salem Treganna (EBC) a Beulah Rhiwbeina (EFC)

Ganed Evan a'i fagu ar fferm ar gyrion Gogledd Llundain, yn drydedd genhedlaeth o Gymry Llundain, a'r teulu'n hanu'n wreiddiol o Sir Gaerfyrddin. Cafodd ei addysg mewn ysgolion cynradd ac uwchradd lleol, ac fe'i magwyd yng nghapel Wood Green, yn Henaduriaeth Llundain. Ar ôl teimlo'r alwad fe'i cyflwynodd ei hun i'r weinidogaeth pan oedd yn ddeunaw oed. Graddiodd mewn diwinyddiaeth yna dilynodd gwrs bugeiliol yn y Coleg Diwinyddol Unedig yn Aberystwyth. Mae wrth ei fodd yn darllen, teithio a chymdeithasu.

Clywais gryn ganmoliaeth am gymeriad hoffus, eangfrydig Evan Morgan yn ogystal â'i ddawn hudolus gyda phlant a phobl ifanc. Cysylltu ag ef droeon drwy e-bost ac ar y ffôn ac ni'm siomwyd er ei brysurdeb amlwg. Bu'n gwrtais a hynod gefnogol beth bynnag fu fy nghais.

Roeddwn wedi dotio o glywed amdano'n gwneud *pizza* hefo'r plant yn ystod ei wasanaeth boreol. Ni chefais fy siomi chwaith gan ei sgwrs ar *Zoom* – gwibiodd yr awr fel mellten ac roedd ei frwdfrydedd yn heintus. Dyma grynodeb o'n trafodaeth ysbrydoledig.

Derbyniodd alwad i fod yn weinidog ar ddwy eglwys lle mae'r pwyslais yn gryf ar ymestyn allan i'r gymuned ehangach, gan gynnwys gweithio gyda'r digartref a chyda theuluoedd, plant ac ieuenctid.

Dyma amlinelliad Evan o gymeriad yr eglwys honno

> Bellach, Salem yw'r Eglwys Gymraeg fwyaf yng Nghymru. Mae hi wedi treblu ei haelodaeth dros yr ugain mlynedd diwethaf. Mae'r aelodaeth o gwmpas 340 bellach. Rwy'n llawenhau ei bod yn eglwys gynhwysol, hwyliog a phawb yn gydradd a phawb yn cyd-dynnu.
>
> Gofalaeth Bro sydd gen i dros eglwys Fethodistaidd Bethel Rhiwbeina.

Da dweud fod aelodaeth honno hefyd wedi treblu i chwe deg o aelodau.

Fel pob capel Presbyteraidd rydym ni yn cyfrannu i'r Cyfundeb ac fe ofynnwn i'r aelodau gyfrannu at yr achos yn ôl eu gallu. Ni fyddwn yn cyhoeddi gwybodaeth am gyfraniad unigol yr aelodau.

Yn Salem, buom yn ffodus o ddenu aelodau iau sy'n golygu fod hanner yr aelodau o dan chwe deg mlwydd oed. Mae hyd yn oed rhai blaenoriaid yn iau na'r gweinidog! Mae'r blaenoriaid i gyd yn ifanc eu ffordd ac yn barod i gydweithio ac i arbrofi a mentro. Ar y foment, fel sawl enwad arall, nid oes hawl gennym i gynnal priodasau cydradd o'r un rhyw, er bod nifer o aelodau a gweinidogion o blaid, mae hyn yn drafodaeth barhaus yn y Cyfundeb.

Yr Ysgrifennydd Cyffredinol, Parchg Meirion Morris sy'n gyfrifol am yr ochr weinyddol o ddydd i ddydd ac sy'n arwain o ran strategaeth a chysylltu gyda 14 Henaduriaeth am eu cynlluniau dros y weinidogaeth. Mae ef yn gwasanaethu penderfyniadau'r Gymanfa Gyffredinol.

Mae aelodau Salem yn amlwg yn weithgar a byrlymus ac yn ymhyfrydu yn eu heglwys sy'n tyfu'n flynyddol! Yn ôl gwefan capel Salem:

- ceir awyrgylch cartrefol, anffurfiol braf yn Salem, felly dewch i ymuno â ni!
- ymhyfrydwn yn y ffaith ein bod yn gapel croesawgar, anffurfiol â phedair cenhedlaeth yn cyd-addoli mewn awyrgylch gofalgar a chynnes.
- cynhelir oedfaon teuluol am 10.30 y bore ac oedfaon gyda'r hwyr am 6.00 ar y Sul.
- mae'r Ysgol Sul yn llawn bwrlwm bob Sul, wrth i fabanod, plant a phobl ifanc yn eu harddegau ddod i ddysgu, mwynhau a chymdeithasu.
- rhoddwn bwyslais arbennig ar y ffaith ein bod yn deulu yma yn Salem, yn gylch o ffrindiau sy'n gwasanaethu Duw ac eraill.
- mae gofalu am ein gilydd a'r gymuned ehangach yn flaenoriaeth i ni, wrth i ni uniaethu a dangos consyrn tuag at eraill.
- trefnir gweithgareddau amrywiol ar gyfer pob oed – o fowlio deg i griced, o flasu gwin i ginio Gŵyl Ddewi. Rhywbeth at ddant pawb!
- rydym yn gwasanaethu'r gymuned Gymraeg ehangach yn Nhreganna wrth i Gylch Meithrin y Parc, Côr Dydd, Côr Canna, Côr Hen Nodiant a Chôr Plas Taf ddefnyddio'n hystafelloedd yn

wythnosol, yn ogystal â llu o ddigwyddiadau cyngherddau eraill a gynhelir yma bob blwyddyn.

– adeiladu estyniad er mwyn ymateb i'r cynnydd mewn niferoedd, sy'n ystafell ychwanegol at ein defnydd, yn gegin ac yn gyfleusterau newydd.

Maent yn amlwg yn hapus iawn gyda'u gweinidog:

> Mae Evan, ein bugail, yn ein harwain gyda'r oes, yn ifanc ei ffordd ac yn egnïol, ac yn hynod groesawus. Yn ystod y blynyddoedd diwethaf gwelwyd cynnydd sylweddol yn aelodaeth yr eglwys wrth iddi groesawu nifer o deuluoedd newydd a ymsefydlodd yn y ddinas.

Mae Evan yn cydnabod mai ei flaenoriaeth yn ystod ei weinidogaeth yw bugeilio a dod i adnabod pobl o dan ei ofal:

> Rwy'n dehongli bugeilio fel dod i adnabod pobl drwy lefain a chwerthin gyda nhw a chymryd gwir ddiddordeb ym mhob un gan ddangos gwir gariad.

Mae Evan yn credu bod dewis *horses for courses* yn elfen werthfawr wrth ddewis gweinidog ac medd

> Wrth weinidogaethau yn Nyffryn Dyfi, roedd bod yn fab ffarm yn help mawr imi wrth i mi adeiladu perthynas gyda'm mhraidd.
> Wrth weinidogaethu yn ninas Caerdydd roeddwn wedi arfer gyda phobl o bob lliw, llun a chefndir ar ôl byw yn Llundain am flynyddoedd. Yn wir gellid dweud mai '*city boy*' ydwi yn y bôn.

Rhoddodd Evan air o werthfawrogiad am y sylfaen gref a gafodd fel plentyn ac am y rhinweddau a'r gwerthoedd a ddysgodd gan ei rieni – a'r ddau bellach wedi ymddeol i Sir Gaerfyrddin. Aeth ymlaen i amlinellu ei athroniaeth a'i feddylfryd:

> Rhaid adeiladu cymuned hyderus a dewr sy'n barod i fentro. Mewn gwirionedd, mae hyn yn haws yng Nghaerdydd am nad oes patrwm a thraddodiad 'arferol' gan mai pobl ddŵad sydd yn y ddinas
> O'r herwydd mae pawb yn fodlon arbrofi a chymryd risgiau. Mae gennym brofiad felly o ddiosg yr hyn na ellir ei gynnal.

Mae gweinidog yn cael ei alw i ofalaeth mewn Henaduriaeth. Mae'n derbyn 'stipend / cydnabyddiaeth'. Nid oes cytundeb ffurfiol ond yn y Cyfarfod Sefydlu mae 'na addewidion yn cael eu gwneud o ddisgwyliadau gweinidog:

> Disgwylir i'r gweinidog gydweithio gyda'i flaenoriaid ac o fewn yr Henaduriaeth i gyflawni ei ddyletswyddau. Mae pob gweinidog yn

derbyn hyfforddiant, yn dilyn cyrsiau ac yn cael eu hadolygu **cyn** iddynt dderbyn sêl bendith i gael eu hordeinio.

Ceir rhai esiamplau o swyddogion ieuenctid ar gytundeb sy'n cael eu hyfforddi, eu mentora a'u gwerthuso.

Cefais flas ar wrando eglurhad Evan ar sut aeth o ati i greu eglwys eangfrydig ragweithiol sydd â phroffil uchel yn y gymuned. Mae'n credu bod angen i'r eglwys gael ei gweld fel goleudy yn y gymuned ac felly mae angen adeiladu perthynas agos gyda'r gymuned leol drwy:

- ymweld â'r ysgolion Cymraeg
- darparu Clwb Brecwast i rieni ifanc (aelodau neu ddim) am eu bod yn bell oddi cartre'

  trefnu cyfleoedd i'r babis chwarae a rhieni i siarad a rhannu.

  (Fel canlyniad i hyn, derbyniwyd ceisiadau fedyddio ac ymholiadau am yr Ysgol Sul)
- defnyddio'r adeilad i sicrhau proffil uchel (5 côr yn defnyddio'r capel i ymarfer) –
- cynnal chwaraeon yn ystod yr Haf – clwb criced Salem yn cystadlu
- trefnu *Night shelter*: nos Fawrth am 5 mlynedd: swper a brecwast poeth a gwely clyd

  dangos awyrgylch dosturiol: *But for the grace of God* gallem ninnau os heb ddim na neb droi at gyffur neu alcohol
- gwirfoddoli i gynorthwyo mewn dulliau gwahanol
- annog partneriaid lleol i gefnogi'n ariannol ac ymarferol
- ymfalchïo yn ymateb tosturiol yr aelodau i'r angen dybryd
- croesawu fod Llywodraeth Cymru wedi darparu hosteli ers y pandemig
- cefnogi ffoaduriaid
- cynnal Clwb Ieuenctid wythnosol
- rhedeg Adran yr Urdd wythnosol yn enw Salem
- paratoi ieuenctid fu'n mynychu'r Ysgol Sul ers yn 5 oed i ddod yn aelodau llawn
- plant yn mynychu'r Ysgol Sul ers blynyddoedd yn adnabod Iesu Grist

Athroniaeth syml Evan yw bod pobl yn dangos diddordeb os ydyn nhw'n gweld gweithgarwch yn yr eglwys. Felly, gellid dadlau bod tyrfa yn dod wrth weld pwrpas i'r eglwys '*A crowd pulls a crowd*' ac wrth gwrs mae'n bwysig yn yr oes sydd ohoni i ddangos perthnasedd Eglwys Iesu Grist heddiw, ein bod dal yma fe petai, '*Hello, here we are!*'

> Rydyn ni'n byw mewn cyfnod heriol iawn, ond serch hynny, rhaid ymddiried yn yr Arglwydd a bod yn llysgenhadon dros ein Gwaredwr, er mwyn tystio i holl gariad yr Iesu. Boed i'r eglwys chwarae ei rhan yn ein cymunedau wrth gynnig cefnogaeth, cariad diamod a chymorth i bobl tu mewn a thu allan i furiau'r eglwys.
>
> Yn y cyfnod Covid-19 buom yn cynnal gwasanaethau *Zoom* yn rheolaidd a bu'n rhaid i minnau wella fy sgiliau technolegol yn sydyn iawn.

Cyn ei ethol yn Llywydd y Gymanfa Gyffredinol EBC derbyniodd Evan amrywiaeth o swyddi anrhydeddus fel cydnabyddiaeth o'i gyfraniad i'r byd Cristnogol.

Amlinellodd Evan hyd a lled gwaith y llywydd fel hyn:

> Mae'r llywydd yn y swydd am flwyddyn ac yn gyfrifol am gadeirio cyfarfodydd y Gymanfa Gyffredinol. Mae'n aelod o holl Fyrddau'r Gymanfa Gyffredinol ac yn delio gyda'r Cyfryngau, mewn digwyddiadau eciwmenaidd cenedlaethol ac ym mhrif lysoedd Eglwysi eraill. Yn ogystal â hyn disgwylir iddo fynychu dathliadau mawr tramor, yn arbennig y rhai a drefnir gan Eglwys Bresbyteraidd yr India. Caiff ei wahodd i fynychu cyfarfodydd Henaduriaethau a'r Gymdeithasfa, ac i gynrychioli EBC mewn cyfarfodydd a gwasanaethau sefydlu neu gomisiynu gweithwyr newydd.
>
> Yn draddodiadol, y Llywydd fydd yn rhoi araith ymadawol ar ail noson y Gymanfa Gyffredinol.
>
> Nid y Llywydd yw pen y sefydliad – yr Arglwydd Dduw yw pen yr eglwys – ac felly nid oes gan yr enwad berson yn arweinydd ysbrydol iddi.
>
> Mae'r swydd yn galw i'r llywydd ymweld â Henaduriaethau drwy wahoddiad ynghyd â'r Gymdeithasfa a chanolfannau'r Cyfundeb; yn ogystal â chynrychioli'r Gymanfa mewn angladdau cyn-lywyddion a swyddogion eraill. Da o beth fyddai i eglwysi lleol ystyried gwahodd y llywydd i fod yn bresennol ar achlysuron arbennig yn eu hanes, fel dathlu canmlwyddiant a.y.b. a chyflwyno cyfarchion y Cyfundeb.

Eglurodd Evan fod yna pum cant pedwar deg o gapeli ac oddeutu 16,000 o aelodau cofrestredig. Mae'r aelodaeth wedi gostwng yn flynyddol, ond mae 'na dal nifer o eglwysi hynod o weithgar a chenhadol eu naws.

Dywed Evan fod llawer iawn o newyddion a gwybodaeth am weithdrefnau'r enwad i'w cael yn Cenn@d, cylchgrawn wythnosol yr enwad, ac ar y wefan a thudalennau GL yr enwad fel:

- swyddfa a swyddogion canolog
- Coleg y Bala
- Trefeca
- cyrsiau i arweinwyr gwasanaethau
- gweithwyr gyda phlant ac ieuenctid
- dulliau amrywiol o hyfforddi
- denu, mentora hyfforddi gweinidogion newydd
- defnydd o adeiladau
- uno eglwysi
- cydweithio rhwng enwadau

* * *

Taro sylw: Ceir arweiniad clir gan eglwysi mewn rhai trefi a dinasoedd yng Nghymru i adnabod anghenion unigryw eu cymuned, yna pennu blaenoriaeth/au ac arweinwyr a chreu cynllun i weithredu'n ymarferol a chynhwysol.

Ysbrydoliaeth

Y dewisiadau isod yw thema ddewisol Evan ar gyfer blwyddyn Evan fel llywydd:

"Pa sawl torth sydd gennych? Ewch i edrych...." (Marc 6.30-44)

Emyn Elfed, (1860-1953), *Caneuon Ffydd*, Rhif 710

Arglwydd Iesu, dysg im gerdded
drwy'r byd yn ôl dy droed;
'chollodd neb y ffordd i'r nefoedd
wrth dy ganlyn di erioed
mae yn olau ond cael gweld dy wyneb di

Sbardun

Nouwen, Henri, J. M., 1994, *The Return of the Prodigal Son: A Story of Homecoming*

Cyswllt

http//www.capelsalem.org/

5.3 Yr Eglwys Fethodistaidd Cymru

5.3.1 Parchg Ddr Jennie Hurd

Cadeirydd Synod Cymru
Gweinidog arweiniol
Gofalaeth Cymru Gyfan

Ganed Jennie yn 1965 ac fe'i magwyd ym mhentref Hessle, Swydd Efrog. Aeth ymlaen i astudio ym Mhrifysgol Warwick a diwinyddiaeth ym Mhrifysgol Birmingham. Fe'i hyfforddwyd ar gyfer y weinidogaeth yn Queen's College, Birmingham ac astudiodd am ddoethuriaeth ym Mhrifysgol Birmingham. Fe'i hordeiniwyd yn 1995. Cafodd brofiad eang fel gweinidog mewn cylchdeithiau yn Lloegr ac yng Nghymru, cyn ei phenodi'n Gadeirydd Synod Cymru'r Eglwys Fethodistaidd yn 2013. Mae Jennie a'i gŵr yn byw yn Four Crosses.

Strwythur Cymru gyfan

Mae gan yr Eglwys Fethodistaidd dwy dalaith yng Nghymru sef: Synod Cymru (cyfrwng Cymraeg) a *Wales Synod* (cyfrwng Saesneg):

Wales Synod
Saesneg yw'r cyfrwng ac mae iddo 16 Cylchdaith ac maent oll yn Ne Cymru
Synod Cymru
Ers 2009, oherwydd prinder gweinidogion Cymraeg eu hiaith, un gylchdaith sydd gan y Synod Cymru ac mae hwnnw'n gwasanaethu Cymru gyfan
Ers 2015, fi yw Cadeirydd y Synod tra hefyd yn Arolygydd yr un gylchdaith honno ac ers 2019 mae gennyf hefyd ofal bugeiliol dros naw capel yn Nyffryn Clwyd a Dyffryn Conwy.

Mae cyfanswm yr aelodaeth yn llwm ac wedi disgyn yn sylweddol o oddeutu 3,000 yn 1999 i fod yn is na 770 yn 2021.

Ystadegau 2021-22	
Capeli	55
Gweinidog llawn amser	1
uwch rif llawn amser	1
Gweinidog Awdurdodedig: o enwad arall	5
Gweinidog Awdurdodedig: rhan amser	1
Diacon ar y cyd efo Wales Synod*	1

* *Methodist Diaconal Order*

Yr hanes

Gallwn yn hawdd cymharu Diwygiad 1904 â Covid-19. Roedd effaith y ddau yn debyg o ran ein cythryblu ni drwy 'gymryd drosodd' a pheri ofn. Bu'r effeithiau cymdeithasol a'r digwyddiadau a'r oblygiadau ar gyfer y dyfodol yn newid mawr. yn feddyliol yn ogystal ag ymarferol. Fe'n gorfodwyd i ymateb. Ymysg yr heriau sy'n bodoli mae blinder, colli diddordeb, colli ffydd, a bod proffil oedran yr aelodaeth yn heneiddio.

Gwahaniaeth credo

Pwyslais Wesley oedd ar gariad diamod Duw ac achubiaeth i bawb. Credai Calfin mewn achubiaeth i'r rhai dewisedig yn unig, sef cariad amodol Duw. Yn 1932 ffurfiwyd Undeb y Methodistaidd. Pryd hynny, daeth y Wesleaid *Primitive Methodists* a'r *United Methodist Church* at ei gilydd i ffurfio *The Methodist Church*. Mae'r gwahaniaeth credo elfen yn parhau ar draws yr enwadau yn ogystal â dwy adain y Methodistiaid.

Amlinellodd Jennie Hurd y sefyllfa bresennol o ran trefniadaeth y ddau Synod fel hyn:

Cadeiryddion

Erbyn hyn, mae gennym ddeg ar hugain o gadeiryddion a chyllid i ariannu'r Gymraeg a'r Saesneg yng Nghymru.

Rhain sy'n arwain taleithiau'r Eglwys Fethodistaidd ac maent yn swyddogion cyflogedig.

Yr iaith

Er gwaethaf y ffaith bod yna ddwy Synod (talaith) yng Nghymru: un yn y Gymraeg a'r llall yn Saesneg mewn realiti mae'r ddwy iaith yn cael eu defnyddio ar draws y capeli'r ddau Synod. Talaith Shetland yw'r lleiaf o ran aelodaeth a Chymru'n ail iddo.

Prinder gweinidogion rhugl

Y broblem allweddol yw denu gweinidogion sy'n rhugl yn y Gymraeg

Ni lwyddodd Synod Cymru i ddenu gweinidogion Cymraeg eu hiaith ers degawdau.

Ers y 1990au, dysgwyr ddaeth i wasanaethu fel gweinidogion. Heb y dysgwyr, basa'r gwaith Cymreig wedi dod i ben amser maith yn ôl.

Dysgodd rhai, fel fi, yr iaith er mwyn gwasanaethu. Derbyniais wahoddiad i wasanaethu yng Nghymru ar gyfer f'ail benodiad wedi i mi ddweud wrth fy Nghadeirydd fy mod angen her! Ddysgais yr iaith yn rhugl gan ymgyfarwyddo hefyd a bywyd gwaith a hamdden Cymru. Mae rhai wedi cymharu Saesnes fel fi'n gwasanaethu yng Nghymru fel cenhades o dramor.

Lleoliad

Mae'r mwyafrif o gapeli Synod Cymru wedi eu lleoli yng nghefn gwlad Cymru tra bod y mwyafrif o gapeli *Wales Synod* mewn trefi a dinasoedd mawr.

Proffil oedran: canran uchel dros saith deg mlwydd oed

Angen mwyaf yr aelodau hŷn i'w eu bugeilio, eu cysuro diwedd oes a'u claddu. Felly ein cyfrifoldeb ni fel eglwys yw diwallu'r anghenion hyn.

Er eu ffyddlondeb a'u hymrwymiad cryf mae eu hoedran yn cyfyngu ar beth sy'n bosib iddynt ei wneud yn ymarferol. Yn ogystal â hyn, maent yn dueddol i ddal yn dynn yn eu cyfrifoldebau hanesyddol, eu harferion arferol a thraddodiadau'r sefydliad.

O dan unrhyw fygythiad neu newid mae eu gafael yn tynhau.

Ceir hefyd enghreifftiau o anhapusrwydd ynglyn â defnydd o declynnau technolegol modern a gitâr i gynulleidfa fechan o saith neu wyth dros saith deg mlydd oed sy'n aml iawn ddim yn cyrraedd clust y gweinidog.

Agwedd athrawon

Yn dilyn streic athrawon, 1980 gwelwyd dirywiad sylweddol ym mrwdfrydedd athrawon ymgymryd ag Ysgolion Sul a chryn newid yn eu hagwedd at wirfoddoli.

Yn absenoldeb arweinwyr ifanc, bu'n dueddiad i ddibynnu ar gyn athrawon i ofalu am yr Ysgol Sul.

Effaith y pandemig ar Ysgolion Sul

Yn dilyn pandemig Covid-19 mae canran uchel o'r plant a'r athrawon wedi cychwyn patrwm newydd ar gyfer y Sul yn hytrach na mynychu'r capel sydd wedi cael effaith damniol ar ein hysgolion Sul.

Cymhariaeth rhwng sefyllfa'r Eglwys Fethodistaidd yng Nghymru â Lloegr:

Yn Lloegr ceir capeli bywiog a chyffrous yn y trefi a dinasoedd mawr. Yno hefyd ceir:

- grwpiau astudiaeth
- prosiectau sy'n fodd o wasanaethu'r gymuned
- grwpiau cymdeithasol
- gwaith ecwmenaidd
- Bugeiliaid y Stryd
- Banciau Bwyd
- cefnogaeth i bobl ddigartref ac i ffoaduriaid
- parodrwydd i fod yn greadigol mewn addoliad a chydag adnoddau digidol.

Yng Nghymru mae'r mwyafrif yn gapeli bychain gwledig

Swyddogaeth gweinidog

Credaf fod rhaid i ni weinidogion sicrhau nad ydyn ni'n cael ein gweld yn 'bwysig' a 'sbeshial'. (Gweler 2.1.1). Pobl gyffredin ydyn ni sy'n gweithredu yn enw'r Arglwydd mewn rôl arweiniol.

Arferion da sy'n cyfleu i ymwelwyr bod y capeli yn eu cydnabod a'u croesawu:

- gosod hysbysfwrdd amlwg tu allan i'r capel i amlygu'r gweithgareddau oddi mewn
- gwneud defnydd o'r adeilad yn wythnosol fel i gynnal sesiynau siarad Cymraeg i ddysgwyr
- cymdeithasau elusennol a chorau lleol
- dosbarthu'r 'Gwyliedydd' – Cylchgrawn y Methodistiaid – yn eang i greu diddordeb
- cydweithio gyda'r gymuned leol mewn ffyrdd amrywiol fel Banc Bwyd a gwerthu nwyddau Masnach Deg

Wrth ymestyn allan gallwn ddylanwadu ar eraill i deimlo'u croeso yn ein mysg a'u bod yn perthyn i deulu lleol a byd-eang. Mae'n hawdd meddwl mai dim ond ein hadeilad ni sy'n bodoli – ond mae eglwys Iesu Grist yn fwy nag adeilad. Mae Crist yn fyw a Duw yn llond **bob** lle!

Dywed Jennie bod arferion seremonïol, y Methodistiaid Saesneg yng Nghymru yn urddasol ac mae i'r swyddogion a'r diaconiaid wisg benodol i ddynodi eu rôl arbennig. Erbyn hyn, mae'r arfer wedi llifo i mewn i'r sector Cymraeg ac mae'n ddatblygiad positif yn ei thyb hi.

Teuluoedd, plant ac ieuenctid EFC: Cymru

> Nid oes gan yr EFC weithwyr ieuenctid. Er hynny, ceir syniadau a gweithgareddau gwerthfawr ar wefan y Methodistiaid Saesneg yng Nghymru. Yn bersonol teimlaf yn ddyledus iawn i'r Ysgol Sul am fy ffydd am sylfaen gadarn. Mae gwaith Cyngor Ysgolion Sul Cymru dan gyfarwyddyd Parchg Aled Davies yn amhrisiadwy. Ceir llwyth o adnoddau, syniadau a gweithgareddau a sesiynau addysg Gristnogol werthfawr dros ben ar eu gwefan. Fodd bynnag prin iawn yw ymddangosiad teuluoedd ifanc, plant ac ieuenctid o fewn gofalaeth EFC yng Nghymru.

Cefndir a magwraeth

Collodd Jennie ei thad yn sydyn pan oedd yn bump oed. Bu cryn gwestiynu'r digwyddiad ar y pryd. Yn y diwedd rhaid oedd derbyn dyfarniad oeraidd yn yr ysbyty: '*It was 'An Act of God'*. Cafodd y dyfarniad creulon hwn effaith andwyol iawn ar ei chwaer.

> Bum yn hynod ffodus mod i'n rhy ifanc i fewnoli'r fath ddyfarniad bod Duw yn talu'n ôl i fy nhad am rywbeth. Ond i mi yn ystod y cyfnod hwnnw fe ddysgais wersi gwerthfawr iawn drwy'r Ysgol Sul. Y wers fwyaf oedd bod Duw yn ein caru ni – ac roedd yn caru fy nhad hefyd.

Mae Jennie yn ei swydd fel Cadeirydd y Synod yng Nghymru yn cyflwyno darlun clir o ddirywiad o EFC. Mae'n credu mai cariad Crist a'n perthynas bersonol ni â'n Duw yw sylfaen ein ffydd bersonol – nid brics a mortar adeilad. Credu hefyd bod Duw yn derbyn a chroesawu pawb heb unrhyw amodau. Mae'n parhau i'n caru ni bob un am byth.

* * *

Taro sylw: Mae i bob eglwys ffynnianus haenau gwahanol sydd ag anghenion gwahanol fel plant, teuluoedd ac ieuenctid, arweinwyr ac aelodau hŷn, traddodiadau. Mae angen cryn ddeallusrwydd emosiynol, sgiliau dylanwadol, egni, brwdfrydedd a dealltwriaeth i gynnal y fath amrywiaeth.

Ysbrydoliaeth

God will not forsake anyone as they leave this world – Rhufeiniaid 8 38-39

Sbardun

Cottrell, Stephen, 2008 (6th ed 2018), *Hit the ground kneeling: Seeing Leadership Differently*

Cyswllt

www.synodcymru.org.uk
www.methodist.org.uk/our-work/children-youth-family-ministry/events
@Momentum

5.4 Undeb Annibynwyr Cymru

5.4.1 Parchg Beti-Wyn James

Llywydd Anrhydeddus 2021-2023
Gweinidog aml enwad
Gofalaeth Y Priordy,
Cana a Bancyfelin Sir Gâr

Ganed Beti-Wyn yn 1969 yn Abertawe ac fe'i magwyd ym mhentref Ynysforgan, Cwm Tawe. Derbyniodd ei haddysg uwchradd yn Ysgol Gyfun Ystalyfera. Chwaraeon, celf a cherddoriaeth oedd ei phrif ddiddordebau bryd hynny i'r fath raddau fel iddi fethu ei arholiad Lefel 'O' Ysgrythur gan ei bod yn chwarae yn ffeinal twrnamaint tenis yr ysgol. Aeth ati i'w ailsefyll yn yr Hydref, a methu'r eildro gan fod yr arholiad yn cyd-daro â threial tîm hoci'r Sir! Fodd bynnag, enillodd y twrnamaint tenis ac enillodd le yn nhîm hoci'r Sir. Ac meddai, 'Er bod gen i radd a gradd uwch erbyn hyn mewn diwinyddiaeth, nid oes gennyf lefel 'O' Ysgrythur! Rhaid dweud bod hyn wedi bod yn destun tynnu coes ar hyd fy oes!'

Cefndir a magwraeth

> Cefais fy magu ar aelwyd Gristnogol. Rwy'n ddyledus iawn i'm rhieni am hynny. Collwyd mam ddwy flynedd yn ôl ac mae fy nhad bellach wedi symud i Gaerfyrddin i fod yn nes atom ni. Yn rhan o'm magwraeth oedd cymdeithas yr eglwys a oedd yn bodoli yn Hebron, Capel yr Annibynwyr, Clydach. Roedd yn eglwys fywiog iawn a ymddiriedai yn ei hieuenctid. Rhoddwyd cyfrifoldebau i mi yn ifanc iawn, ac rwy'n sicr bod hynny wedi cadw fy niddordeb. Breintiwyd pobl Hebron â Gweinidogaeth gadarn ar ysbrydoledig ar hyd ei hanes. Profais innau weinidogaeth a chyfeillgarwch dau yn arbennig, sef y diweddar Parchg Gareth Thomas a'r Parchg Guto Prys ap Gwynfor – y naill a'r llall yn Gristnogion gloyw, yn heddychwyr a chenedlaetholwyr y bu eu dylanwad yn fawr arnaf. Roedd blynyddoedd fy arddegau yn rhai digon tywyll yn hanes y Cwm, streic y glowyr, streic y gweithwyr dur heb sôn

am yr holl ddiweithdra. Safodd Parchg Gareth Thomas ysgwydd yn ysgwydd â'r glowyr a chreodd ei safiad o blaid yr Efengyl Gymdeithasol gryn argraff arnaf.

Ar ôl gadael ysgol, ac wedi cyfnod o weithio, ceisiodd Beti-Wyn ddod o hyd i'w chyfeiriad mewn bywyd

Bûm yn cynorthwyo gydag agweddau gwahanol ar fywyd yr eglwys leol yn dilyn marwolaeth Gareth Thomas. Dechreuais bregethu a dilyn cwrs allanol Coleg yr Annibynwyr, cyn derbyn swydd yn Swyddfa Genhadol Undeb yr Annibynwyr. Cyn pen dim, teimlais fod fy mywyd, o'r diwedd yn cymryd rhyw fath o gyfeiriad, a'r cyfeiriad hwnnw oedd i'r weinidogaeth Gristnogol. Rwy'n credu yn angerddol fod y weinidogaeth yn seiliedig ar alwad Duw.

Fe'm hordeiniwyd ym 1992 yn weinidog yn Y Tabernacl Y Barri. Treuliais wyth mlynedd ardderchog yno yn bwrw fy mhrentisiaeth! Profiad newydd iddynt oedd cael merch yn weinidog, a honno'n ferch ifanc a dibrofiad. Roeddent yn fentrus iawn ac yn rasol iawn chwarae teg! Derbyniais alwad yn 2002 i weinidogaethu yng Ngofalaeth Bro, Capel Y Priordy, Caerfyrddin a Chana (UAC) a Bancyfelin (EBC). Er cystal oedd bywyd yn Y Barri, gwyddem y byddem yn anelu at ddychwelyd i'r gorllewin ryw ddydd, a daeth y cyfle yn 2002. Eto, dyma'r tro cyntaf i'r ofalaeth hon gael merch yn weinidog, ac fel yn Y Barri, mae'r eglwysi wedi ymateb yn wych i'r weinidogaeth, a'u caredigrwydd i ni fel teulu yn hynod.

Llywydd UAC

Fe'm sefydlwyd yn Llywydd ym 2021. Enillais radd M.Th yng Ngholeg y Bedyddwyr, Caerdydd yr un flwyddyn. Ffocws yr ymchwiliad arbennig oedd y modd yr oedd yr eglwysi o dan fy ngofal wedi ymateb ac addasu Covid-19.

Amlinelliad o gefndir a hanes UAC

Ymddangosodd yr Eglwys Annibynnol gyntaf yng Nghymru yn Llanfaches, Gwent, ym 1639. Erbyn hyn mae oddeutu 350 o eglwysi Annibynnol yn perthyn i Undeb yr Annibynwyr Cymraeg, gyda'r rhan fwyaf ohonynt yn byw a gweithredu trwy gyfrwng yr iaith Gymraeg. O fewn y traddodiad Annibynnol a chynulleidfaol ystyrir pob eglwys unigol yn uniongyrchol atebol i Iesu Grist fel ei Harglwydd. Oherwydd hynny, erys yr awdurdod ym mhob penderfyniad gyda'r gynulleidfa o aelodau cyflawn, drwy gwrdd eglwys (sef cyfarfod o aelodau, ac ni all unrhyw gorff allanol orfodi eglwys i weithredu'n groes i'w dymuniad. Llais yr eglwys leol sy'n cyfrif.

Gweinidog bro capeli o enwadau gwahanol

Gan fy mod yn weinidog bro sy'n gofalu am ddwy eglwys Annibynnol ac un eglwys Bresbyteraidd, mae gofyn i mi weithredu mewn gwahanol ffyrdd pan gyfyd yr angen i drafod materion o bwys a gwneud penderfyniadau arnynt. Cymerwch briodas un rhyw, er enghraifft. Roedd modd i'r ddwy eglwys Annibynnol gynnal eu trafodaeth eu hunain a dod i benderfyniad, ond bu rhaid i'r eglwys Bresbyteraidd ymostwng i benderfyniad cenedlaethol gan EBC. Mae eglwys Annibynnol hefyd yn ariannu ei hun, gan gynnwys ariannu'r weinidogaeth tra bo eglwys Bresbyteraidd yn cyfrannu'n ariannol at gronfa ganolog.

Mae'r eglwysi Annibynnol a'r Undeb wedi perthyn i'r traddodiad Diwygiedig, a'u prif nodweddion yw eu bod yn bedyddio babanod yn ogystal ag oedolion, yn gynulleidfaol o ran eu trefn eglwysig, ac yn ystyried y Beibl fel unig reol ffydd a buchedd.

Er eu bod yn annibynnol o ran eu hatebolrwydd, eglwysi mewn cymdeithas ag eglwysi eraill yw eglwysi Annibynnol Cymru. Nid yw bod yn Annibynnol yn golygu bod yn ynysig. Mae gan bob eglwys Annibynnol Gymraeg gyfle i ymaelodi ag UAC. Nid enwad mo'r Undeb, ond Undeb o Eglwysi Annibynnol.

Sefydlwyd yr Undeb ym 1871. Roedd y cyfansoddiad a fabwysiadwyd y noson honno yn syml ac fe roddwyd y teitl 'Undeb yr Annibynwyr Cymreig' ar y sefydliad newydd. Dyma'r hyn ddywedir yn ail gymal y cyfansoddiad:

"Amcan yr Undeb yw meithrin cydnabyddiaeth ychwanegol rhwng y gweinidogion ac aelodau'r eglwysi; rhoddi cyfle i ymgynghori yng nghylch achosion cyhoeddus yr enwad; ac annog y naill a'r llall i gydweithrediad gyda'r pethau a berthynant i lwyddiant teyrnas Crist."

Rôl Llywydd UAC:

- Cadeirio Cyfarfodydd Blynyddol yr Undeb
- Cadeirio pwyllgorau eraill yn ôl y galw
- Cynrychiolydd i'r Undeb mewn cyfarfodydd aml enwad
- Gweithredu fel dolen gyswllt rhwng UAC â'r 15 Cyfundeb o Fôn i Fynwy

Cyfnod technolegol cyffrous

Deuthum yn Llywydd ar adeg gyffrous. Bu'r ddwy flynedd ddiwethaf yn rhai heriol yn ein hanes. Cydiodd y pandemig yn ein byd gan orfodi cau drysau'n capeli am y tro cyntaf erioed.

Bu rhaid meddwl am ffyrdd amgen o gyflwyno'r Efengyl a chadw cymdeithas yr eglwys ynghyd er bod ei haelodau ar wasgar.

Bu UAC yn flaengar yn darparu oedfaon digidol. Rhoddodd hyn hyder, cyngor a chefnogaeth i eglwysi, eu gweinidogion a'u harweinwyr i fentro i faes technolegol rhithiol a digidol newydd.

Roedd y ddarpariaeth ysbrydol hon yn hynod werthfawr yn ystod y cyfnodau clo. Maent yn parhau i fod yn boblogaidd ers i'r cyfyngiadau lacio. Bu'r Undeb hefyd yn taflu sylw gofalus i'w gweinidogion â'i harweinyddion yn ystod y cyfnod anodd hwn.

Rhaglen Arloesi a Buddsoddi

Lansiodd UAC y rhaglen Arloesi a Buddsoddi yn ystod 2021. Dyma gynllun arbennig sy'n gwahodd eglwysi i gyflwyno cais am grantiau sylweddol i fuddsoddi mewn prosiectau arloesol o bob math.

Mae Ysgrifennydd Cyffredinol UAC yn edrych i'r dyfodol yn obeithiol:

'Teimlaf y bydd 2022 yn flwyddyn dyngedfennol i'n heglwysi. I rai, efallai mai argyfwng y pandemig bydd yn ddechrau cyfnod newydd lle maent yn cofleidio ffyrdd ffres a chyffrous o ymarfer y ffydd Gristnogol ymhlith y gynulleidfa ac yn y gymuGofalaeth Y Priordy, Cana a Bancyfelin

Mae'r ofalaeth hon yn cydweithio'n hapus. Mae Cana a Bancyfelin, er yn llai o ran nifer na'r Priordy, yn allweddol i gynnal yr ofalaeth. Ar gyfer yr ysgrif hon, soniaf yn bennaf am Y Priordy.

Bu'r eglwys hon yn tystiolaethu i Iesu Grist ers can mlynedd a hanner. Mae iddi aelodaeth ychydig dros 200 heddiw. Er inni golli bron i hanner yr aelodaeth dros yr ugain mlynedd diwethaf, yn bennaf drwy farwolaeth, eto, mae'r eglwys wedi llwyddo i ddenu aelodau newydd yn gyson. Mae'r rhifau wedi dal eu tir yn rhyfeddol.

Swyddogion, diaconiaid a gwirfoddolwyr

Mae tîm o swyddogion a diaconiaid yn cefnogi'r weinidogaeth ac yn gofalu'n drylwyr a phroffesiynol iawn am ochr weinyddol ariannol yr eglwys. Mae'r rhestr o wirfoddolwyr yn ddiddiwedd! (gweler gwefan yr eglwys) Mae gan bob person ei ran i'w chwarae yn nheulu'r Priordy, a chyfraniad pob un yn werthfawr.

Arbrofion technolegol a cherddorol mewn oedfaon

Cynhelir oedfa bob bore Sul a manteisir yn gyson ar ein rhyddid i arbrofi gyda threfn yr oedfa. Buddsoddwyd mewn offer technolegol arbennig, gan gynnwys dwy sgrin deledu fawr sydd yn cynnig pob math o gyfleodd i amrywio'r addoliad, o luniau i eiriau, i ffilmiau a sain. Mae cyswllt â'r we yn y capel wedi profi'n allweddol hefyd, yn enwedig ar ôl y cyfnod clo gan roi cyfle i ni ddarlledu'n fyw o'r oedfa ac o ambell angladd yn ogystal â hynny. Mae band Y Priordy yn profi'n boblogaidd iawn ac yn cyfeilio yn yr oedfa unwaith y mis, gyda'r genhedlaeth newydd o offerynwyr yn edrych ymlaen yn eiddgar at ymuno!

Yr Ysgol Sul ac oedfa deulu

Mae yma Ysgol Sul sy'n cwrdd yn wythnosol, ac oedfa deulu yn cael ei chynnal bob bore Sul. Neilltuir hanner cyntaf yr oedfa i'r plant cyn iddynt ymadael am yr Ysgol Sul. Mae gen i deimladau cryf iawn ynghylch yr angen i fagu'r genhedlaeth iau yn rhan o gymdeithas yr eglwys ac nid yn rhan o gymdeithas y festri yn unig.

Ofnaf ein bod wedi ysgaru'r Ysgol Sul oddi wrth yr eglwys ar hyd y blynyddoedd, a'r plant ond yn ymddangos yn yr oedfa ar adegau penodedig o'r flwyddyn, Gŵyl Dewi, Y Pasg, Diolchgarwch a'r Nadolig. Mae angen i'n plant gyfarwyddo ag oedfa ac addoli, ond, os ydym yn eu gwahodd atom, mae angen darparu'n iawn ar eu cyfer. O gynnwys y plant yn yr oedfa yn gyson, daw teuluoedd i'r oedfaon, a chawn bresenoldeb y cenedlaethau iau yn gyson. Credaf hefyd fod angen cadw mewn cyswllt cyson â phob teulu yn yr eglwys.

Agweddau technolegol, rhithiol a digidol

Yn ogystal â'r e-fwletin wythnosol, mae gennym gyfres o grwpiau *WhatsApp*, Messenger a thudalennau GL. Mae'r Ysgol Sul yn perthyn i Fenter Ieuenctid Caerfyrddin (MIC).

Disgrifiad Beti-Wyn o Bobl Ifanc Priordy (**PIP**)

Sefydlwyd PIP rai blynyddoedd yn ôl, sef grŵp Pobl Ifanc Priordy sy'n cwrdd yn achlysurol ar foreau Sul a chymryd at oedfaon. Cafodd PIP (cyn y cyfnod clo) gyfleoedd i fynd ar daith yn dilyn emyn a gair o weddi ar fore Sul er mwyn dod i ddysgu mwy am eu cymuned. Buont yn ymweld â Radio Ysbyty Glangwili, Caplan Ysbyty Glangwili, Pencadlys Heddlu Dyfed Powys yng nghwmni'r Caplan a Llyfrau Llafar y Deillion. Pleser yw gweld y plant yn tyfu'n bobl ifanc bonheddig ac aeddfed, ac yn cyflwyno eu hunain i ddod yn gyflawn aelodau o'r eglwys.

Presenoldeb yr eglwys mewn digwyddiadau cyhoeddus

Daeth cyfle i'm rhan ar sawl achlysur i fod yn Gaplan i Faer Caerfyrddin a'r Priordy yn gartref i'r oedfa ddinesig. Pan fydd yr Ŵyl Ganol Dref yn cael ei chynnal gan y Fenter Iaith leol, bydd bob amser stondin gan Y Priordy yn yr Ŵyl a hefyd yn ffair Myfyrwyr Coleg Prifysgol Cymru'r Drindod Dewi Sant.

Mae rhwydweithio a chreu cysylltiadau newydd o fewn y gymuned yn allweddol. Ceir hanes Y Priordy yn y papur bro leol bob mis a'r cyhoeddiadau diweddaraf yn Journal Caerfyrddin a'r Western Mail yn wythnosol. Caf gyfleoedd i ymweld ag ysgolion cynradd ac uwchradd yn gyson a chreu perthynas arbennig gydag Adran Addysg Grefyddol Ysgol Gyfun Gymraeg Bro Myrddin. Cyflwynir Tlws Capel Y Priordy i'r disgybl sydd wedi gwneud yr ymdrech orau ym maes Addysg Grefyddol ym Mro Myrddin yn flynyddol. Rwy'n taflu gofal bugeiliol dros yr ysgolion ac wedi bod wrth law i gynorthwyo yn ôl y galw. Braint yw gwasanaethu ar gorff llywodraethu dwy ysgol a bod yn gyn-gadeirydd iddynt.

Gwefannau Cymdeithasol

Mae gwefan yr eglwys wedi'i sefydlu ers nifer o flynyddoedd, ond erbyn hyn, unig bwrpas y wefan yw cyflwyno gwybodaeth syml. Mae bywyd Capel Y Priordy o ddydd i ddydd yn cael ei ddiweddaru'n ddyddiol ar y gwefannau cymdeithasol lle mae gan yr eglwys dudalen GL a chyfrif Trydar.

Cymdeithasu a chenhadu

Yn ogystal â chyfarfod i addoli ar y Sul, ceir amryw o gyfarfodydd eraill; Y Gymdeithas Ddiwylliadol, Y Drws Agored, Paned a Sgwrs, Cwrdd Gweddi dros *Zoom*, ac Agor y Gair – astudiaeth Feiblaidd aml-enwad yng Nghanolfan Gymraeg yr Atom.

Arf allweddol yng nghenhadaeth yr eglwys yw Papur Priordy a sefydlwyd yn wreiddiol gan ieuenctid yr eglwys ond sydd, erbyn heddiw, wedi tyfu'n bapur 42 tudalen sy'n ymddangos erbyn y Sul cyntaf o bob mis, ac ar gael yn electronig a digidol. Yn ogystal â newyddion yr eglwys, ceir yn y papur adroddiadau am oedfaon arbennig ynghyd ag erthyglau diddorol a blaengar.

Ceir hefyd dudalennau ar gyfer y plant a'r bobl ifanc a neges a gweddi gan y gweinidog. Mae'r copïau caled o'r papur yn cael eu dosbarthu i'r aelodau a hefyd ar gael yn rhad ac am ddim drwy'r Siop Gymraeg yn y dref a garej leol. Noddir pob Rhifyn o Bapur Priordy gan yr aelodau a chyfeillion erial. Mae'r papur ar gael ar ein gwefan hefyd.

Tîm bugeilio

Mae cymdeithas y Priordy'n un clos a chynnes, a phob person newydd sy'n camu drwy'r drws yn tystio i'r croeso a'r cynhesrwydd. Yn ogystal â'r gweinidog, mae'r tîm bugeilio'n ffyddlon eu hymweliadau. Bu'r gofal bugeiliol o'r aelodau bregus yn hynod o drylwyr dros y ddwy flynedd diwethaf wrth i unigolyn gael eu hamddifadu o gwmni eu teuluoedd yn ystod y cyfnodau clo.

Pan ddaeth y cyfnod clo i'n rhan, ymatebodd yr eglwys ar unwaith i'r her o sicrhau oedfa bob Sul a chadw cymdeithas yr eglwys ynghyd er gwaetha'r ffaith bod drysau'r capel ar gau.

Ffrydiwyd oedfa yn fyw ar fore Sul y Mamau, Mawrth 2020, sef y Sul cyntaf wedi'r clo mawr. Tyfodd y diddordeb a'r gefnogaeth ddigidol a chychwynnwyd ffilmio oedfa o flaen llaw a'i rhyddhau ar fore Sul ar sianel *YouTube* yr Ofalaeth ynghyd â'r cyfryngau cymdeithasol. Roedd yr oedfa yn denu dros 1,000 o wylwyr ar un adeg. Yn dilyn y fath ymateb, penderfynwyd yn unfrydol i barhau i ddarlledu'n ddigidol er bod drysau'r capel bellach wedi ailagor ac addoli wyneb yn wyneb wedi'i adfer. Mae'r oedfaon digidol yn parhau i ddenu dros 500 o wylwyr ar y Sul – o bedwar ban byd! Bu'r ymateb yn gadarnhaol iawn i'r Calendr Adfent digidol a ryddhawyd yn ddyddiol yn ystod mis Rhagfyr 2021 a hefyd i'r ffilmiau byrion 'Am funud'.

Wrth edrych ymlaen at y dyfodol, sylweddolodd cynulleidfa Capel Y Priordy bod angen wynebu'r her o ddarlledu'n ddigidol i gynulleidfa ehangach yn ogystal ag addoli wyneb yn wyneb. Mae'r galw yno ar i'r ddau gyfrwng gerdded ochr yn ochr â'i gilydd i'r dyfodol.

* * *

Taro sylw: Mae nawdd ariannol hael ar gael i gapeli i gyllido datblygiadau fudd o fudd i genedlaethau'r dyfodol fel Swyddog plant, teuluoedd a'r gymuned, a chyfathrebu digidol mentrus.

Ysbrydoliaeth

"Am hynny, gan fod y weinidogaeth hon gennym trwy drugaredd Duw, nid ydym yn digalonni." (2.Corinthiaid 4.1)

Do your little bit of good where you are; it's those little bits of good put together that overwhelm the world. Desmond Tutu.

Sbardun

Stott, John, 2014, *I Believe in Preaching*

Cyfeirnodau

www.annibynwyr.org

www.annibynwyr.org/arloesi-a-buddsoddi

Cyswllt

www.priordy.org

GL @CapelYPriordy

https//www.youtube.com/channel/UC4cAGeXz8NtFHi-4aH8Aoig

5.5 Undeb Bedyddwyr Cymru

5.5.1 Parchg Judith Morris

Ysgrifennydd Cyffredinol

Ganed Judith yn 1961 ac fe'i magwyd ym Mhontardawe, yn ferch i Margaret a Desmond Flook ac yn chwaer i Susan. Eglwys y Bedyddwyr Adulam, Pontardawe oedd y cartref ysbrydol.

Mynychodd Ysgol Gymraeg Pontardawe cyn symud i Ysgol Gyfun Ystalyfera ac aeth ymlaen i astudio diwinyddiaeth ym Mhrifysgol Manceinion. Wedi graddio bu'n gweithio gyda phobl ddifreintiedig cyn symud am gyfnod i weithio gyda Gwasanaeth Tân ac Achub Canolbarth a Gorllewin Cymru. Fe'i hordeiniwyd yn weinidog yn 2007 ac yn 2015 fe'i penodwyd yn Ysgrifennydd Cyffredinol UBC. Mae Judith yn briod ag Wyn a fu'n weinidog gydag EBC cyn iddo ymddeol. Maent wedi ymgartrefu ym Mhenrhyn-coch.

Mae Judith ar un llaw yn paentio darlun digalon:

> Profiad digon cymysg yw bod yn Gristion yng Nghymru heddiw. Gallaf dystio yn bersonol i'r budd a'r fendith a dderbyniaf o fod yn aelod mewn eglwys. Rwyf wrth fy modd yn addoli, yn gwrando ar bregeth a bod yn rhan o gymdeithas gynnes sydd yn gwneud gwahaniaeth yn y gymuned leol. Ond tra bo'r addoliad cyhoeddus yn fodd i feithrin a bwydo'r bywyd ysbrydol a chreu cymuned iach, mae perthyn i eglwys yn medru bod yn brofiad digon ynysig hefyd a all ddwyn pob math o ofidiau. Yn arbennig felly i'r sawl sydd wrthi yn cynnal yr achos yn ymarferol.
>
> Mae'r rhain yn hysbys i bawb prinder aelodau a diffyg diddordeb yng ngweithgaredd yr Eglwys; amharodrwydd aelodau i ysgwyddo cyfrifoldebau; adeiladau sydd yn rhy fawr, yn rhy gostus i'w cynnal. Hefyd os yn anaddas ar gyfer gofynion yr unfed ganrif ar hugain; prinder gweinidogion a phregethwyr lleyg i lanw'r pulpudau ar y Sul a diffyg

ymateb gan y gymuned i ymdrechion cenhadu.

At hynny, mae'r lleihad cyson yn ein haelodaeth ers dros ganrif bellach wedi golygu mai dim ond canran fechan o'r boblogaeth sydd yn addoli'n gyson erbyn hyn. Mae'r mwyafrif o'n haelodau yn perthyn i'r genhedlaeth hŷn a nifer o gapeli wedi'u hamddifadu o bresenoldeb pobl ganol oed, plant ac ieuenctid. Ers tro bellach mae yna bentrefi di-ri yng Nghymru heb unrhyw fath o dystiolaeth Gristnogol.

Capel traddodiadol

Fel aelodau sy'n perthyn i enwadau traddodiadol, teimlaf fy mod yn byw ac yn bod ar gyrion cymdeithas. Hynny yw, mae'r 'capel traddodiadol Cymraeg' bellach yn amherthnasol ym mywydau'r mwyafrif helaeth o'n cymunedau. O ganlyniad, profiad anodd yw dal i gynnal yr achos yn wyneb y twf mewn seciwlariaeth a'r diffyg diddordeb yn y ffydd Gristnogol.

Diffyg cyd-weithio rhwng enwadau

Ffactor arall sydd yn peri digalondid affwysol yw'r diffyg cydweithio rhwng eglwysi ar lefel leol gan gynnwys y rhai sy'n perthyn i'r un enwad. Mae arweinwyr yr enwadau yn cael eu beirniadu'n llym yn aml iawn am nad ydynt yn gwneud mwy i feithrin ac ennyn diddordeb mewn cydweithio. Mae'n siŵr bod yna gyfiawnhad i'r feirniadaeth hon ond pan gwyd cyfleoedd o'r fath testun syndod yw amharodrwydd eglwysi lleol i fanteisio ar sicrhau gweinidogaeth a chryfhau'r dystiolaeth drwy ymuno ag eglwysi eraill.

Enghraifft

Mynegiant o'r diffyg cydweithio hwn oedd penderfyniad UAC yn ddiweddar i beidio ag uno gydag UBC ac EBC i greu un papur aml enwad. Dymuniad yr Annibynwyr oedd parhau i gyhoeddi 'Y Tyst' ond penderfyniad UBC ac EBC oedd bwrw ati i greu'r papur digidol 'Cenn@d'. Hynny er mwyn calonogi ein gilydd, dangos parodrwydd i ganolbwyntio ar y pethau sydd yn gyffredin rhyngom yn y gobaith y byddai'r fenter yn gyfrwng anogaeth i aelodau ein heglwysi ar lawr gwlad i glosio'n fwyfwy at ei gilydd. Yn anffodus, nid oedd modd dwyn perswâd ar yr Annibynwyr i ymuno yn y fenter hon.

Nid oes modd gorfodi'r un eglwys nac enwad i gydweithio, ond pe bai mwy o gydweithio yn digwydd mae'n siŵr y byddai hynny'n fodd i fagu mwy o hyder a'n galluogi i weld y tu hwnt i'r trai sydd i'w ganfod ym mhob rhan o Gymru.

Ar y llaw arall, cynigir darlun sy'n codi calon:

> Ond nid dyma'r darlun yn gyfan am fod yna ddarlun arall, sef yr un sy'n codi calon! Fel Ysgrifennydd Cyffredinol UBC gwn am enghreifftiau ardderchog o eglwysi sydd yn weithgar ac yn denu aelodau o blith ystod oed eang, ac mae'r eglwysi hyn i'w canfod ym mhob rhan o Gymru. Ond beth sydd i gyfrif am hynny? Yn ei gyfrol '*The Healthy Churches Handbook*' mae'r awdur Robert Warren yn cyfeirio at nifer o elfennau sy'n nodweddu eglwysi iach.

Nodweddion eglwysi iach sy'n cynnwys eglwysi sy'n:

Edrych i'r tu allan;

> Yn dirnad ewyllys Duw; yn wynebu'r gost o newid; yn gweithredu fel cymuned; yn sicrhau lle i bawb; yn cyflawni ychydig o bethau, yn hytrach na cheisio gwneud popeth, ac yn gwneud hynny'n dda.

Gweithio'n galed mewn gwahanol feysydd

> Yn cynorthwyo gyda banciau bwyd, caffis, gwaith plant, ieuenctid a'r henoed ynghyd â'r gwaith o wneud disgyblion. Hyd yn oed yn ystod blwyddyn pandemig 2021 pan nad oedd yr aelodau yn cyfarfod wyneb yn wyneb am fisoedd lawer, bedyddiwyd naw unigolyn yn ein heglwysi. Testun diolch!

Datblygu gofod penodol fel canolfan llesiant

> Man lle gall pobl ddod at ei gilydd i rannu diddordebau, cael sgwrs dros baned a rhannu gweddi er mwyn cynorthwyo gyda'u lles personol.

Oes, mae yna eglwysi sydd yn llwyddo i ddenu aelodau o bob oedran, yn cyflawni gwaith pwysig yn y gymuned, yn ceisio dirnad ewyllys Duw ar gyfer y dyfodol ac yn mentro i fabwysiadau patrymau newydd.

Cenhadon o dramor yng Nghaerfyrddin a Chasnewydd

> Yn ystod y blynyddoedd diwethaf estynnwyd croeso i weithwyr cenhadol o dramor i weithio yma yng Nghymru. Pa mor eironig ydy hi fod y gweithwyr hyn yn teimlo'r awydd i ledaenu'r efengyl yn y wlad a fu'n gyfrifol am anfon cenhadon i'w gwledydd cynhenid ac maent yn frwd ac yn effro i'r her.
>
> Bellach mae gan UBC weithwyr cenhadol o dramor yn siroedd Caerfyrddin a Chasnewydd sydd yn gwneud gwahaniaeth ac mae eraill yn awyddus i ymuno â hwy.

Gweinidogion newydd

At hyn oll mae Duw yn dal i alw pobl o Gymru i wasanaethu yng Nghymru. Testun llawenydd yw cyfweld ymgeiswyr ar gyfer y weinidogaeth ac er nad oes lliaws yn ymdeimlo â'r alwad, y mae yna bobl o bob oed yn parhau i gyflwyno'u hunain i wasanaethu Duw yn flynyddol. Yn 2021 ordeiniwyd pedwar o weinidogion newydd ac un caplan, yng Nghaergybi, Risga, Castellnewydd Emlyn, Sandy Hill a Rogerstone. Diolchwn amdanynt!

Beth am y dyfodol?

Yn y lle cyntaf mae angen cydnabod bod y dyfodol yn ddirgelwch. Nid oes yr un ohonom yn gwybod beth yn union a ddigwydd i'r dystiolaeth Gristnogol yng Nghymru ond o edrych ar yr ystadegau a phatrwm y dirywiad yn ein heglwysi dros y ganrif ddiwethaf mae'r cyfeiriad yn amlwg iawn.

Twf yr eglwysi anenwadol

Un ffactor yn sicr a fydd yn nodweddu ein cymdeithas yfory yw presenoldeb yr eglwysi anenwadol yng Nghymru a hynny yn rhannol o ganlyniad i'r bwlch a adawyd gan yr enwadau traddodiadol. Ar y cyfan eglwysi di-gymraeg yw'r rhain ac maent yn amrywio o ran maint. Ambell waith bydd arweinydd wedi bywiocau eglwys oedd ar fin cau neu wedi plannu achos o'r newydd ond yn sicr maent ar gynnydd ac yn llwyddo i ddenu.

Rhwng dau gyfnod

Mae rhai awduron fel Susan Beaumont yn awgrymu yn ei chyfrol, "*How to Lead When you Don't Know Where You're Going Leading in a Liminal Season*" ein bod yn byw rhwng dau gyfnod. Mae'r gair 'liminal' yn anodd ei drosi i'r Gymraeg, ond yr hyn a olyga yw ein bod yn byw mewn cyfnod sydd yn newid, sef cyfnod trothwyol. Hynny yw, nid yw'r hen batrwm wedi llwyr ddiflannu, ond ar yr un pryd nid yw patrymau newydd y dyfodol yn hollol glir ychwaith! Mae fel pe baem yn bodoli rhwng dau dymor a dau gyfnod. Cyfeiria'r awdur at y profiad o fod mewn maes awyr (a hynny wrth gwrs cyn dyddiau Covid-19!). Wrth deithio o un wlad i'r llall mae'r maes awyr yn fan cyswllt hanfodol. Tra rydym yno brin yw'r rheolaeth sydd gennym dros ein sefyllfa ac mae'r profiad yn medru peri dryswch a phenbleth, yn enwedig os ydym yn bwriadu teithio trwy ranbarthau amser gwahanol. Go brin fod neb am aros mewn maes awyr yn fwy nag sydd raid ond mae bod yno yn gwbl angenrheidiol os am symud o un lle i'r llall. Ai felly yw ein cyfnod ninnau, cyfnod trothwyol wrth i ni ffarwelio ag un drefn wrth ddisgwyl am drefn newydd?

Ond ym mha bynnag ffordd y disgrifir y cyfnod hwn, cawn ein hatgoffa gan John Morgans a Peter Noble yn y gyfrol '*Our Holy Ground The Welsh Christian Experience*' (2016) o allu'r Duw tragwyddol

"Christian witness in Wales has faced far more severe situations than it does today, and has, by the grace of God, always been renewed and enabled to continue its ministry and mission. The church is always capable of renewal, facing contemporary challenges and introducing the Risen Christ to the people of Wales." (tud. 200)

Nid amser yw hwn felly i ddigalonni ond yn hytrach i edrych ymlaen yn ddisgwylgar a dirnad ewyllys Duw ar ein cyfer gan mai dyma yw ein cyfnod a'n cyfle i ddal ati yng ngrym a chadernid yr Ysbryd Glân, i chwilio am ffyrdd amgen i ledaenu'r Efengyl ac i ddal ein gafael ar y trysor gorau, Iesu Grist!

* * *

Taro sylw: Gwell cynlluniau hyfforddiant sy'n ysbrydoli gweinidogion i feddwl yn nhermau sut i ledaenu'r Gair mewn iaith ac arddull sy'n agosach at 2022 nag at 1922 na gwastraffu amser yn hiraethu am sut y bydde hi 'slawer dydd.

Ysbrydoliaeth

"Ond yr wyf fi'n ymddiried yn dy ffyddlondeb, a chaiff fy nghalon lawenhau yn dy waredigaeth; canaf i'r Arglwydd, am iddo fod mor hael wrthyf." Salm 135

Sbardun

Beamont, Susan, 2019, *How to Lead When you Don't Know Where You're Going Leading in âa Liminal Season*,
Morgans, John, & Noble, Peter, 2016, *Our Holy Ground: The Welsh Christian Experience*
Warren, Robert, *The Healthy Churches Handbook*

Cyswllt

0345 222 1514
www.ubc.cymru
GL UBC

5.6 Mudiad Efengylaidd Cymru

5.6.1 Steffan Job

Ysgrifennydd Cyffredinol Cynorthwyol
Henuriad Eglwys Efengylaidd Gymraeg Bangor (Capel y Ffynnon)

Ganed Steffan yn 1979 yn Aberystwyth yn fab i Dafydd a Gwenan ac yn frawd mawr i Heledd a Gwawr. Pan oedd Steffan yn chwe mis oed symudodd y teulu i Landrillo ger y Bala, lle y profodd fagwraeth o fewn cymdeithas gynnes cefn gwlad. Derbyniodd ei addysg yn Ysgol Gynradd Llandrillo cyn symud i Fangor a mynychu Ysgol y Garnedd ac yna Ysgol Uwchradd Tryfan. Aeth i Brifysgol Caerdydd i astudio sŵoleg, gan ddychwelyd i Fangor i gwblhau cwrs ymarfer dysgu cynradd.

Cychwynnodd Steffan ei yrfa drwy ddysgu yn y sector gynradd, cyn setlo yn Ysgol y Faenol ym Mangor. Teimlai'n fraint fod yn rhan o fywyd cynifer o blant. Fe ddysgodd y profiadau hyn gymaint iddo wrth gyd-weithio gydag athrawon arbennig iawn. Cyn cychwyn cyfnod o secondiad fel athro ymgynghorol gwyddonol i'r awdurdod addysg fe'i trawyd yn wael iawn am gyfnod o rai blynyddoedd. Bu rhaid iddo ymddiswyddo fel athro. Wrth iddo wynebu salwch, colli swydd a cholli'i iechyd, aeth Steffan drwy gyfnod tywyll yn ei fywyd lle y bu iddo ddelio gyda chwestiynau mawr bywyd ac ail-edrych ar ei ffydd Gristnogol. Arweiniodd hyn iddo weithio i MEC fel Swyddog Datblygu Gwaith Cymraeg. Mae Steffan yn briod â Deborah, ac mae ganddynt ddau o blant oed cynradd. Mae'r teulu'n byw ym mhentref Rhiwlas gan fwynhau bod yn rhan o'r gymdeithas leol. Erbyn hyn, mae Steffan yn ysgrifennydd cyffredinol cynorthwyol i MEC ac yn henuriad yng Nghapel y Ffynnon Bangor.

Cefndir a magwraeth

> Daeth fy mam a fy nhad yn Gristnogion yn y coleg, ac fe newidiodd Dad ei gwrs i ddiwinyddiaeth gan fynd i'r weinidogaeth. Mae fy atgofion

cynnar o bentref Llandrillo ac o dreulio amser yn y capel ac yn yr ysgol yn hyfryd o gofiadwy. Roeddwn wrth fy modd yn treulio amser ar y fferm gydag Wncl Glyn ac Anti Megan.

Teimlodd fy rhieni alwad gan Dduw i Fangor, ac rwy'n cofio'r amser iddynt rannu gyda mi y byddem yn symud i'r ddinas. Doeddwn i ddim yn hapus o gwbl, ac fe gymerais amser i setlo i mewn i fywyd newydd ac ysgol lawer mwy. Wedi dweud hynny fe setlais a mwynhau profiadau gwych ysgolion y Garnedd, a Thryfan.

Gyda Dad yn weinidog trodd ein bywyd o gwmpas aelodau'r eglwys a gweithgarwch yr eglwys. Roedd yn blentyndod hapus ar y cyfan gyda pherfformio, rygbi, ffrindiau a chymdeithasu yn llenwi fy mryd. Wnes i ddim teimlo tyndra rhwng bod yn fab i weinidog a byw fy mywyd personol. Bu fy rhieni'n glir fod rhaid i mi wneud fy mhenderfyniadau fy hunan. Yn yr ysgol, roedd gennyf gynifer o ffrindiau da o bob cefndir.

Rwy'n cofio'r tro cyntaf i mi fod yn ymwybodol fod Duw yn siarad gyda mi. Yn blentyn ifanc byddwn yn aml yn meddwl yn ddwys o gwmpas cwestiynau fel:

- O ble dwi 'di dod?
- Oes yna Dduw?

Pan oeddwn oddeutu deg mlwydd oed bûm yn gwrando ar yr efengylydd Louis Palau yn neuadd PJ Bangor. Cofiaf gyrraedd adref wedi'r cyfarfod yn gwybod nad oeddwn mewn perthynas gyda Duw.

O ganlyniad i hyn, aeth Steffan trwy flynyddoedd o ansicrwydd o'i berthynas gyda Duw. Ceisiodd weithio allan os oedd Duw wedi maddau iddo ai peidio? Pan oedd oddeutu pymtheg mlwydd oed bu drwy fisoedd o ansicrwydd.

Yna daeth sicrwydd – nid o edrych ar fy hunan, ond drwy bwyso ar Iesu a'i gariad tuag ataf. Yna dechreuais fwynhau perthynas lawn gyda Duw a theimlais ryddid pur i gael siarad gydag ef.

Bu'r blynyddoedd wedyn yn rai hapus iawn i Steffan. Bu'n mwynhau bywyd cymdeithasol y chweched dosbarth, mynychu'r coleg yng Nghaerdydd a bwrlwm cyffrous adeiladu Stadiwm y Mileniwm a Chwpan Rygbi'r Byd.

Roeddwn yn rhan o'r Undeb Gristnogol ac yn byw fy ffydd yn agored fel Cristion. Cefais gyfleodd i gymryd rhan mewn ymgyrchoedd, gwersylloedd plant a chynifer o bethau eraill.

Sylweddolais, wedi i mi ddechrau fy ngyrfa fel athro cynradd mai dyma oeddwn eisiau ei wneud. Roedd cael bod yn rhan o fywyd bob dydd y plant yn gymaint o fraint. Rhoddodd y gwaith foddhad enfawr i mi. Yn y cyfnod yma fe ddechreuais ganlyn Deborah ac yn 2005 fe briodon ni gan ymgartrefu yn Rhiwlas. Roeddwn ar ben fy myd, gwraig, cartref newydd, chwarae rygbi bob penwythnos, gyrfa'n datblygu a chefnogaeth barod yr eglwys ym Mangor.

Yna ym mis Tachwedd o'r flwyddyn honno trawyd Steffan yn sâl gyda'r byg dŵr *Cryptosporidiwm*. Credai mai hoedl fer fyddai i'r salwch ac y byddai'n ôl yn ei waith cyn pen dim. Sylweddolodd yn sydyn fod rhywbeth mawr arno ac meddai:

Doedd gen i ddim nerth o gwbl. Ceisies ddychwelyd i'r gwaith ond roeddwn yn ei ffeindio mor anodd i wneud dim, felly, gorfu i mi ddychwelyd adref. Doedd y doctoriaid ddim yn siŵr beth oedd yn bod, ond trodd yr wythnosau yn fisoedd a doedd dim gwella.

Ar ôl bron i ddwy flynedd bu'n rhaid wynebu'r gwirionedd y byddai'n rhaid i mi roi'r gorau i ddysgu am gyfnod. Roeddwn mewn sioc a bu'n gyfnod anodd iawn.

Dyma pryd y newidiodd cyfeiriad bywyd Steffan yn llwyr, a dechreuodd gwestiynu cynifer o bethau.

Cefais gyfnodau o iselder a gor-bryder, ac er i mi ddechrau gweithio i MEC bûm drwy gyfnodau o gwestiynu fy ffydd. Dyna pryd daeth fy nghefndir gwyddonol yn ddefnyddiol. Dechreuais feddwl drwy bethau'n rhesymegol.

Oedd Duw yn real ac felly yn dod â phwrpas i'n bywyd? Oedd Iesu yn Dduw go iawn neu ai person gwallgof yn honni 'i fod o'n Dduw oedd o? Sut oeddwn am fyw fy mywyd o hyn allan?

Duw real — Doedd credu'n bod ni'n dod o nunlle, heb unrhyw un neu unrhyw beth y tu ôl i bob dim a welwn ddim yn tycio nac yn gwneud synnwyr o fy mhrofiadau.

Esboniad — Mae yna fwy na'r hyn a welwn yn ein byd ni. Yn wir gellir dadlau mai'r pethau pwysicaf i ni yw nid y pethau y medrwn eu gweld a'u mesur, ond y pethau y medrwn eu teimlo a'u profi. Y grymoedd a phwerau mwyaf yn ein byd yw cariad, creadigrwydd, cymdeithas, cyfiawnder a pherthynas. Dyma sy'n rhoi gwerth i fywyd, ac sydd i weld yn greiddiol i fywyd.

Beth sy'n gyffredin?

A'r ateb yn fy nhyb i yw eu bod i gyd yn ddibynnol ar rywun arall, neu ar fwy nag un 'person'. Tydi cariad ddim yn gwneud synnwyr heb neb i garu, ac mae cymdeithas yn hollol amhosib heb fod mwy nag un yno i gymdeithasu. Mae cyfiawnder yn safon sydd ddim yn dod o'n hunain, ond o arall. Dechreuais ofyn sut fath o Dduw fyddai felly wedi creu'r fath fyd?

A'r ateb amlwg i mi oedd y byddai ein crëwr yn un oedd yn medru caru, creu ac eisiau cymdeithasu. Dyna'n union a welwn yn y Beibl ac wrth inni feddwl fod Duw yn drindod – mae'r Tad yn caru'r Mab ac mewn perthynas berffaith gyda'r Ysbryd Glan. Mae yna gariad, perthynas a chreadigrwydd o fewn y Duwdod, ac felly mae'n gwneud synnwyr perffaith mai dyma'r math o fyd y byddai Duw o'r fath yn ei greu. Mae bywyd Iesu yn dangos inni beth yw bywyd go iawn – cariad, cyfiawnder, cymdeithas a pherthynas.

Dod i adnabod Duw

Dechreuais unwaith eto ar y daith ryfeddol o ddod i adnabod Duw, a dyna wir sydd wedi fy nghadw yn y gwaith Cristnogol. Hwn hefyd sydd wedi fy arwain i gymryd mwy o gyfrifoldeb gyda MEC ac yn yr eglwys.

Mae'r dynfa'n ôl i ddysgu yn gryf, ond gwn nad oes unrhyw beth mwy pwysig na dod i adnabod Duw. Mae'r dystiolaeth hanesyddol am Iesu yn rhy gryf, ac mae fy mhrofiad personol yn dangos i mi fod yr Ysbryd Glân yn real. Rwyf felly yn teimlo'r alwad i ddweud wrth eraill am Iesu, gan geisio dangos iddynt fod Duw yn eu caru. Mae'n fraint i mi i helpu bugeilio'r bobl mae Duw wedi eu rhoi i'm gofal yn yr eglwys. Er fy mod yn methu'n aml, rwy'n diolch am nerth yr Ysbryd i geisio gwasanaethu eraill.

Duw cariad yw

Mae'n drasiedi fod gymaint o Gymry yn teimlo fod Duw yn deyrn pell i ffwrdd sydd am sbwylio hwyl pobl. Mae'r gwirionedd mor wahanol – mae'n ein caru gymaint. Rwy'n gobeithio bod fy mywyd yn dangos realiti hwn i eraill. Byddaf wrth fy modd yn siarad gyda phobl am fywyd a'r hyn sy'n greiddiol i'n profiadau.

Ni fu bywyd yn hawdd i mi ers i mi ddod yn Gristion. Er hynny, dwi wedi profi bod Duw yn defnyddio pob dim er fy lles.

Rwy'n ei chyfri'n hi'n fraint bod yn rhan o Gapel y Ffynnon. Rydym yn griw o bobl wahanol iawn, ac o gefndiroedd gwahanol. Iesu sy'n ein huno. Mae'n rhaid newid, ond mae fy mrodyr a chwiorydd yn yr eglwys yn gymorth enfawr. Rydym ar hyn o bryd yn:

- chwilio am weinidog newydd
- atgyweirio ein hadeilad
- cefnogi dau aelod o'r eglwys sy'n genhadon yn Iwerddon, ac yn
- parhau gyda'n gwaith o ddydd i ddydd.

Tydan ni ddim yn rhan swyddogol o unrhyw enwad neu fudiad, ond yn profi cymdeithas agos gydag eglwysi eraill o bob math o enwadau a sefyllfaoedd. Rydym yn syml am fod yn oleuni a halen ym Mangor a'r cyffiniau.

Ni allai feddwl a ddim pwysicach na chreiddiol i fywyd.

Y Mudiad Efengylaidd

Cychwynnodd y Mudiad ym 40au y ganrif ddiwethaf wedi i nifer o bobl deimlo presenoldeb Duw yn eu bywydau yn real iawn. Roedd hi'n aml yn brofiad ysgytwol. Yr adeg honno, cafwyd brwydrau mawr yn y byd crefyddol yng Nghymru gyda lleisiau cryf yn dweud nad oedd y Beibl yn ddibynadwy ac yn gwadu atgyfodiad Iesu.

Sylfaenwyd y Mudiad gan griw o bobl o'r un anian o gefndiroedd gwahanol – rhai o enwadau amrywiol, eraill yn Anglicanaidd, ac eraill yn teimlo galwad i gychwyn eglwysi annibynnol. Roedd Cylchgrawn MEC, y cynadleddau a gwersylloedd i'r plant mor bwysig iddynt wrth wynebu yn aml unigrwydd yn eu lleoliadau eu hunain.

Yn naturiol mae MEC wedi addasu a datblygu dros y blynyddoedd. Does dim aelodaeth a does dim y fath beth ag Eglwys y 'Mudiad Efengylaidd'.

Mae gennym nifer o weinidogaethau a phob un â'r nod o wasanaethu a chefnogi Cristnogion lle bynnag y bont. Awn allan i rannu'r newyddion da am Iesu (e.e. i Eisteddfod Genedlaethol Cymru).

Byddwn yn

- cynnal cynadleddau, gwersylloedd ac ymgyrchoedd
- cefnogi arweinwyr eglwysi
- cynhyrchu cylchgronau a llyfrau drwy ein gwasg

Mae pobl yn aml yn gofyn pam fy mod yn gweithio i'r MEC. Atebaf imi fwynhau'r cyfleoedd i wasanaethu Cristnogion o bob cefndir, iaith, ac enwad. Y canolbwynt yw'r Iesu. Rydym yn glir ar y pethau sy'n ein huno. Mae gennym safbwyntiau gwahanol ar agweddau fel bedydd, eglwysyddiaeth a doniau'r ysbryd.

* * *

Taro sylw: Peth iach yw'r rhyddid i siarad yn agored gyda phobl y tu fewn a thu allan i Gristionogaeth am eu bywyd a'u cred. Er hynny, gall siarad a) am ffydd bersonol a b) ei dylanwad ar ein bywyd bob dydd fod yn gymaint o dabŵ â siarad am rannu manylion ein bywyd rhywiol ar 'Tros Ginio'.

Ysbrydoliaeth

"Yn y dechreuad yr oedd y Gair; yr oedd y Gair gyda Duw, a Duw oedd y Gair. Yr oedd ef yn y dechreuad gyda Duw. Daeth pob peth i fod trwyddo ef; hebddo ef ni ddaeth un dim sydd mewn bod." (Ioan 11. 18).

Sbardun

Palau, Luis & Pastor, Paul J, 2019, *Palau: A Life on Fire*
Williams, Monty, S.J., 2009, *The Gift of Spiritual Intimacy*

Cyfeirnod

Luis Palau (1934-2021) https//www.twr360.org/ministry/30

Cyswllt

www.capelyffynnon.org
www.mudiad-efengylaidd.org
@ymudiad

5.7 Y Cynghrair Efengylaidd yng Nghymru

5.7.1 Siân Rees

Prif Weithredwr

Ganed Siân yn 1976 yn ferch i Gwynfor a Margaret Rees. Cafodd ei haddysg yn ei hysgol leol yn Llanilar, cyn mynychu Ysgol Gyfun Penweddig yn Aberystwyth. Yn gerddor sy'n medru chwarae nifer o offerynnau, aeth ymlaen i gyflawni Bagloriaeth mewn cerddoriaeth (Anrh.) a Thystysgrif Addysg i Raddedigion ym Mhrifysgol Cymru, Bangor.

Ar ôl graddio, treuliodd flynyddoedd hapus yn gweithio'n rhan-amser gydag Eglwys Bentecostaidd Caernarfon (*Caernarfon Pentecostal Church* ar ystad Noddfa) fel Gweithiwr Plant ac Ieuenctid. Yn ystod y cyfnod yma, bu yn rhedeg clwb wythnosol i blant Sgubor Goch, Maes Barcer a'r cyffiniau yng nghanolfan Noddfa, ac roedd wrth ei bodd yn dod i adnabod ac annog teuluoedd yr ardal.

Yn ogystal â'r gwaith ieuenctid, bu Siân yn gweithio gyda'r nos fel athrawes biano gyda Chanolfan Gerdd William Mathias yng Nghaernarfon. Roedd yr awydd i fynd yn ôl i faes addysg llawn amser yn gryf, felly wedi deunaw mis o waith cyflenwi deuddydd yr wythnos yn Ysgol Aberconwy, yn 2002, derbyniodd Siân swydd fel pennaeth yr Adran Gerdd yn Ysgol John Bright, Llandudno. Yn 2006, symudodd Siân i Sydney, Awstralia am flwyddyn i astudio mewn Coleg Beiblaidd, cyn dychwelyd i Gymru fel pennaeth Cyfadran y Celfyddydau Perfformio a Mynegiannol. A dyna lle y bu nes iddi symud i Gaerdydd ar ddechrau 2019.

> Roeddwn yn fy arddegau cynnar pan ddechreuodd fy mam fynychu eglwys efengylaidd yn Aberystwyth. Doedd gen i ddim awydd o gwbl mynd gyda hi, yn enwedig ar ddydd Sul pan oeddwn i am ennill ychydig o bres boced yn gweithio mewn caffi yn y dref. Eglwys gyfoes a bywiog yw Eglwys San Mihangel, Aberystwyth ond doedd gen i ddim diddordeb

yn Nuw nag yn arferion y Cristnogion '*happy clappy*' diolch yn fawr. A dweud y gwir, dwi'n cofio eistedd yn amyneddgar trwy un o'r oedfaon naw deg munud yn rhyw hanner dweud wrth Dduw, "Os wyt ti'n Dduw go iawn, plîs wnei di orffen y gwasanaeth yma, dwi'n bored." Yn sicr doeddwn i ddim yn 'chwilio am Dduw', ond roedd Mam am gwmni, ac ar y pryd roeddwn i'n ferch dda(!) ac yn mynd efo hi i'r oedfaon.

Mae un noson yn sefyll allan fel noson arbennig iawn. Wrth eistedd yng nghefn yr adeilad, dyma bresenoldeb Duw yn fy nghyffwrdd. Mae'n anodd esbonio'r hyn yr wyf yn ei olygu wrth ddweud hynny, ond yn sicr roedd yna ymdeimlad o heddwch a chariad pur. Dyna'r tro cyntaf i mi brofi presenoldeb yr Arglwydd ac roedd yn brofiad bythgofiadwy. O hynny ymlaen, roeddwn yn sicr â mwy o ddiddordeb ynglŷn â phwy yw Duw. Tua'r un adeg â'r profiad yna, dyma drasiedi yn taro un o fechgyn y dref. Aeth yn sâl yn ystod y prynhawn ac fe fu farw yn sydyn wedyn. Roedd y gymuned gyfan mewn galar heb sôn am gymuned glòs yr ysgol. Ffrangeg oedd y wers gyntaf ar fore dydd Mawrth gan athrawes Gristnogol. Dwi'n cofio ni'n gofyn iddi sut y gallwn ni helpu'r teulu yn eu galar, a'r unig ymateb oedd, 'gweddïo.' Er nad oedd gen i syniad sut i weddïo, mi es ati i ofyn i Dduw i gysuro'r teulu a'u helpu yn eu hamser o angen. Trwy weddïo a thrwy barhau i fynychu'r eglwys, dyma fi'n penderfynu gwneud Iesu yn Arglwydd ar fy mywyd, penderfyniad dwi byth wedi difaru.

Beth mae Cristnogion Efengylaidd yn ei gredu?

Dywedwch y gair, 'efengylaidd' heddiw ac fe gewch ymateb cymysg. Mae'n un o'r geiriau yna sydd wedi cael ei gamddeall a'i gamddehongli'n fawr, yn enwedig yn ystod y blynyddoedd diwethaf wrth i rai mewn mannau eraill o'r byd ei chamddefnyddio i ddisgrifio eu credoau crefyddol a'u syniadaeth wleidyddol. Ond wnelo hynny ddim byd â'i ystyr gwreiddiol. Fe ddaw 'efengylaidd' o'r gair Groeg, 'euangelion,' sy'n golygu 'newyddion da' neu, yn haws fyth i ni'r Cymry, 'efengyl'. Felly yn syml iawn, pobl yr Efengyl yw Cristnogion efengylaidd.

Newyddion da

Sut felly mae esbonio efengyl Iesu Grist? Wel, yn gyntaf, y newyddion da yw bod Duw yn ein caru ni yn ddiddiwedd ac yn ddiamod, ac mae ganddo gynllun a phwrpas arbennig ar ein cyfer. Fel y dywed un o adnodau mwyaf enwog Efengyl Ioan, "Mae Duw wedi caru'r byd cymaint nes iddo roi ei unig Fab, er mwyn i bwy bynnag sy'n credu ynddo beidio mynd i ddistryw ond cael bywyd tragwyddol." Yn drist iawn, mae pechod wedi ein gwahanu ni o gariad perffaith Dduw. Fyddai neb ohonom yn hoffi meddwl ein bod ni yn bechaduriaid, yn medru brifo eraill, neu wneud pethau sy'n syrthio yn brin o berffeithrwydd; ond dyna ein realiti, rydym oll yn doredig ac wedi syrthio'n brin o safonau perffaith Dduw.

Maddeuant

Ond nid dyna ddiwedd y stori. Dyna pam anfonodd Duw ei unig Fab yn ddyn o gig a chnawd, yn ddwyfol a dynol Ei natur, i fyw yn ein plith. Yn 33 mlwydd oed, ac ar ôl tair blynedd o weinidogaethu, cafodd Iesu Ei groeshoelio. Mae hynny'n ffaith hanesyddol. Ond pam gafodd Iesu Ei groeshoelio? Dywed Rhufeiniaid 6.23 mai, "Marwolaeth ydy'r cyflog mae pechod yn ei dalu, ond mae Duw yn rhoi bywyd tragwyddol yn rhad ac am ddim i chi, o achos beth wnaeth ein Harglwydd ni, Iesu'r Meseia." Mae Duw mor llawn tosturi, fel y danfonodd Iesu i farw yn ein lle. Iesu sy'n cymryd y gosb ac yn talu'r pris er mwyn i ni gael maddeuant pechodau. Iesu sy'n adfer ein perthynas i Dduw Dad.

Dewis

Yn olaf, mae'n rhaid i ni ddewis a fyddwn yn gwneud Iesu yn Arglwydd ein bywydau ai peidio, a ph'un ai ydym ni am gael ein geni 'o'r newydd'. Unwaith eto, mae rhai yn stryglo i ddeall beth mae cael eich geni o'r newydd yn ei feddwl, ac yn amau mai cysyniad Americanaidd ydyw. Ond na, mae'n hollol Feiblaidd – cewch ddarllen mwy am hyn yn stori dyn o'r enw Nicodemus yn Efengyl Ioan, pennod 3. Yn yr un modd nag ydy eistedd yn McDonalds yn golygu fy mod i yn byrger(!), dydy'r ffaith ein bod ni wedi cael ein geni mewn gwlad gydag etifeddiaeth Gristnogol ddim yn ein gwneud ni yn Gristnogion! Rhaid i ni ddewis p'un ai ydym yn gwneud Iesu yn Arglwydd ar ein bywydau ai beidio.

Y Beibl

Mae Cristnogion Efengylaidd yn ymroi i ddarllen y Beibl ac yn credu mai Gair ysbrydoledig Duw ydyw. Mae gweddïo, addoli a rhannu'r newyddion da yn chwarae rôl bwysig yn ein bywydau ac rydym yn credu ym mhwysigrwydd yr eglwys, sef corff Crist yn lleol ac yn fyd-eang, yn offeiriadaeth yr holl gredinwyr, a bod yr Ysbryd Glân yn arfogi ni i rannu cariad Duw gydag eraill. Yn olaf, mae Cristnogion Efengylaidd yn byw yng ngoleuni'r ffaith fod Iesu yn mynd i ail-ddychwelyd i'r byd i gyflawni pwrpasau Duw, dod â bywyd newydd i'r gwaredigion, a sefydlu nefoedd newydd a daear newydd.

Y Cynghrair

Mae'r CEC yn uno cannoedd o fudiadau, miloedd o eglwysi a degau o filoedd o unigolion ar draws y Deyrnas Unedig er mwyn gwneud Iesu yn hysbys. Hon ydy'r mudiad unedig efengylaidd hynaf a mwyaf yn y DU. Cerddwn yn nhraddodiad Cristnogion efengylaidd sydd wedi mynd o'n blaen, y rhai a ddiddymodd y fasnach gaethweision, y rhai a ddiwygiodd ein system gyfiawnder, a'r rhai a oedd yn hyrwyddo addysg i bawb. Heddiw, mae Cristnogion efengylaidd wrth galon cyngor ar ddyled, bugeiliaid stryd, llochesi nos a banciau bwyd. Gellir dod o hyd i bobl sydd â ffydd efengylaidd weithredol mewn gwleidyddiaeth, busnes, addysg, y GIG, manwerthu, amaethyddiaeth, y cyfryngau, ffatrïoedd, cyfraith a threfn, chwaraeon, y celfyddydau, ynghyd â phob agwedd arall ar ddiwylliant, yn gwneud gwahaniaeth sylfaenol yn ein cymunedau. Rydyn ni'n datgan a chadarnhau rhyddid a chyhoeddi newyddion da Iesu, mewn gair a gweithred.

Cydweithio

Cafodd CEC ei geni allan o angerdd arweinwyr eglwysi i weld eglwysi'n cydweithio dros yr efengyl ar draws Cymru. Penodwyd Arfon Jones (bellach yn adnabyddus am ei waith ar BNET a Gobaith i Gymru) fel yr ysgrifennydd cyffredinol cyntaf yn 1989. Yn fuan iawn, casglodd Arfon dîm o'i gwmpas i ganolbwyntio ar rwydweithio a meithrin perthynas gadarnhaol ar draws gwahanol draddodiadau efengylaidd yng Nghymru. Yna, ymgymerodd Parchg Elfed Godding â mantell y CEC rhwng 1999 a 2018, a chafodd y fraint o gynnal Cynulliad Cyffredinol yr Efengylwyr yng Nghaerdydd yn 2001, a lansiwyd gyda dathliad yn Arena Ryngwladol Caerdydd a fynychwyd gan 5,000 o bobl. Y Parchg Elfed oedd yn rhannol gyfrifol am lansio 'Cymru Gyfan,' sef menter i blannu a chryfhau eglwysi drwy gyfrwng y Gymraeg a'r Saesneg. Elfed hefyd a dderbyniodd wahoddiad gan y Prif Weinidog, Rhodri Morgan i'r CEC ymuno â Fforwm Cymunedau Ffydd Llywodraeth Cymru. Erbyn heddiw, Siân Rees sydd yn arwain y CEC, gyda Nathan Sadler yng ngofal polisi cyhoeddus.

Gellir rhannu ein gwaith ni yng Nghymru heddiw i dair prif ffrwd; perthynas, adnoddau ac eiriolaeth.

Perthynas

Ni all undod Cristnogol fodoli y tu allan i berthynas, felly rydym wrth ein bodd yn cysylltu Cristnogion i gydweithio er mwyn yr Efengyl. Wrth ymuno â CEC mae'n haelodau yn ymuno â chymuned sydd wedi'u trwytho mewn gweddi, yn rhannu'r arferion gorau, syniadau, profiadau, cefnogaeth ac anogaeth. Rydym am hyrwyddo undod efengylaidd ac adlewyrchu amrywiaeth efengylaidd ac ar hyn o bryd rydym yn sefydlu'r 'Comisiwn Un Bobl' yma yng Nghymru fydd yn canolbwyntio ar feithrin undod rhyng-ddiwylliannol yr eglwys, tyfu eglwysi aml-ethnig, hyrwyddo cyfiawnder hiliol a herio anghyfiawnder hiliol.

Adnoddau

Mae ein gwefan yn llawn adnoddau am ddim sy'n annog ac yn arfogi Cristnogion yn eu perthynas ag Iesu, ac yn eu helpu i fyw eu ffydd. Mae'n cynnwys myfyrdodau diwinyddol, canllawiau ar bolisi cyhoeddus, darnau barn, defosiynau, a deunyddiau grŵp bach, ynghyd â storïau newyddion da o bob rhan o'r eglwys sy'n annog Cristnogion i rannu'r stori fwyaf oll. Bydd addysgu a phregethu bob amser yn rhan allweddol o'n gwaith gyda staff CEC yn siarad mewn 84 o eglwysi neu gynadleddau yn 2021 yn unig. Trwy ddigwyddiadau, hyfforddiant, adnoddau a chyhoeddiadau, rydyn ni'n arfogi'r Cristnogion i ddylanwadu mewn ffordd bositif ar bob maes o fywyd cyhoeddus. Mae ein cwrs 'Arweinydd Cyhoeddus' yn enghraifft wych o hyn.

Eiriolaeth

Braint CEC yw cael bod yn rhan o bwyllgorau a fforymau lle y gallwn siarad ac eiriol ar ran Cristnogion Efengylaidd. O ganlyniad i'n gwaith gyda Fforwm Cymunedau Ffydd Llywodraeth Cymru, buom yn gweithio gyda'r grŵp 'Gorchwyl a Gorffen' ar reoliadau sy'n ymwneud ag addoldai drwy gydol y pandemig. Rydym wedi gweithio'n helaeth ochr yn ochr â'n ffrindiau yn Cytûn ar weithgorau sy'n edrych ar gwricwla newydd Addysg Perthnasoedd a Rhywioldeb Addysg a'r cwricwlwm Crefydd, Gwerthoedd a Moeseg. Ein nod ni bob amser ar y gweithgorau yma yw sicrhau fod y ffydd Gristnogol yn cael ei chynrychioli'n gadarnhaol a bod ganddi statws cyfartal i gredoau eraill fel y gall plant ffydd 'weld eu hunain' yn y gwahanol gwricwla. Bûm yn cydweithio'n agos gyda Cytûn, awdurdodau lleol, a mudiadau olrhain a diogelu wrth geisio mynd i'r afael â phetruster a drwgdybiaeth ynglŷn â brechlyn Covid-19 gan gydweithio ar sesiynau 'cwestiwn ag ateb', a sefydlu canolfannau brechu dros dro. Mae'r Grŵp Trawsbleidiol ar Ffydd ynghyd â Chyngor Rhyng-ffydd Cymru wedi ein galluogi i ddatblygu perthynas gadarnhaol iawn gyda phobl ffydd y tu allan i'r traddodiad efengylaidd, ac mae'r ddau yn rhan hynod gadarnhaol o'n rhwydwaith perthnasol.

Eglwys Gateway, Y Fenni

Roedd ein heglwysi yn weithgar iawn yn eu cymunedau drwy gydol y pandemig. Cymerwch, Eglwys Gateway, Y Fenni. Pan oedd cynifer yn eu cymuned yn profi amrywiaeth o galedi oherwydd y cyfnodau clo, bu'r gynulleidfa yn darparu a dosbarthu dros 14,000 o brydau bwyd ar draws y dref i bobl y gymuned ac i weithwyr yr ysbyty lleol.

Un person sydd wedi cael ei drawsffurfio trwy waith da eglwys 'Gateway', yw dyn a oedd yn ddigartref a oedd hefyd yn gaeth i gyffuriau ac alcohol. Ar ôl cael ei annog gan aelod o'r gynulleidfa i ymweld â chaffi'r eglwys, daeth y dyn o hyd i gymuned lle'r oedd yn cael ei garu a'i dderbyn. Derbyniodd wasanaethau adsefydlu a drefnwyd ar ei gyfer gan yr eglwys, ynghyd â chyfle i hyfforddi ar gyfer tystysgrif glendid bwyd a gweithio yn y caffi. Ymhen amser, syrthiodd mewn cariad gyda dynes ac mae hi bellach yn wraig iddo! Maent yn parhau i fod yn rhan o'r eglwys, ac mae'r dyn yn rhan o'r band addoli.

Capel Goleudy, Llangefni

Wrth i Covid-19 ddechrau effeithio'n wael ar gymunedau ledled Cymru, dechreuodd Capel Goleudy, Llangefni feddwl am syniadau o sut i fendithio pobl yr ynys gyda neges o obaith. Cynhyrchiad cerddorol a chyfieithiad o gân Ben E. King, '*Stand By Me*' oedd un o'u syniadau, gyda nifer o Gristnogion o wahanol eglwysi'r Ynys yn ei chanu. Erbyn hyn, mae'r fideo a recordiwyd ganddynt wedi ei weld gan fwy na 16,000 o bobl ar *YouTube*! Yn ogystal â chael effaith ar-lein, bu Capel Goleudy yn gweithio'n galed i ymateb i anghenion pobl yr Ynys trwy ddosbarthu 'Parseli o Obaith'. Yn y parseli, roedd yna bryd o fwyd ar gyfer teuluoedd ynghyd â phecynnau o weithgareddau i blant. Erbyn hyn, mae dros 832 o brydau o fwyd wedi cael eu dosbarthu. Mae caredigrwydd yn medru trawsffurfio bywydau, ac mae'r eglwys wedi dod yn rhan o'r gymuned y gellir ymddiried ynddi drwy fwydo'r rhai mewn angen.

Mae yna hen emyn sy'n f'ysbrydoli dro ar ôl tro wrth ei chanu, sef, "Diolch i Ti, yr Hollalluog Dduw am yr Efengyl." Dwi'n cofio bloeddio canu'r gytgan yn blentyn bach wrth sefyll ar un o feinciau pren eglwys Sant Ilar, Llanilar gyda Mam a Dad wrth f'ochr yn ceisio peidio chwerthin. Nid 'Haleliwia' roeddwn i'n canu ar y pryd ond, 'Haleliwlia,' ond dwi ddim yn meddwl fod neb yn poeni! Dyma i chi anthem cynhadledd Llanw, cynhadledd uniaith Gymraeg ar gyfer Cristnogion efengylaidd sy'n cael ei chynnal bob Pasg am wythnos. Ydw, mi ydw i'n ddiolchgar am yr Efengyl a'r ffordd mae Iesu wedi newid fy mywyd er gwell, ond geiriau'r ail bennill sydd yn arbennig iawn i mi. "Pan oeddem ni mewn carchar tywyll du, rhoist i'm oleuni nefol." Dydy bywyd ddim bob amser yn hawdd, weithiau mae bywyd yn medru bod yn anodd. Ond, mae Iesu, goleuni'r byd yn ffyddlon ac mae fy ngobaith yn llwyr ynddo Ef. Gweddi yw'r trydydd bennill, "O aed, o aed yr hyfryd wawr ar led. Goleued ddaear lydan." Am weddi! Yr unig ymateb priodol iddo yw canu **Haleliwia!**

* * *

Taro sylw: Mae ychydig o weinidogion yn mentora 'disgyblion' drwy gynnig profiadau a chyfleodd iddynt gymryd rhan yn gyhoeddus mewn oedfaon ac i fwrw 'prentisiaeth' wrth arwain mentrau newydd.

Ysbrydoliaeth

Emyn: David Charles (1762-1834), *Caneuon Ffydd*, Rhif 49

> Diolch i Ti, yr Hollalluog Dduw
> Am yr Efengyl Sanctaidd.
> Haleliwia, Amen.
>
> Pan oeddem ni mewn carchar tywyll du,
> rhoist in' oleuni nefol.
> Haleliwia, Amen.
>
> "O aed, O aed yr, yr hyfryd wawr ar led!
> Goleued ddaear lydan!
> Haleliwia, Amen.

Cyfeirnod

www.eauk.org

Cyswllt

029 2022 9822
@eawalescymru

* Erbyn hyn mae Siân wedi symud ymlaen o'r swydd hon.

5.8 Yr Eglwys yng Nghymru

5.8.1 Y Gwir Barchedicaf Andy John

Archesgob Cymru
Esgobaeth Bangor

Ganed Andrew Thomas Griffith (Andy) yn 1964 a'i fagu yn Aberystwyth. Graddiodd yn y Gyfraith ym Mhrifysgol Cymru, Caerdydd yn 1986 ac mewn diwinyddiaeth ym Mhrifysgol Nottingham yn 1988. Enillodd hefyd ddiploma mewn astudiaethau bugeiliol yn 1989 yng Ngholeg Sant Ioan, Nottingham. Cafodd ei ordeinio'n ddiacon yn 1989 ac yn offeiriad yn Esgobaeth Tyddewi yn 1990 a bu'n gwasanaethu ei holl weinidogaeth ordeiniedig yn yr esgobaeth honno tan iddo gael ei ethol yn Esgob Bangor yn 2008.

Yn rhinwedd ei swydd fel Esgob Bangor, mae gan Andy gyfrifoldebau portffolio am efengyliaeth, twf yr eglwys, y Gymraeg (mae'n siarad Cymraeg) a stiwardiaeth. Fel esgob, parhaodd i gynghori asiantaethau lleol ar faterion yn ymwneud â chyffuriau ac alcohol. Mae'r agweddau hyn yn agos iawn at ei galon wedi ei brofiadau yn Nottingham gyda phobl ifanc oedd ar goll yn llwyr am iddynt wynebu erchyllterau ac anawsterau torcalonnus gydol oes. Gwasanaethodd Esgob Andy ar Gyngor Padarn Sant tan fis Mehefin 2017.

Fe apwyntiwyd Andy yn bedwerydd Archesgob Cymru ar ddeg ym mis Rhagfyr 2021. Archesgob fydd yn parhau i wasanaethu fel Esgob Bangor.

Crëwyd swydd Archesgob Cymru yn 1920, pan ddatgysylltwyd yr Eglwys Anglicanaidd yng Nghymru i greu'r Eglwys yng Nghymru. Yn wahanol i archesgobion yn nhaleithiau eraill yr Eglwys Anglicanaidd, mae'r Archesgob hefyd yn esgob un o'r esgobaethau yng Nghymru. Yn y cyswllt hwn yr esgobaeth yw Bangor a chadeirlan Deiniol Sant.

Mae'r Archesgob yn mwynhau rhedeg, chwaraeon a chadw'n heini. Mae hefyd yn mwynhau cerddoriaeth, sy'n amrywio o Arvo Pärt i Led Zeppelin ac mae'n canu'r sacsoffon a'r gitâr. Mae ganddo bedwar o blant sydd bellach yn oedolion o'i briodas gyntaf â'r Parchg Caroline. Erbyn hyn, mae'n briod â Naiomi ac mae'r ddau wedi ymgartrefu ym Mangor.

Mae meysydd diddordebau ymchwil yr Archesgob yn cynnwys astudiaethau Beiblaidd a'r berthynas rhwng y celfyddydau gweledol ac ysbrydolrwydd, ac mae'n cyfrannu'n gyson i gyfres Bible Reading Fellowship (BRF), New Daylight.

Ac meddai Esgob Andy ar ei etholiad yn Archesgob Cymru

> Rydym yn wynebu'r heriau gyda gras Duw a gyda'n gilydd, oherwydd gyda'n gilydd rydym yn gymaint cryfach a chymaint yn well. Rwy'n hyderus y bydd EYC yn gallu ymateb ag egni a gweledigaeth. Mae'n fraint enfawr i fi wasanaethu ein Heglwys i'r perwyl hwn.

Croesawodd Archddiacon Meirionnydd, Andrew Jones, y newyddion ar ran Esgobaeth Bangor a dywedodd

> Rwyf am longyfarch Esgob Andy ar ei ethol yn Archesgob Cymru. Mae ei arweinyddiaeth yn Esgobaeth Bangor ers 2009 wedi bod yn rhagorol ac yn cael ei werthfawrogi'n fawr. Mae wedi llywio'r esgobaeth drwy gyfnodau anhysbys ac wedi gwneud hynny gyda gofal, tosturi ac eglurder.
>
> Dyma fraint fawr i ni fel Esgobaeth. Rwyf yn sicr y bydd Esgob Andy yn Archesgob fydd yn arwain ein Heglwys yn strategol, yn ddiwyd ac yn fugeiliol.
>
> Ni allaf gredu mod i o'r diwedd yn defnyddio *Zoom* yn feistrolgar heb sôn am y ffaith mod i'n siarad ag Archesgob Cymru yn fy stydi finiscwl ychydig o ddyddiau wedi ei ddyrchafiad i'r swydd. I mi roedd hyn yn dweud cyfrolau am ei ddiffuantrwydd a gwyleidd-dra Archesgob Andy. Ni ofynnodd am agenda blaenllaw – roedd yr agenda'n hollol agored.

Roedd yn bictiwr yn ei goler gron ac fe wibiodd hanner awr heibio mewn chwiffiad chwannen wrth i ni drafod yn agored a naturiol, fo a fi yn fy stydi fach finiscwl. Doedd dim byd off piste ac atebodd nifer o gwestiynau digon bachog fel:

- Sut lwyddiant gewch chi wrth geisio cydweithio ar draws enwadau Cristnogol Cymru? Dybiwn i y cewch groeso cynnes gan y Catholigion ond beth am yr Anghydffurfwyr traddodiadol sy'n ddrwgdybus o'ch bwriad i'w llyncu nhw'n fyw?
- Sut ydych chi'n bwriadu denu ieuenctid – maen nhw wedi llorio'r rhelyw?

- Beth yw eich barn am gyd-fyw, rhyw cyn priodas a phriodasau un rhyw?
- Sut ydach chi'n delio â'r sibrydion fod Archesgob Cymru wedi ysgaru ac ail briodi?
- Pa fath o Dduw yw eich Duw chi, Duw cariadus neu Dduw'r barnwr?

Roedd ei atebion yn agored a realistig. Roeddent yn dod o le da – nid *patter*. Roedd yn amlwg i mi fod gan yr Archesgob galon lân a ffydd bersonol gadarn iawn ac meddai:

> Mae ein ffydd bersonol yn deillio o'n profiadau ysbrydol o'r ysgrythurau. Mae gan bob un ohonom dasg o rannu'r efengyl a galw pawb i fod yn aelodau o deulu Duw '*with no obstacles*'. Mae'n angenrheidiol i ni groesawu a pharchu pobl sydd yn wahanol i ni oherwydd dyna mae Duw yn ei wneud. Mae Duw gyda ni bob un nid yn ein herbyn ac mae croeso i bawb yn Nheyrnas Duw. Mae Duw'r Tad yn ein hadnabod ni'n bersonol ac yn ein caru ni – tydi o byth yn troi ei gefn arnom.
>
> Nid ffydd academaidd mo hon na thalpiau o wybodaeth ond ffydd sy'n dod o brofiad ysbrydol ac o gysylltu â Duw yn uniongyrchol.

Fe'm cyfeiriodd at 'y llyfr gorau a ddarllenais erioed' sef, *Human Kind* gan Rutger Bregman ac meddai:

> Mae Duw am i ni fod yn iach yn emosiynol a meddyliol a byw ein bywyd i'w lawnder. Weithiau mae hyn yn golygu tor perthynas er mwyn i ni flodeuo'n llawn. Mae pawb angen agosatrwydd iach.

* * *

Taro sylw: Gwyddom wrth edrych ymlaen i'r dyfodol y byddwn yn wynebu llawer o heriau bywyd. Yn Gristnogion, byddwn yn hyderus na fyddwn i byth ar ben ein hunain. Nid ffydd academaidd mo hon na thalpiau o wybodaeth ond ffydd sy'n dod o brofiad ysbrydol ac o gyswllt uniongyrchol â Duw y Tad.

Ysbrydoliaeth
Yr ysgrythurau

Sbardun
Rutger Bregman, 2021, *Human Kind*

Cyswllt
bishop.bangor@churchinwales.org.uk
01248 362895
Cynorthwy-ydd i'r Esgob ac Ysgrifennydd yr Esgobaeth
robertjones@churchinwales.org.uk
07539 431946

5.8.2 Y Gwir Barchg Ddr Gregory Cameron

Esgob
Esgobaeth Llanelwy

Ganed Gregory Kenneth yn 1959 yng Nghwmbrân. Fe'i magwyd yn Llangybi, Sir Fynwy. Ar ôl gwneud ymrwymiad o ffydd yn ei arddegau, dechreuodd fynychu'r Eglwys Anglicanaidd leol. Addysgwyd ef yn Ysgol Gyfun Croesyceiliog Cwmbrân. Wrth astudio'r Gyfraith ym Mhrifysgol Rhydychen, penderfynodd ar alwedigaeth i'r weinidogaeth ordeiniedig. Ar ôl derbyn Ordinand aeth Gregory ymlaen i astudio diwinyddiaeth ac astudiaethau crefyddol yng Nghaergrawnt. Yn dilyn astudiaeth bellach, ordeiniwyd Gregory yn Esgobaeth Trefynwy, lle bu'n gwasanaethu am y chwe blynedd mewn plwyfi yn yr esgobaeth. Yn ddiweddarach gwasanaethodd fel caplan Coleg Wycliffe, Stonehouse ac fel cyfarwyddwr elusen addysgol (prosiect Bloxham). Yn 2000, penododd Rowan Williams, Archesgob Cymru, Gregory yn gaplan iddo.

Yn 2003, penodwyd Gregory yn Gyfarwyddwr Materion Eciwmenaidd yn y Swyddfa Gymundeb Anglicanaidd yn Llundain.

Wedi gyrfa amrywiol a llwyddiannus, etholwyd Gregory yn Esgob Llanelwy a'i gysegru yn 2009.Ef yw'r esgob arweiniol ar addysg, litwrgi'r eglwys ac eciwmeniaeth a chysylltiadau rhyng ffydd.

Mae Gregory yn briod â Clare, athrawes cerdd, ac mae ganddynt dri mab. Mae iddo ystod eang o ddiddordebau y tu allan i'r weinidogaeth yn mwynhau caligraffi, darllen, a ffilm – yn enwedig y genre ffuglen wyddonol. Enillodd gydnabyddiaeth am ei waith yn ei amser hamdden fel dylunydd darnau arian, gan greu tri dyluniad ar gyfer y Bathdy Brenhinol. Yn 2021, cyhoeddodd lyfr '*An Advent Book of Days*' a ddaeth yn '*bestseller*' yn y DU ac yn UDA. Mae'n gyfrol fechan sydd yn dod a ffresni i storiâu a chymeriadau cyfarwydd pum diwrnod ar hugain cyfnod Adfent.

Mae'r sedd Esgobol wedi'i lleoli yn Eglwys Gadeiriol Llanelwy yn Sir Ddinbych. Mae'r cofebion y tu mewn i'r eglwys yn cynnwys bedd Anian II, esgob Llanelwy 1268-1293 a William Morgan fu'n esgob rhwng 1601-

1604, oedd yn gyfrifol am y cyfieithiad Cymraeg cyflawn cyntaf o'r Beibl, Cedwir copi cyfoes yn yr eglwys gadeiriol. Mae'r gan y gadeirlan dreftadaeth gerddorol hefyyd a lleolir Gŵyl Gerdd Ryngwladol Gogledd Cymru, a gynhelir bob mis Medi.

Cyd weithia'r Esgob gyda sefydliadau eraill i gefnogi pobl ddigartref a ffoaduriaid. Mae hefyd wedi gwasanaethu fel Cadeirydd Comisiwn Eglwysi Cyfamodol Cymru, ac mae'n ymddiriedolwr o Gytûn. Yn 2016, sefydlodd Gregory gaplaniaeth *LGBTQIA* cyntaf y Deyrnas Unedig.

Fel hyn mae'n cyfeirio at ei 'alwad', ei weddi a sut y daeth ei rieni o hyd i ffydd ac am y ffordd ddramatig y cadarnhaodd ei alwedigaeth i'r offeiriadaeth.

> Mae'n beth peryglus i herio Duw. Nid oedd fy rhieni yn mynychu'r eglwys nac yn arddangos llawer o dystiolaeth o ffydd. Felly pan gefais yr ymdeimlad o alwedigaeth, roeddwn yn gwybod na fyddwn yn derbyn sêl bendith a chefnogaeth fy rhieni. Felly f'ymateb i Dduw ar y pryd oedd, 'Os ydych chi am i mi fod yn offeiriad, fe fydd angen i chi drosi fy rhieni.'
>
> Yn rhyfeddol, o fewn blwyddyn, roedd fy mam wedi dod o hyd i ffydd. O fewn blwyddyn arall ymunodd fy nhad â ni hefyd fel Cristnogion ymroddedig ac aelodau Eglwysig. Nid oedd ond un peth wedyn ond mynd amdani. Y flwyddyn ganlynol rhoddais fy hun ymlaen i'r Eglwys yng Nghymru fel ymgeisydd i'r weinidogaeth.

Mae Esgobaeth Llanelwy yn gyfrifol am bum deg un o ysgolion cynradd a 6,000 o blant yn y Gogledd-ddwyrain a chanolbarth Cymru. Meddai'r Esgob Gregory:

Ysgolion

> Gennym ni mae'r nifer uchaf o ysgolion eglwysig o fysg y chwe esgobaeth. Mae'n hysgolion yn meithrin plant o bob cred yng nghyd-destun ein ffydd a'n hethos Cristnogol. Mae gennym bartneriaethau cryf gyda Llywodraeth Cymru, awdurdodau lleol, enwadau a chymunedau Cristnogol eraill.
>
> Un fendith gorau fod yn Esgob yw ymweld â'n hysgolion. Yn ddiweddar, es i i un ohonynt oedd yn dathlu pen-blwydd yn ddau gant pum deg o sy'n dangos hyd ymrwymiad yr eglwys i addysg. Er mwyn y plant, gwisgais fy ngwisg gyflawn, gan gynnwys fy meitr a chrozier. Wedyn clywais fod un o'r plant wedi dweud wrth ei rieni bod Duw wedi

ymweld â nhw yn yr ysgol. Roedd hyn ychydig yn well na phan ddwedodd disgybl arall iddo fwynhau'r ymweliad y dyn doniol mewn het barti!

Ysgol uwchradd

Mae Ysgol Uwchradd Eglwysig a Chatholig Sant Joseph, Wrecsam yn unigryw mewn sawl ffordd. Yn fwyaf amlwg oherwydd dyma'r unig ysgol eglwysig Gatholig ac Anglicanaidd yng Nghymru.

Y pennaeth, Chris Wilkinson

Rydym yn gwasanaethu pobl ifanc, teuluoedd a chymunedau Wrecsam a thu hwnt. Rydym yn ysgol ar gyfer disgyblion o bob gallu. Anelwn at ragoriaeth ar bob lefel. Gyda Christ yn y canol, mae ein ffydd a'n gweddi yn sylfaen i bopeth a wnawn, wrth ddysgu ac addoli. Mae gwerthoedd yr efengyl yn treiddio drwy holl fywyd a gwaith yr ysgol.

Yr Esgob

Mae Ysgol Sant Joseph yn gwneud gwaith rhagorol wrth annog pobl ifanc i ddatblygu ffydd. Roedd hyn yn amlwg pan ddewisodd y disgyblion eu hoff gân yn eu Dawns Ymadael sef "*Ten Thousand Reasons* (*Bless the Lord*)" gan Matt Redman. Ddwedasant fod thema'r gân hon yn adlewyrchu eu hamser yn yr ysgol.

Swyddog ieuenctid

Rhaid i ni osgoi bod yn nawddoglyd gyda'n pobl ifanc. Fe'm plesiwyd yn fawr iawn gan waith ein Swyddog Ieuenctid, Tîm Beak. Symudodd i swydd newydd yn ddiweddar ac mae'n golled enfawr i'r Esgobaeth. Roedd ganddo'r ddawn i ddarparu gweithgareddau ysgogol fel

- Fforwm Ieuenctid i drafod materion a godwyd gan yr ieuenctid
- Gwersylloedd penwythnos
- Amrywiol bererindodau

Cysylltiadau rhyngwladol

Trefnodd Tîm cyswllt rhwng Esgobaeth Llanelwy ac Esgobaeth Lutheraidd Efengylaidd Helsinki yn y Ffindir. Mae eu Rhaglen Ieuenctid hwy yn un gadarnhaol ac agored, ac rydym wedi gosod sail ar gyfer cyfnewid blynyddol fel rhan o baratoadau Ordinhad. Cynhyrchir yr holl adnoddau yn Ffinneg ac yn Saesneg, sydd wedi sicrhau llawer iawn o ddeunyddiau gwerthfawr. Mae rhai ohonynt yn mynd i'r afael â chwestiynau ffydd mewn ffordd benodol ac agored.

Un o'r adnoddau mwyaf defnyddiol i'n helpu i ddeall datblygiad ffydd ydy *Stages of Faith and Religious Development Implications for Church,*

Education and Society gan James W. Fowler. Dadl Fowler yw bod ein ffydd yn tueddu i newid o gyfnod i gyfnod pan fydd:

1. babanod yn eu diniweidrwydd yn mwynhau storiâu am Iesu Grist
2. plant hŷn yn dechrau cwestiynu gwirionedd
3. ieuenctid yn gwrthryfela a throi cefn
4. oedolion ifanc yng nghyd-destun profiadau cynyddol bywyd yn ailystyried
5. ffydd yn aeddfedu a dyfnhau

Weithiau pan fydd oedolyn wedi aros yng nghyfnod diniweidrwydd plentyn gan osgoi'r cyfnod cwestiynu a gwrthryfela mae ei ffydd yn rhy wan i'w gynnal drwy stormydd bywyd.

Fforwm Ieuenctid

Mae'n wir fod proffil aelodaeth yr eglwys yn pwyso'n drwm tuag at y rhai hŷn.

Er hynny, rhaid inni fod yn hyderus bod Duw yn gweithio ymysg pobl ifanc.

Er enghraifft, tua deng mlynedd yn ôl, sylwais wrth ymweld ag eglwysi, y byddai un neu ddau o bobl ifanc ymron pob cynulleidfa. Roeddent yn amlwg o ddifrif ynglŷn â'u ffydd. Digwyddodd hyn mor aml nes i mi benderfynu eu tynnu at ei gilydd – fel y gallent gyfarfod ac archwilio'u ffydd yng nghyd-destun eu cenhedlaeth eu hunain. Ar ei anterth roedd yna tua deg ar hugain ohonynt yn mynychu'r fforwm. Mae dwsin ohonynt bellach wedi naill ai hordeinio neu o dan hyfforddiant.

Ar ôl mynychu gwasanaeth Noswyl Nadolig 2021 dan arweiniad Esgob Gregory, fe'm syfrdanwyd gan symlrwydd ac eglurder ei neges. Gwnaeth gryn wahaniaeth i'm dealltwriaeth o arwyddocâd y Nadolig. Cymharodd ddyfodiad yr Iesu i'r byd i'r gyfres deledu 'Undercover Boss' a dyma a ddywedodd:

Un o'r breintiau o fod yn esgob yw eich bod yn cael dewis pa rai o'r gwasanaethau rydych chi am eu cymryd. I mi, mae yna rywbeth arbennig iawn am ddod i'r eglwys ganol nos i ddathlu'r Nadolig a hon yw fy hoff wasanaeth ohonynt i gyd.

Stori am y goleuni yn y tywyllwch yw stori'r Geni; seren yn yr awyr; a'r angylion yn ymddangos i'r bugeiliaid. Rhywbeth a ddathlir orau drwy aros ar ein traed tan oriau man y bore.

Pan geisiodd yr Eglwys Gristnogol ddisgrifio'r hyn a ddigwyddodd y

Nadolig cyntaf hwnnw, daethant i'r canlyniad ei fod yn ddirgelwch. Roedd yn ddirgelwch meddent oherwydd bod tystiolaeth o enedigaeth yr Iesu. Fodd bynnag, fe gymrodd bedair gan mlynedd i'r Eglwys Gristnogol weithio allan beth oedd yn digwydd. Yr honiad syfrdanol oedd bod yr Iesu nid yn unig yn ddyn da, yn broffwyd ac yn athro a anfonwyd gan Dduw ond Ef oedd Duw yn dod i mewn i'n byd ni.

Yn y Credo, 'does dim llai na thair llinell ar ddeg sy'n ceisio egluro dirgelwch y Nadolig. Bu dadlau yn yr eglwys am oddeutu dau gan mlynedd ynglŷn â'r hyn oedd yn gywir a beth oedd yn anghywir. Ar un adeg, datblygodd y ddadl hyd yn oed am un llythyren mewn un gair i ddisgrifio'r Iesu. Ond mae hynny'n ddigon o Roeg am heno. Rwyf am siarad hefo chi am raglen *Channel Four*, a elwir yn '*Undercover Boss*'. Mae'n rhaglen gwbl ryfeddol oherwydd bod y cynhyrchydd wedi' perswadio prif weithredwyr cwmnïau enfawr byd eang i ddod yn weithiwr cyffredin am gyfnod.

Mewn pennod a ddarlledwyd ychydig fisoedd yn ôl perswadiwyd pennaeth cwmni '*Pickfords Removals*' i ddod yn weithiwr cyffredin. Cafodd sioc ac arswyd gan yr amodau gweithio. Fe'i syfrdanwyd gan rai o'r cyfyngiadau a orfodwyd i'r gweithwyr eu dilyn i gyflawni'r gwaith o fewn terfynau amser gan y cwmni, sef ei gwmni ei hun.

Mae'n rhaglen wych oherwydd mae'r gwyliwr ar bigau drain yn disgwyl am adwaith y gweithwyr pan ddatgelir y 'boss' iddynt. Ar ddiwedd y rhaglen gwahoddir rhai o'r gweithwyr i'r brif swyddfa, Yno maent yn cyfarfod eu cydweithiwr newydd sy'n troi allan i fod yn Brif Weithredwr y cwmni.

Mae'r Prif Weithredwr yn elwa o brofi realiti amodau gwaith ei weithwyr er mwyn gwella'u sefyllfa.

Pam ydw i'n siarad am y rhaglen hon heno ma', medde chi? Rwy'n aml yn meddwl bod teledu a ffilm yn dwyn holl syniadau da diwinyddiaeth Gristnogol. Mae "*Star Wars*" yn fwy am yr Ysbryd Glân nag unrhyw lyfr a ysgrifennwyd gan ddiwinydd ar y pwnc.

Ac o ran "*Dr Who*", wel mae hwnnw'n llawn o syniadau sy'n deillio o ddiwinyddiaeth Gristnogol. Benthycodd "*Undercover Boss*" syniad yr ymgnawdoliad oherwydd sylfaen stori'r Nadolig yw bod Duw ei hun, Creawdwr nef a daear, yr Alffa a'r Omega, wedi dod yn fod dynol er mwyn gwybod sut brofiad oedd hynny. Bu'n byw yn agored i boen a phob temtasiwn fel unrhyw fod dynol arall. A dyna yw neges y Nadolig. Dyna'r gwahoddiad i ni heno. Daeth Duw yn ddyn a anwyd o wraig, i'w fagu mewn teulu o ffoaduriaid, i ddioddef gwrthodiad teulu a ffrindiau, i gael ei fradychu ac i farw o farwolaeth annioddefol o boenus.

* * *

Taro sylw: Ymdrechwn i fewnoli'r pum cam ffydd yn hytrach na phryderu ein bod yn colli ein pobl ifanc am byth. Os byddwn yn oedi yn un o'r pum cam yn rhy hir, ni fydd ein ffydd bersonol yn ddigon cryf i'n cynnal drwy stormydd geirwon bywyd.

Ysbrydoliaeth
Emyn William Young Fullerton (1857-1932), Emyn-dôn *Londonerry Air*

I cannot tell what he whom angels worship,
Should not His love upon the sons of men,
Or why, as Shepherd, he should seek the wanderers,
To bring them back, they not how or when.
But this I know, that He was born of Mary,
When Bethlehem's manger was His only home,
And that He lived at Nazareth and laboured,
And so the Saviour, Saviour of the world has come.

Ioan10.10b
Dwi wedi dod i roi bywyd i bobl a hwnnw'n fywyd ar ei orau
Gweddi, Thomas a Kempis 1380–1471
Grant, O Lord, that I will make a real beginning today, for what I have done so far is hardly anything

Ei gyhoeddiad
Cameron Gregory, 2021, *An Advent Book of Days*

Sbardun
Fowler, James W., 1981, *Stages of Faith: The Psychology of Human Development and the Quest for Meaning*

Cyswllt
SianSweeting-Jones@churchinwales.org.uk

5.9 Yr Eglwys Gatholig Rufeinig yng Nghymru

5.9.1 Yr Esgob Emeritws Edwin Reagan

Eglwys Saint Peter a Frances, Prestatyn

Ganed Edwin yn 1938 yn Aberafan yn fab i James a Ellen ac yn frawd i'w diweddar Mary. Roedd ei dad yn gweithio yng ngwaith dur Aberafan a'i fam yn gweithio yn siop Woolworths lleol. Treuliodd Edwin saith mlynedd yn Seminary Sant Ioan, Waterford, Iwerddon cyn ei ordeinio'n offeiriad yn 1958. Treuliodd flynyddoedd lawer fel curad, offeiriad plwyf, a chynghorydd addysg grefyddol i ysgolion Catholig yn Ne Cymru a Swydd Henffordd.

Ym mis Tachwedd 1994, penodwyd Edwin yn Esgob Wrecsam gan Pab John Paul II. 'Mae'r hwn sydd yn eich galw yn ffyddlon'. (1 Thes 5. 24).

Yn 2012, symudodd yr Esgob Regan i Flaenau Ffestiniog i wasanaethu fel offeiriad plwyf am bum mlynedd cyn ymddeol yn llwyr. Bellach mae Edwin wedi ymgartrefu ym Mhrestatyn ac mae'n parhau'n weithgar iawn yn ei eglwys leol.

A dyma ddisgrifiad Edwin o gyd-destun ei esgobaeth:

> Cefais fy ngeni a'm magu ym Mhort Talbot roeddwn yn adnabod ac yn caru'r offeiriaid a'r bobl yn y plwyfi lle'r oeddwn wedi gwasanaethu am bymtheg mlynedd ar hugain. Roeddwn i mor hapus ym Mhen-y-bont ar Ogwr, yn edrych ymlaen yn obeithiol i adeiladu eglwys newydd oedd gymaint o'i hangen yno. Roedd fy nheulu a'm ffrindiau i gyd yn y de – a rŵan roeddwn yn mynd i'r gogledd, i ffwrdd oddi wrth y cyfan, i mewn i diriogaeth anhysbys. Yn gynharach yn yr wythnos dywedodd yr Archesgob John Ward wrthyf fod Pab John Paul II yn ymofyn i mi dderbyn galwad i fod yn Esgob Wrecsam.

Dod yn Esgob

> Yn oriau mân ddydd Llun, Tachwedd 7fed, 1994, cefais fy hun yn gyrru i ffwrdd o Ben-y-bont ar Ogwr, lle'r oeddwn i wedi bod yn offeiriad plwyf

am bedair blynedd ysblennydd, ar fy ffordd i'r gogledd, i Wrecsam. Ac ie, roeddwn i wedi clywed y sibrydion bod fy enw yn cael ei ystyried fel olynydd posibl. Roedd gennyf y parch mwyaf at swyddogaeth esgob, anrheg gan yr Iesu i'w eglwys, pan ddewisodd y deuddeg disgybl. Cred yr eglwys Gatholig bod y 4,000 mil o esgobion yn dyrannu'r un genhadaeth â Christ ar y ddaear. **Fi**, yn olynydd i'r disgyblion!!! Pwy fuasai'n meddwl ac nid yn gallu rhannu'r newyddion gyda neb – am wythnos gyfan. Ond, er hynny, dyma fi ar fy ffordd – yn gadael fy strwythurau cefnogaeth, fel malwen yn gadael ei chragen ar ôl a symud i rywle newydd.

Wrth i mi yrru drwy'r wawr lwyd, sylweddolais fy mod yn ail-fyw profiad Abraham fel ef, roeddwn yn gadael popeth cyfarwydd â chefnogol, ac yn mentro i ddyfodol heriol. Fodd bynnag, roeddwn hefyd yn gwybod bod Duw wedi fy ngalw i hyn. Rwy'n dal i wenu o feddwl am y bore hwnnw, mai **fi** oedd y darpar esgob cyntaf i gyrraedd yr Esgobdy gyda merch ryfedd yn ei gar – ond mae hynny'n stori arall!!

O gam i gam am chwedeg dau o flynyddoedd.

Wrth gwrs, cychwynnodd fy nhaith flynyddoedd lawer yn gynharach. Wrth edrych yn ôl dros fy mywyd, ar ôl che deg dau o flynyddoedd mlynedd o weinidogaeth Gristnogol ordeiniedig, sylweddolais imi wneud dau benderfyniad a newidiodd fy mywyd. Digwyddodd popeth arall fel canlyniad i mi gytuno â'r hyn ofynnwyd ohonof sef derbyn y cyfrifoldebau heriol oedd yn llifo o ufudd-dod.

Y penderfyniad cyntaf oedd cynnig fy hun, yn un ar bymtheg oed, yn ymgeisydd ar gyfer offeiriadaeth. Nid wyf erioed wedi cael profiad o 'dröedigaeth,' o dderbyn Iesu fel fy ngwaredwr – mae'r Ysbryd wedi gweithio ynof yn dawel, bron mewn ffordd resymegol bwrpasol.

Y groes fawr arwyddocaol

Gadewch i mi esbonio – mae yna groes fawr o fewn Eglwys Sant, Joseph, Aberafan. Hwn yw fy nghartref ysbrydol ers yn blentyn. Yn fy arddegau, byddwn yn syllu ar yr Iesu wedi ei groeshoelio ar y groes. Byddwn yn meddwl i mi fy hun – 'Mae yna newyddion da a newyddion drwg. Y newyddion da yw bod yr Iesu wedi marw er mwyn achub pawb. Y newyddion drwg ydy faint o bobl nad sy'n ymwybodol o'r newyddion da hyn!

Dim ond un bywyd sydd gennyf, a dwi'n benderfynol ei fyw i'r eithaf! Felly efallai, mai'r ffordd orau i mi fyw fy mywyd ydy fel offeiriad, ac i ddweud wrth y bobl bod Iesu yn eu caru.

Ysbrydolwyd fy mhenderfyniad i ddilyn troed yr Iesu gan yr Ysbryd Glân, sydd fel edau aur drwy holl ddigwyddiadau fy mywyd. Ie'n wir, efallai fy mod wedi colli golwg arno ar adegau, ond nid yw fy mhechodau erioed wedi torri'r edau aur hwn. Mae'r cymhelliant cychwynnol hwn yn parhau gyda mi o hyd dwi'n dyst bod cariad Iesu ar gael i bawb yn y byd – ond dydw i'n ddyn ffodus 'ta beth?

Datblygiad ac aeddfedu

Ar y dechrau, roeddwn yn llawn syniadau rhamantus o fod yn offeiriad cenhadol yng nghanol Affrica bell'. Ond roedd gan Dduw syniadau eraill ar fy nghyfer.

Sut ydych chi'n gwneud i Dduw wenu?
Wrth ddatgelu eich cynlluniau am eich dyfodol!!

Canlyniad fy mhenderfyniad oedd gwario saith mlynedd yn Waterford fel paratoad i'r eglwys. Yna treuliais lawer o flynyddoedd boddhaol fel curad, offeiriad plwyf, ac ymgynghorydd addysg grefyddol i'r ysgolion Catholig yn Ne Cymru a Swydd Henffordd. A dyna fi, yn gadael hyn i gyd! Roedd edau aur ewyllys Duw yn prysur wau'r ail ran o'm mywyd – yn bum deg wyth mlwydd oed. oed!

Offeiriad Plwyf Blaenau Ffestiniog

A'm hail benderfyniad? Wel, ar ôl deuddeg mlynedd o wasanaethu fel Esgob Wrecsam, penderfynais ofyn i'm holynydd fy mhenodi fel offeiriad plwyf Blaenau Ffestiniog. Dyma ble treuliais i bedair blynedd hapus nes i mi sylweddoli bod fy iechyd yn amharu ar fy ngallu i wasanaethu'r bobl yn deilwng. Pan fyddwch chi'n taro wal frics, rydych chi'n gwybod ei bod hi'n amser rhoi'r gorau i redeg!

Canolbwynt gweinyddiaeth Edwin fel Esgob Wrecsam oedd cyhoeddi Gair Duw a chan nad oes oed ymddeoliad i ddisgybl yr Iesu ac yntau'n parhau'n weinidog ordeiniedig mae'n dal ati.

'Pobl y Gair'

Dwi'n parhau i ledaenu dysgeidiaeth Iesu Grist oherwydd fel Cristnogion, 'Pobl y Gair' ydyn ni'. Gair Duw yn Iesu Grist. 'Gwnaed y gair yn gnawd' (Ioan 1. 14).

I mi, mae'r disgrifiad o'r eglwys fore yn crynhoi pwrpas fy ngalwad: "Ac fe wnaethant ymroi i addysgu ac i gymrodoriaeth yr apostolion, i dorri bara ac i weddïo." (Deddfau 2.42.)

Galwad esgobaeth

Pan gaiff y Cristion Catholig alwad, caiff dri rhodd amhrisiadwy:

- i gymuno a'i esgob yn nysgeidiaeth yr Apostolion
- i werthfawrogi'r Ewcharist a'r sacramentau eraill a roddwyd gan Iesu
- i dderbyn awdurdod yr Esgob i reoleiddio bywyd yr eglwys

Gallaf ddweud yn ddiffuant na all canran uchel o Gatholigion fynegi eu ffydd fel hyn. Er hynny mae ganddynt ymdeimlad o berthyn i deulu byd-eang Duw. Mae hyn yn rhoi cryfder mawr i ni a llawenydd wrth inni ddilyn yr Arglwydd. Rwyf hefyd yn llawenhau ein bod yn rhannu nifer o'r rhoddion hynny gyda'n cyd-gristnogion. Rydyn ni wir yn bererinion ar y ffordd.

Patrwm y diwrnod

Ers i mi ymddeol dwi di gael llawenydd mawr o fedru rhoi mwy o amser i weddïo. Uchafbwynt fy niwrnod ydy'r Offeren ddyddiol dyma uchafbwynt f'addoliad. Duw yw ffynhonnell ac ysbrydoliaeth fy ngweddi a'm gweithredoedd yn ystod y dydd.

Rwy'n parhau â'r weddi drwy'r bore, prynhawn a gyda'r nos – caiff ei ffurfio gan y salmau, darlleniadau o'r Hen Destament a'r Testament Newydd, a'r gweddïau gwylaidd am gefnogaeth. Rwyf mor hapus wrth ystyried Gair Duw, fel a wnaeth y Forwyn Mair, "Trysorodd yr holl bethau hyn, a'u cadw yn ei chalon." (Luc 5. 51)

Gweddi bersonol

Er mwyn i minnau deimlo'n gartrefol yn y trysorau ysbrydol hyn, rwy'n ymwybodol bod rhaid i mi hefyd roi mwy o amser i weddi bersonol. Yn ddiweddar dwi wedi cael fy nghyflyru i weddïo heb eiriau.

Gweddïo heb eiriau

Wel, rwyf yn eistedd am hanner awr cyn y Sacrament Bendithiol.
Rwy'n ceisio bod yn ymwybodol o Dduw, gan ganolbwyntio ar ailadrodd yr ymadrodd, 'Abba, Iesu' ac mae fy meddwl fel teulu o fwncïod, yn neidio dros y lle.

Felly, pan fyddaf yn sylweddoli bod fy meddwl wedi crwydro, rwy'n dod â'm hymwybyddiaeth yn ôl eto, 'Abba, Iesu'. A yw'n gweithio? Y cyfan y gallaf ei ddweud yw, os bydd ryw reswm neu'i gilydd, yn methu cyflawni'r hanner awr hynny, rwy'n teimlo colled fawr.

Charles de Foucauld (1858-1915)

Mae yna un person sy'n esiampl ysgogol i mi ac i lawer o rai eraill. Mae'n cael ei ddatgan yn sant ym mis Mai 2022 – Ei enw yw Charles de Foucauld. Treuliodd y rhan fwyaf o'i fywyd yn byw ymysg y tlawd mewn rhan anghysbell o Foroco. Bellach mae ei weddi – *Prayer of Abandonment* – a rhoi ei hun i Dduw, wedi dod yn rhan annatod o'm hymarfer ddyddiol innau hefyd:

> "O Dad, rwy'n fy rhoi fy hun yn llwyr i'th ddwylo di; gwna a fi fel y mynni di.
> Beth bynnag a wnei, rwy'n diolch i ti; rwy'n barod i bob dim, rwy'n derbyn pob dim.
> Gwneler ynof fi ac yn dy holl greaduriaid dy ewyllys yn unig.
> Nid wyt yn dymuno mwy na hyn, O Arglwydd.
> I'th ddwylo di yr wyf yn cyflwyno fy enaid; rwy'n ei offrymu i ti gyda holl gariad fy nghalon, am fy mod yn dy garu di, Arglwydd. Felly, mae eisiau i fi roi fy hun, a'm hildio fy hun i'th ddwylo, heb ddal dim yn ôl, a chyda hyder diderfyn, am mai ti yw fy Nhad."

Bum yn feirniadol o'r lân weddi ymollwng hon am iddi gyfeirio at y Tad yn unig gan anwybyddu'r Iesu a'r Ysbryd Glân. Ond wrth baratoi'r ysgrif hon dwi wedi sylweddoli ei bod yn wir yn weddi daer i'r Drindod.

* * *

Taro sylw: Nid ydym ni Gristnogion, 'pobl y Gair' byth yn ymddeol o ddangos tosturi a chariad i bobl yr ymylon. "*We choose do this not because they are Christian but because we are*" Rhoi heb ddisgwyl dim yn ôl.

Ysbrydoliaeth
Prayer of Abandonement, Charles de Foucauld

Sbardun
Ellsberg, Robert, 1999, Charles de Foucauld (*Modern Spiritual Masters*)

Cyfeirnod
https://en.wikipedia.org/wiki/Charles_de_Foucauld

Cyswllt
www.prestatyncatholicchurch.org.uk

5.9.2 Y Gwir Parchg Peter M. Brignall

Esgob
Esgobaeth Wrecsam

Ganed Peter yn Whetstone, Gogledd Llundain yn 1953 i Charles a Marie Brignall. Yr ail o dri mab, cafodd ei addysg yn Ysgol Gatholig Challoner a Choleg Addysg Bellach Barnet. Yn 1977 ordeiniwyd ef yn ddiacon ac yn 1999 fe'i penodwyd yn Ddeon yr Eglwys Gadeiriol Our Lady of Sorrows, Wrecsam, a chaplan i ysbytai GIG Wrecsam.

Dyma pryd y goruchwyliodd sefydlu Gwasanaeth yr Esgobaeth i bobl fyddar. Dysgodd sut i gyfathrebu drwy arwyddion (*British Sign Language*) fel y gallai ddathlu'r Offeren. A phedair blynedd yn ddiweddarach, pregethodd drwy arwyddion. Yn 2012, fe'i penodwyd yn drydydd Esgob Wrecsam gan Pab Benedict XVI yn olynydd yr Esgob Edwin Regan. Lleolir sedd Esgob Wrecsam yn Eglwys Gadeiriol Our Lady of Sorrows y dref.

Cefndir a magwraeth

Hanai Peter o deulu hapus sefydlog. Roedd ei fam yn Gatholig ond nid ei dad. Dywed Peter na all ddisgrifio'i deulu fel 'teulu crefyddol perffaith'. Mynychodd ysgolion Catholig fel y gwnaeth ei ddau frawd. Roedd i'r tri brawd yr un rhieni, a derbyniodd y tri eu haddysg yn yr un ysgolion. Buont yn byw yn yr un gymuned dan yr un dylanwadau, er hynny ordeiniwyd un yn offeiriad, roedd y llall yn ddifater ynglŷn â'r ffydd Gristnogol ac fe drodd y trydydd ei gefn yn gyfan gwbl ar Gristionogaeth.

Nid yw Peter yn cyfrif ei hunan yn academig. Roedd wrthi'n paratoi i ddilyn cwrs peirianneg forol yn y brifysgol cyn dilyn gyrfa yn y llynges fasnachol. Fodd bynnag, ymyrrodd Duw ac fe deimlodd ryw lais mewnol yn ei alw. Ymateb Peter oedd, 'Ie, dwi eisiau bod yn offeiriad.'

Eglurodd Peter ei waith fel offeiriad ac esgob fel hyn

Mae'n swydd freintiedig iawn, yn dod i mewn i fywydau pobl ynghanol eu llawenydd a'u tristwch. Roeddwn yn teimlo'n ostyngedig ac yn anrhydeddus i dderbyn yr apwyntiad. Hyn yn fy ngallu i gyflawni fy

> mywyd mewn gwasanaeth parhaus i'r Eglwys Gatholig yma yng Ngogledd Cymru. Yr amseroedd mwyaf hapus a boddhaol i mi ydy pan wyf gyda phobl yn gydymaith iddynt ac yn rhan o'r gymuned.
>
> Rwy'n berson eithaf preifat ac nid un sy'n cymysgu'n naturiol. Er hynny rwyf ar gael i bawb ac yn barod iawn i gwrdd. Byddaf yn cwrdd â hwy yn yr eglwys, yn eu cartrefi, mewn cartrefi gofal, ysbyty, ysgolion neu garchar.

Pedair blynedd ar ôl ei benodiad fel Esgob, cyhoeddodd gynllun bugeiliol a fyddai o reidrwydd yn cau hyd at draean o'r Eglwysi Catholig yng Ngogledd Cymru un ar hugain allan o chwe deg dau o eglwysi. Roedd hyn yn effeithio Abersoch, Bae Cemaes, Criccieth, Penarlâg, Llanberis, Morfa Nefyn a Saltney. Y rhesymau a roddwyd dros y cau oedd prinder offeiriaid, offeiriaid ar fin ymddeol, dirywiad yn y niferoedd o Gatholigion, rhagolygon ychwaneg o ddirywiad. Yn wir dyma'r realiti yn y unfed ganrif ar hugain. Ar y llaw arall roedd am agor eglwysi newydd yn Llai, Rossett, Brychdyn a nifer o fannau eraill lle'r oedd adeiladu tai newydd ar y gweill.

Dyma a ddywed Esgob Brignall mewn llythyr agored:

> I rai bydd y newyddion hyn yn frawychus, ac i eraill ddim yn ddigonol; i rai bydd yn dod fel rhyddhad, i eraill siom neu hyd yn oed sgandal. Fe fydd hyn yn her i ni gyd, ond credaf yn gryf hefyd bod hyn yn cynnig cyfle i adnewyddu.
>
> Golygai y bydd rhaid i'r 'gweinidogion' a'r cymunedau edrych o'r newydd ar fywyd yn y plwyf. Pwrpas yr eglwys Gatholig yng Ngogledd Cymru ydy cenhadu.
>
> Bydd angen cynnal cyfarfodydd a phenderfynu ar enwau i'r plwyfi newydd. Bydd angen hefyd i ni gydweithio ynglŷn ag amseroedd newydd i'r Offeren a chefnogi offeiriaid i alaru dros yr hyn a gollwyd. Mae'n gyfnod o gofio a diolch am y rhai roddodd y ffydd i ni, am eu hymdrechion a'u haberth. Byddaf yn dathlu Offeren derfynol o ddiolchgarwch ar gyfer ein holl gymwynaswyr ym mhob un eglwys sydd i gau.

Ysgol Uwchradd Gatholig y dref

Cyfeiriodd yr Esgob at Ysgol Uwchradd Sant Joseph sef yr unig ysgol

Gatholig ac Anglicanaidd yng Nghymru. Fodd bynnag, oherwydd hyd, lled a maint ei gyfrifoldebau ar draws Gogledd Cymru, ni allai ymwneud â'r ysgol o ddydd i ddydd.

CYMFed a *Flame*

Roedd yn ymwybodol o gyfraniad yr ysgolion Catholig Uwchradd i'r achlysur CYMFed ac i 'Flame' sef dathliad o ffydd yr ieuenctid Catholig bob yn ail flwyddyn yn Wembley neu Lerpwl. Mynychodd yntau'r achlysur yn y gorffennol. Mae'n cyfaddef ei bod yn anodd mesur effaith dathliadau mawreddog fel y rhain ar fywydau a ffydd disgyblion.

Gwerthfawrogi mawredd Duw

Mae'r term '*Mindfulness*' yn ymddangos yn rhywbeth cyfoes a phoblogaidd iawn ar hyn o bryd. Mae'n gyfuniad o fyfyrio a gwerthfawrogi ac eto mae Cristnogion mewn rhyw ffordd neu'i gilydd wedi bod yn gwneud hyn ers canrifoedd.

Rwy'n cael fy nghalonogi gan y prosiectau amgylcheddol sy'n seiliedig ar werthfawrogiad a dealltwriaeth o natur a mawredd Duw yn creu'r greadigaeth gyfan.

Gallaf uniaethu â'r gair 'stiwardiaeth'. Mae'n ein hatgoffa bod gan bob un ohonom rôl i'w chwarae yn Eglwys Dduw ac yn y byd sydd ohoni heddiw. Mae gan bob un ohonom gyfrifoldeb 'stiwardiaeth' i'r greadigaeth ac i'n gilydd. Yn 2021, galwai'r Pab Francis ar bawb yn y byd i ymateb i'r alwad i helpu dynoliaeth ac i ddeall y dinistr mae dyn yn ei achosi i'r amgylchedd ac i'w gyd-ddyn.

Trosolwg o addoliad yn eglwysi Catholig ei ardal

Mae pobl dal angen yr eglwys ar gyfer cyfnodau arwyddocaol: geni, priodi, marw – ac ar adegau penodol yn y calendr crefyddol fel y Nadolig a'r Pasg. Ni all Cristnogion fodoli ar wahân mae arnynt angen perthyn i gymuned. Mae'n rhan annatod o'n ffydd.

Galluogodd y defnydd o *Zoom* i'r eglwysi ffrydio'r Offeren, y litwrgïau a defosiynau yn fyw i bobl sy'n gaeth i'w cartrefi. Drwy dechnoleg, felly roedd yr henoed, yr anabl a'r unig yn parhau mewn cyswllt â'r gymuned eglwysig. Bu hyn yn fantais sylweddol yn ystod Covid-19. Yn ystod y cyfnod hwn hefyd sefydlwyd systemau o fewn ein plwyfi i gefnogi'n gilydd drwy gydol yr amser anodd. Cefnogwyd lles a gofal i grwpiau ac unigolion trwy alwadau ffôn, cyswllt *Zoom* yn ogystal ag ymweliad bugeiliol o giât yr ardd. Yr her bellach yw ceisio cael pobl i ddychwelyd i'r Offeren ac i gyfranogi unwaith eto.

Yn dilyn aflonyddwch y ddwy flynedd ddiwethaf, mae'r Esgob yn pryderu ar un llaw os bydd yr hen arferion pleserus y plwyf yn parhau ai peidio. Ar y llaw arall, mae'n cydnabod y gall hyn fod yn amser i feddwl o'r newydd i greu arferion ffres. Mae'n dehongli cysylltiadau'r eglwys gyda'i chymuned fel hyn:

Rhieni

Mae'n amser heriol i fywyd teuluol. I rai, mae'r galwadau ar rieni ynghyd â'u cyfrifoldebau i'w plant ac i'w perthnasau oedrannus yn gallu bod yn sylweddol. Llwyddodd yr eglwys i ddarparu grwpiau rhianta i'w cefnogi gyda'r cyfrifoldebau hyn. I'r perwyl hyn darparwyd cyfle i rieni gyfarfod i rannu eu profiadau, i gefnogi ei gilydd ac i siarad. Mae'n bwysig iddynt sylweddoli nad ydynt ar eu pennau eu hunain a bod ganddynt lawer yn gyffredin.

Pobl â dementia

Trwy'r bartneriaeth a Chymdeithas Alzheimer mae nifer o'n plwyfi yn derbyn statws 'Cyfeillgar i Ddementia'. Mae hyn wedi agor ein llygaid i'r angen i ddeall anghenion pobl â **dementia yn ogystal â'u gofalwyr** a bod yn fwy goddefgar a chynhwysol.

Teuluoedd

Ers rhai blynyddoedd bellach byddwn yn trefnu diwrnodau o weithgareddau i'r teuluoedd ar ddechrau'r Grawys a'r Adfent gan '*The Marriage and Family Life Commission*'. Bryd hynny byddant yn mwynhau cydweithio ar dasgau crefft addas i'r tymor crefyddol. Yna ceir gweddi a lluniaeth a chyfnod i ymlacio. Mae hyn yn ymateb i alwad y Pab inni ddarparu amser teuluol.

Yn ystod Covid-19 anfonwyd **pecynnau o ddeunyddiau** allan i'r teuluoedd. Yna daeth y teuluoedd at ei gilydd ar *Zoom* i arddangos eu gwaith ac i gynnal gwasanaeth byr a derbyn bendith. Roedd yr ymateb yn sylweddol a bu'r gweithgaredd rhithiol hwn yn llwyddiant.

Teidiau a neiniau

Trefnwyd digwyddiadau tebyg ar gyfer neiniau a theidiau ar y trydydd Sul o'r Adfent. Gwahoddwyd y teuluoedd a'u *bambinelli* (ffigwr bach o breseb y baban Iesu) i'r eglwys. Yna bendithiwyd y *bambinelli* cyn ei osod yn y preseb teulu ar fore Nadolig. Mae hyn yn dilyn y traddodiad a sefydlwyd gan Pab John Paul II rhai blynyddoedd yn ôl.

Dathlu penblwyddi priodas

Bob blwyddyn ar ddathliad **Sant Ffolant** cynhelir 'Offeren Dathlu Priodas' yn yr Eglwys Gadeiriol. Bryd hynny mae cyplau yn ymuno a ni i ddathlu pen-blwydd priodas arbennig.

Carcharorion

Since the commissioning of HMP Berwyn and in the absence of an ordained Catholic Chaplain I have taken my turn with three or four other priests to ensure a weekly Mass for the men – COVID permitting.

Not only does it provide for them the opportunity to keep the Lord's Day holy, have an hour or so of silence and peace and to commit themselves on a path of repentance, but through the generosity of the volunteers from local parishes who also attend the Mass to have in a little rehabilitative engagement through prayer and converse with the world beyond their cells and the walls of the gaol.

For all of us who are part of that and for the men themselves it is an opportunity to hear the Gospel words of Jesus, "I was in prison and you came to me." (Matthew 25:36 RSV)

Gair o'r galon gan yr Esgob wrth iddo egluro beth mae ffydd yn ei olygu iddo:

Dyma fi wedi cyrraedd canol fy mywyd yn gwbl argyhoeddedig yn nhrysorau'r Eglwys Gatholig ei thraddodiadau a'i hanes gwerthfawr. Hebddynt, buasai fy mywyd yn hynod dlawd.

Mae adlewyrchu ar sut mae Crist wedi ymddiried y cyfoeth mwyaf gwerthfawr hwnnw i ddwylo mwyaf anaddas fel fi yn gwneud imi deimlo'n wylaidd iawn.

Nid anghofiaf mai ei benderfyniad ef oedd gwneud hynny. Er hynny, mae'n disgwyl i mi werthfawrogi'r cyfoeth a roddodd i mi sef

- ei air yn yr Ysgrythurau cysegredig
- y sacramentau
- bywyd yr eglwys ei hun

Ac i'w trin gyda brwdfrydedd nid yn unig er fy mwyn fy hun ond er mwyn pawb rwy'n eu bugeilio. Ceisiaf sicrhau yr un cariad a'r gwerthfawrogiad. Mae gwerthfawrogiad a'r brwdfrydedd sy'n angenrheidiol os ydw i am fod yn effeithiol yn fy nisgyblaeth, fy nghenhadaeth a'm galwad.

Cyfeiria'r Esgob at un o negeson ysbrydoledig y Pab Francis ar achlysur dathlu 'Diwrnod Byd Eang Neiniau, Teidiau a'r Henoed, 25 Gorffennaf 2021:

> "Darllenwch dudalen o'r Efengyl bob dydd, a gweddïwch gyda'r Salmau, a darllenwch y proffwydi! Cawn oll ein cysuro gan ffyddlondeb yr Arglwydd. Bydd yr Ysgrythurau'n ein helpu i ddeall beth mae'r Arglwydd yn 'i geisio gennym yn ein bywydau heddiw.
>
> Mae'r Arglwydd yn parhau i anfon ei weithwyr i'w winllan bob awr o'r dydd a phob tymor o'u bywyd. (Matthew 20.1-16). Cefais i fy ngalw i fod yn Bab ar ôl imi gyrraedd oedran ymddeol pan oeddwn siŵr na fyddwn byth eto'n gwneud unrhyw waith newydd.
>
> Mae'r Arglwydd bob amser – bob amser – yn agos atom ac yn cynnig posibiliadau newydd, syniadau newydd a chysyniadau newydd i ni. Fe wyddoch fod yr Arglwydd yn dragwyddol; ni fydd Ef byth yn ymddeol.
>
> Mae'r Iesu'n dweud wrth yr apostolion, "Felly, ewch a gwnewch ddisgyblion o'r holl genhedloedd, gan eu bedyddio yn enw'r tad a'r mab a'r Ysbryd Glân, gan eu dysgu i arsylwi popeth a orchmynnais i chi" (Mathew 28.19-20). Mae'r geiriau hyn yr un mor berthnasol i ni heddiw. Maent yn ein hysbrydoli i ddeall ein galwedigaeth yn well.
>
> A beth yw ein galwedigaeth heddiw, yn ein hoed ni?
> I drosglwyddo'r ffydd i'r ifanc ac i ofalu am y rhai bach. Peidiwch byth ag anghofio hyn.
>
> Nid oes oed ymddeol o gyhoeddi'r efengyl a rhannu traddodiad gyda'ch plant a'ch wyrion. Mae angen i chi bennu a gwneud rhywbeth newydd.
> "Nodwch y cyfan rwy'n ei orchymyn i chi."(Mathew.28 19-20).
> Mae'r geiriau'r un mor berthnasol i ni heddiw.

* * *

Taro sylw: Neges gref Pab Francis yw nad oes oedran ymddeol i'r gwaith o gyhoeddi'r efengyl yn enwedig i'w gyhoeddi i bawb o'n cwmpas yn enwedig i'n wyrion: **Gwnewch eich dyletswydd: gwnewch rywbeth newydd!**

Ysbrydoliaeth

"*I was in prison and you came to me.*" (Matthew 25:36 RSV)

Sbardun

Jones, Steve, 2016, *No Need for Geniuses*
Kaspar, Walter, 2013, cyf. William Madges, *Mercy*.

Cyswllt

01978 262726
pa@rcdwxm.org.uk
www.wrexhamcathedral.org.uk

Sionyn

(Lluniwyd y gerdd 'Sionyn' gan W. J. Gruffydd yn Nhongwylais ger Caerdydd yn 1911 a'i chyhoeddi yn ei gyfrol, *Ynys yr Hud* a *Chaneuon Eraill*, yn 1923)

Beirniadwyd W. J. Gruffydd am ei sylwadau dychanol am gymdeithas gapelog ei gyfnod yn ei ddwy gerdd, 'Y Pharisead' a 'Sionyn'. Fe'm beirniadwyd innau'n hallt gan f'arwres o diwtor, Miss Norah Isaac, am ddewis 'Sionyn' yn hoff gerdd yn hytrach nag un o blith oriel yr anfarwolion fel Waldo a Gwenallt.

Ymddiheuriadau, Miss Isaac! Er cymaint fy ngwerthfawrogiad a'm parch tuag atoch, y tro hwn – hanner can mlynedd i lawr y lein – rwy'n sticio iddi. 'Dach chi'n gweld, rwyf i a Merfyn Lloyd Turner yn soled ein barn am i ni ddod o'r un stabl (a dyna pam 'i fod o yma hefo mi yn y gyfrol).

Yn wir, buom yn byw yn yr un Mansus Wesle am ddeng mlynedd: ym mhentrefi nefolaidd Tregeiriog a Bwlch-gwyn – ond nid yr un pryd, ysywaeth! Cawsom ill dau – ers yn *knee high to a grasshopper* – ein bwydo â'r gwerthoedd a'r argyhoeddiadau Cristnogol fu'n ein harwain i sicrhau fod pob 'Malwan bach' fel Sionyn yn cael ei ddyledus barch am ei fod yntau fel pob un arall ('cyfiawn' neu beidio) yn wrthrych cariad Iesu Grist.

Gorweddai ar lawr y dafarn,
A'i dafod ffraeth yn fud, –
'Roedd Sionyn wedi darfod
Ei helbul yn y byd.

"A! ddiwedd melltigedig",
Medd pobol dda y Llan,
"Bu farw yn ei fedd-dod,
Trueni fydd ei ran;

"'Roedd weithiau yn y seiat,
Ac weithiau yn y byd, –
Dyn heb wastadrwydd amcan,
A gwyrni yn ei fryd."

Pan oedd y nos dawelaf,
Daeth Iesu heibio i'r fan,
A gwelodd ddiwedd Sionyn,
A chlywodd eiriau'r Llan.

Daeth deigryn i ddau lygad
Trist yr Eiriolwr mawr,
A phlygu wnaeth yn araf
Dros gorffyn Siôn i lawr.

"A, Sionyn, Sionyn", meddai,
"Afradlon wirion hoff;
Rhaid im dy gario dithau,
Fel pob rhyw ddafad gloff."

* * *

Deuaf atat, Iesu,
Cyfaill plant wyt ti;
Ti sydd yn teilyngu
Mawl **pob un malwan bach** fel fi.

...yn enw'r Tad a'r Mab a'r Ysbryd Glân